39.95

1995

LES
BEAUX
JARDINS

LES BEAUX JARDINS

Sélection du Reader's Digest
215, avenue Redfern, Montréal, Qué. H3Z 2V9

Remerciements

L'éditeur exprime sa reconnaissance aux spécialistes qui ont prêté leur concours à la réalisation de cet ouvrage :

Pierre Bourque, horticulteur en chef du Jardin botanique de Montréal; Warner S. Goshorn, ancien architecte paysagiste en chef de la ville de Montréal; Dr Yves Desmarais, ancien directeur du Jardin botanique de Montréal; Gaétan Bilodeau, chef de section à l'aménagement horticole du Jardin botanique de Montréal; Armand Benedek, membre de l'American Society of Landscape Architects; Jerome A. Eaton, directeur, Old Westbury Gardens; Thomas H. Everett, horticulteur senior du Jardin botanique de New York; Donald H. Parker, directeur, Department of Landscape Architecture, Williamsburg; Maurice Wrangell, membre de l'American Society of Landscape Architects.

Rédaction : Ginette Martin
Traduction : André d'Allemagne
Conception graphique : Jean-Marc Poirier, Michel Rousseau

ISBN 0-88850-066-1
Imprimé au Canada 78 79 80 81 / 5 4 3 2

Table des matières

Section 4

La construction

Sujets d'intérêt particulier

Index

Un jardin à votre image

Il suffit de flâner dans nos banlieues pour constater que nos maisons n'ont pas toujours les terrains agréables et accueillants qu'elles mériteraient. Il serait pourtant facile d'ajouter à leur beauté et à leur commodité. Avec un peu d'imagination, vous aussi pourriez sans doute améliorer ou même transformer votre propre décor. Notre but est précisément de vous aider à déceler les possibilités qu'offre votre terrain et à en tirer plein parti.

Notre livre se compose des quatre sections suivantes : « Sous le signe de l'imagination », « Le plan du jardin », « Les plantations », « La construction », qui correspondent aux diverses étapes des travaux d'aménagement d'un jardin.

Nous vous montrerons tout d'abord une gamme d'aménagements réalisables sur toute l'étendue de votre terrain. Ces exemples sont puisés dans tous les genres de jardins : petits et grands, anciens et modernes, de ville et de campagne.

L'aménagement paysager englobe tout le terrain, comme l'illustrent nos plans et photographies de quatre jardins complets. En les voyant, vous aurez une idée de tout ce qu'on peut faire dans un espace restreint. Des suggestions plus précises sont ensuite regroupées sous diverses rubriques : l'entrée, la vie en plein air, les abris, les clôtures, etc. N'oubliez pas que toute amélioration, si petite soit-elle, doit s'harmoniser avec l'ensemble de la propriété. Souvent on commence par faire un plan général puis on en exécute les éléments à mesure que le temps et le budget le permettent. L'important est de ne jamais perdre de vue le résultat global.

Nous avons choisi, pour nos illustrations, les plus belles réalisations d'architectes paysagistes réputés. Bien que la plupart des demeures qui y apparaissent soient vastes et somptueuses, il reste possible d'adapter un grand nombre de suggestions à des propriétés et à des budgets plus modestes. Il s'agit souvent d'un détail : un treillis, des dalles bien placées, un heureux mariage de matériaux, des marches, des murets ou des clôtures... dont vous pourriez vous inspirer pour ajouter au charme de votre jardin.

L'idéal serait que tout le monde puisse consulter un architecte paysagiste ou un jardinier avant de bâtir une maison ou de transformer un jardin. Mais ils sont peu nombreux et leurs talents sont plutôt employés à l'aménagement des espaces publics et des établissements commerciaux, dont peut bénéficier toute la population. Il y en a cependant qui consacrent une partie de leur temps aux jardins privés. L'un de ceux-là — s'il vous était possible d'obtenir son avis — pourrait certainement vous aider à mettre votre propriété en valeur. Et à plus forte raison, si vous avez lu notre livre, serez-vous bien préparé pour découvrir avec votre conseiller toutes les ressources de votre terrain. Au Québec, les architectes paysagistes et les jardiniers n'ont pas besoin de permis professionnels. Certains sont très compétents, d'autres moins. Il est donc prudent de demander des références ainsi que des illustrations de travaux déjà accompli.

Dans la section consacrée aux plantations, vous trouverez des listes des arbres, des arbustes et des fleurs les mieux adaptés à notre climat. Nous avons regroupé ceux-ci selon l'emploi qu'on en fait dans les aménagements paysagers. Nous vous donnons aussi des indications précises sur les plantations. Qu'il s'agisse de rénover un jardin démodé ou d'en tracer un nouveau, de planter un arbre ou une douzaine, vous obtiendrez dans ces pages tous les renseignements voulus. Enfin, vous apprendrez tout ce qu'il faut faire pour obtenir les meilleurs résultats de votre pelouse.

La section réservée à la construction vous montre comment utiliser les sept principaux matériaux dont se servent les architectes paysagistes. Vous y trouverez aussi des instructions détaillées concernant l'exécution de 100 projets d'amélioration d'un jardin. Ce sont là des modèles que vous pourrez réaliser vous-même.

L'art de l'aménagement du paysage prend de plus en plus d'importance. A mesure que les routes, les parcs et les plages deviennent encombrés, on se rend mieux compte de la nécessité d'endroits calmes et agréables où l'on puisse se retirer. Pas besoin d'aller bien loin : votre jardin est là. Les améliorations apportées à votre décor ne resteront pas isolées. En voyant les bons résultats que vous avez obtenus, vos amis et vos voisins ne tarderont pas à suivre votre exemple et l'embellissement, ne serait-ce que de quelques maisons, profitera à tout le voisinage.

Promenez-vous dans votre quartier et demandez-vous quel effet produit votre maison. Est-elle différente des autres, attrayante, invitante? L'entrée et l'allée de garage sont-elles à la fois pratiques et accueillantes? Votre jardin offre-t-il le confort et l'intimité qui agrémentent la vie en plein air? Peut-on y travailler et s'y récréer à son aise? Vos arbustes, vos fleurs, votre pelouse contribuent-ils à embellir le quartier? Même si dans l'ensemble vous êtes satisfait, il est probable que votre terrain gagnerait encore à certaines améliorations qui, par ailleurs, ne feraient qu'augmenter sa valeur marchande.

L'intérêt que vous porterez à la mise en valeur et à l'embellissement de votre propriété dépassera sans doute le cadre de celle-ci. Les propriétaires qui tirent fierté de leur maison et de leur rue sont généralement portés à se préoccuper aussi de la qualité des parcs, des terrains de jeux, des bâtiments scolaires et des complexes commerciaux. Notre livre vous aidera à apprécier, d'abord chez vous, puis partout ailleurs, les secrets et les richesses de l'art du « paysagisme ».

1

Sous le signe de l'imagination

Une mine d'idées pour votre jardin, petit ou grand, de ville ou de campagne

1

Des jardins entiers
en peu d'espace

Il ne dépend que de nous de mettre nos propriétés en valeur et d'en faire des retraites d'arbres et de fleurs, des lieux de détente et de repos, des endroits où il fait bon s'amuser et recevoir des amis. De tels projets sont réalisables même dans les quartiers les plus peuplés : il suffit d'y apporter un peu d'esprit d'organisation. Nos jardins abondent en ressources qu'il nous reste à découvrir et à exploiter.

Au lieu de façonner le paysage selon des vues bien arrêtées, laissez plutôt libre cours à votre imagination. Puis, quand vous aurez conçu le décor de vos rêves, vous constaterez avec surprise qu'il n'est pas si difficile de le réaliser. Prenez, par exemple, le plan ci-contre. Il s'agit là

d'un terrain d'environ un quart d'acre, comme il s'en trouve des centaines dans les quartiers résidentiels, mais les propriétaires savaient ce qu'ils voulaient et étaient prêts à faire les efforts nécessaires : leur jardin offre maintenant une foule d'agréments que l'on ne trouve que trop rarement dans les propriétés, même quatre fois plus vastes.

Nos premières pages illustrent des aménagements qui se distinguent par la judicieuse exploitation qui est faite de chaque pied carré de terrain. Certaines de ces propriétés sont relativement vastes, mais la plupart des aménagements qui s'y trouvent restent adaptables aux dimensions de votre jardin.

Un espace bien utilisé

La maison que vous voyez ici ressemble à des centaines d'autres situées dans le même quartier. Pour le passant, cependant, elle se distingue tout de suite par son décor. La terrasse d'entrée, adjacente à l'entrée du garage, donne facilement accès à la maison et indique au visiteur qu'on se soucie de son confort et qu'on lui réserve un accueil chaleureux. Le choix des plantations et la disposition des bâtiments dénotent un sens développé de l'ordre et de l'harmonie. La cour latérale, que l'on peut entrevoir de la rue, retient elle aussi l'attention par ses arbres fruitiers et ses espaliers.

Mais les vraies surprises commencent lorsqu'on a dépassé les espaliers et franchi la barrière qui donne sur la terrasse principale. On découvre alors un refuge intime où les zones ombragées côtoient un dallage exposé au soleil.

Des portes coulissantes permettent de passer directement de la maison à la terrasse.

Le vaste terre-plein, à l'extrémité de la terrasse, est décoré de plantes diverses et d'un bassin où flottent des plantes aquatiques. On y remarque également un coin réservé à la cuisine en plein air. Le gril portatif se range facilement dans la remise lorsqu'on ne s'en sert pas; on le remplace alors par des plantes en pot. On peut donc voir que les activités pratiques ne détruisent en rien l'harmonie du décor. Quant à la terrasse, elle est assez vaste pour qu'on y prenne ses repas à l'aise. Le bosquet est composé d'arbres feuillus et de conifères qui donnent de l'ombre et masquent les maisons voisines. Un abri de lattes, un carré de fines herbes et un potager montrent l'intérêt que le propriétaire porte à l'horticulture.

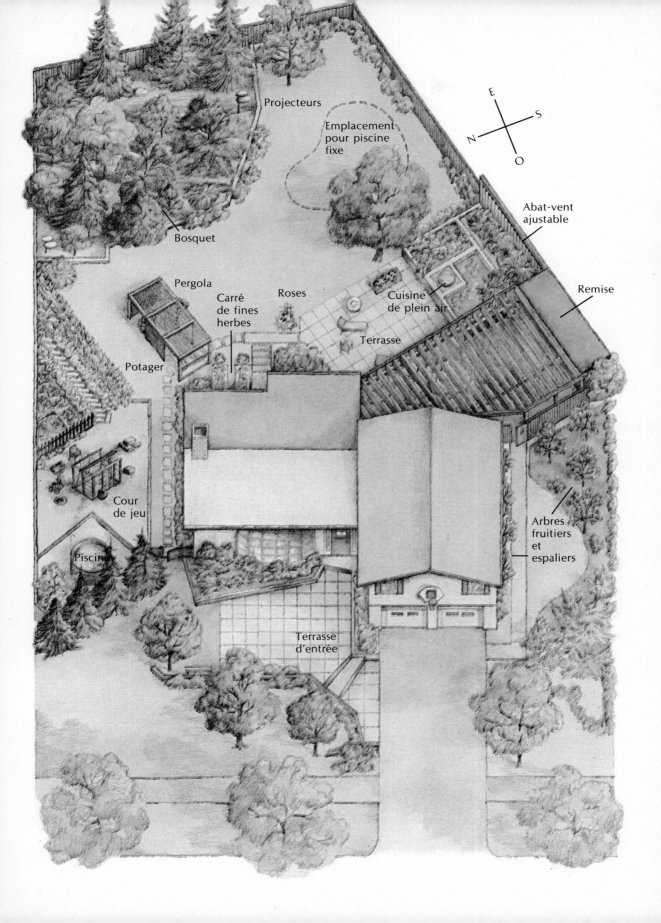

Projecteurs

Emplacement
pour piscine
fixe

E

S

N

O

Abat-vent
ajustable

Bosquet

Remise

Pergola

Roses

Carré
de fines
herbes

Cuisine
de plein air

Potager

Terrasse

Cour
de jeu

Arbres
fruitiers
et
espaliers

Piscine

Terrasse
d'entrée

▸ **Au moment de leur construction,** ces maisons de banlieue semblaient collées les unes aux autres. Il n'y avait ni arbres, ni arbustes, ni clôtures pour les séparer. Cet exemple permet bien de voir que les écrans peuvent remplir deux fonctions. Ils assurent l'intimité, notamment lors des repas ou des siestes en plein air, et ils dissimulent les cordes à linge, les remises et les articles peu esthétiques.

▾ **Peu après leur arrivée,** les propriétaires ont chargé un architecte paysagiste de dessiner un jardin qui mette leur terrain en valeur. La photo ci-dessous a été prise environ deux ans après les travaux de plantation. Bien que l'angle ne soit pas le même que dans l'illustration de gauche, on constate que les maisons voisines se voient encore au fond du jardin. Il manquait donc un écran. La photo de droite, prise dans la même perspective, montre le résultat final.

▸ **Environ dix ans plus tard,** le bosquet et les autres plantations masquent complètement les maisons voisines. Les propriétaires y ont aussi gagné une retraite agréable et ombragée.

Le bosquet et les plantations sont disposés de façon à donner à ce coin du jardin un cachet d'intimité en masquant les autres maisons. La photo a été prise de l'endroit réservé à l'installation d'une piscine. Une marche, faite d'une traverse de chemin de fer, délimite la pelouse et retient les copeaux de bois qui jonchent la partie boisée.

▶ **Parvenu à maturité,** le bosquet, en plus de servir d'écran, constitue le principal élément vertical du paysage. On y trouve la fraîcheur, même aux jours torrides. Une seconde entrée et une clairière invitent à la promenade.

◀ **La pergola** sert surtout à soutenir et suspendre des corbeilles de fuchsias et de fougères. On peut aussi y ranger les semis et les jeunes plantes en attendant de les mettre en terre dans le potager ou dans d'autres coins du jardin.

Pour le carré de fines herbes, on a su choisir un endroit bien ensoleillé et à l'abri du vent, au pied de l'escalier qui mène à la cuisine. On y fait pousser du thym, du basilic, de l'estragon, de la ciboulette et même, au printemps, quelques rangées de radis. Le sol est surélevé et encadré de planches de pin rouge ou de sapin de Douglas de 2" × 12". De la vigne vierge recouvrira la rampe d'escalier à laquelle, comme on peut le voir, elle s'agrippe déjà. Elle contribue ainsi à protéger les plantes d'intérieur lorsqu'on les sort en été pour les fortifier.

La cour latérale, qu'on oublie le plus souvent de mettre en valeur dans les propriétés de banlieue, a été transformée en verger miniature. L'orientation de la maison lui donne assez de soleil pour qu'on y fasse pousser des arbres fruitiers, comme ces pommiers et ces poiriers en espaliers le long de la maison. D'autres arbres poussent librement entre les dalles de béton à la droite de l'allée. Ce sont des variétés de pommiers qui ont été greffées sur des sujets porte-greffes (racines) très faibles. C'est pourquoi ces arbres restent petits. Ils se mettent à donner des fruits après quelques années. La porte donne sur une terrasse couverte.

Le potager est en partie caché par une haie d'ifs assez basse pour ne pas créer d'ombre. Les légumes, en effet, ont besoin de beaucoup de soleil.

Des dalles permettent de cueillir les légumes sans marcher dans la boue. On utilise généralement des blocs de béton dont on peut modifier la disposition.

La cour de jeu, placée à l'écart, peut facilement se transformer en pelouse ou en potager lorsqu'on n'en a plus besoin. Ici, elle est située sur le côté du terrain, d'où on peut encore voir les maisons voisines. Mais la haie de pruches qui commence à pousser ne tardera pas à soustraire complètement la cour à la vue des passants.

Fontaine
murale

Terrasse

Portes-fenêtres
coulissantes

Chemin dallé
pour l'entretien

Un jardin de ville

Les jardins de ville posent un sérieux problème : celui de l'espace. En effet, comment peut-on exploiter pleinement un espace restreint sans l'encombrer? On a trouvé ici, pour cette maison urbaine, une solution heureuse, qui allie l'efficacité à l'esthétique. Les deux aires de repos que sont les deux terrasses de planches, situées l'une près de la maison et l'autre au fond du jardin, jouent un rôle primordial. Ce sont ces deux rectangles dégagés en vis-à-vis qui donnent au terrain une grande partie de son attrait. Ces terrasses de planches (qu'on pourrait construire en caillebotis pour permettre l'égouttement de l'eau de pluie) contribuent à l'unité de l'ensemble en encadrant le jardin où se déploie une grande variété de couleurs, de niveaux et de matériaux. Un plan comme celui de ce jardin comporte un autre avantage. Il laisse au centre un espace libre où l'on peut se promener et admirer les plantations et les aménagements paysagers. Les changements de niveau, la courbure du sentier et les lieux de

Panneaux
de plastique
translucide

Terrasse
surélevée

Remise

repos font paraître le jardin plus vaste qu'il ne l'est vraiment.

Le propriétaire, qui avait des dons de jardinier, voulait des aménagements qui lui permettent d'entretenir des plantations permanentes d'arbres et d'arbustes et qui exploitent les couleurs propres à chaque saison. Le paysagiste a réalisé ses désirs en donnant au jardin des formes variées mais complémentaires (les deux terrasses de planches, la terrasse en demi-lune, le sentier tournant et les plates-bandes) qui délimitent une vaste gamme de plantations.

L'équilibre des formes est parfaitement harmonieux, de même que les alliances de couleurs, de masses et de hauteurs. Quant aux jeux de fleurs et d'arbustes, ils sont mis en valeur par quelques éléments verticaux : la clôture de bois au fond du jardin, la fontaine murale ainsi que la ramure des arbres. C'est d'ailleurs cet heureux équilibre qui permet de multiplier les éléments décoratifs du jardin sans pour autant donner une impression de désordre et d'encombrement. Si l'on sait respecter l'harmonie des proportions, on peut appliquer les mêmes principes à l'aménagement de jardins beaucoup plus vastes que celui-ci. Vous trouverez au chapitre 6 d'autres suggestions qui vous aideront à tirer plein parti des espaces restreints.

23

Une vue de la maison nous permet de constater que la terrasse a été conçue comme un prolongement du bâtiment. Construite au même niveau que les pièces du rez-de-chaussée, elle permet d'y entrer et d'en sortir facilement par la double porte vitrée qu'on aperçoit à gauche. Ses murs, hauts et larges, sont recouverts de bardeaux dont l'aspect rappelle le revêtement de la maison. Malgré son entourage d'arbres, de plantes grimpantes et de fleurs, la terrasse ressemble à une pièce d'intérieur. Le mur de panneaux, à gauche, isole le coin du reste du jardin. Les meubles sont solides et soigneusement disposés. Les plantes et les jardinières (notamment les vases sur chapiteaux des deux côtés de l'escalier) servent d'éléments décoratifs.

Au fond du jardin, à l'endroit qui est le plus ensoleillé, s'étend la deuxième terrasse en planches. Reposant sur des fondations, elle est située au pied de la pente de façon à ne pas empiéter sur les espaces utiles. Des panneaux de plastique translucide l'encadrent afin de la mieux protéger du vent. Ils assurent l'intimité sans pour autant masquer la lumière et les couleurs du dé-cor. Des plates-bandes de plantes vivaces bordent les deux côtés du sentier qui y conduit. On peut ajouter des plantes annuelles en fleurs afin d'accentuer l'effet de la verdure. Ici, il s'agit de tulipes et de jonquilles qu'on peut mettre en terre à l'automne. Pour que la surface du sentier reste bien ferme et tassée, on peut la couvrir de n'importe quel gravier fin.

Les courbes discrètes du sentier et des plates-bandes
adoucissent l'effet des longues clôtures et des murs
élevés. Cette photo prise de la terrasse qui longe la maison montre bien que les lignes courbes donnent de
la dimension au jardin. L'illustration laisse aussi deviner
la beauté du paysage, tel qu'on le voit du premier étage.
Les murs de soutènement et les marches, entre la terrasse et le sentier, faits de pavés empilés, contribuent
à agrandir le jardin en détournant les regards des côtés
et des angles. Les touches de couleurs sont soigneusement réparties dans les plates-bandes. Des primevères
décorent le terre-plein, à gauche des marches de bois,
ainsi que la plate-bande de la terrasse. Les tulipes, les
jonquilles et les rhododendrons s'épanouissent le long
du sentier. Les plantes destinées au jardin, mais qui
ne sont pas encore en fleurs, sont disposées sur la
plate-forme que l'on voit à droite de la terrasse. Le petit
arbre, qui se profile contre la terrasse, et l'aubépine,
à gauche, ajoutent à la beauté du décor par leurs formes intéressantes et leurs couleurs attrayantes.

Esthétique et sens pratique

On a su exploiter chaque parcelle du terrain qui entoure cette maison de banlieue et réduire au minimum les exigences d'entretien. Tout a été conçu en fonction de la détente et du repos, plantations et matériaux ne demandant que peu de soin. Le jardin est fait sur mesure pour une famille qui compte plusieurs enfants.

La cour arrière se compose de plusieurs aires de béton où l'on peut faire la cuisine, dîner et goûter toutes les joies de la vie en plein air. La piscine, la table de ping-pong et le terrain de basketball permettent de remplacer les travaux de jardinage par des activités sportives et des jeux.

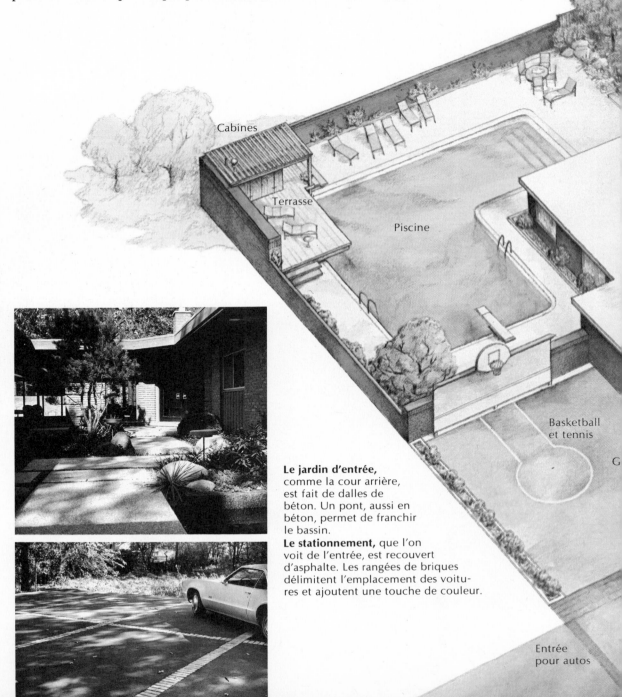

Cabines

Terrasse

Piscine

Basketball et tennis

G

Le jardin d'entrée, comme la cour arrière, est fait de dalles de béton. Un pont, aussi en béton, permet de franchir le bassin.

Le stationnement, que l'on voit de l'entrée, est recouvert d'asphalte. Les rangées de briques délimitent l'emplacement des voitures et ajoutent une touche de couleur.

Entrée pour autos

Cuisine
de plein air

Coin repos

Ping-
pong

Enclos

Coin repas

Roseraie

Bassin

Jardin d'entrée

Stationnement

La disposition de la cuisine de plein air et du coin repas a été bien pensée. En plaçant la table tout près de la maison, on facilite le service. La proximité du barbecue permet aussi de préparer et de servir les repas en plein air. Le gril pivote sur une tige d'acier, ce qui permet de l'ajuster à la hauteur voulue. Il peut aussi servir de base à un hibachi et on le pousse en arrière quand on veut faire un feu de camp.

◀ **La table de ping-pong** occupe un espace dégagé, loin du coin repas. Pour les grandes réceptions, on peut l'enlever et la remplacer par des chaises et des tables. Les blocs de béton sont séparés par des pierres polies ou des plantes vertes qui recouvrent complètement le sol. Entre ces carrés s'étendent des plates-bandes en partie surélevées et soutenues par des traverses de chemin de fer.

◀ **Le coin repos** est situé au fond du jardin, dans un espace abrité du vent. Le jour, l'ombre des arbres en fait une oasis de fraîcheur. La clôture ajoute une touche esthétique dont les voisins peuvent aussi profiter.

◣ **Des galets** reposant sur un fond de sable s'étendent au pied de deux grands arbres. Ils enrayent les mauvaises herbes, protègent la pente contre l'érosion qui pourrait endommager les racines et contribuent à la richesse du décor. La photo a été prise de la terrasse, au bout de la piscine.

▼ **L'éclairage** nocturne met en valeur la perspective qui s'offre lorsqu'on regarde le jardin par les portes-fenêtres. Ainsi éclairé, le décor prend un air de fête, tandis que les globes lumineux guident les pas.

La dénivellation entre le coin repos et la piscine disparaît sous une passerelle qui relie les deux aires. Celle-ci est faite du même bois que la terrasse qui surplombe la piscine.

La piscine en forme de L s'adapte harmonieusement au coin de la maison. La terrasse, au premier plan, est au bord de la partie la moins profonde, d'où on peut aisément surveiller les enfants.

Pour avoir plus de place au soleil et encadrer les cabines, on a prolongé la terrasse jusqu'au-dessus de la piscine, en prenant soin de l'élever suffisamment pour qu'elle ne gêne pas les nageurs. La remise est au bout de la terrasse et la porte d'entrée des cabines est située juste au-dessous de la bouée de sauvetage.

Le jardin est nettement séparé de la piscine, mais on peut facilement circuler de l'un à l'autre. En aménageant le terrain, il a fallu éviter d'abîmer les arbres, ce qui a augmenté le coût des travaux. Mais le résultat justifie ce calcul : sans ces arbres qu'on a su si bien préserver, le jardin perdrait une grande partie de son cachet.

Ce mur, construit dans le prolongement de l'allée du garage, sert aux exercices de basketball et de tennis. La ligne blanche marque la hauteur du filet. Le revêtement d'asphalte de l'allée procure le même rebondissement des balles qu'un court de tennis.

La plate-bande, surélevée et soutenue par des traverses de chemin de fer, adoucit l'effet de la haute façade de brique. Le fond de la plate-bande est constitué d'un tapis de lierre terrestre, d'où s'élève une haie d'ifs.

A l'extrémité du mur de soutènement, une seule traverse suffit puisque l'aire de stationnement qui commence à cet endroit accuse une légère pente qui facilite l'écoulement des eaux.

Des dalles longent le mur du garage, dans le jardin d'entrée, formant un raccourci entre le garage et la maison. Ces blocs carrés ont une valeur décorative et s'harmonisent aux formes rectangulaires que l'on retrouve un peu partout dans le jardin. Il est souvent préférable d'aménager ainsi des raccourcis dans les passages que les gens emprunteraient de toute façon.

▼**De gros blocs** de béton moulé servent de marches. Ils sont granuleux en surface comme tous ceux du jardin. La passerelle de bois qui conduit au coin repos s'appuie sur la marche supérieure : le béton est assez solide pour lui donner une base stable et sûre. Le bloc le plus gros est aussi plus large, ce qui laisse de la place pour disposer des plantes en pot que l'on peut changer selon la saison.

◢**L'alliage des divers matériaux** produit un effet décoratif qui apparaît bien sur la photo. Le béton alterne avec de gros galets qu'une bordure d'acier sépare des plantes basses. Le rocher ajoute une touche contrastante. Les traverses de chemin de fer font mieux ressortir les plates-bandes.

2

Comment rendre
votre demeure accueillante

Même s'ils se trouvent sur une propriété privée, les arbres, les arbustes et toutes les plantes qui ornent l'entrée et la façade d'une maison s'intègrent au quartier environnant. Ils modèlent le paysage qui s'offre à la vue des passants et créent l'impression qu'ils font partie d'un ensemble. Ils témoignent aussi de l'accueil qui attend le visiteur.

C'est généralement l'architecture de la maison qui dicte le choix des plantations dont on rehaussera la façade. Ainsi les maisons de type traditionnel exigent des décors plus symétriques que les maisons de style moderne. Mais quels que soient le style et la grandeur de la maison, il importe de tracer un plan de l'entrée et du jardin pour que ceux-ci soient attrayants, harmonieux et accueillants.

Si l'entrée est de type classique, il faut éviter une symétrie excessive qui donnerait une impression d'austérité. Par ailleurs, les plantations ne doivent pas être trop fantaisistes ni trop denses. Il serait dommage, par exemple, de laisser des buissons démesurés ou des plantes grimpantes éclipser une belle porte d'entrée.

La hauteur et le dessin des plantations doivent être proportionnés aux portes et aux fenêtres. Là comme partout ailleurs dans le jardin il faut savoir résister à la tentation d'employer trop de plantes différentes. On doit aussi penser aux visiteurs : c'est une question de courtoisie. Le chemin qui mène à la porte d'entrée doit être clairement indiqué. Le numéro de la maison doit être bien visible : la nuit il faut l'éclairer s'il est placé à un endroit que n'atteint pas la lumière des phares. En somme, vos invités doivent sentir qu'on les attend.

Une porte « à la hollandaise » marque le milieu du chemin d'entrée. A la verdure qui encadre et surplombe l'entrée répondent les fleurs en pot et les plantes grimpantes qui s'épanouissent dans la cour intérieure.

La courbe gracieuse du chemin, bordée de corbeilles d'argent, est accentuée par l'agencement des briques (motif panier). Les genévriers, que l'on voit au premier plan, doivent être soigneusement taillés pour qu'ils n'empiètent pas sur l'allée. Les trois arbres, espacés également le long de la façade, apportent les formes verticales qui contrebalancent la ligne basse de la toiture.

L'aire qui entoure l'orme, aménagée avec goût, sert à la fois d'entrée et de terrasse. Lorsque la maison est bâtie trop près de la rue, il vaut mieux installer la terrasse près de la porte arrière ou d'une entrée latérale.

Cette entrée accueillante doit son charme aux vastes dalles qu'encadrent des morceaux de béton concassé et des plantes basses. Le lampadaire oriente la lumière vers le sol pour éviter les reflets aveuglants.

37

Des entrées invitantes

L'entrée de toute demeure semble annoncer aux visiteurs l'accueil qui les attend. Il est donc important que le chemin d'accès soit nettement délimité et soit bien éclairé la nuit. Evitez les marches trop basses ou trop hautes, de même que les matériaux glissants. Le chemin doit aussi être assez large pour que deux personnes puissent facilement le suivre côte à côte.

Les jardins d'entrée comprennent généralement des aires pavées et des plantations, qu'il faut savoir allier de façon harmonieuse. Les plantes, par exemple, ne doivent pas déborder de leur cadre, mais il faut cependant qu'elles soient assez volumineuses et assez nombreuses pour occuper la place qui leur est due. Les surfaces pavées doivent être proportionnées au décor qui les entoure : pelouses, arbres et arbustes. Les porches et les chemins doivent être spacieux et dégagés. Pour assurer l'unité des éléments, il est bon d'utiliser le même matériau pour l'entrée et le chemin. Equilibre et dégagement sont des qualités importantes.

Le jeu des plantations et des briques disposées de façon irrégulière rehausse une entrée qui risquait d'être banale. On a eu la bonne idée de laisser amplement de place pour les plantes entre la maison et le sentier.

▶ **L'entrée,** pavée de briques qui rappellent celles de la maison, donne de la dimension à un espace restreint. La palissade sépare nettement le terrain de la rue. Les vasques ajoutent à la décoration.

◀ **La courbe élégante** du sentier découpe la pelouse et guide les visiteurs. L'assemblage régulier des briques souligne le tracé du chemin. Les buissons touffus encadrent la barrière et la rattachent à l'ensemble du décor.

Ce jardin d'entrée, de style anglais, se distingue par la richesse de ses couleurs. Son entretien exige des soins minutieux et continuels, sinon il risque d'avoir l'air négligé et en broussaille. Les plantes annuelles, qui sont nombreuses, doivent être enlevées à la fin de la saison.

Cette entrée, par contre, ne demande qu'un minimum d'entretien. Le dessin est à la fois simple et élégant. Les arbres et les buissons touffus s'harmonisent bien avec le gravier de l'allée qui remplace avantageusement une pelouse. Le sentier dont la courbe discrète se perd dans le feuillage invite à l'exploration.

Les rosiers grimpants qui encadrent la porte, le motif fantaisiste des briques, les marches de pierres des champs... tout le décor s'accorde avec la maison. Des fleurs annuelles ou vivaces animent la verdure.

Telle une statue, un arbre magnifique se découpe sur le mur de la maison. Ses branches bien fournies adoucissent l'austérité de la façade. Au pied de l'arbre, des plantes basses répondent à la masse du feuillage.

Le charme rustique de cette entrée provient des arbres et arbustes qui se déploient en liberté. Les plantes (pour la plupart d'un vert foncé) rompent la monotonie grâce à la variété de leurs formes. Des azalées se glissent dans une rocaille qui semble naturelle, apportant à l'ensemble de vives touches de couleurs. Deux arbustes viennent ajouter les lignes verticales sans lesquelles l'harmonie de cette entrée ne serait pas complète.

40

Le foisonnement d'arbustes et de verdure fait tout l'attrait de ce chemin d'entrée qu'il doit être agréable de franchir. La variété des plantes (pervenches mineures qui couvrent le sol, genévrier et houx) produit des jeux de formes et de couleurs d'une richesse que n'aurait jamais pu atteindre une simple pelouse. A tous ces attraits s'ajoute un avantage supplémentaire : ces plantations ne demandent qu'un minimum d'entretien.

Un élément à ne pas oublier : la voiture

Il est facile de constater qu'à notre époque l'automobile a pris une importance considérable. De simple moyen de transport qu'elle était, elle est devenue, pour ainsi dire, un prolongement de la maison, de même qu'un élément mouvant du paysage. La place qui lui est destinée (garage ou stationnement hors-rue) et le chemin qu'on lui réserve (entrée droite ou allée en courbe) font désormais partie du décor. On ne doit donc pas les oublier dans les aménagements paysagers.

En calculant l'espace que l'on réservera à l'automobile, il faut tenir compte non seulement des exigences des membres de la famille, mais aussi des besoins des invités. Le plan d'aménagement doit prévoir pour ces derniers un accès facile à la maison et une aire de stationnement pour leurs voitures.

Bien sûr, l'automobile joue un rôle important dans notre vie quotidienne et il serait presque impossible de s'en passer. S'il convient donc de lui accorder l'espace dont elle a besoin, il ne faudrait cependant pas la laisser exercer un règne tyrannique sur le paysage. Il serait dommage de sacrifier les espaces verts au profit des aires de stationnement. Il faut savoir trouver des compromis avantageux.

Pour des raisons d'esthétique, il importe donc de maintenir l'équilibre entre les plantations et les aires pavées réservées à la voiture. Par ailleurs il faut faciliter dans toute la mesure du possible les déplacements et les activités. Chaque année, par exemple, on transporte littéralement des tonnes d'épicerie et d'articles divers de l'auto à la maison. Pour alléger de telles corvées, il est bon d'aménager l'entrée de garage ou l'espace de stationnement à proximité d'une porte de service.

Si vous habitez dans une région pluvieuse, un passage couvert allant de l'auto à la maison vous sera fort utile. De même, dans les régions froides, l'entrée de garage doit être facile à déneiger et la pente doit être assez douce pour que la glace ne la rende pas dangereuse.

Les briques qui bordent le chemin indiquent clairement l'entrée de la maison. Le lampadaire placé à gauche des marches doit être assez puissant pour éclairer le sentier, du chemin jusqu'à la porte de la maison.

Cet « embarcadère », fait des mêmes briques que l'entrée, permet aux visiteurs de sortir par les portes avant ou arrière de leur voiture. La bordure de pierres fixées dans le béton prend une valeur décorative.

De grands cercles de béton tracent dans la pelouse des chemins qui vont de la maison à la rue et à l'entrée du garage. En dépit de leur format, ils ne suppriment pas l'impression de fraîcheur que donne le gazon.

Cette spacieuse cour de gravier s'harmonise par sa simplicité avec le style de la maison. Les arbres et les haies, sur le côté, forment de jolis contrastes de couleurs et fournissent une ombre indispensable.

Quand il y a l'espace nécessaire pour les tracer, les allées courbes apportent une solution à la fois efficace et élégante à la question du stationnement et facilitent l'entrée et la sortie des voitures. Elles peuvent être pavées ou en gravier (comme ici). Elles risquent cependant d'avoir l'air banales et dénudées. Ici, l'arbre et les plates-bandes rompent la monotonie et font écran aux reflets du soleil qui scintillent sur le gravier.

Le rôle des plantations en façade

Autrefois, pour ne pas avoir à creuser un sou-bassement, on construisait la plupart des maisons sur de hautes fondations posées à même le sol. On camouflait alors avec des arbres et des arbustes le mur de béton disgracieux qui s'apercevait au bas de la façade. Ce genre de plantations est à l'origine d'un style ornemental (que certains ont appelé le « style plantation de fondation ») qui s'est perpétué jusqu'à nos jours, bien qu'il n'ait plus sa raison d'être.

C'est ainsi que dans nos quartiers résidentiels on voit encore souvent des maisons dont le devant est masqué par une profusion d'arbustes et d'arbres qui surchargent le décor. Il serait temps d'abandonner cette mode désuète qui consiste à aligner des plantes et des arbres le long de la façade et à négliger le terrain qui s'étend devant la maison. Celui-ci forme avec la maison et les plantations un ensemble qu'on doit s'efforcer de mettre en valeur.

Dans les six prochaines pages, vous trouverez des photos de trois terrains qui présentaient des difficultés d'aménagement comme on en rencontre couramment. Des dessins illustrent diverses solutions qu'on pourrait aisément appliquer. Elles s'inspirent des principes fondamentaux de l'art du paysagisme.

Comment masquer un garage encombrant

Le garage qui fait lourdement saillie à l'avant de la maison, sur la photo ci-dessous, est d'un type assez courant. Avec sa large porte, il éclipse la façade de la maison et fait plutôt encombrant. Comment peut-on remédier à un tel défaut? Dans les dessins de la page de droite, on voit qu'il est possible de lui faire une place plus discrète dans le décor en s'inspirant de quelques principes fondamentaux du paysagisme. Pour compenser la masse du garage et corriger le déséquilibre, on a ajouté des arbres et des plantes basses sur les côtés. L'entrée a de plus été mise en valeur par un sentier de briques et des plates-bandes. Ces moyens réussissent à faire oublier la disproportion.

Les plantations qui bordent la façade, collées contre la maison, et l'inévitable conifère flanqué à l'entrée, sont un exemple du style fondation. La variété excessive des formes nuit à l'équilibre du paysage. On aurait pu éviter ces erreurs en considérant le terrain comme un ensemble exigeant un aménagement intégré.

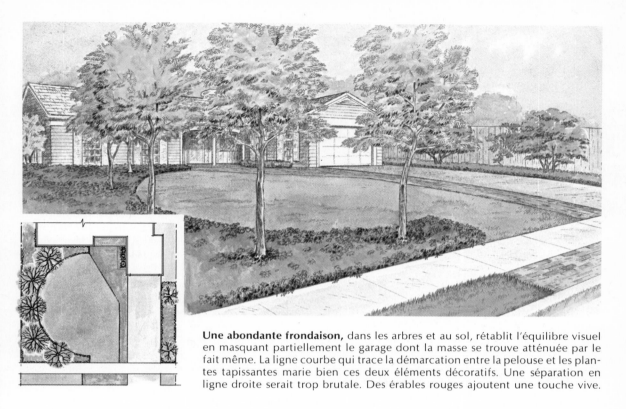

Une abondante frondaison, dans les arbres et au sol, rétablit l'équilibre visuel en masquant partiellement le garage dont la masse se trouve atténuée par le fait même. La ligne courbe qui trace la démarcation entre la pelouse et les plantes tapissantes marie bien ces deux éléments décoratifs. Une séparation en ligne droite serait trop brutale. Des érables rouges ajoutent une touche vive.

L'entrée de la maison est ici mise en valeur. La courbe de l'allée de briques est adoucie par la pelouse, les arbres et les arbustes qui longent la maison et la clôture. Une plate-bande en demi-cercle atténue le coin proéminent du garage. Au bord du trottoir, un pavage de briques facilite l'accès aux voitures. Le lampadaire, intelligemment placé, apporte un élément vertical au décor.

45

Avant l'aménagement du terrain, la maison avait l'air abandonnée dans le paysage. Le chemin d'entrée était trop étroit et peu accueillant.

L'harmonisation de la maison et du terrain

Nombre de maisons semblent surgir du sol sans avoir le moindre lien avec le terrain qui les entoure. Pour intégrer une maison à son décor, l'un des meilleurs moyens consiste à planter des arbres devant la façade. La forme verticale des troncs rattache en quelque sorte la maison au sol et semble l'insérer dans le paysage, tandis que le feuillage adoucit la ligne austère du toit.

Mais il ne faudrait pas planter les arbres ici et là, sans ordre. Ils devraient être placés de façon que leurs branches et leurs feuilles se profilent sur la façade de la maison lorsqu'on les voit de la rue, et cela, quel que soit l'angle sous lequel on les regarde. Les illustrations des pages qui suivent montrent les résultats intéressants qu'on peut obtenir en plantant des arbres aux bons endroits.

Souvent aussi, dans le cas de maisons de construction récente, le chemin qui mène du trottoir à la porte d'entrée n'est pas bien conçu. Ou bien il est disproportionné par rapport à la maison et au terrain. Ou bien il est trop exigu pour que deux personnes puissent le suivre aisément côte à côte. Malheureusement, corriger une telle erreur peut s'avérer très coûteux. Dans les cas que nous illustrons, on n'a pas hésité à recourir à des moyens radicaux. Mais si vous procédez par étapes, commencez par élargir le chemin d'entrée.

Le jardin d'entrée que l'on voit ici n'exige que peu d'entretien. Il se compose de plantes basses qui poussent en liberté: pachysandres, pervenches ou fusains rampants. Des rochers disposés d'une façon qui semble naturelle attirent l'attention vers l'entrée. Des pins mugo bordent le sentier. Les marches sont plus rapprochées qu'elles ne l'étaient à l'origine.

46

L'exhaussement du terrain a permis de remplacer les deux marches par une pente douce. La suppression des marches élimine les dangers de la pluie et de la glace et dispense de l'éclairage nocturne. Les courbes des allées mettent la pelouse en valeur. Dans les trois projets illustrés ici, on a intégré le porche aux allées par un souci d'esthétique qui n'était pas indispensable.

Les marches et le chemin d'entrée restent tels qu'ils étaient, mais on a ajouté des plates-bandes d'hémérocalles (lis d'un jour) entourées de briques. A droite du chemin, la pelouse a été remplacée par de la pervenche qui réclame moins d'entretien. Les arbres à troncs multiples sont des magnolias Soulange. Les autres arbres peuvent être des amélanchiers ou des pommetiers décoratifs.

Avant l'aménagement du terrain, la maison que l'on voit ici, avec la longue ligne de son toit et ses chétives plantations, avait l'air austère et dénudée.

Comment caractériser l'entrée

En s'approchant pour la première fois de la maison qui est illustrée ci-haut, un invité pourrait se demander à juste titre où se trouve l'entrée. Aucun indice ne lui permet de se diriger vers la bonne porte. La simple courtoisie voudrait que le propriétaire distingue nettement la porte d'entrée de sa demeure de la porte de service. Il accommoderait ainsi les livreurs aussi bien que les invités. Dans les trois projets que nous proposons, on s'est justement efforcé de mettre l'entrée principale en évidence. Auparavant rien ne la faisait ressortir et elle était nettement trop étroite. On a donc élargi suffisamment le chemin qui y conduit et on a encadré celui-ci par des plantations.

En même temps, on a aménagé le terrain autour de façon à le rendre beaucoup plus attrayant. On a rehaussé, au moyen d'arbres et d'arbustes, la façade qui était plutôt banale. Quant aux petits arbustes placés çà et là le long de la maison, ils n'avaient pas non plus une grande valeur décorative. On a aussi remédié à cette lacune. Soulignons à cet égard qu'il vaut toujours mieux regrouper les plantations à des endroits précis plutôt que de les éparpiller çà et là sur le terrain. Dans nos trois projets, le paysagiste a appliqué ce principe. Les arbres et les arbustes sont disposés en rangs ou en groupes depuis la maison jusqu'à la rue et d'un côté à l'autre du terrain, de façon à créer autant de centres d'intérêt. Les arbres contribuent en outre à briser la longue ligne droite du toit.

Quelques petits changements suffisent à rehausser la porte d'entrée et à la distinguer nettement de la porte de service. L'îlot de potentilles fait un heureux contraste avec l'allée de briques. Tous les arbres sont des oliviers de Bohême (*Elaeagnus angustifolia*). Celui qui se dresse au milieu de la plate-bande sert à briser la ligne du toit. Un pommier en espalier orne l'espace vide du mur.

Pour accueillir les autos, on a converti presque tout le terrain avant en rond-point et allée d'asphalte. Quelques plantations suffisent néanmoins à préserver le décor d'une apparence trop rude. L'entretien, bien entendu, se trouve réduit au minimum. Pour calculer les dimensions de l'allée circulaire et de l'espace réservé au stationnement, consultez la section qui commence à la page 175.

La cour d'entrée, pavée de briques, est vaste et accueillante. On retrouve les mêmes briques de l'autre côté de l'allée d'asphalte, dans le chemin qui mène à l'arrière de la maison. L'équilibre de l'ensemble est ainsi assuré. Le lampadaire a été remplacé par une lumière plus basse, installée dans la plate-bande. Les arbres sont des pommetiers décoratifs et des genévriers.

49

Jardins américains de style traditionnel

Les dernières pages de ce chapitre s'adressent (mais pas exclusivement) aux propriétaires de maisons de style dit « colonial », c'est-à-dire dont l'architecture s'inspire des habitations des premiers colons américains. Ces derniers avaient conçu pour leurs demeures des jardins qui s'harmonisaient avec le paysage nord-américain et dans lesquels ils utilisaient les plantes indigènes et les matériaux du pays. Leur conception du paysagisme reste aussi valable aujourd'hui qu'elle l'était il y a deux siècles.

Nos photos donnent une bonne idée des jardins de cette époque. Elles ont été prises dans la ville de Williamsburg, en Virginie, que l'on a reconstituée telle qu'elle était au XVIIIe siècle. On peut donc y voir de fidèles reproductions des premiers jardins de banlieues résidentielles aux Etats-Unis. Sans aller jusqu'à les copier, on peut s'en inspirer lorsque le style des maisons et le paysage s'y prêtent.

Le jardin colonial typique se composait généralement de verdure, d'un parterre, d'un potager ou d'un carré de fines herbes et d'un petit verger. Ces éléments se combinaient très bien.

Le parterre de forme ovale s'illumine de couleurs vives au printemps lorsque les cornouillers, les rhododendrons et les tulipes sont en fleurs. Mais le jardin garde son charme en toute saison grâce à sa symétrie et à la beauté de ses arbustes à feuilles persistantes.

◀ **Le jardin des fines herbes,** où se côtoient le romarin, le thym, la sauge, la mille-feuille, la lavande et l'armoise, est installé devant la cuisine. A la manière traditionnelle, les herbes sont disposées en losanges qu'entourent des bordures de briques. Les allées et les bordures des plantations sont aussi en briques. Des haies de houx, bien taillées, encadrent le jardin.

Les principaux matériaux utilisés dans les jardins coloniaux se retrouvent dans ce parterre: le bois des forêts voisines (le pin, le cyprès, l'arbre à café et le cèdre), les briques d'argile et le gravier. Les plantes et les arbres aussi (lierre, cornouiller, troène, rosiers, glycine) sont les mêmes qu'autrefois.

Le jardin colonial comprenait souvent une pelouse bien rase, entourée d'arbres et de plates-bandes de fleurs. On voit ici des tulipes, des iris, des œillets et, au pied du grand arbre, des hostes.

Le goût de l'originalité

Bien entendu, les premiers colons américains reproduisirent dans leur nouvelle patrie les jardins anglais symétriques qu'ils avaient laissés derrière eux. (Jardins, d'ailleurs, qui avaient été fortement marqués par l'influence hollandaise.) Placés à l'arrière ou sur le côté de la maison, les jardins avaient tous les mêmes dimensions. La plupart des habitations de Williamsburg étaient construites sur des terrains d'une demi-acre, comme d'ailleurs beaucoup de maisons modernes. Cette uniformité était due à un plan d'urbanisme, lequel fut l'un des premiers en Occident. En plus du jardin décoratif, du potager et du verger, on trouvait sur chaque propriété diverses dépendances : laiterie, cuisine, fumoir et écurie. Les règlements municipaux obligeaient tout propriétaire à bâtir sa maison près de la rue (à une distance de six pieds) et à clôturer sa propriété, d'où la variété que l'on constate dans les clôtures et palissades.

Un conifère taillé à la manière classique et planté près d'un sentier de gravier sans bordure (ce qui est moins classique) : deux éléments complémentaires du style traditionnel.

Un épais tapis de lierre anglais (non rustique au Québec) et de pervenches, dans un coin ombragé du jardin, évoque les sous-bois des grandes forêts. L'entretien est minime : il suffit de dégager les sentiers de temps en temps.

Peu à peu, à la fin du XVIIIe siècle, les parter-res classiques cèdent la place à des jardins d'une architecture plus fantaisiste. Les jardins topiaires (l'art topiaire est la taille ornementale des arbres), aux haies minutieusement taillées, sont donc remplacés par une vaste pelouse (le boulingrin) entourée d'une profusion de fleurs, d'arbres et d'arbustes. On garde cependant la palissade qui demeure encore aujourd'hui un élément important des jardins de style tradi-tionnel.

Comment expliquer cette évolution? Cer-tains auteurs américains l'attribuent à l'esprit révolutionnaire : un peuple qui atteint son au-tonomie politique acquerrait du même fait un esprit d'indépendance qui se manifesterait dans tous les domaines. Ce qui est certain, en tout cas, c'est que ce style nouveau a favorisé la créativité dans l'utilisation et l'aménagement des plantations. Au lieu de s'en tenir à des mo-dèles symétriques, on laisse désormais diverses variétés de fleurs pousser librement, comme dans la nature. Il faut souligner aussi que les colons qui se sont installés à divers endroits de l'Amérique du Nord ont accordé dans leurs jardins une grande place aux plantes indigènes.

Les plantes dont nous donnons la liste (sur la page ci-contre) apparaissaient couramment dans les jardins de Williamsburg. Certaines sont indigènes; d'autres proviennent de toutes les parties du monde. Cependant, toutes ces plantes s'épanouissaient facilement sous le doux climat de Virginie. Toutefois, certaines d'entre elles poussent aussi dans diverses régions du Canada, si bien qu'il serait possible d'importer, en l'adaptant, le style colonial dans nos jardins, compte tenu de notre climat moins clément.

Alors, si vous songez à faire chez vous un jardin de ce type, souvenez-vous que plusieurs variantes ou adaptations du dessin original sont possibles. Par exemple, vous pouvez modifier le plan de telle sorte qu'une surface libre soit convertie en parterre. Des arbres fruitiers et un potager peuvent très bien être placés en bordure d'une pelouse.

Il faut toutefois éviter certains écarts fâcheux, notamment les formes hétéroclites, le mélange des styles ou l'anachronisme des matériaux. D'autre part, tous les jardins coloniaux, classiques ou non, observent la symétrie des plates-bandes et des allées. A condition de savoir combiner avec mesure les mêmes éléments qu'utilisaient les colons, on peut allier un jardin traditionnel à une maison moderne, mais seulement si l'architecture de celle-ci le permet.

Une plate-bande mixte borde le côté gauche du sentier de gravier : les violettes blanches, à gauche, poussent au naturel sans suivre une ligne rigide. A droite, une bordure de bois encadre un massif de chapeaux d'évêque jaunes, de lis et de fougères.

Une simple palissade de planches de diverses largeurs devient décorative grâce à la plate-bande qui la borde et à la vigne vierge qui la couronne en la dépassant d'un pied ou deux.

▶**Une plante grimpante** en forme d'espalier adoucit le coin de la cabane. Les branches basses, dépourvues de feuilles, forment un joli dessin sur le mur. La plante que l'on voit ici est un chèvrefeuille grimpant.

54

Plantes cultivées dans les jardins américains au XVIIIᵉ siècle

Régions froides

ARBRES : Charme de la Caroline *(Carpinus caroliniana)*.
Chêne blanc *(Quercus alba)*.
Chêne écarlate *(Quercus coccinea)*.
Chêne noir *(Quercus velutina)*.
Erable à sucre *(Acer saccharum)*.
Genévrier de Virginie *(Juniperus virginiana)*.
Pruche du Canada *(Tsuga canadensis)*.
Sassafras officinal *(Sassafras albidum)*.
Saule pleureur de Babylone *(Salix babylonica)*.
Sorbier des oiseleurs *(Sorbus aucuparia)*.
ARBUSTES : Buis commun arbustif *(Buxus sempervirens)*.
Buis commun érigé *(Buxus sempervirens)*.
Buisson-ardent écarlate *(Pyracantha coccinea)*.
Cognassier du Japon *(Chaenomeles lagenaria)*.
Houx verticillé *(Ilex verticillata)*.
Kalmia à larges feuilles *(Kalmia latifolia)*.
Lilas commun *(Syringa vulgaris)*.
Prunier maritime *(Prunus maritima)*.
Rhododendron *(Rhododendron nudiflorum)*.
Troène commun *(Ligustrum vulgare)*.
Viorne à feuilles d'érable *(Viburnum acerifolium)*.

Viorne trilobée *(Viburnum trilobum)*.
ROSIERS : Rosier de Damas *(Rosa damascena)*, Rosier de France *(R. gallica)*, Rosier des marais *(R. palustris)*.
PLANTES GRIMPANTES : Chèvrefeuille du Japon *(Lonicera japonica halliana)*.
Jasmin de Virginie *(Campsis radicans)*.
Parthénocisse à cinq folioles *(Parthenocissus quinquefolia)*.
PLANTES TAPISSANTES : Lierre commun *(Hedera helix)*.
Petite pervenche *(Vinca minor)*.

Régions tempérées

ARBRES : Aubépine *(Crataegus phaenopyrum)*.
Bouleau jaune *(Betula alleghaniensis)*.
Cornouiller de la Floride *(Cornus florida)*.
Cornouiller mâle *(Cornus mas)*.
Hêtre à grandes feuilles *(Fagus grandifolia)*.
Magnolia à grandes fleurs *(Magnolia grandiflora)*.
Marronnier *(Aesculus pavia)*.
Néflier commun *(Mespilus germanica)*.
Pacanier *(Carya illinoensis)*.
Savonnier *(Koelreuteria paniculata)*.
Sophora du Japon *(Sophora japonica)*.

ARBUSTES : Aucuba du Japon *(Aucuba japonica variegata)*.
Camellia du Japon *(Camellia japonica)*.
Chimonanthe *(Chimonanthus praecox)*.
Cognassier du Japon *(Chaenomeles lagenaria)*.
Gardénia *(Gardenia jasminoides)*.
Grenadier *(Punica granatum)*.
Houx d'Amérique *(Ilex opaca)*.
Hydrangée à feuilles de chêne *(Hydrangea quercifolia)*.
Laurier-rose *(Nerium oleander)*.
Rhododendron *(Rhododendron indicum)*.
Symphorine *(Symphoricarpos orbiculatus)*.
Viorne trilobée *(Viburnum trilobum)*.
ROSIERS : Rosier de Caroline *(Rosa carolina)*, Rosier laevigata *(R. laevigata)*, Rosier églantier *(R. eglanteria)*, Rosier de Virginie *(R. virginiana)*.
PLANTES GRIMPANTES : Bignonia *(Bignonia capreolata)*.
Chèvrefeuille à feuilles persistantes *(Lonicera sempervirens)*.
Gelsemium *(Gelsemium sempervirens)*.
Glycine d'Amérique *(Wisteria frutescens)*.
Jasmin *(Jasminum officinale)*.
PLANTES TAPISSANTES : Millepertuis à grandes fleurs *(Hypericum calycinum)*.
Petite pervenche *(Vinca minor)*.

Plan typique du jardin américain traditionnel

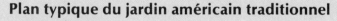

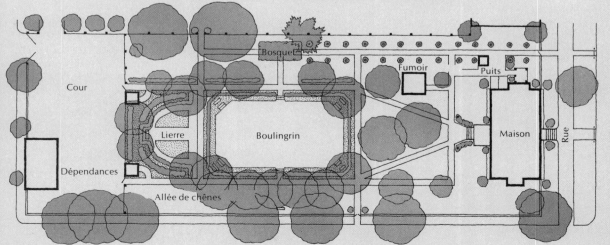

Eléments décoratifs du style colonial

La plupart des éléments décoratifs qui apparaissent dans les jardins américains traditionnels peuvent trouver leur place dans n'importe quel genre de jardins, voire même dans les plus modernes. Ainsi l'arbuste ornemental (exemple d'art topiaire) que vous voyez à droite pourrait très bien occuper le coin d'une terrasse de bois. Le banc droit irait parfaitement sous un vieil arbre au fond d'une pelouse. En fait, dans le paysagisme comme dans la décoration intérieure, on peut agréablement mêler les styles et les époques à la condition de faire ressortir un élément décoratif en particulier et de ne donner aux autres qu'un rôle complémentaire d'accentuation ou de contraste.

L'effet de l'ensemble dépend de l'harmonisation des formes, des dimensions et des couleurs des divers objets décoratifs, quelles que soient les époques que ceux-ci peuvent évoquer. En étudiant nos illustrations, songez à la façon dont vous pourriez intégrer à votre jardin les éléments qui vous plaisent particulièrement.

A l'époque coloniale, les clôtures étaient imposées par la loi. De plus, elles étaient indispensables pour protéger les jardins des animaux. Depuis, la tradition s'en est maintenue, même si ces clôtures ne servent plus qu'à donner un petit cachet ancien au décor. Par ailleurs, leur installation est souvent coûteuse et elles exigent beaucoup d'entretien. Nous montrons ici quelques exemples de clôtures et de barrières utilisées à Williamsburg. Remarquez les différentes formes de piquets, de palis et de fleurons. Aussi la première clôture, à gauche, dont le portail est original. On trouvera d'autres détails à la page 358.

Cet arbuste taillé de façon fantaisiste est d'entretien facile. Il constitue la pièce centrale d'une plate-bande de forme libre, composée de lis et d'autres fleurs vivaces.

Les clôtures protègent tout en enjolivant. On peut s'en procurer de toutes faites,

56

Ce banc droit se découpe bien sur une haute rangée d'arbustes taillés en palissade. Ses lignes sobres s'adapteraient facilement à divers décors : pelouse, galerie, terrasse, abords d'un court de tennis. Traditionnellement, on le peignait soit en blanc, soit en ivoire pour lui donner un air propret.

◄ **Ces longues marches basses** construites avec des briques et des poutres ont été photographiées à Williamsburg. Ce type de gradins conviendrait à nombre de jardins contemporains.

Cette bordure très dense de buis est retenue par des planches de 2″×4″ teintes et enduites d'un produit spécial (pentachlorure) qui les empêche de pourrir.

Cette autre bordure, composée de santoline (à l'extrême droite), fait ressortir la plate-bande. Le sentier de gravier fait un joli contraste.

mais il est possible d'en fabriquer soi-même d'aussi fantaisistes que celles-ci.

3

Le charme de la vie
en plein air

De nos jours, les gens ont de plus en plus tendance à passer chez eux leurs heures de loisirs. Cela se comprend! Les centres récréatifs publics sont devenus encombrés et leurs abonnements coûteux. Quant à la circulation, elle ressemble à un cauchemar. Parmi les autres raisons qui incitent chacun à se créer chez soi un cadre qui favorise la vie en plein air, il convient de mentionner les coûts sans cesse croissants de la construction. Au rythme où grimpent les prix des matériaux et de la main-d'œuvre, les aménagements intérieurs deviennent de plus en plus prohibitifs. Par conséquent, il est beaucoup moins onéreux et beaucoup plus agréable de se tourner vers la vie en plein air. D'ailleurs, les pièces de séjour ont beau être immenses et attrayantes, elles ne peuvent remplacer la beauté et le charme d'une terrasse attenante à la maison.

On remarque que sous les climats tempérés l'engouement pour les repas, les jeux et les réceptions à l'extérieur va croissant. La vie en plein air est d'autant plus importante pour ceux qui ne connaissent que quelques mois d'été. Du nord au sud, les piscines, luxueuses ou modestes, se multiplient.

Votre jardin-terrasse vous réserve de grandes joies : à vous d'en profiter.

Les terrasses

Une terrasse toute simple et peu coûteuse, avec sol de gravier et écran de fleurs. Un coin accueillant, bien exposé au soleil et ouvrant sur de beaux arbres. Les meubles en cèdre rouge résistent bien aux intempéries.

C'est une impression de liberté que l'on éprouve lorsqu'on sort d'une pièce close pour passer sur la terrasse. Le grand air, la lumière vive, l'odeur de la terre, les parfums et les coloris des fleurs, tout cela nous procure des sensations agréables et nous invite à l'évasion. Ce n'est pas une question de dimensions ni de luxe. La plus petite terrasse peut produire cet effet magique. D'ailleurs, on constate le plus souvent que la pièce la plus agréable de la maison ne peut rivaliser avec une simple terrasse ornée d'arbres ou de plantes, entourée d'une jolie clôture ou d'un mur et meublée avec goût et confort. Nulle part on ne se sent aussi bien. Pourtant, de tels aménagements sont peu coûteux et n'exigent qu'un minimum d'entretien. Et les plaisirs qu'ils procurent compensent largement les dépenses qu'ils nécessitent.

Une allée qui s'élargit avant de mener à un jardin floral, quelques meubles d'une élégante sobriété, voilà le plus ravissant des salons d'été. Sur le sol, une mosaïque de briques rehaussée de dalles grises. Tout autour, des arbustes en fleurs. A gauche, quelques arbres donnent juste ce qu'il faut d'ombre, tandis qu'une clôture assure l'intimité de cette terrasse qui prolonge la maison.

Discret et charmant, ce coin soleil doit son originalité à de vieilles traverses de chemin de fer, d'une résistance à toute épreuve, enfoncées dans le sol autour d'un pavage de briques. Le palier donnant accès à la maison est fait lui aussi de traverses et de briques posées sur un fond de gravier et de sable. Des plantes et des arbustes complètent ce décor conçu pour les entretiens intimes.

59

Deux arbres graciles dressés vers le ciel dans un bel élan donnent un cachet spécial à cette sobre terrasse. Des touffes de fleurs encerclent et étoffent les troncs dénudés.

Quelques pierres disjointes, des meubles sans prétention, voilà une terrasse en plein jardin. C'est un lieu calme et reposant dont l'aménagement souligne la discrétion.

L'utilité des plates-formes

Contrairement à la terrasse, la plate-forme n'exige pas d'être bâtie sur un sol de niveau. En effet, comme elle se compose d'un plancher de bois monté sur poteaux et solives, la plate-forme s'adapte aux terrains difficiles sinon impossibles à aménager et les camoufle avec élégance. En outre, elle respecte le profil du sol et n'entrave pas du tout l'écoulement des eaux de pluie. Enfin, la plate-forme ne coûte pas cher et elle est très facile à entretenir. Il suffit d'une teinture de temps à autre pour lui conserver belle apparence et, comme le plancher est à claire-voie, le balayage ne pose aucun problème. Il y a des cas où il faut absolument recourir à une plate-forme. Si la structure de votre terrain vous y oblige, vous pourrez trouver de plus amples renseignements à la page 391.

Cette plate-forme dissimule un talus à pente raide, difficile à aménager, tout en constituant une terrasse qui invite à la vie en plein air. Remarquez comme le plancher épouse à la perfection les contours du talus.

Autour d'un bel arbre, une grande plate-forme ombragée, où il fait bon lire et se reposer. Elle solutionne du même coup le problème du gazon qui ne pousse pas facilement sous un arbre dont le feuillage est dense et les racines envahissantes.

Une plate-forme à deux niveaux, en cèdre rouge. Le plus haut permet les bains de soleil; le plus bas est propice au repos. Quelques plantes nichées dans un lit de galets contribuent à adoucir l'ambiance un peu sévère.

La plus belle plate-forme est celle qui offre une vue panoramique sur un paysage vallonné. Celle-ci en est un bon exemple. Mais quel que soit le décor, la plate-forme n'a pas son pareil pour transformer en agréables terrasses des terrains inutilisables. Autre atout : la plate-forme peut être de plain-pied avec la maison.

Des abris de toutes sortes

Généralement, lorsque l'on construit un toit, c'est pour se protéger du vent, de la pluie ou du soleil. Mais on peut y trouver bien d'autres avantages. Par exemple, même la plus petite toiture peut faire naître un sentiment d'intimité et de sécurité. Elle sert encore à délimiter des espaces et elle projette des ombres fascinantes sur le plancher et les murs. Enfin, si l'abri est construit à quelque distance de la maison, il peut vite devenir une halte, un refuge.

Ce plafond suspendu, à l'intérieur d'une véranda, produit un heureux effet architectural et délimite un coin salon. Les murs en bambou refendu assurent l'intimité et se prêtent à un intéressant jeu d'ombres.

La lumière filtre à travers cette toile qui, lacée à une structure tubulaire, devient une tente-terrasse. On ferme les panneaux et l'intimité est complète. Toutes les toiles s'enlèvent pour l'hiver.

Un pare-soleil peu coûteux, en lattes de bois, s'incline sur une terrasse de béton. Le dessin des lattes s'harmonise avec celui de la clôture, tandis que de grandes jardinières égaient la sévérité des murs de la maison.

L'ombre du treillage produit un frais contraste avec la partie ensoleillée de cette longue et étroite terrasse-jardin d'une maison de ville. Le lilas a été taillé haut pour souligner la beauté de ses troncs élancés.

Ce toit translucide recouvre une sorte de petit pavillon sans murs où l'on peut recevoir et dîner. Une fresque posée sur la paroi de la clôture, comme sur le mur d'une pièce, accentue l'effet de salon. Les panneaux de plastique ont un double avantage : ils dissimulent aux regards des voisins d'en haut tout en permettant de vivre en plein air.

Une tente originale, faite d'une toiture en roseaux soutenue par la plus simple des structures. C'est un coin discret où la brise peut pénétrer. Une plate-forme recouverte de moquette ajoute au confort.

Une lumière douce, filtrée par des panneaux translucides, crée des jeux de damier sur cette charmante terrasse. Raffinement géométrique : le motif des fauteuils. Au pied d'un arbre s'épanouissent des fougères en pot.

Une douche au soleil

Il y a des jardins pour tous les goûts. En voici un assez spécial, puisqu'il est attenant à la salle de bains de la maison et qu'il est doté d'une douche à ciel ouvert. Une clôture de huit pieds, faite de lattes de cèdre rouge de 1″×4″, lui assure toute la discrétion voulue et, en quelque sorte, prolonge les murs de la salle de bains. Laissant entrer l'air et le soleil, une porte vitrée coulissante intègre le jardin à la salle. Avec sa porte qui ferme à clef et sa haute clôture, le jardin est aussi discret et privé que la maison elle-même. Pour donner à ce petit coin l'allure d'un jardin luxuriant, on a eu recours à des fougères en pot et à une vigne grimpante qui s'accroche aux poutres à claire-voie. Une plante tropicale en jardinière (papyrus ou oranger) peut remplir très joliment un angle de la terrasse. A l'épreuve des intempéries, une lampe se balance au bout de son fil. Sous la douche se trouve une dalle ronde et antidérapante de conglomérat. Comme les plantes tapissantes poussent mal dans un endroit fermé, on a recouvert le sol de gros graviers aux formes sculpturales. Dans les climats chauds, ce jardin-douche peut servir toute l'année. Sous des climats plus froids, on en appréciera l'utilité la saison chaude venue, et en d'autres temps on jouira de son charme incontestable.

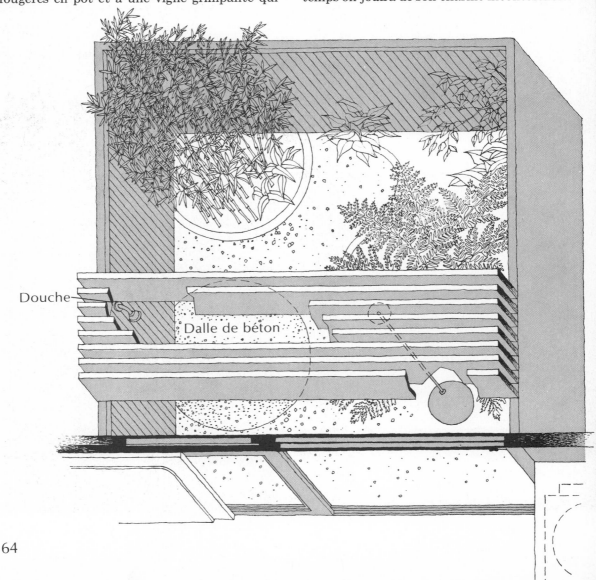

Douche

Dalle de béton

64

Les meubles de terrasse

Un mobilier de terrasse doit avant tout résister aux intempéries. Il ne saurait, en effet, être question d'acheter des meubles que le premier été rendrait inutilisables. Le mobilier doit, en outre, être proportionné aux dimensions de la terrasse, adapté à son style et, bien entendu, confortable. Vous avez le choix entre le bois, le métal ou le plastique. Pensez aussi aux meubles intégrés. Ils font partie des structures du jardin avec lesquelles ils s'harmonisent et ils permettent d'économiser de l'espace. Complétés par quelques éléments transportables, ils répondent à vos besoins tout en vous évitant de multiplier les tables et les chaises qui alourdissent le décor. Enfin, pensez également à l'aspect esthétique qui compte autant que l'utilité.

Des blocs de béton supportent ce banc qui fait aussi office de balustrade. Le dessus est à claire-voie : façon pratique de donner au banc une ligne courbe tout en lui permettant de sécher rapidement.

Des poutres massives (8″×8″), bien assises sur des blocs de béton, voilà un banc d'une solidité à toute épreuve. Il contraste agréablement avec la légèreté du gravier, du palis et du feuillage.

Cette galerie qui s'ouvre sur un moutonnement de feuillage a le charme d'une maison nichée dans les arbres. Le hamac et les fauteuils, d'une légèreté aérienne, prolongent l'illusion. Des coussins de couleurs vives posés par terre servent aussi de sièges : solution commode et peu coûteuse. Les trois coussins, au premier plan, marquent l'extrémité de la plate-forme. L'espace est restreint et pourtant l'on a l'impression contraire.

▶**Une boîte à fleurs** dans un banc, voilà qui est inusité. Encore faut-il enlever le béton sous la boîte pour que l'arbre pousse bien. Autrement, la boîte serait transportable, mais l'arbre demeurerait petit. Il faut aussi penser à l'égouttement. Détail élégant : à l'arrière-plan, un second banc en forme d'équerre reprend les lignes de celui-ci.

Si ce sont des meubles durables que vous désirez, cette table saura vous plaire. Faite de blocs de béton décoratifs et d'une surface de cèdre rouge, elle peut rester en place tout l'hiver. Sa base de béton est à peu près indestructible. Quant au plateau, transportable malgré son poids, il ne saurait être attaqué par la neige ou la pluie puisqu'il ne les retient pas. Pour fabriquer cette table, se reporter à la page 398.

Une cuisine intégrée au jardin, c'est un luxe pratique. Monté sur charnières, l'un des panneaux (à gauche) se relève et fait office de toit. Rabaissé (à droite), il se métamorphose en mur dissimulant évier, réfrigérateur et prises de courant.

Protégez
votre intimité

Personne n'éprouve de scrupules à garnir ses fenêtres de rideaux ou de stores pour protéger son intimité. Mais quand il s'agit d'installer une clôture ou une haie autour de son jardin, on craint tout de suite d'insulter les voisins.

Bien des gens éprouvent ce sentiment de gêne au point de se priver d'une intimité tout à fait souhaitable. Cette réticence à élever des barrières tient peut-être à notre histoire. N'oublions pas que nous sommes les descendants de colons qui ont été habitués aux vastes horizons et pour qui l'espace avait une grande valeur.

Ces valeureux trappeurs, ces coureurs de bois, ces hardis explorateurs ont domestiqué la forêt et fait reculer nos frontières. C'est leur sang qui coule dans nos veines.

Voilà pourquoi, par une sorte d'atavisme, nous avons le sentiment qu'espace et liberté sont synonymes.

Le problème vient de loin

On pourrait aussi expliquer ces réticences de la façon suivante. Quand de découvreurs nos ancêtres se firent cultivateurs, ils furent bien obligés de mettre des clôtures autour des champs pour séparer les cultures et les pâturages. L'occupation et le partage des terres ne se font jamais sans contrainte. De là naquirent d'innombrables conflits entre voisins, pour ne pas dire des « chicanes de clôtures ». Les annales judiciaires abondent en procès de cet ordre. C'est peut-être cette méfiance qui persiste.

Les gens continuent de croire que leur clôture sera perçue par les voisins comme un brandon de discorde. Bien que compréhensible, cette réaction n'en est pas moins malheureuse

car elle les prive de jouir pleinement de leur terrain.

Mais cela n'empêche pas qu'aujourd'hui, comme autrefois, espace et liberté vont de pair. Mais à nous, citadins, l'espace nous est de plus en plus compté. Dans une banlieue surpeuplée, un terrain non enclos n'est plus synonyme de liberté, mais de servitude. Pour avoir ses coudées franches, au contraire, il est devenu essentiel dans la plupart des cas de se mettre à l'abri d'une clôture.

Les temps changent

Maintenant que la vie en plein air est entrée dans nos mœurs, les réticences que l'on avait à l'égard des clôtures commencent à tomber. Dans certaines banlieues, chaque terrain est isolé des autres par une clôture de six pieds. Et tout le monde y trouve son profit : les propriétaires peuvent vivre, recevoir, s'amuser et manger à l'extérieur sans pour cela déranger les voisins ou les passants.

Mais qu'en est-il de ceux qui vivent dans un milieu hostile aux clôtures? Les solutions sont nombreuses. « Le bon sens est la chose du monde la mieux partagée », disait Descartes. La première démarche, c'est donc de discuter de la question avec vos voisins. Il faut leur faire comprendre qu'une clôture protège l'intimité de ceux qu'elle sépare et permet à chacun de vivre à sa guise sans gêner qui que ce soit.

En outre, il existe plusieurs clôtures aussi belles d'un côté que de l'autre. Vous en trouverez des échantillons à la page 360.

Si vos voisins se montrent irréductibles, il vous reste encore quelques solutions. A défaut d'une clôture, plantez à des endroits stratégiques trois à cinq pruches du Canada entre la maison de vos voisins et la vôtre. Evidemment l'obstacle sera moins efficace que ne le serait une clôture, mais il vous vaudra néanmoins une certaine intimité. Un treillis garni de vigne grimpante sera aussi utile là où les clôtures suscitent trop de difficultés.

Les questions de bornage étant toujours sujettes à litige, il est infiniment préférable d'installer clôtures, écrans ou haies bien à l'intérieur des limites de votre terrain. Plus vous vous approcherez de la propriété de vos voisins, plus ils seront sur la défensive.

Parfois les problèmes se règlent d'eux-mêmes, l'expérience enseignant aux voisins l'utilité d'une clôture. Dans les banlieues où la cuisine au barbecue est populaire et les clôtures moins, il suffit, par exemple, qu'une famille organise une réception par un beau dimanche après-midi pour que le terrain des voisins soit pour ainsi dire envahi. En effet, les proches voisins hésitent à s'installer dans leur propre jardin alors qu'une fête bat son plein à quelque distance de leur terrasse. Cette proximité équivaut presque à une intrusion.

Des clôtures en règle

Dans les six pages qui suivent, vous trouverez plusieurs modèles de clôtures et d'écrans que l'on peut fabriquer en utilisant divers matériaux. Dans une section ultérieure, il sera question de la construction des clôtures et de l'installation des poteaux. Enfin, dans la troisième section, vous trouverez une liste d'arbres et d'arbustes qui peuvent être disposés en haie.

Mais avant de vous lancer dans des projets fermes, assurez-vous d'abord que vous connaissez les règlements municipaux relatifs aux clôtures. Vous pourrez vous procurer ceux-ci à votre hôtel de ville.

Mais cette seule vérification auprès des autorités municipales ne suffit pas. Dans bien des quartiers existent aussi des associations de propriétaires qui ont établi leurs propres règlements en ce domaine. Dans certaines municipalités, l'acte de vente d'une propriété comporte des stipulations qui restreignent les droits du propriétaire. Avant d'élever clôtures et écrans, soyez donc sûr que vous respectez tous les règlements qui ont pu être établis. Car les autorités pourraient vous faire des ennuis alors même que vous avez l'approbation de vos voisins.

Il arrive souvent que les règlements concernant la hauteur ou l'emplacement d'une clôture ne s'appliquent pas aux haies qui deviennent alors la meilleure solution. Enfin, les règlements concernant la hauteur peuvent ne s'appliquer qu'à la clôture proprement dite. Par exemple, lorsque la hauteur maximale d'une clôture est fixée à quatre pieds, vous n'avez qu'à l'installer sur un talus naturel ou artificiel de deux pieds pour obtenir une clôture de six pieds, hauteur bien suffisante pour vous donner toute l'intimité désirée. Si certains règlements en vigueur dans votre municipalité ou votre quartier ne font ni votre affaire ni celle de vos voisins, vous avez toujours le loisir d'essayer de les changer.

En se groupant, les propriétaires peuvent faire valoir leurs idées et modifier des règlements qui seraient censés être faits dans l'intérêt de tous les membres de la communauté.

69

Clôtures et écrans

S'ils sont suffisamment élevés, s'ils sont bien conçus et bien situés, les clôtures et les écrans assurent l'intimité nécessaire à la vie en plein air. Placés aux limites de votre propriété, ils vous isolent du public. Ils peuvent aussi être disposés à divers endroits dans le jardin même, par exemple lorsqu'on veut diviser un terrain trop grand ou de dimensions irrégulières. Ils délimitent alors des îlots plus intimes et plus agréables à aménager, un peu comme le font les murs dans une maison.

Les clôtures et les écrans sont de nos jours de conception si audacieuse et réalisés avec des matériaux si originaux — comme le plastique ou le bambou teint — qu'ils peuvent s'harmoniser à tous les styles que vous voudriez donner à votre jardin. D'ailleurs ils peuvent devenir des éléments décoratifs en eux-mêmes. On peut encore les utiliser comme supports de plantes, comme paravents servant à dissimuler des coins moins jolis ou comme écrans pour diriger l'air et la lumière.

À l'ancienne mode, cette clôture en pieux a beaucoup de charme, surtout lorsqu'elle semble contenir l'exubérance d'un jardin non conformiste tout en bordant une large bande de pelouse bien sage. Pour éviter des problèmes de jardinage, on a mis des plantes tapissantes au pied de la clôture.

◄ **Bien alignée** mais discrète, cette palissade se perd dans le feuillage luxuriant qui l'entoure. Les fleurs et les arbustes produisent un bel effet contre le bois, et les plantes grimpantes s'y accrochent bien. La finesse des palis s'accorde à l'accent poétique qui se dégage de cette charmante terrasse.

▶ **Des motifs en relief** font de cet écran un véritable élément décoratif dans un cadre un peu austère. Sa beauté se serait peut-être perdue si les plantations avaient été plus luxuriantes. Tout au long de la journée, le soleil s'amuse à y jouer avec l'ombre dans un kaléidoscope sans cesse changeant.

71

Des pieux à l'horizontale, voilà une façon originale de renouveler l'aspect d'une palissade. Attachés les uns aux autres par du fil de fer, ils s'insèrent entre des poteaux verticaux. Leurs lignes légèrement sinueuses font écho aux courbes de l'allée carrossable, tandis qu'un massif ébouriffé les intègre au jardin.

Une oasis de paix et de fraîcheur à l'ombre de beaux murs. Le sol est recouvert de gravier. Sagement groupées dans un carré, des plantes tapissantes et des fleurs semblent servir de socle à une sculpture moderne. Les murs de briques s'harmonisent en douceur aux coloris du jardin; celui de gauche se fait même fantaisiste avec ses briques en saillie. Tout dans ce jardin savamment ordonné parle d'intimité et de bien-être.

Des genévriers et des arbres fruitiers nains disposés en espalier contre cette clôture font de celle-ci un écran de verdure séparant des maisons avoisinantes. Plantations et clôture doivent garder la plus stricte simplicité, car l'espace est restreint. La clôture perd de sa hauteur là où celle-ci n'est plus utile.

Vue de la rue, cette clôture en jalousie dissimule à moitié l'entrée de la maison et en brise la monotonie. Bordée d'une plate-bande d'arbustes devant laquelle s'étale la pelouse, elle devient un élément décoratif.

Surélevée artificiellement, cette clôture, qui en elle-même n'est pas très haute (pour respecter des règlements municipaux), joue très bien son rôle de gardienne de l'intimité.

Ces pare-soleil ont été construits devant les fenêtres du salon pour réduire l'intensité du soleil. Placés en alternance à la verticale et à l'horizontale, ils contrastent avec les lignes très allongées de la maison. Les rè- glements municipaux interdisant toute structure de plus de quatre pieds devant la maison, les propriétaires ont mis ces pare-soleil à l'essai. En appel, les règlements ont été modifiés.

Les ombres se dramatisent derrière des panneaux trans- lucides. L'entrée aurait beaucoup perdu si l'on s'était contenté du mur compact de gauche. Les palmiers, placés dans des jardinières, sont rentrés dès septembre.

Un écran étroit sied parfois aussi bien qu'un autre plus large. Par exemple, celui-ci isole un berceau de ver- dure, qui fait face à la baie vitrée du salon, du reste de la terrasse. L'intimité est alors complète des deux côtés.

Un écran en bambou refendu (qui se vend en rouleaux et est très facile à installer) dissimule parfaitement la haute clôture disgracieuse du voisin. A la base, on a dressé un lit de cailloux afin d'empêcher la boue du sol de salir le bambou. Quelques arbustes graciles et un rond de fleurs s'harmonisent au charme discret de cette terrasse. Les meubles en rotin, confortables et légers, font écho à la chaude couleur du bambou.

Les jardins grimpent à l'assaut des marches

Dans un jardin où le sol accuse une dénivellation importante, il faut absolument avoir recours à quelques marches pour aller d'un coin à l'autre. Mais même dans ceux qui ne présentent pas de véritables déclivités, quelques marches peuvent parfois répondre à la structure du terrain. Les marches ont un autre atout : elles introduisent de nouvelles matières dans le paysage. Par exemple, la pierre altérée par les intempéries, la brique patinée par le temps, le béton rugueux et le bois sont des matériaux intéressants. Bordez-les de fleurs ou d'arbustes et vous aurez aussitôt un coin enchanteur.

Le jardin dans lequel on peut monter ou descendre quelques marches paraît plus humain, plus hospitalier. Ces marches doivent être conçues à la fois pour le coup d'œil et pour le confort de la marche. Vous trouverez au chapitre 10 quelques conseils sur leur construction. Mais le travail commence dès l'élaboration de vos plans.

Il y a plusieurs détails qu'il faut savoir au départ. Dans un jardin, les marches doivent être plus longues et plus profondes que dans une maison : le cadre l'exige. Doubler leurs dimensions ne suffit pas : elles seront trop petites. Comme il n'y a pas non plus de rampe à ces escaliers, les marches doivent être bien stables sous le pied, antidérapantes et graduées avec exactitude. Pour les mettre en valeur, on aura intérêt à les border d'une plate-bande de fleurs aux teintes variées ou encore d'arbustes. Grâce à cet accompagnement de verdure, les marches perdront leur raideur.

De belles vieilles pierres servent de marches à cet escalier qui gravit gracieusement un talus. Les fleurs l'envahissent de toutes parts. Ici, l'escalier a oublié qu'il était utilitaire et se fait le complice du jardin.

Un palier est nécessaire lorsque les marches sont trop raides ou trop profondes. Remarquez la taille de celles-ci : elles seraient gigantesques dans une maison. Le palier est fait de pierres grossièrement taillées.

Des dalles en béton posées à même le sol offrent toute la solidité et la stabilité voulues.

Discret mais efficace, cet escalier en traverses de chemin de fer s'élève imperceptiblement.

Plantes naïves et traverses se sont rencontrées dans cet escalier presque végétal.

L'alliance décorative de ronds de bûches géantes et de blocs de pierre compose un escalier monumental. A eux seuls d'ailleurs, les matériaux sont de nature sculpturale. Pour construire un escalier comme celui-là, il faut recourir à des techniques spéciales et asseoir les degrés sur des bases inébranlables. En outre, pour soulever et mettre les éléments en place, il faut utiliser de l'équipement motorisé.

L'attrait des kiosques et des pergolas

D'instinct l'homme a toujours recherché la sécurité d'un abri, d'un toit, un peu comme s'il avait peur que le ciel s'effondre sur lui. Mais l'homme n'aime pas non plus à être confiné. C'est pourquoi un abri n'est jamais aussi plaisant que lorsqu'il est situé en pleine nature. A la rigueur, un simple parasol de plage peut suffire. Mais rien ne saurait se comparer au charme de ces constructions légères que l'on trouve dans les jardins de bon goût et qu'on nomme tonnelles, pergolas, kiosques ou pavillons, selon la forme qu'on leur donne.

La tonnelle est généralement composée d'une structure légère supportant un treillage couvert de verdure. Parfois, elle se fait voûte de feuillage au-dessus d'un banc ou d'un fauteuil. Parfois aussi elle prend la forme d'une pergola avec des colonnes légères supportant des pou-trelles à claire-voie auxquelles s'accroche un gracieux mélange de plantes grimpantes. Attenante à la maison, elle peut aussi délimiter une terrasse ombragée et fleurie ou encore abriter une allée.

Kiosques et pavillons sont de petits bâtiments ornementaux ouverts sur les côtés. Ils sont bâtis un peu à l'écart dans un parc ou un jardin. Le pavillon est plus grand que le kiosque. Comme son nom l'indique, le belvédère est un pavillon qu'on plaçait autrefois en un lieu d'où l'on pouvait admirer un beau point de vue. Dans les très grands domaines, on avait aussi coutume d'élever de petites constructions auxquelles on donnait la forme d'un temple grec. Mais point n'est besoin de posséder un domaine pour s'offrir l'une de ces constructions. La plus simple a autant de charme.

L'exubérance de la nature peut à l'occasion causer des problèmes. Cette tonnelle faite avec des tuyaux et du fil métallique maîtrise la vigne tout en lui permettant de poursuivre sa croissance.

Faite de madriers grossièrement équarris, cette pergola est assez robuste pour supporter une vigne arrivée à maturité. Attenante à cette maison d'un étage, la pergola en continue le toit et la pare d'une touche de grâce et de légèreté. Sans elle, la terrasse serait un peu terne. Le feuillage qui la recouvre prolonge les frondaisons du jardin et procure une oasis de fraîcheur.

◀ Légère et toute simple, cette pergola fait suite à la maison dont elle reprend le style. La vigne s'y accroche et monte à l'assaut du toit, si bien que le treillage devient un berceau de verdure et que le coin de terrasse abrité est une véritable petite oasis. On a su choisir les meubles de façon à ne pas rompre l'harmonie.

▶ Décor d'Extrême-Orient, ce pavillon de style japonais semble flotter sur un jardin de rêve. Pelouse et gravier composent un paysage exotique auquel se marient les lignes dépouillées du pavillon. Ici, la sobriété règne, et jusque dans le mobilier formé tout simplement d'une table basse et de quatre coussins, posés deux par deux sur le plancher.

79

Ce kiosque rustique de bois rond cadre tout à fait avec son décor quelque peu forestier. Au XIXe siècle, on en trouvait beaucoup du même genre dans nos jardins. Un long sentier tracé à travers un parc boisé y donnait accès. On pouvait aussi les construire à flanc de montagne. A noter qu'il est préférable d'enduire le bois d'un produit qui le protège et d'édifier le kiosque sur des blocs de béton si le sol est généralement humide.

Léger et élégant, ce kiosque tout en hauteur a un petit quelque chose d'oriental. Détail intéressant : on a prolongé les poutres de la toiture qui font saillie hors du kiosque. Les murs sont remplacés par des bancs. Bien que restreint, l'espace est admirablement utilisé et l'on pourrait à volonté ajouter table et chaises.

▶**Avec son clocheton pointu,** ce kiosque rappelle discrètement l'art khmer. Le toit a été laissé ouvert pour faire entrer la lumière; on peut tout aussi bien, sans nuire au style, le fermer complètement. Construit en cèdre rouge et en bardeaux de cèdre, ce petit bâtiment ornerait bien n'importe quel jardin, même le plus luxueux.

◀**Classique de lignes,** ce charmant kiosque a la légèreté d'une dentelle. Pour le construire, on s'est servi de treillis métallique qu'on a fixé à une structure tubulaire. Il est donc à la fois délicat et très robuste. Pour le protéger contre la rouille, on a fait reposer toute la structure sur les tiges, à quelques pouces du plancher de béton.

81

L'imagination transfigure les matériaux

Voici l'exemple d'un jardin dont le style a été adapté à celui de la maison, de même qu'aux goûts et aux besoins de ceux qui l'habitent. En fonction de ces objectifs, un architecte paysagiste a dessiné le plan global du jardin et fixé les dimensions et l'emplacement des différentes parties qui le composent. Ensuite, pour aménager ce jardin, on a utilisé des matériaux peu coûteux. En revanche, on a joué sur leur assemblage. Le résultat obtenu est éloquent. Les

Dès l'entrée, on peut apprécier la texture des principaux matériaux utilisés : rudesse des traverses en bois de la clôture, douceur des pierres de l'allée. Ces matériaux se retrouveront partout dans le jardin.

Une allée en traverses de chemin de fer mène à la porte de la maison. Des bûches équarries servent de bornes et en même temps de sièges. Du gravier, des pierres et des plantes tapissantes alternent savamment les uns avec les autres.

propriétaires ont effectué eux-mêmes tout le travail avec des matériaux pour la plupart gratuits : des vieilles traverses de chemin de fer trouvées dans un dépôt ferroviaire, des poutrelles données par une compagnie de téléphone, des pierres ramassées sur le bord d'un lac. Cependant, les briques, les blocs de béton et le gravier ont été achetés.

Avec ces matériaux, on a construit les clôtures, les bordures, les allées, les marches ainsi que les trois petites terrasses. L'une d'elles est recouverte des mêmes pierres plates que l'entrée; l'autre, de traverses de chemin de fer, et la troisième, de poutrelles de poteaux télégraphiques et de gravier. Traverses et poutrelles s'harmonisent admirablement. Elles sont les unes aussi bien que les autres modulaires, rectangulaires, patinées par le temps et toutes simples d'allure. Ce jardin ne plaira pas nécessairement à tous, mais il en inspirera plusieurs.

Ce jardin en contrebas est encadré par des traverses de chemin de fer qui servent aussi de bancs. A l'extrémité du lit de galets, un autre banc, fait d'une traverse posée sur des blocs de béton, agrandit ce petit coin. Les roches, les cactus et les plantes tapissantes s'harmonisent au style du jardin dans lequel on a voulu faire dominer les formes et les textures.

Ces marches basses sont faites de poutrelles fournies par une compagnie d'électricité. Remarquez la hauteur de la première contremarche, en accord avec l'épaisseur des traverses. Trois poutrelles forment un banc. On y voit encore les trous qui servaient à faire passer les isolateurs. Des poutrelles taillées en onglet bordent la plate-bande de plantes tapissantes.

83

Un effet de marqueterie (qui n'est pas sans rappeler les assemblages des courtepointes) a été donné à cette partie du jardin. On y est arrivé en juxtaposant des sentiers et des carrés de briques, de pelouse et de plantes rampantes. Les poutrelles de bois, les galets, les cailloux, la mousse et les plantes se côtoient. Ce jardinet original dit en résumé ce que l'architecte paysagiste a voulu exprimer à l'échelle du jardin entier : l'accord profond qui peut exister entre les végétaux et les minéraux bien assemblés. Toujours dans cet esprit de mosaïque, et pour ajouter de la verticalité, on a complété le décor par des éléments inusités : souche, bobine de câble transformée en table, pilier de pierre qui devient socle décoratif.

Une clôture en poutrelles borde la propriété. Les pièces sont utilisées telles quelles et se superposent aux extrémités de façon qu'on puisse insérer un bout de tuyau de fer dans les trous prévus pour les isolateurs.

Ce banc est aussi fabriqué avec des poutrelles reposant sur des blocs de béton posés sur un lit de gravier. On peut y exposer des pièces décoratives comme cette cruche en grès.

La boîte de sable, au bout du jardinet « en courtepointe », prend elle aussi une allure sculpturale. Elle est légèrement surélevée, ce qui accentue sa taille massive. Même contraste avec le banc très bas, juste à côté, qui devient un point de comparaison.

Des pots à fleurs sont enfilés, du plus petit au plus grand, sur une grosse corde, et chacun est retenu par un nœud. Un vent normal agitera ce mobile très décoratif.

Les terrasses grillagées

Sous certains climats, et à certaines saisons sous tous les climats, les moustiques et autres insectes nuisibles peuvent nous gâcher nos loisirs en plein air et nous obliger à chercher la protection d'un grillage. Heureusement, les grillages ne sont plus de nos jours ces panneaux à grosses mailles, laids et souvent rouillés, qui se vendaient autrefois. Les matériaux modernes sont à la fois plus efficaces et plus esthétiques.

Parmi ces nouveaux grillages, mentionnons d'abord les panneaux à lames orientables en aluminium qui arrêtent les rayons du soleil tout en laissant passer le jour et l'air, puis les grillages en fibre de verre traitée au vinyle, lesquels résistent aux intempéries, ne rouillent pas et gardent leur forme. Ces grillages sont très faciles à tailler et à manipuler, ce qui est un atout pour le bricoleur qui veut les installer lui-même.

Les grillages en métal galvanisé ont été les premiers sur le marché. Ils sont peu coûteux, mais ils conviennent moins bien aux climats pluvieux, car ils rouillent facilement. Ceux en cuivre, matière noble et solide, résistent bien à toutes les températures, mais se vendent assez cher si on compare le prix du cuivre à celui des autres matériaux.

Les grillages en aluminium sont populaires, mais l'air salin et le brouillard pollué des villes les attaquent. L'aluminium est un matériau peu souple et difficile à réparer s'il est bosselé ou plié. Revêtu de vinyle, il offre alors plus de résistance, mais il est aussi plus cher. En somme, un bon grillage doit être facile à manipuler, à tailler et à installer. Il doit résister à l'humidité et à l'oxydation (y compris la rouille), ne pas rétrécir, s'étirer ou se déchirer trop facilement. Les grillages peuvent être élégants lorsqu'ils sont bien posés et entretenus.

Ce pavillon sur pilotis, construit au-dessus d'un terrain en pente, se trouve de plain-pied avec la galerie et la maison. Le grillage remplace la vitre de façon à laisser entrer toute la brise. C'est un endroit calme et aéré, à l'abri des moustiques.

◀ **Une terrasse grillagée** fait suite à une terrasse à découvert, toutes deux attenantes à la maison. Voilà une solution pour tous les goûts et tous les temps. Mais surtout, plus rien à craindre des moustiques : vous passez d'une terrasse à l'autre et vous voilà à l'abri.

▶ **Des grillages** qui se font face assurent toute la ventilation voulue dans ce studio ou chambre d'amis. Contre les rayons du soleil, on peut utiliser des panneaux à lames orientables. Enfin, des panneaux de verre rendraient ce pavillon habitable en toutes saisons.

◀ **Le doux murmure** du ruisseau qu'enjambe ce pavillon fait écho au bruissement du feuillage qui l'entoure. C'est un endroit charmant où l'on peut allumer un barbecue, recevoir des amis et dîner. Pour le rendre complètement inaccessible aux insectes qui pullulent dans la forêt, on a grillagé le toit et les murs.

▶ **Sur cette terrasse** attenante à la cuisine, on peut recevoir ou dîner au grand air. S'il y a beaucoup d'insectes dans la région, mieux vaut tout grillager. Si le soleil est vif, posez des panneaux à lames orientables qui ne laissent passer que l'air et la lumière.

Les multiples usages d'une serre

La serre a pour principal but de permettre, grâce à la température chaude et humide qui y règne, la croissance de plantes qui ne survivraient pas en pleine terre ou la culture de plantes pendant la saison rigoureuse. De ce fait, elle peut devenir dans nos régions froides un complément du jardin d'été dont, malheureusement, on ne peut jouir assez longtemps. Elle permet en outre de préparer au printemps les semis pour l'été qui vient.

Bien entendu, pendant l'été, à cause des rayons ardents du soleil, la température de la serre est trop élevée et l'humidité trop intense pour qu'il soit agréable d'y rester longtemps. Aux saisons fraîches, cependant, la serre peut devenir un véritable paradis de verdure où il est reposant de passer de longues heures. C'est sans doute pour cette raison qu'on tend maintenant à construire les serres adossées aux maisons. En même temps que d'authentiques jardins d'hiver, elles deviennent des pièces d'appoint, chauffées, habitables et charmantes.

Evidemment l'espace d'une serre est généralement limité ou occupé par les plantes. Mais on peut tout de même réserver une petite place pour y disposer quelques chaises et de petites tables. Il ne faudra pas oublier de recouvrir le plancher d'un matériau résistant et qui sèche vite. Le mobilier doit être à l'épreuve de l'eau.

Sous ce dôme vitré se déploie une végétation luxuriante. Des roches, des dalles de pierre, un petit bassin se marient bien à la verdure. On est loin des bancs et des boîtes qui déparent tant de serres.

Donnant directement sur le salon dont elle est séparée par une porte, à cause de la chaleur et de l'humidité, cette serre, bien que petite, offre beaucoup d'espace. L'établi rempli de plantes en pot ne détonne pas dans l'atmosphère estivale créée par le plancher de briques, les meubles en rotin et les deux orangers chargés de fruits.

Faisant saillie hors de la maison, cette serre se laisse admirer de la terrasse. Une porte et des fenêtres la font communiquer avec l'intérieur. Si le climat le permet, des portes coulissantes l'intégreront encore davantage à la maison. On pourra y préparer les plants qui, à la saison printanière, seront transplantés dans le jardin. La serre prolonge en hiver les plaisirs de l'été et permet de garder des plantes exotiques d'une rare beauté.

La décoration du jardin

La décoration des jardins consiste à créer des contrastes qui attirent l'attention sur certains aspects du paysage. Tous les matériaux de même que tous les genres d'objets peuvent servir : un pavage bien dessiné, une plante en pot placée au bon endroit, une corbeille de fleurs suspendue à une branche d'arbre, une sculpture, des arbustes ornementaux. S'il s'agit d'un élément important, comme une statue par exemple, on peut l'encadrer de plantes qui le mettront en valeur et le situeront dans le paysage. Tous ces ornements sont particulièrement jolis aux entrées, au bord des sentiers et sur les terrasses, c'est-à-dire aux endroits qui permettent de les admirer, aussi bien de l'intérieur de la maison que de l'extérieur.

Un pot suspendu, d'où s'élancent gracieusement des fuschias, orne un mur qui autrement serait nu. On peut décorer de la même façon des clôtures, des balustrades ou des rampes de galeries et même des arbres.

Pour accentuer une ligne verticale, il suffit de deux corbeilles de fleurs suspendues l'une au-dessus de l'autre. Les fleurs masqueront peu à peu les supports. Au besoin, on peut modifier la disposition des corbeilles.

Ce coin en rocaille qui semble naturel a en fait été soigneusement agencé. La texture lisse des feuilles fait contraste avec l'aspect rugueux des rochers. Des touffes de jonquilles complètent la composition.

91

▶ **Tout ensemble** de trois vases de grandeur différente est harmonieux. Ces vases de béton contiennent (du plus grand au plus petit) des géraniums, des bégonias et des pachysandres. L'effet est renforcé par les reflets de la fenêtre.

Les boîtes à fleurs constituent des « jardins sur rue » lorsque l'espace manque pour mettre des platesbandes. Un lampadaire, de l'autre côté, fait pendant aux plantes. De telles décorations embellissent les maisons de ville et les distinguent des demeures voisines.

◀ **Un décor recherché** met cette statue en valeur. Le petit vestibule dégagé, l'espalier et les deux urnes orientent le regard vers la niche de treillis. La sculpture semble sertie dans un cadre de verdure, ce qui lui donne le caractère d'un objet précieux et rétablit l'équilibre entre elle et le treillis.

La beauté sculpturale de ces troncs d'arbres se dégage nettement des cercles concentriques que forment les pachysandres et les dalles. La verdure et la pierre font ainsi contraste avec les arbres.

L'eau qui tombe du rocher et va ensuite se perdre dans le bassin de béton, où se reflète une branche d'if, charme à la fois l'œil et l'oreille.

En haut, à droite, un heureux assemblage de formes et de couleurs donne de la vie à un prosaïque mur de blocs de béton. Les vases-tuyaux de grès contenant les plantes (ils sont rouges et blancs) accentuent l'effet décoratif.

Une clôture d'inégale hauteur, des plantes et une statue forment à la fois un mur et un coin de jardin. On peut ainsi créer un décor attrayant qui sert à masquer des objets peu esthétiques comme des poubelles ou une remise. Ici la haute clôture établit un équilibre visuel avec les arbres et fait ressortir la beauté des branches et du feuillage.

94

Un panier de bicyclette peut se transformer en corbeille à fleurs qu'on accroche au portail. Garnie de sapin, cette corbeille inusitée devient une charmante décoration de Noël.

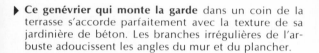

▶ **Ce genévrier qui monte la garde** dans un coin de la terrasse s'accorde parfaitement avec la texture de sa jardinière de béton. Les branches irrégulières de l'arbuste adoucissent les angles du mur et du plancher.

Un joli récipient ajoute toujours au charme des plantes. Il constitue à lui seul un ornement. De plus, c'est une ingénieuse façon de faire pousser des plantes là où il n'y a pas assez de place pour des plates-bandes.

Une simple couche de peinture, et une vieille cuve à eau devient un excellent pot à fleurs. On peut ainsi fabriquer des pots avec toutes sortes d'objets : arrosoirs, boîtes solides, chaudrons.

95

Une plate-bande surélevée borde les marches qui mènent à une entrée en contrebas. Les branches déployées d'un pin font le lien entre les deux niveaux.

Les arbustes taillés en formes d'animaux ou de figures géométriques font partie de la décoration habituelle des jardins de type traditionnel. La simplicité des formes en facilite la taille et l'entretien.

Un cadran solaire constitue ici la pièce centrale du jardin. Dès l'Antiquité, les cadrans solaires servaient à la décoration des jardins. Pour bien fonctionner, ils doivent être soigneusement orientés et parfaitement de niveau.

▶ **Des hortensias** de couleur vive encadrent une lanterne de jardin de style oriental et forment une heureuse composition avec les marches de pierre et les troncs d'arbres. On change les fleurs selon les saisons.

Les merveilles de l'eau

Déjà dans les premiers jardins d'agrément, à Babylone et en Egypte, il y a deux mille ans, on savait se servir de l'eau à des fins décoratives. Cette tradition s'est perpétuée au cours de l'histoire, que ce soit en France, en Angleterre, en Italie, en Chine ou au Japon. Essentielle à la vie des plantes, l'eau trouve naturellement sa place dans tout jardin. Calme et paisible, elle offre au ciel un miroir où il se reflète. Eclairée par le soleil, elle semble vivante. Courant en liberté, elle nous apporte la musique de la nature. L'eau rafraîchit l'air, attire les oiseaux et invite à la détente et à la paix.

On s'imagine à tort que les fontaines décoratives doivent être des constructions élaborées et coûteuses. Elles peuvent être au contraire de conception très simple. Par exemple, un baquet galvanisé, enfoncé dans le sol, peut devenir un bassin qui abritera des poissons et des plantes aquatiques. On en camouflera le bord avec des plantes. On peut aussi se contenter de creuser un trou dont on tapissera le fond et les parois avec un morceau de matière plastique, comme un rideau de douche, et dont on enfouira les bords sous la terre ou le gazon. Pour faire circuler l'eau, il suffit de se procurer de petites pompes qui se vendent bon marché. Elles peuvent servir, par exemple, à alimenter une fontaine ou une cascade artificielles. En laissant l'eau couler faiblement le long d'un mur, on parvient aussi à créer un microclimat pour une grotte entourée de fougères et de mousse. Amenez alors l'eau au sommet du mur par un tuyau de faible calibre et aménagez au pied du mur un puits de gravier pour retenir l'eau qui ne s'évapore pas en coulant.

Ce jet d'eau, qui ressemble à une pièce de verrerie fine, est alimenté par une pompe cachée sous l'assise de béton. Le spectacle et le clapotis de l'eau qui tombe dans le bassin sont également rafraîchissants. On trouve des fontaines et des jets d'eau dans les magasins spécialisés en articles de jardins ainsi que chez les paysagistes.

Une cascade sculpturale donne de la vie à ce coin de jardin entouré de murs. Une pompe cachée sous les plantes aquatiques, au bout du bassin, fait monter l'eau par un tuyau qui passe dans les blocs de béton. L'eau redescend en sautillant sur les dalles étagées.

Un bassin où se reflètent les plantes décore un coin calme du jardin et y attire les oiseaux. Les roches qui recouvrent le sol font contraste avec l'eau et la verdure. En cas de pluie, elles empêchent la boue d'éclabousser l'eau du bassin.

Au temps des grandes chaleurs, ce bassin de briques, avec son jet d'eau alimenté par une pompe de circulation, apporte une note de fraîcheur. Le bassin s'étend sur toute la largeur du jardin, ce qui lui donne encore plus d'effet. Des dalles décoratives permettent de le traverser.

Cette cascade, qui semble couler en pleine forêt, est pourtant l'œuvre d'un architecte paysagiste. La cascade elle-même est réalimentée par la même eau au moyen d'une pompe de circulation. Quant au décor, composé de plantes à fleurs et de fougères qui poussent entre les rochers, là où le sol est riche, il a sûrement été inspiré par la nature.

Les plates-bandes et les massifs

Du temps de nos grands-mères, le jardin typique se composait d'une vaste pelouse que bordait une profusion de fleurs annuelles et vivaces, encadrées d'une haie d'arbustes. Mais nos grands-mères avaient souvent recours aux services de jardiniers expérimentés qui taillaient les haies, sarclaient les allées et variaient les fleurs selon les saisons.

De nos jours, les jardins sont généralement plus petits. Le ménage moderne doit en assurer seul l'entretien et n'a le plus souvent ni le temps ni l'expérience voulus pour s'occuper des fleurs. Avec celles-ci, c'est une mosaïque de couleurs qui disparaît autour de la maison.

Mais il y a moyen de concilier espace restreint et utilisation des fleurs, sans que cela exige beaucoup de travail. La solution est de concentrer les fleurs à des endroits appropriés, c'est-à-dire de les mettre en valeur dans des plates-bandes. L'important, c'est de créer une harmonie de couleurs et d'unifier le style des plates-bandes et celui du jardin. Il importe d'abord de calculer l'espace dont vous disposez. Ensuite vous choisirez les fleurs en tenant compte de leur hauteur, de leurs couleurs, de même que de la situation des plates-bandes.

Les plates-bandes facilitent le désherbage et l'entretien des fleurs. Le sol doit être adapté, pour chaque cas, aux besoins des plantes. A noter que les plates-bandes surélevées augmentent les effets bienfaisants de l'arrosage en retenant l'eau autour des racines.

Une plate-bande de tulipes, encadrée de pensées, présente de joyeuses taches de couleur qui ressortent bien sur la palissade. Le poirier en espalier vient ajouter une note décorative. Les dalles qui bordent la plate-bande sont disposées de façon à détacher des touffes de pensées. Elles facilitent la tonte du gazon et servent de sentier.

Ces massifs de plantes vivaces, d'arbustes et de plantes grimpantes semblent avoir poussé librement. Tout comme le gazon qui perce entre les dalles, ils vont admirablement bien avec le style rustique de la maison. Ainsi groupées, les plantes n'exigent que peu d'entretien. Il suffit de les arroser, de les tailler et de désherber de temps à autre.

Une longue plate-bande rectangulaire divise la terrasse en deux zones : l'une pour les repas, l'autre pour la détente. Les plantations rigides d'arbustes et de fleurs, disposées selon le même dessin que les dalles de béton, font l'effet d'une applique d'émail. Les extrémités de la plate-bande délimitent les marches et donnent de l'unité à l'ensemble.

102

Cette explosion de couleurs au milieu des rochers peut sembler fantaisiste, mais c'est en réalité une plate-bande soigneusement aménagée. Les rochers retiennent le sol et tracent la démarcation entre les deux paliers.

◀ **Des bancs** à la fois décoratifs et fonctionnels séparent la plate-bande de la terrasse. On a laissé la dénivellation autour de l'arbre afin d'épargner ses racines. Pour adoucir la pente du terrain, on a divisé en paliers la terrasse à l'avant-plan.

Cette plantation inattendue de maïs au bord d'une entrée de garage allie l'utile à l'agréable. Tout au long de la belle saison, les plantes dissimulent l'entrée, donnent de la vie à l'asphalte et fournissent à la table de délicieux épis.

▼ **Un damier décoratif** de gravier et de plantes prolonge la terrasse de béton. Les doubles bordures de briques et de bois retiennent le gravier d'une façon qui est à la fois esthétique et efficace.

◄ **Des massifs éclatants** de plantes annuelles sont encadrés de briques arrondies, disposées en oblique.

Comme un bijou, cette corbeille garnie de chrysanthèmes de diverses variétés et couleurs brille au soleil, sur le tapis vert du gazon. Les fleurs, d'égale hauteur, sont plantées en rangs serrés. Ces chrysanthèmes, plantés au début de septembre, fleuriront jusqu'aux gelées.

▼ **Une plate-bande mixte,** composée de diverses fleurs vivaces, forme un véritable étalage de formes et de couleurs. Les bordures de briques, en plus de faciliter la tonte du gazon, donnent de la symétrie au tableau.

L'éclairage du jardin

On comprend bien ces propriétaires qui, fiers de leur jardin, veulent aussi l'admirer le soir, puisque la fée Electricité leur en offre le moyen. Le spectacle de la lumière qui joue sur les feuilles agitées par la brise a, en effet, quelque chose de fascinant. De même, le moindre arbre ou arbuste éclairé dans l'obscurité prend des teintes et des formes insoupçonnées.

Quand ils sont animés par un éclairage nocturne, le gazon, les rochers, les sentiers et jusqu'au plus simple mur de briques, sans parler bien sûr des pièces d'eau, semblent se métamorphoser. Il y a même certains jardins qui ont encore plus de charme le soir que le jour.

L'intérêt des jardins éclairés ne se limite pas à la saison d'été ni à la vie en plein air. Si l'éclairage est bien conçu, on peut les admirer de la maison en toute saison et quel que soit le temps.

L'éclairage n'a pas seulement une valeur décorative : c'est aussi un facteur de sécurité. Il est important, en effet, que les visiteurs puissent distinguer clairement les marches, les sentiers et les divers obstacles. De plus, l'éclairage contribue à éloigner les rôdeurs et les cambrioleurs. Notons à ce sujet que les projecteurs puissants que l'on utilise parfois à cette fin ne sont guère esthétiques et qu'il vaut mieux en faire un réseau à part commandé de l'intérieur de la maison.

Il existe plusieurs dispositifs d'éclairage. Lorsqu'il est question de faire un choix, il vaut mieux opter pour ceux qui sont le moins apparents. Un éclairage indirect et diffus produit un bien meilleur effet. Cependant, il existe quelques rares types de lampes et de globes dont les formes sont très belles. Les systèmes d'éclairage de 110 volts doivent être installés avec précaution et munis de câbles que l'on enterre et qu'il faut protéger des bêches et autres instruments de jardinage. De tels travaux doivent être confiés à un électricien de métier. Par contre, les nouveaux réseaux de faible voltage (où le courant est réduit à 6 volts par un transformateur) sont relativement faciles à mettre en place. (Note : dans certaines provinces, la loi exige que les installations électriques soient mises en place par des entrepreneurs-électriciens et vérifiées par des inspecteurs.)

Pour plus de détails, voir à la page 422.

Eclairée d'en haut par des lumières cachées dans les arbres, cette terrasse peut servir de salle à manger. Les dalles et les angles de la maison, habilement illuminés, contrastent avec le feuillage et la pelouse.

Les ombres dramatiques qui se profilent sur le mur se trouvent ici adoucies par la lumière paisible de la pièce d'eau. Un clair-obscur estompe à demi les plantes et détache la mosaïque du mur de droite.

La nuit tombée, toute piscine peut se transformer en un miroir lumineux. Les nombreux adeptes du bain de minuit ne seront pas les seuls à s'en réjouir : les reflets bleuâtres, l'eau calme et limpide créent une ambiance romantique qui agrémentera aussi bien les réunions d'amis que les rendez-vous plus intimes.

De puissants projecteurs éclairent les abords de cette maison. Les rochers qui empiètent sur l'entrée pourraient être dangereux dans l'obscurité. Mais ainsi éclairés, ils ne le sont pas et deviennent majestueux.

Les multiples effets de l'éclairage ressortent bien ici. Les branches animent la pelouse de leurs ombres. La terrasse est en pleine lumière alors que les arbustes et les poutres du toit baignent dans un clair-obscur.

4

Les travaux et les jeux

Une cour de récréation pour toute la famille

Les enfants trouvent toujours des endroits où jouer, que ce soit un parc public, la cour de l'école, un terrain vague, le trottoir ou la rue. Mais les parcs peuvent être loin de la maison; la cour de l'école est souvent encombrée; le terrain vague est parfois voué à la construction et la rue est pleine de dangers. La meilleure solution est donc de prévoir sur votre propre terrain un coin où les enfants pourront s'amuser en sûreté. Dans les pages qui suivent, nous vous montrerons à titre d'exemple comment on a aménagé dans une propriété ordinaire un terrain de jeu complet, destiné d'ailleurs aux adultes aussi bien qu'aux enfants.

Le terrain illustré ci-contre mesure en tout 30 pieds sur 40, ce qui équivaut à peu près à la moitié d'un court de tennis. Mais cet espace est assez grand pour offrir de multiples possibilités aux enfants et aux adultes. En plus d'y jouer au basketball tout comme à la balle au mur, on peut y circuler à tricycle ou à bicyclette, y danser, y faire du patin à roulettes, y sauter à la corde et y jouer à la marelle. L'hiver, il suffit d'arroser le sol pour en faire une patinoire. Tout cela à quelques pas seulement de la maison où les enfants trouveront au besoin un pansement pour quelque écorchure ou une tasse de chocolat, et l'attention des parents.

Suite à la page 112

Pour faire une patinoire, il suffit d'arroser le sol et de laisser la glace se former. Des traverses encadrent l'asphalte pour empêcher l'eau de s'écouler.

108

20'

12'

20'

18'

30'

BALLE AU MUR

FOYER

LAMPE AU QUARTZ

BASKETBALL

DAMIER GÉANT

109

Les maisons et les plantes

Il y a un grand avantage à s'installer dans un lotissement ou un quartier tout neuf : c'est qu'avec le temps les maisons et le paysage, tout d'abord désolés, ne feront que s'embellir et s'améliorer. A condition toutefois de planter des arbres et des arbustes dès le début. Partout, les maisons de banlieue, qui souvent ne paient pas de mine lorsqu'elles viennent d'être construites, se transforment et prennent de la beauté avec l'âge si l'on sait les orner de verdure et de fleurs. Peu à peu, les arbres meublent le décor. Leurs formes et leurs couleurs variées masquent les lignes austères et monotones des toits. A mesure que la végétation s'épanouit en feuilles et en fleurs, les maisons semblent prendre leur distance par rapport à la rue et au voisinage, séparées les unes des autres par des écrans de verdure. Les plantes façonnent des paysages que l'on peut admirer même de l'intérieur. Mais elles n'ont pas seulement un rôle décoratif. Elles servent aussi à protéger les habitations contre les éléments. Elles retiennent la pluie, arrêtent le vent, donnent de l'ombre et de la fraîcheur aux maisons. Elles souhaitent la bienvenue aux amis et aux visiteurs et charment les passants. Bref, les plantes et les maisons sont faites pour s'entendre. Il n'en tient qu'à vous d'appliquer ce principe et d'adapter, dans votre propriété, les idées heureuses et les compositions que vous avez admirées ailleurs.

Quelques pommetiers décoratifs, ici en pleine floraison, forment un écran protecteur à cette terrasse. On peut aussi admirer ces arbres de la galerie grillagée qui fait face au patio. La vaste plate-bande de pervenches forme un épais tapis sous les arbres. Retranchons les arbres du paysage : le spectacle devient morne, les lignes des bâtiments laissent voir leur froideur et la maison semble dénudée et étrangère au décor.

Dans cette magnifique rocaille, les pierres s'allient harmonieusement aux fleurs et aux plantes qui poussent en touffes compactes. La végétation semble faire corps avec la maison et lui donne un cachet champêtre.

Quelques plantes bien choisies : il n'en faut pas plus pour donner au décor une note d'élégance. Les silhouettes des arbustes qui ornent la façade gardent tout leur charme, vues de l'intérieur de la maison.

Vu de la véranda, ce massif de conifères nains semble faire partie de la décoration intérieure. La pièce a d'ailleurs été conçue pour prolonger le jardin jusque dans la maison.

Comme des rayures de couleurs, les zinnias s'alignent le long de la galerie. Ces fleurs, qui durent tout l'été, ravivent le décor. Les troncs d'arbres semblent s'aggriper à la maison.

Un mur de soutènement, fait de traverses de chemin de fer, délimite un côté du terrain de jeu. Il sert aussi de banc. Le mur destiné au jeu de balle au mur constitue un écran qui masque le voisinage.

Ce foyer de briques, qui sert aux feux de camp et à la cuisine en plein air, est pourvu d'un dispositif de drainage des eaux pluviales. Les pins touffus marquent comme une muraille la lisière de la propriété.

Le foyer, essentiellement destiné à la cuisine en plein air, peut aussi servir, les soirs d'automne, à faire des feux de camp. Le damier géant, en plus de servir au jeu de dames, peut aussi accueillir des chaises et une table de bridge. Bien éclairé, tout le terrain de jeu offre un décor idéal pour passer d'agréables soirées, animées ou paisibles.

Le terrain de jeu a été aménagé assez loin de la maison pour que le bruit ne dérange personne. Une rangée de pins blancs fait un écran qui protège le calme et la beauté du jardin juste à côté. Le sol est couvert d'une couche de deux pouces d'asphalte reposant sur quatre pouces de gravier et deux pouces de gros sable. Dans notre illustration, on peut voir qu'on a recouvert l'asphalte de peinture beige spéciale pour le protéger contre les eaux du dégel et pour lui donner une meilleure apparence. En hiver, il suffit d'obturer avec un bouchon de caoutchouc l'ouverture du drain central pour retenir l'eau. Le mur de balle au mur, en blocs de béton renforcés de tiges de métal, est recouvert d'une couche de ciment qui cache les fentes. L'éclairage au quartz, semblable à celui qu'on utilise pour les terrains de baseball ou de football, donne, même par les nuits les plus sombres, une lumière comparable à celle d'une journée ensoleillée. Enfin, rien n'empêche de diffuser de la musique lorsque le terrain sert de patinoire ou de piste de danse, à la condition de ne pas déranger les voisins.

Si votre budget ou l'espace dont vous disposez ne vous permet pas des installations aussi élaborées, d'autres aménagements plus modestes feront néanmoins la joie de vos enfants. Il suffit, par exemple, d'asphalter un coin près du garage et de renforcer le mur de celui-ci par des embrèvements pour avoir un terrain de jeu qui remplacera avantageusement le trottoir et où l'on pourra même s'exercer au tennis. Pour le basketball, il n'y a qu'à fixer le panier au mur avec des crochets de métal.

Avant d'entreprendre vos travaux, il serait prudent de vérifier les règlements de zonage de votre municipalité, surtout en ce qui a trait à l'éclairage et à l'emplacement de votre terrain de jeu. Attendez-vous par ailleurs à ce que ce terrain de jeu devienne rapidement un lieu de rencontre pour toute la marmaille du voisinage. Si vous êtes prêt à accepter de telles conséquences et si votre budget ainsi que l'espace disponible vous le permettent, vous verrez que les avantages que procure un terrain de jeu privé dépassent largement les inconvénients qu'il entraîne. Dans une société qui devient de plus en plus urbanisée et dans des villes où les espaces libres disparaissent rapidement et où les parcs publics sont souvent éloignés, le terrain de jeu devient une solution avantageuse. Il vous offre des agréments et une sécurité que vous trouverez difficilement ailleurs. De plus, il incitera vos enfants à apprécier les loisirs en famille.

D'autres idées pour les jeux de plein air

Le terrain de jeu complet, illustré dans les pages précédentes, n'est pas à la portée de tous les budgets. Mais, comme l'on sait, il comporte nombre d'éléments que chacun peut adapter à sa façon. Il en est de même des aménagements que nous vous montrerons dans les prochaines pages. Si certains sont coûteux et exigent d'importants travaux, d'autres, plus simples, font surtout appel à l'imagination.

Les enfants ont le don de la fantaisie : d'un simple recoin de jardin ils savent créer un royaume de féerie. Un carré de sable et une barboteuse deviennent pour eux une plage et un océan. Un arbre, quelques buissons et un chat qui rôde : il n'en faut pas plus pour faire une forêt remplie de bêtes sauvages. En fait, il s'agit d'offrir aux enfants un domaine où ils pourront donner libre cours à leur imagination. Ensuite, laissez-les faire. Le plus souvent, ils délaisseront les jouets compliqués (et coûteux) ou ceux qui ne nécessitent pas leur sens créatif pour s'amuser avec un rien qui les fascine.

Les sentiers asphaltés servent d'abord de pistes pour les tricycles. Assez éloignés pour ne pas déranger, les enfants restent néanmoins à portée du regard. Ces chemins peuvent aussi servir au jogging ou à la marche.

Une balançoire, un carré de sable et des barres fixes, à côté d'un coin asphalté : il y a là tout ce qu'il faut pour faire un terrain de jeu. Bien entendu, les enfants y attireront tous leurs amis du voisinage.

Une mini-pelouse de golf ne fait qu'ajouter aux charmes du décor. Aménagée tout près d'une terrasse réservée aux bains de soleil, elle invite à la détente et au jeu les adultes aussi bien que les enfants.

Un arbre solide, les matériaux du bord et l'imagination des enfants ont produit cette cabane sylvestre. L'attention bienveillante des parents a remplacé les plans et devis des architectes.

Le shuffleboard, si populaire sur les transatlantiques, constitue un excellent exercice pour les adultes aussi bien que pour les enfants. La piste a 52 pieds de long sur 6 de large. Les joueurs n'ayant pas à la quitter, on peut l'entourer d'arbustes et de fleurs, comme ici, sans qu'il y ait de danger pour ces plantes.

De plus, à mesure qu'ils grandissent, les enfants se lassent de leurs jouets. C'est pourquoi il vaut mieux choisir des articles qui peuvent servir à des fins multiples. Ainsi la charpente du carré de sable pourra plus tard accueillir une plate-bande, et la barboteuse pourra servir de baignoire pour les oiseaux. Certaines installations, par contre, devront être enlevées lorsque les enfants n'auront plus l'âge de s'en servir. Les balançoires, les barres fixes et les cabanes ne sont donc des dépenses valables que pour les familles nombreuses. Par ailleurs, les surfaces pavées ou asphaltées qui servent de pistes pour les tricycles et les bicyclettes peuvent être affectées à d'autres fins et constituent de bons placements.

Un simple coin de gazon peut aussi rendre de grands services. Les enfants peuvent y sauter, courir et se bousculer sans risquer de chutes dangereuses. Si le sol est assez plat, il permettra de s'adonner au croquet, au badminton et au volleyball. Le gazon, bien entendu, portera les marques de toutes ces activités : ne vous attendez pas à ce qu'il ressemble à une pelouse bien entretenue.

Si votre terrain est assez vaste, vous pouvez aussi laisser un coin à l'état sauvage, où les herbes et les plantes pousseront librement. Cette « campagne » fera la joie des enfants. Ils pourront creuser des trous, cultiver leur propre jardin, faire des feux de camp, monter une tente, se bâtir une cabane ou tout simplement s'amuser comme ils l'entendent dans un petit royaume bien à eux. Sans une certaine surveillance des parents ou des travaux collectifs de nettoyage, le coin risque cependant de prendre rapidement l'aspect d'un dépotoir et il faudra sans doute y faire régner un minimum d'ordre dont les enfants, s'il n'en tenait qu'à eux, se passeraient volontiers.

Pour commencer, il vaut mieux ne réaliser qu'un projet à la fois : une simple corde fixée à une branche très solide, ou un empilage de poutres clouées les unes aux autres pour l'escalade. Cela suffira à satisfaire les enfants dans l'immédiat. En observant leurs jeux, vous pourrez vous faire une meilleure idée des installations à ajouter.

Si vos premières tentatives ne semblent pas fructueuses, ne vous découragez pas. Les jouets dédaignés un jour peuvent connaître une grande popularité le lendemain. Tous les enfants aiment courir, sauter, grimper, se balancer. Donnez-leur l'espace voulu et quelques installations simples, leur imagination fera le reste.

Cette ingénieuse pyramide (de simples madriers de 8"×8" cloués les uns aux autres) fera la joie des jeunes acrobates. D'ailleurs, tout le terrain de jeu que l'on voit ici est conçu pour développer l'agilité, la force et le sens de l'équilibre. Le tapis de copeaux de bois ou de paillis d'écorce sert à amortir les chutes.

De vieux pilotis, altérés par les intempéries, invitent à l'escalade. Les enfants s'en serviront pour des jeux qu'ils inventeront eux-mêmes. Loin de déparer le terrain, ils lui apporteront une note d'originalité.

Cette cabane dans les arbres solidement construite et soutenue, et moins guindée que la maisonnette de droite, plaira aux débrouillards. On y accède par un escalier muni de rampes.

La piscine et ses abords

Il n'y a rien comme une piscine pour permettre à toute la famille de profiter pleinement des heures de loisir. Elle sert à la fois à la détente et à l'exercice. De plus, lorsqu'elle est bien aménagée, la piscine peut jouer un rôle supplémentaire en ajoutant à la qualité du décor. En effet, les abords d'une piscine sont souvent très attrayants.

Grâce à leur popularité toujours croissante, les piscines sont maintenant à la portée de bien des budgets. Elles représentent néanmoins des dépenses très importantes, si l'on tient compte des inévitables frais que nécessite leur entretien et de tous les accessoires que l'on est tenté d'acheter.

L'installation d'une piscine ne fait pas que modifier le paysage et le style de vie, elle entraîne aussi des responsabilités nouvelles. Il faut donc envisager tous ces facteurs avant de se décider à en construire une.

Les piscines ont le don d'attirer bien des visiteurs qui n'ont pas toujours été expressément invités. Pour préserver la maison des traces de pas, il est recommandé de construire une ou plusieurs cabines de bain. Dans les régions où le climat n'est pas toujours favorable, il y a lieu de songer à chauffer l'eau. Pour des raisons d'esthétique, il convient aussi de masquer les installations de filtrage et de chauffage par des plantes ou d'autres écrans qui embelliront le décor. Enfin, une piscine se conçoit difficilement sans une terrasse attenante.

Votre piscine devra s'intégrer à votre terrain et à votre mode de vie familial. Et surtout, avant de céder à la tentation, évaluez soigneusement tous les frais.

La brique, le gravier et le bois intègrent très bien au paysage boisé qui l'entoure cette simple piscine rectangulaire. Une fois la piscine terminée, on peut s'occuper d'aménager la terrasse et les plates-bandes.

En aplanissant le sommet d'une pente, on a ici surélevé la piscine tout en l'éloignant de la maison. La photo montre l'emplacement de la piscine par rapport à la terrasse et à la maison.

Pour simuler un étang naturel, on a donné à cette piscine une forme irrégulière et on l'a entourée de rochers, d'arbres et d'arbustes. Ainsi aménagée, elle n'est plus seulement fonctionnelle : elle fait partie du paysage.

◄**Une pente accentuée** et couverte de vigne constitue un arrière-plan intéressant. Le mur empêche les plantes de baigner dans l'eau. Le rebord de planches prolonge la terrasse au-dessus de la pente du terrain.

Cette piscine circulaire, qui s'étend au pied d'une cascade en pente douce, s'inspire des paysages de montagne. Une pompe souterraine renvoie l'eau au sommet de la chute, d'où elle redescend en se faufilant entre les rochers.

Le murmure de l'eau qui saute d'un palier à l'autre complète le charme du paysage. (Détail de la photo ci-haut.) Des lampadaires en forme d'ombrelles sont placés près des marches et de la chute.

Cette piscine en forme de haricot, de modèle standard, s'adapte bien à des terrains restreints et irréguliers. Les lignes asymétriques du pavage et la forme circulaire de la terrasse créent une certaine harmonie.

La plus petite piscine peut devenir l'élément principal du décor, même dans un jardin de ville. Celle-ci crée une oasis charmante : les enfants peuvent patauger dans l'eau et les parents se reposer au bord.

Derrière la maison, et près des voisins, cette piscine garde tout de même son intimité grâce à des écrans d'arbres au feuillage épais. Les plantations servent aussi à dissimuler les installations (filtres et chauffe-eau) et à protéger du vent. La zone dallée entre la piscine et la maison évite de salir les planchers de celle-ci.

Les piscines démontables ont l'avantage de ne pas coûter cher, mais elles ne sont guère attrayantes. Pour remédier à cet inconvénient, il convient de soigner le décor. Un contour pavé empêche de salir l'eau.

Les cabines peuvent être à la fois utiles et décoratives si on sait les intégrer au paysage. On y range les accessoires de la piscine. On peut y installer une douche et même une cuisinette et un bar.

Les lignes géométriques de la piscine et de ses abords se détachent sur le fond montagneux. Un passage couvert permet de traverser la piscine pour aller à la terrasse et fournit un coin d'ombre.

Ce pavillon destiné aux invités comprend une chambre, une salle de bain, une cuisine et une salle à manger ouverte. Il suffit de tirer les rideaux de celle-ci pour avoir une pièce supplémentaire, bien abritée.

Cette piscine de béton, avec sa terrasse, semble faire naturellement partie de ce coin de campagne, tout comme le ferait un étang ou un ruisseau. Le toit de la galerie grillagée se prolonge en pente jusqu'à la piscine et protège des rayons ardents du soleil. De larges plates-bandes de fleurs autour de la piscine et un potager un peu plus loin donnent au décor de la couleur et de l'originalité.

Ateliers et remises

L'accumulation d'outils de jardinage et d'objets hétéroclites que l'on peut voir dans bien des garages illustre éloquemment la nécessité d'espace d'entreposage dans les propriétés de banlieue. Mais il ne coûte pas beaucoup plus cher, en construisant une remise, d'aménager du même coup un atelier ainsi qu'un endroit qui servira à l'entretien des plantes. On devrait par la même occasion y installer une prise d'eau, ne serait-ce qu'un simple robinet.

Il est souvent facile d'adosser une remise au garage ou d'en ajouter une à même le mur de la maison. De telles additions ne déparent pas le paysage si elles sont bien proportionnées et si elles sont construites avec les mêmes matériaux que les bâtiments auxquels elles se rattachent. Il en est de même si la remise est séparée des autres bâtiments. On peut alors en profiter pour lui donner un cachet particulier.

Si la remise doit abriter du matériel roulant comme des brouettes, des tondeuses à gazon, etc., n'oubliez pas d'aménager une porte assez large et une rampe pour permettre un roulement facile. Les murs peuvent servir à accrocher les outils alors que l'espace situé sous la partie la plus haute du toit peut accueillir les coussins, les hamacs, les barbecues et autres articles encombrants.

Une remise discrète peut tout simplement se greffer sur une clôture ou sur le côté du garage ou de la maison. On peut utiliser n'importe quel matériau, mais le résultat sera plus harmonieux si on choisit celui qui a servi au bâtiment auquel la remise est reliée. Il est aussi recommandé de prévoir un toit à l'épreuve de l'eau qui protégera les outils à moteur. La photo de gauche montre les ouvertures pratiquées sur le côté et à une extrémité. Pour plus de détails sur la construction du modèle illustré ici, voir à la page 407.

Cet abri est assez spacieux pour qu'on puisse y ranger les jouets et le mobilier de jardin pour la nuit ou en cas de pluie. Il est, en outre, d'un accès facile, si bien que l'opération rangement s'effectue en un clin d'œil. La structure s'intègre parfaitement au treillis qui borde la terrasse. Elle constitue aussi un écran qui masque le voisinage.

Simple et solide, cette remise est assez grande pour héberger tous les outils de jardinage, y compris les brouettes et la tondeuse à gazon. Le sentier et les doubles portes en facilitent l'accès.

◀ **Une partie de cette remise,** ouverte sur le jardin, sert d'entrepôt où l'on peut ranger notamment les poubelles. Le renfoncement pratiqué dans le mur permet d'empiler les bûches et de les garder au sec.

123

Les poubelles font d'excellents récipients pour la terre, le sable, la tourbe ou le terreau. On peut, comme ici, les incliner sur une base concave, ce qui permet d'y puiser avec une truelle ou une pelle.

Des seaux de plastique insérés dans des tiroirs servent à garder la terre et les semences. Le dessus de la table se soulève pour donner accès à l'espace, derrière les seaux. Des lattes font de l'ombre pour les plantes.

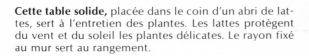

Un coin de palissade abrite ici un établi sommaire mais pratique. Les casiers pour la tourbe et la terre sont rainurés sur les côtés pour qu'on puisse en ajuster la hauteur en y ajoutant des planches.

Cette table solide, placée dans le coin d'un abri de lattes, sert à l'entretien des plantes. Les lattes protègent du vent et du soleil les plantes délicates. Le rayon fixé au mur sert au rangement.

Un atelier comme celui-ci est un atout pour le paysage même si son premier but est de servir à abriter les semis et à donner des soins aux plantes. Les tables de travail sont cachées par les planches horizontales. Comme toutes les constructions de lattes, l'atelier projette des jeux d'ombres qui font partie du décor. On peut aussi, en choisissant son emplacement, l'utiliser pour clôturer la propriété et masquer les maisons voisines.

Spacieux et ingénieux, cet autre atelier comporte une série de casiers destinés au terreau, au sable et aux engrais. Fixés au bas par des charnières, les casiers basculent vers l'avant lorsqu'on veut y puiser. Une partie du toit est pleine, pour protéger les semis, les boutures et les jeunes plants, tandis que l'autre est faite de lattes pour faciliter la circulation de l'air et laisser passer le soleil.

125

Les leçons de l'art japonais

Les premiers jardins orientaux, qui furent créés par les empereurs de l'ancienne Chine, étaient riches de symboles philosophiques et religieux. La conception chinoise des jardins et leur signification mystique se répandirent ensuite au Japon. Mais quel que soit l'intérêt que peut présenter l'étude de leur contenu spirituel, les jardins japonais se distinguent surtout de nos jours et à nos yeux d'Occidentaux par leur indescriptible beauté et par la subtilité et l'harmonie de leurs compositions.

Même au Japon, le paysagisme traditionnel s'inspire maintenant de préoccupations esthétiques bien plus que de considérations religieuses. C'est avant tout le charme et l'originalité de la conception qui donnent à chaque jardin son attrait.

Les ancêtres de nos paysagistes modernes étant d'origine européenne, notre tradition, dans ce domaine, s'inspire surtout des jardins royaux de France, d'Italie et d'Angleterre. Aussi nos jardins classiques, minutieusement élaborés, traduisent-ils une forte attirance, voire une véritable obsession, pour les formes

L'accord entre la maison et son site

Dans la civilisation japonaise, la conception des maisons et des jardins est basée sur le principe de l'unité : l'harmonie doit, en effet, régner entre les éléments naturels et ceux façonnés par la main de l'homme. Voici comment ce principe est appliqué. La maison, faite de bois, est généralement située tout près de la rue qu'un mur sépare du petit jardin de devant. Dès qu'on entre dans la maison, on s'aperçoit qu'elle fait corps avec le jardin. Par des portes coulissantes, on découvre un tableau soigneusement composé, tel un univers qui serait complet en lui-même. Au premier plan, des plantes servent de point de référence. Au milieu du jardin s'étend un motif principal : pièce d'eau, sable ou rochers. Au fond, un écran de verdure masque les maisons voisines. Souvent cet écran est ajouré pour laisser entrevoir un coteau ou une forêt lointaine, emprunts à la nature environnante.

géométriques. Ils visent à illustrer l'emprise de l'homme sur la nature. Même les jardins anglais, moins réguliers, cherchent à donner une impression de grandeur.

En Orient, par contre, les jardins sont de formes irrégulières et asymétriques. De plus, ils sont tracés à l'échelle de l'homme. En fait, l'intervention humaine y est considérée comme une simple contribution au travail de la nature et non comme une domination sur le paysage. Alliant harmonieusement les plantes, la pierre, la terre et l'eau, les jardins orientaux invitent subtilement le passant à découvrir les formes, les textures, les lignes et les couleurs. Les plantes, notamment, sont toujours proportionnées aux habitations et autres bâtiments.

Les jardins japonais reposent sur des principes anciens et immuables qui, s'il sait les comprendre, peuvent être une source d'inspiration pour tout architecte paysagiste.

Dans les prochaines pages, nous nous efforcerons d'expliquer certains de ces principes. Chaque photo vise à illustrer une règle précise mais respecte aussi toutes les autres.

La valorisation du cadre naturel

Les Japonais savent admirablement faire appel à ce qui nous charme le plus dans la nature. Dans l'aménagement d'un jardin, si petit soit-il, ils choisissent d'abord soigneusement, pour eux-mêmes, les éléments qui leur semblent les plus attrayants : rochers, eau calme ou courante, cailloux et galets, sable et plantes. Ensuite, ils agencent ces divers matériaux de façon à évoquer un cadre naturel dans lequel chaque détail est proportionné et harmonisé à l'ensemble. Les Japonais prennent aussi grand soin de ne rien laisser dans leurs compositions qui puisse trahir l'intervention de l'homme. Contrairement à ce que l'on entend souvent dire, les jardins japonais traditionnels ne sont jamais des « miniatures » au sens de réductions de scènes naturelles. Ils sont plutôt des représentations à la fois abstraites et concrètes de la nature. Ils se veulent une synthèse de l'univers humain.

Le respect des matériaux

Tout jardin contient nécessairement des éléments naturels, comme les rochers, l'eau, les cailloux ou les plantes. Mais les Japonais ont le don d'en faire ressortir la beauté, la texture et la forme, soit en les isolant, soit en les situant dans un milieu contrastant.

C'est ainsi que dans un jardin japonais tout un espace peut être consacré à un simple rocher entouré de sable minutieusement ratissé. Rien ne vient alors détourner l'attention du rocher, exposé à la contemplation comme une œuvre d'art dans une vitrine. On en fait autant pour les plantes et les statues.

Un élagage soigné de cet érable japonais a créé une dentelle de verdure qui se profile sur le ciel.

Les eaux dormantes s'animent soudainement à la moindre goutte de pluie ou sous la caresse du vent.

De savantes cascades qui se faufilent parmi les plantes, et l'eau se met à bruire et à ruisseler.

Les jeux d'ombre et de lumière se succèdent en un spectacle permanent sur cette butte de sable.

Des dessins sur le sol

Formé dans une culture qui voit dans la terre et l'eau la source de tous les renouvellements et vivant dans un pays où l'espace est restreint, le jardinier japonais a appris à respecter les éléments et à tirer parti de tout ce qui l'entoure. La surface même du sol lance un défi à son imagination. Il s'ingénie à l'enjoliver. Il sait allier les plantes basses pour créer des motifs et des contrastes. Avec les pierres, il sait composer des motifs décoratifs et il ratisse le sable avec une précision toute géométrique. Tout cela pourrait se faire dans n'importe quel jardin du monde. Il suffit d'animer ce qui s'offre à nous.

Les dessins tracés dans le sable miroitent au soleil et l'ombre d'un pin se mêle à leurs lignes.

Ces dalles, ou « pas japonais », traversent une zone où les eaux du toit s'écoulent par un larmier.

Les motifs s'allient et se complètent, comme les stries sur cette meule cylindrique.

◀ **Comme des îles** en plein océan, les plantes s'éparpillent par touffes sur un fond de sable artistiquement ratissé.

129

La ligne directrice

Dans presque tous les jardins japonais, il existe une ligne directrice, qui n'est pas toujours tracée de façon très évidente, mais autour de laquelle s'organise l'ensemble de la composition. Partout où des matériaux différents se rencontrent, comme l'eau, le gazon et le sable sur la photo ci-contre, une ligne se forme. Le plus souvent il s'agit d'une courbe ou d'une ligne sinueuse. Cette ligne directrice confère au jardin de la cohésion et de l'harmonie. Elle est la manifestation du principe d'unité si cher aux Orientaux, en ce qu'elle relie mentalement et concrètement les éléments du paysage. En cherchant un peu vous découvrirez cette ligne sur nos illustrations.

Les textures et les formes

L'art des Japonais consiste notamment à savoir allier des plantes de formes et de textures différentes. Ils ont compris que chaque plante possède sa personnalité et dégage un charme particulier. Pour les faire ressortir, il suffit de les tailler avec art. Ici, les massifs d'azalées bien taillés qui bordent l'étang font contraste avec un érable auquel on a donné des formes irrégulières, mais auxquelles il tendait déjà. Au premier plan, des roseaux effilés ajoutent une note d'élégance. On peut voir combien la gracilité, la rondeur et le dentelé s'harmonisent dans ce paysage. En choisissant bien les plantes voulues, on pourrait créer de semblables compositions dans tout jardin.

L'ombre et la lumière

A certaines heures du jour comme à certaines saisons, les jeux d'ombre et de lumière donnent un relief particulier aux objets et aux paysages. En règle générale la forme des objets se perçoit avec plus de netteté quand on regarde le côté ombragé plutôt que la face éclairée de ces objets. Les reflets de lumière éclairant le dessus et le contour font aussi mieux ressortir les lignes des éléments opaques. Les objets translucides, comme les feuilles, prennent au contraire toute leur valeur lorsque le soleil passe au travers. C'est donc en situant les plantes et les autres éléments du décor selon les déplacements du soleil que l'on peut tirer pleinement parti des ombres et de la lumière.

Le soleil illumine ce cerisier japonais, en contraste avec le côté ombragé des rochers.

Ce pas japonais, en grosses pierres rondes, prend tout son relief dans un angle où il est vu à contre-jour.

L'appel à la curiosité

Les petits jardins, malgré leur charme et leur délicatesse, ont l'inconvénient de révéler toutes leurs richesses dès le premier coup d'œil. Les Japonais, qui n'ont le plus souvent à leur disposition que des espaces restreints, ont appris à entretenir l'intérêt du promeneur en suscitant habilement sa curiosité. Ils peuvent nous enseigner bien des choses à cet égard. Par exemple que les sentiers les plus élaborés et bordés de riche verdure, comme celui que l'on voit ici (à droite), peuvent promettre à chaque tournant de nouvelles découvertes et inciter à poursuivre la promenade.

Mais attention : il faut tenir ces promesses. Le visiteur dont la curiosité a été ainsi éveillée et cultivée s'attend à des révélations. S'il n'en trouve pas, il risque d'être déçu. N'allons pas croire que les Japonais usent d'artifices. Ils ont, au contraire, un art consommé de disposer les objets.

Les objets vedettes

La méthode orientale consiste à choisir soigneusement quelques éléments décoratifs d'une qualité exceptionnelle qui deviennent en quelque sorte les vedettes du jardin. On les installe alors dans un cadre qui les met en valeur sans pour autant les rendre ostentatoires. Les Japonais, par exemple, ne comptent pas sur des effets de perspective pour faire ressortir certains éléments du jardin, comme le veut la tradition occidentale. Les pièces de choix, au contraire, sont placées soit au tournant d'un sentier, soit contre un mur de même teinte ou de même texture que l'objet, ou même sont partiellement masquées par des plantes. Et on utilise surtout des matériaux naturels que le temps patine.

Dans un encadrement de cyprès, une lanterne de pierre se dresse, légèrement inclinée selon un angle voulu.

Cet ensemble composé de rochers, d'un bassin et d'une statue, est parfaitement harmonieux.

Par leur présence insolite, des carpes animent de leur couleur et de leurs mouvements cette pièce d'eau.

Sur un tapis de sable ratissé, un rocher semble émerger telle une île déserte en plein océan.

La présence discrète de l'homme

Malgré tout le respect qu'ils accordent à la nature, les jardins japonais portent néanmoins la marque de l'homme. D'ailleurs, sans l'intervention humaine il n'y aurait pas de jardins, mais seulement la nature sauvage. Au Japon, cependant, les bâtiments ne s'imposent pas au décor mais s'y intègrent subtilement. C'est pourquoi on utilise des matériaux naturels auxquels on laisse leur couleur d'origine.

133

5

Comment remodeler
votre paysage

La réfection de l'entrée

Le plus souvent, les travaux d'aménagement paysager consistent à améliorer un terrain ou des bâtiments existants. On ne part de zéro que dans le cas des maisons qui viennent d'être construites.

Lorsqu'il s'agit de réfection ou d'amélioration, le temps ne presse pas. Il vaut beaucoup mieux prendre la peine de bien mûrir ses décisions afin d'éviter des erreurs dont on aurait à subir les conséquences pendant des années.

S'il est prudent de considérer chaque projet particulier comme faisant partie d'un plan global, il est aussi possible d'entreprendre les divers travaux à tour de rôle. Logiquement, il est tout indiqué de commencer par l'entrée. Dans les pages qui suivent vous trouverez divers exemples de travaux du genre qui ont donné d'heureux résultats. Les principes dont ils s'inspirent sont également valables pour l'aménagement initial ou la simple réfection.

La terrasse d'entrée

Lorsque l'espace manque à l'arrière de la maison, on peut souvent se rabattre sur le terrain de façade. Sur la photo de gauche, c'est précisément ce qu'on a fait en aménageant une spacieuse terrasse qui donne sur la rue. Il y a là assez de place pour des tables et des chaises sans pour autant bloquer le passage. Bien entendu, les terrains qui donnent sur la rue n'offrent pas toute l'intimité que l'on peut trouver dans un jardin dissimulé derrière la maison. On peut cependant remédier, au moins partiellement, à cet inconvénient par des écrans de verdure ou même, lorsque les règlements locaux le permettent, par des haies ou des palissades. Sur notre illustration, on a eu recours à un panneau de bois qui du même coup rend plus attrayante une façade qui paraissait plutôt banale. Quant aux plantes, non seulement elles servent de rideau, mais elles adoucissent les angles de la maison.

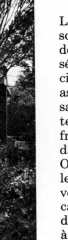

Version moderne du « perron », cette terrasse à la vue des passants doit être très bien entretenue. Surélevée, elle accuse une faible pente qui permet l'écoulement des eaux.

134

L'ancienne entrée, qu'on ne pouvait suivre qu'à la file indienne, était raboteuse et lézardée. Ses bords n'étaient pas tracés nettement. Le sentier et l'entrée de garage n'étaient pas clairement délimités.

La nouvelle entrée semble prolonger la maison. Deux personnes peuvent l'emprunter côte à côte. Les bords sont nettement définis. Le trottoir qui longe l'entrée de garage sert pour descendre de l'auto.

Le chemin d'accueil

L'élégante maison que l'on voit ici présentait certains inconvénients que l'on retrouve dans nombre de constructions de l'époque. L'entrée, banale et froide, déparait la maison. La nouvelle entrée, en haut à droite, est bien plus accueillante et dégage nettement la façade. Le chemin, pavé de briques qui rappellent celles de la maison, est large, solide et sûr. Le trottoir, également de briques, qui longe l'entrée de garage, indique l'endroit où les autos doivent s'arrêter et permet aux passagers de descendre à l'avant ou à l'arrière sans marcher sur la pelouse. Le rebord, en poutres de 2″ × 4″, délimite nettement le chemin.

Les arbustes et les plantes basses ont remplacé les buissons qui collaient à la maison. De larges plates-bandes enrichissent l'entrée et maintiennent l'équilibre avec le bâtiment. Détail intéressant : les petites plates-bandes qui décorent le trottoir.

Les fondations doivent être adaptées au climat local. Ici, la brique repose sur deux pouces de sable bien tassé sur un sol nivelé. Les bords sont faits de poutres de 2″ × 4″, surmontées de planches de 2″ × 4″.

135

Les palissades en façade

Très souvent dans les banlieues modernes il n'y a pas assez de place entre la maison et la rue pour aménager une pelouse ou un jardin. On peut néanmoins exploiter le peu d'espace disponible en le convertissant en une sorte de salon extérieur tout à fait agréable. Dans l'exemple que nous voyons ici, la façade de la maison et les palissades constituent les murs de la pièce, et la pente du terrain a été remplacée par deux paliers. Mais avant d'entreprendre des aménagements de ce genre, assurez-vous que les règlements municipaux les permettent.

Pour marquer l'entrée, il suffit d'un fanal et d'un numéro fixés à la palissade. Le bas de la palissade suit la pente du terrain tandis que le haut reste parallèle à la ligne du toit.

Le palier de l'entrée, en béton comme le trottoir (et d'entretien facile), s'étend jusqu'à la porte, derrière la cheminée. Le palier inférieur, où se trouve le coin-salon, est fait de planches.

Dans ce recoin invitant qu'entoure une palissade pleine, on oublie complètement que la rue n'est qu'à quelques pieds, de l'autre côté. Les plates-bandes surélevées donnent de la hauteur à l'arbre qui fournira bientôt toute l'ombre souhaitable. La fresque qui orne le mur contribue à donner l'impression d'un salon.

Les haies en façade

Une bonne haie d'arbres ou d'arbustes devant la façade de la maison donne souvent autant d'intimité qu'une palissade, tout en ayant l'air moins rébarbatif. En trois ou quatre ans, les pruches qui apparaissent sur la photo ci-dessous masqueront complètement le jardin aux yeux des passants. Le grand chêne fournit une ombre rafraîchissante et les diverses plantes donnent à l'entrée l'aspect d'un sous-bois. Les haies et les plantations offrent souvent une solution heureuse dans les municipalités où les clôtures de façade sont interdites.

La facilité d'entretien a dicté le choix des matériaux utilisés dans ce jardin. Des pavés disposés de façon concentrique entourent l'arbre, la zone voisine étant couverte de briques. Dans les deux cas, l'entretien se résume à quelques arrosages. Les pavés reposent sur du sable qui retient l'eau, ce qui permet à l'arbre de s'abreuver. Les plantes qui bordent la terrasse n'exigent que des tailles occasionnelles.

Sur la photo de droite, prise environ huit ans plus tard, on peut constater que les pruches forment désormais un écran très dense qui dissimule complètement le jardin à la vue des passants.

137

Les sentiers de brique

Pour améliorer l'entrée que l'on voit ici, on a principalement procédé à l'élargissement du chemin auquel on a donné une courbe qui va de la porte à la rue. De cette façon, le chemin est beaucoup mieux délimité et bien plus attrayant. Par conséquent, il offre un meilleur accueil au visiteur. En outre, les briques, les conifères, le gravier et les bouleaux apportent une riche gamme de couleurs et de textures que chacun peut admirer en approchant de la porte. L'élimination des arbustes trop hauts et touffus qu'il y avait met la façade en valeur, laisse le soleil pénétrer dans la maison et permet de mieux voir le jardin de l'intérieur. Enfin une petite haie de conifères que l'on aperçoit à gauche sépare le jardin de la rue tout en parachevant le décor.

Dans les jardins de façade, les arbustes sont souvent trop massifs et trop rapprochés de la maison. Ici, ils sont en outre trop variés et répartis de façon désordonnée. De plus, le chemin d'entrée manque de largeur.

La courbe invitante de la nouvelle entrée est accentuée par le gravier qui fait un heureux contraste avec le feuillage des pins et des genévriers. Le gravier empêche la pluie d'éclabousser, conserve l'humidité du sol et chasse les mauvaises herbes. Les plates-bandes, plus économiques, remplacent la brique.

Les entrées dallées

Parfois la maison est bâtie si près de la rue qu'il n'y a pas de place pour une pelouse convenable. La maison y perd évidemment. Mais on peut alors, comme solution de rechange, aménager une large terrasse dallée du genre de celle que l'on voit sur cette photo. En plus d'établir un équilibre avec la maison, cette terrasse-ci procure un salon de plein air agréable et pratique. La pierre des dalles s'harmonise à celle qui revêt la maison. De larges marches indiquent clairement le passage de la rue à la maison. La suppression complète de la portion de pelouse qu'il y avait avant a aussi l'avantage de simplifier l'entretien. Mais la verdure n'a pas été complètement sacrifiée : des arbustes poussent entre la terrasse et la façade, de même qu'entre la rue et une rangée de traverses.

A partir de la rue, comme en témoigne l'auto que l'on voit à droite, il fallait passer par la pelouse pour arriver à la porte d'entrée. De plus, des plantations trop massives écrasaient la maison.

La solution était simple : il suffisait de remplacer la pelouse, sans cesse endommagée par les visiteurs, par une large terrasse d'entrée. La lumière, placée à gauche, éclaire tout le passage et particulièrement les marches entre le trottoir et la terrasse. Les plates-bandes sont délimitées par des traverses.

Les travaux d'amélioration

Les aménagements dont les propriétaires tirent le plus de fierté sont généralement ceux qui visent à l'amélioration des zones consacrées à la vie en plein air. Ils concernent principalement les terrasses qui doivent être à la fois invitantes et pratiques, de même qu'adaptées au jardin et aux habitudes de vie de la famille. A

cette fin, on utilisera des matériaux de bon goût et on fera appel à des ouvriers compétents. Mais avant d'entreprendre des aménagements de cette nature, n'oubliez pas de lire, à la page 173, les conseils relatifs à la perspective et aux proportions à observer dans l'aménagement paysager.

Comment enjoliver une terrasse

Etant donné la popularité croissante de la vie en plein air, les constructeurs dotent le plus souvent leurs maisons d'une terrasse d'un genre ou d'un autre. Malheureusement, ces terrasses ont toutefois tendance à être banales et trop petites. Mais l'aménagement paysager peut remédier aisément à de tels défauts.

C'est ce que l'on peut voir sur nos trois photos où nous montrons comment une simple assise de béton s'est transformée en une charmante terrasse à deux niveaux. Les murets et piliers de brique délimitent un espace clos sans pour autant cacher la vue. Les arbres et les arbustes décorent la scène tout en fournissant de l'ombre.

Cette assise de béton n'a rien de bien invitant. La zone surélevée n'est pas clairement définie. Et sans arbres ni fleurs, l'endroit manque de vie. Ce n'est donc pas un coin confortable pour la détente.

Une spacieuse terrasse à deux niveaux s'étend maintenant au même endroit. Elle est pavée de briques comme la zone circulaire qui la borde au niveau du sol. Les marches qui séparent les deux paliers peuvent au besoin servir de sièges. Des arbustes et une corbeille de géraniums sont des ornements qui exigent peu d'entretien.

La terrasse se divise en trois parties : une entrée, un coin-repas et, au niveau inférieur, un espace pour les bains de soleil. Des arbres, des arbustes et des murets de brique délimitent ces diverses « pièces », conservant à chacune son intimité. Les plates-bandes et le mobilier de fer forgé rompent la monotonie de la brique.

141

Un exemple des possibilités de l'aménagement paysager

L'aménagement paysager ne se limite pas à la transformation ou à la mise en valeur d'un coin de nature. Il englobe aussi, comme nous l'illustrons dans ces pages, une foule de travaux qui peuvent modifier complètement la physionomie d'une propriété.

Ainsi la vieille maison que vous voyez ci-dessous a été partiellement refaite. A l'arrière on a ajouté une sorte de rallonge, ce qui rend la maison plus spacieuse, et une terrasse. Pour donner de la couleur, adoucir les angles et intégrer tous les éléments du décor, on a aussi encadré la terrasse de diverses plantations. Tous ces travaux de réfection, de rénovation et de plantation, de même que les multiples additions et améliorations visant à rendre la vie en plein air plus facile et plus agréable, font partie de l'aménagement paysager.

Dans le cas que nous voyons ici, certains changements s'imposaient, à l'intérieur comme à l'extérieur, pour que la maison soit à la fois plus jolie et plus confortable. Mais ce qui nous intéresse encore plus particulièrement, c'est la transformation radicale de l'arrière de la maison. Cet exemple montre bien que l'architecte paysagiste peut surmonter n'importe quelle difficulté.

Tout d'abord, on a pratiqué de grandes ouvertures dans le mur pour installer des baies qui laissent passer généreusement la lumière et permettent aux occupants de bénéficier d'un paysage qui garde son charme en toute saison. En fait, les baies vitrées et le vaste panneau coulissant sont bien plus à leur place à l'arrière de la maison que sur la façade (comme on a trop souvent coutume de les placer) d'où l'on ne pourrait contempler que la rue et les maisons d'en face. Le nouveau mur ne fait pas qu'agrandir la maison. Par l'angle qu'il forme, il constitue un arrière-plan original et intéressant pour la terrasse. Par ailleurs, la courbe de celle-ci relie visuellement les deux extrémités de la maison.

La ligne accentuée du toit et l'étroitesse des bardeaux faisaient l'originalité de la maison. Aussi, lors de la réfection, a-t-on conservé et même mis en valeur ces deux importantes caractéristiques. De même, les magnifiques arbres qui ornaient le terrain avaient contribué à convaincre les propriétaires d'acheter la maison. Avec l'installation des grandes baies vitrées et de la vaste terrasse, les arbres sont devenus partie intégrante du décor.

Après la réfection, on voit toujours, du même angle, la ligne du toit, les bardeaux et une petite fenêtre de côté. Des buissons massifs de genévrier relient la façade et la terrasse à l'ensemble du jardin et font équilibre au feuillage des arbres. Pour mieux ancrer la maison au sol, on l'a fait paraître plus basse en peignant le haut d'une couleur foncée et en prolongeant la ligne horizontale du côté. Les ombres des arbres viennent animer le sol couvert de gravier.

La terrasse prolonge le salon auquel on accède facilement par les panneaux coulissants ou par la porte de droite. Sa courbe fait un agréable contraste avec les nombreux angles des parties ajoutées. La large plate-bande de genévriers, qui borde la terrasse, ne nécessite que peu d'entretien.

Pour plus de facilité, on peut utiliser des panneaux qu'il suffit d'assembler. La terrasse est posée sur des piliers faits de deux blocs de béton superposés. Le tout repose sur un fond de pierre concassée qui permet l'écoulement des eaux et maintient la structure durant le gel et le dégel.

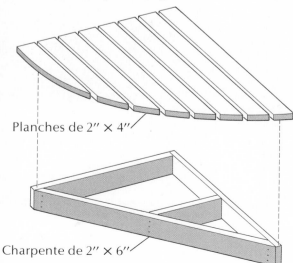

Planches de 2" × 4"

Charpente de 2" × 6"

Ce magnifique décor n'était auparavant qu'un recoin inutilisé. En le divisant, on lui a donné un air plus vaste, et on a su maintenir l'unité entre les deux sections au moyen des courbes parallèles de l'écran et de la rangée de rondins. Le lien visuel entre la maison et le mur est assuré par les cadres de cèdre rouge de part et d'autre.

▶**Voici l'envers du décor.** Cet espace perdu résultait de l'addition d'une pièce (à gauche) à la maison. A cause de la protubérance du mur de droite, il a fallu donner une ligne courbe à l'écran de rotin qui la masque. D'ailleurs, cette courbe permet à la lumière de pénétrer par les fenêtres qui sont derrière l'écran.

144

Comment exploiter les espaces perdus

Même dans les aménagements les mieux conçus, il arrive parfois que des espaces soient perdus, comme un étroit passage entre deux maisons ou un recoin derrière un garage. Pourtant, il est souvent facile de transformer de tels endroits. Moyennant peu d'efforts, ils peuvent être convertis en terrasses, cours de jeu ou carrés de rosiers.

Dans bien des cas, c'est l'addition d'une pièce ou d'une piscine qui attire l'attention sur des espaces perdus. Heureusement, il y a toujours moyen d'embellir et d'utiliser le moindre coin de terrain, quelles que soient les difficultés qui se présentent au départ.

Un patio original

C'est même parfois en apportant des améliorations à une maison que l'on crée des espaces qui semblent inutilisables. C'est précisément ce qui est arrivé dans le cas que nous illustrons ici. Il manquait un endroit frais pour les chaudes journées d'été, aussi a-t-on décidé d'ajouter une pièce grillagée, ce qui était une heureuse idée. Mais du même coup on s'est retrouvé avec un étroit couloir inesthétique étranglé entre la maison et la pièce grillagée. Bien plus : la nouvelle pièce donnait exactement sur cet espace perdu. Il fallait donc absolument trouver une solution.

On a donc caché le mur d'en face par un écran de rotin, élevé et en courbe. Pour laisser la lumière entrer par les fenêtres, on a dressé l'écran à quelques pieds du mur de la maison. L'espace ainsi délimité étant trop sombre pour qu'on puisse y faire pousser une pelouse ou des fleurs, il a fallu choisir d'autres éléments pour composer le décor. On a donc disposé soigneusement sur un lit de gravier brun une statue chinoise, des rochers, des arbres, des arbustes et de gros rondins. Cet arrangement avait aussi l'avantage de ne demander que très peu d'entretien. Enfin, tout éclairage nocturne était inutile, les lumières de la pièce voisine suffisant à éclairer ce patio original.

Bien qu'on ne puisse pas parler ici d'un véritable jardin oriental, il est à noter que le choix des matériaux et la composition du décor s'inspirent largement de certains principes des jardins japonais.

Une gouttière encombrante et un sol négligé montrent l'état piteux dans lequel on laisse trop souvent des recoins de terrain. Avec les travaux de rénovation, cet espace perdu a été mis en évidence.

Un drain souterrain, qui se déverse dans un puisard, facilite l'écoulement des eaux sans déparer le jardin. La nouvelle pièce peut se passer de rideaux grâce à l'écran de rotin qui masque le mur d'en face.

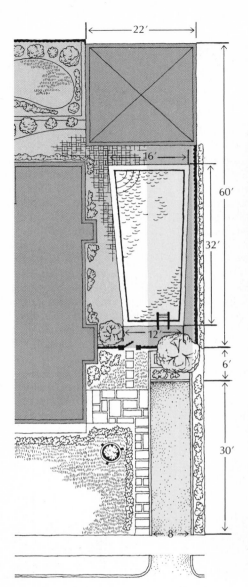

La zone teintée montre la place de l'entrée de garage avant la réfection. Le garage (au fond) est devenu un cabanon.

De la rue, on ne voit plus que la partie de l'entrée réservée au stationnement. Une palissade et des plantations masquent complètement la piscine.

Au lieu du garage avec son entrée : une piscine et un cabanon

Beaucoup de vieilles maisons sont dotées d'un garage situé au fond du terrain. Cette coutume date du temps où l'on remisait la voiture à cheval dans la grange. Par la suite, une allée destinée aux fournisseurs conduisait à l'arrière de la maison. Ces habitudes ont été abandonnées, mais il nous en est resté ces garages précédés de longues allées qui représentent un gaspillage de terrain.

Nous voyons ici comment un vieux garage et son entrée ont été remplacés par une piscine et un cabanon. Il reste quand même assez de place pour le stationnement des voitures et même pour un garage ou un abri pour auto. La piscine est loin de la rue, comme l'exigent souvent les règlements municipaux, et elle est complètement enclose par la palissade, les

Du garage converti en cabanon, on voit la piscine et la palissade. La piscine est plus étroite à l'autre bout, ce qui semble l'allonger, et laisse de la place pour les bains de soleil, à droite. Des plantes rampantes longent le mur et la palissade, atténuant l'austérité des dalles.

plantations, la maison et le garage converti en cabanon. A ce propos, n'oubliez pas de consulter les règlements de votre municipalité avant de faire construire votre piscine. Dans les cas où l'on ne peut pas (ou ne veut pas) avoir de piscine, l'entrée de garage peut être transformée en parterre, en terrasse ou en terrain de jeu.

Le plan que nous reproduisons à gauche montre comment on a exploité une illusion d'optique. En se prolongeant, les lignes parallèles semblent converger, et si effectivement on rapproche deux lignes vers leur extrémité, on donne l'impression que l'espace qu'elles délimitent est plus long qu'il ne l'est vraiment. C'est ce qu'on a fait dans le cas de la piscine. Le cabanon contient des cabines de bain et il reste amplement d'espace de rangement. Entre le garage et la maison, à gauche, on a laissé un passage qui relie la piscine au jardin.

6

Jardins de ville

L'aménagement et l'entretien des jardins de ville posent des problèmes particuliers. Tout d'abord, l'espace y est généralement restreint. Les plantes et les matériaux doivent donc être minutieusement choisis si l'on veut que le décor soit intéressant sans être chargé. Dans beaucoup de villes la suie présente un inconvénient supplémentaire. Il faut vaporiser régulièrement les feuilles avec de l'eau et combler ou même remplacer le sol de temps à autre. Pour faciliter l'écoulement des eaux, on peut surélever les plates-bandes et les divers récipients. Enfin, à cause de l'ombre qui recouvre souvent ces jardins, il faut savoir utiliser avec imagination la brique, le bois, la pierre, le gravier, l'eau et les arbres. On doit aussi en tenir compte pour le choix des plantes. Heureusement, certaines plantes, comme la pervenche, le buis et le troène, tiennent le coup même dans les situations les plus dures.

Un jardin tout de briques et de plantes

Le jardin que l'on voit ici est fait de vieilles briques, comme la plupart des maisons et des trottoirs du quartier. Sa forme rectangulaire pourrait lui donner un aspect banal qu'on a su éviter en le décorant d'arbres, d'arbustes, de plantes grimpantes, de vases et de pots, et même d'une petite fontaine. L'espace étant limité, il a fallu, pour en tirer parti, doser et disposer soigneusement les plantes en tenant compte des dimensions du jardin.

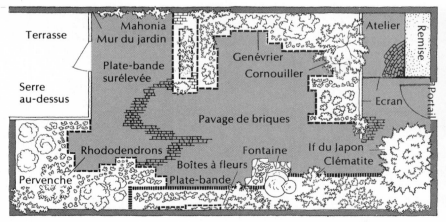

Les plates-bandes, dont certaines sont surélevées, divisent le jardin en trois zones qui se complètent. Vu de la maison, le décor garde tout son charme.

Le jet de la fontaine retombe sur des plateaux pour alimenter finalement un jardinet niché dans la brique. Un robinet dissimulé permet de contrôler le débit.

148

Des arbres et des murs élevés font le lien entre le jardin et les bâtiments qui l'entourent. La disposition des plantes fait paraître le jardin plus grand. Les arbres voisins, les maisons et même le ciel deviennent des éléments du décor. La zone laissée libre sert en temps normal de terrasse de repos. Mais même en automne, lorsqu'on a retiré le mobilier, ce petit coin n'a aucunement l'air désert.

Des boîtes à fleurs semblent atténuer la hauteur du mur où elles sont fixées. Cet effet est d'ailleurs renforcé par les deux paliers du mur.

Des écrans de bambou dissimulent la remise située au fond du jardin. Plus bas que les murs de brique, ils restent intégrés à l'ensemble du terrain.

Variations
sur un même thème

Voici trois aménagements qui apportent autant de solutions différentes aux mêmes problèmes, notamment celui du manque d'espace.

Ces trois jardins, en effet, sont étroits, rectangulaires, entourés de murs élevés qui leur donnent une certaine intimité et dotés de deux entrées : la porte du salon à la même hauteur et l'escalier qui mène à l'étage inférieur. Les trois jardins s'étendent également au pied d'un balcon situé à l'étage supérieur, au niveau de la chambre à coucher.

Ces jardins, cependant, sont tous trois d'un modèle différent. C'est que dans chaque cas l'architecte paysagiste a mis son art au service des goûts et de la personnalité de son client. L'aide de spécialistes, d'ailleurs, est particulièrement précieuse lorsqu'il s'agit d'aménager des espaces aussi restreints. Dans les jardins de ville, chaque pied carré doit être utilisé en fonction d'un ensemble que la moindre erreur peut compromettre.

Dans les aménagements de ce genre il ne faut pas non plus oublier que l'on voit chaque jardin du haut des étages supérieurs. Les plans que nous reproduisons dans les pages qui suivent montrent, en effet, la vue que l'on a des balcons des diverses maisons. Ce sont là des considérations dont il faut tenir compte, aussi bien dans la disposition des plates-bandes, des terrasses et du mobilier, que dans toute la conception du jardin.

Les terrains rectangulaires que nous voyons ici ont donc été aménagés de façon à servir de lieux de réceptions tout en n'exigeant qu'un minimum d'entretien. Le sol sèche rapidement. Les arbres et les arbustes ne demandent que des tailles et des arrosages occasionnels.

Ces jardins de ville, attenants à une rangée de maisons, sont bien différents, quoique l'espace soit le même dans les trois cas. La photo a été prise du toit de la maison d'en face.

Un jardin, quatre salons

En la divisant en sections, on a réussi à transformer une étroite bande de terrain en un magnifique jardin. Quatre terrasses s'y succèdent à des paliers différents : le belvédère, le salon-soleil auquel on accède par une marche formée de deux simples roches, la galerie qui s'étend de la maison au jardin et le palier de l'escalier qui conduit à l'étage inférieur. Au fond du jardin, les marches accentuent la pente naturelle du terrain.

Chaque section du jardin a une forme géométrique qui lui est propre et constitue une unité à part. Les diverses zones se distinguent aussi par la couleur et la texture des matériaux qu'on y trouve. Les nombreuses plantes qui bordent les côtés du jardin rehaussent l'aspect un peu

neutre de la palissade et tranchent sur la couleur des terrasses de cèdre. De même, le bois des terrasses et des murs fait un heureux contraste avec l'aspect rude de l'allée de dalles et des marches en traverses de chemin de fer. Ces traverses, soit dit en passant, malgré leur apparence un peu grossière, conviennent bien au décor en raison de leurs lignes nettes et précises.

On retrouve les mêmes marches bordées des mêmes plantes aux deux extrémités du jardin, ce qui contribue à donner une impression d'équilibre et d'unité. Des lampadaires en forme d'ombrelles se dressent çà et là. Enfin, les deux appliques de céramique qui ornent le mur du fond et le belvédère, qui fait songer à une pagode, relient le jardin à la maison dont la décoration intérieure est précisément d'inspiration chinoise.

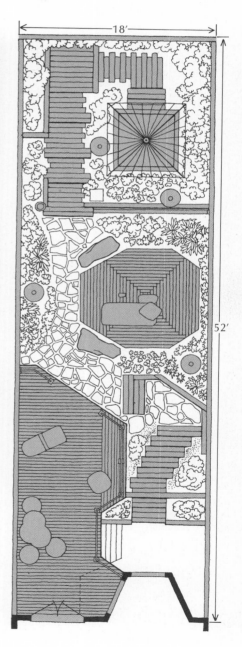

Des lampadaires en forme d'ombrelles illuminent les diverses parties du jardin. Un tel éclairage évite les reflets désagréables. Entre les dalles, on laisse pousser des plantes tapissantes.

◀ **La galerie** qui s'étend de la maison au jardin ressemble à une pièce intérieure avec ses murs de bois et son mobilier coquet. Les plantes le long de l'escalier créent une sorte de grotte en pleine cité.

▶ **Le plan du jardin** montre bien comment les divers éléments se combinent pour donner une impression d'unité. A noter : les lignes parallèles que forment les traverses, la galerie de bois et la plate-forme.

153

Une terrasse de gravier encerclée de bancs

Dans le jardin que nous voyons ici, on a voulu laisser le plus possible d'espace libre et dégager complètement la perspective. La disposition circulaire des bancs donne de la dimension au jardin en même temps qu'elle détourne les regards des murs élevés qui auraient tendance à cloisonner l'espace. C'est dans le même but qu'on a divisé le jardin en deux parties qui servent à des fins différentes : une terrasse pour la conversation et, au bout d'un chemin en courbe, un coin isolé pour la lecture, décoré d'une sculpture. La galerie de planches peut servir quand on donne des réceptions intimes ou peut être utilisée comme terrasse supplémentaire lorsque les invités sont nombreux et

doivent rester debout (ce qui serait inconfortable sur la terrasse de gravier).

Si l'on a recouvert une partie du sol avec du gravier, c'est parce que celui-ci présente l'énorme avantage de ne demander presque aucun entretien. Bien sûr, les mauvaises herbes trouvent moyen de pousser entre les cailloux, mais elles restent en surface et s'arrachent facilement. Le reste du jardin est couvert de pervenche. Il est bon de planter celle-ci aussi dense que possible pour qu'elle étouffe les mauvaises herbes.

Les couleurs plutôt neutres du bois brunroux, des plantes vert sombre et du gravier grisâtre donnent au jardin une ambiance calme et détendue. Si l'on veut ajouter des teintes vives, il suffit de disperser adroitement ici et là des fleurs en pot.

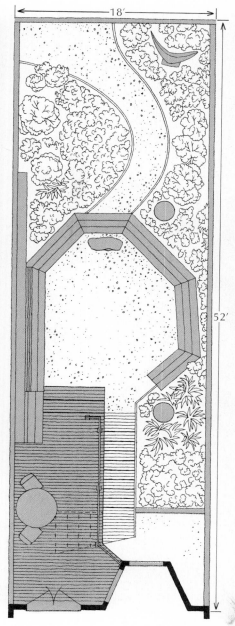

La nuit, le sentier et la terrasse de gravier sont éclairés. Un projecteur discret illumine la sculpture, au fond du jardin, et les bonsaïs, sur la table basse, sont éclairés par une lampe fixée au mur.

◀ **Un rayon** aménagé derrière le banc sert à ranger des fleurs en pot. Des vases décorent et indiquent les marches qui mènent à la galerie, ainsi que l'escalier qui conduit à l'étage inférieur.

▶ **Le plan** illustre l'intégration des deux parties du jardin. La terrasse, à l'entrée de la maison, peut convenir aux réunions entre quelques personnes, et la partie circulaire à des groupes plus nombreux.

Un tapis de briques
pour une terrasse-salon

Dans cette terrasse aux allures de salon, c'est un tapis de briques qui fait l'unité du décor. Ses extrémités incurvées s'allient à la plate-bande qui épouse la même courbe, et son cadre de bois s'harmonise à la boîte à fleurs et aux marches de la terrasse, également en bois.

La surface de brique donne aussi un ton paisible au jardin par la symétrie de son dessin, sa texture lisse et ses couleurs fanées. Sans cet espace dégagé, le jardin serait envahi par l'abondance désordonnée des plantes et la présence un peu lourde des dalles irrégulières. Le jet d'eau et la statue de Cupidon qui ornent l'extrémité du jardin exigeaient cette ambiance calme et sereine.

La façon dont le jardin est aménagé, notamment l'alignement des plantes le long des palissades, procure un cadre élégant et spacieux pour les réceptions. La place ne manque pas pour installer une table et des chaises pour les repas, ou un mobilier de salon complet pour les réunions ordinaires. Au besoin, on retire les meubles et la terrasse se transforme en piste de danse.

Le succès de cet aménagement est attribuable à l'attention que l'architecte paysagiste a su accorder aux détails. Toutes les lignes, droites ou courbes, sont nettement dessinées et reliées les unes aux autres. Les arbres et les haies sont soigneusement taillés et les dalles disposées avec art. C'est surtout dans de tels espaces restreints, rappelons-le, que l'aménagement et l'entretien du jardin sont primordiaux.

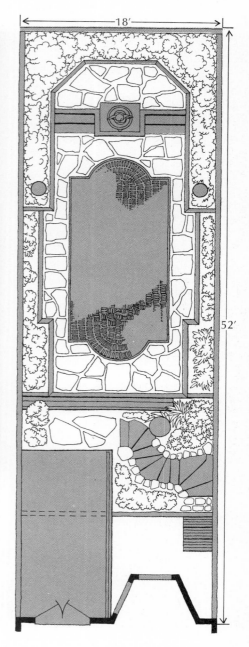

La symétrie des zones pavées est assurée par la séparation qui les isole de la terrasse située à l'entrée de la maison. Un lampadaire éclaire l'escalier qui conduit au sous-sol.

◀ **La hauteur des clôtures** est atténuée par des pommetiers décoratifs plantés de façon serrée, des ifs soigneusement taillés, à côté de la plate-bande surélevée, et des boîtes à fleurs suspendues.

▶ **Le plan** montre les dessins de la brique et des dalles, tels qu'on les voit de l'étage supérieur. La bande qui sépare le jardin de la terrasse d'entrée contribue à mettre les motifs en valeur.

Un jardin suspendu

Dans ce jardin sur un toit en terrasse, entre deux maisons, les plantes jaillissent de leurs jardinières pour s'élancer de toute part. Afin de leur donner de la densité et pour épargner de l'espace, les récipients sont groupés sur le plancher, sur des rayons et au sommet de la clôture. Les pots rangés sur le balcon, les corbeilles suspendues et les cascades de gloires du matin agrandissent le jardin et le prolongent jusqu'au toit de la maison.

Au sommet de la clôture des pétunias débordent de leur caisse. Presque toutes les plantes posées par terre sont des annuelles, comme les géraniums, les impatientes et les bégonias. L'arrangement floral a autant de charme vu du jardin que de la maison.

▶**Une gloire du matin,** nichée dans une boîte sur le plancher, s'élance à l'assaut de la maison en s'accrochant à des ficelles attachées à l'échelle de sauvetage. Le balcon est couvert de plantes condimentaires. On peut arroser facilement le jardin avec un tuyau. L'eau s'écoule entre les planches pour tomber sur le toit, juste en dessous.

Un jardin amovible sur le toit

Pour ajouter un jardin à un appartement situé au sommet d'un édifice, on a simplement posé sur le toit un plancher parsemé de gravier et des boîtes à fleurs. Facile à installer et à modifier, n'exigeant que peu de soins, le jardin peut s'adapter à des espaces de toutes dimensions. Le plancher se compose de sections que l'on assemble comme on veut. On utilise généralement du sapin traité contre la putréfaction ou encore du pin ou du cèdre rouge.

Une vue spectaculaire, un espace assez vaste et un fond solide : il n'en faut pas plus pour transformer un toit en jardin. Après avoir camouflé le parapet et posé le plancher, il ne reste plus qu'à prévoir un coin ombragé et des arbres qui couperont le vent.

▶ **Pour faire de l'ombre,** on a posé sur une armature de bois des panneaux de rotin qui s'allient harmonieusement au plancher et à la clôture de bois. Pour les arbres, il faut évidemment choisir des espèces résistantes. Ici, on a mis des pommetiers décoratifs le long de la clôture, derrière lesquels on a ajouté des oliviers de Bohême. Dans les zones de gravier, on a disposé des pins noirs d'Autriche.

Prenez le temps
de réfléchir

Les pages qui précèdent, avec les nombreux exemples qu'elles illustrent, vous ont sans doute incité à améliorer votre jardin. Nous avons voulu vous montrer comment des architectes paysagistes renommés ont trouvé d'heureuses solutions à une vaste gamme de problèmes. Quels que soient le style de votre maison, les dimensions de votre terrain et les limites de votre budget, vous pourrez certainement puiser dans nos pages des idées adaptables à vos besoins et à vos goûts.

En poursuivant votre lecture, vous constaterez que tous les bons aménagements se fondent sur certains principes faciles à comprendre et que l'on peut appliquer en utilisant divers matériaux, à des coûts variables. De plus, les sections consacrées à la construction vous apprendront à épargner en réalisant vous-même certains travaux.

Nous souhaitons que ces premières pages aient été pour vous une source d'inspiration et que, par les exemples qu'elles contenaient, elles vous aient donné le désir d'enjoliver votre jardin de façon à améliorer la qualité de votre vie quotidienne.

Dans la prochaine section, notre but est de vous aider à réaliser vos rêves en tenant compte de votre budget et des conditions spécifiques de votre terrain. Vous apprendrez alors à analyser vos besoins, à examiner les options possibles et à évaluer les résultats que vous pourrez obtenir.

N'oubliez pas la quatrième dimension

La largeur et la profondeur du terrain ainsi que la hauteur de la maison et des arbres représentent les trois premières dimensions dont il faut tenir compte dans vos projets. Mais il y en a une quatrième, tout aussi importante, quoique beaucoup moins évidente : le temps.

Tout plan d'aménagement peut se décomposer en diverses parties. Les chemins, les haies, les palissades, les terrasses et les plantations constituent, par exemple, autant d'éléments distincts. Tous ces travaux doivent être conçus et exécutés séparément, mais ils doivent néanmoins être envisagés en fonction les uns des autres ainsi que de l'ensemble du terrain et même du voisinage qui les encadre.

Il est donc essentiel de commencer par établir un plan général. Même si vous n'envisagez pour le moment que quelques améliorations, il vaut quand même la peine de les mettre par écrit : il vous sera plus facile de les réaliser et de les intégrer à l'ensemble. Enfin, étant donné que l'aménagement d'un jardin se fait généralement par étapes, il faut aussi dresser un ordre de priorité.

Ainsi, en décidant de rénover le chemin d'entrée avant d'agrandir la terrasse, ou de poser la pelouse avant d'ériger la clôture, vous faites intervenir la quatrième dimension.

Par où commencer?

Bien entendu, c'est à vous de définir vos priorités. Nous pouvons cependant vous aider en vous fournissant certaines données de base, en vous proposant les options qui semblent les meilleures et en vous montrant comment faire votre plan.

L'ordre selon lequel s'effectuent les travaux représente un aspect du facteur temps. L'évolution constante des divers besoins de la famille en constitue un autre. Même dans les cas où il n'y a pas d'enfants en cause, les réceptions et les travaux de jardinage des premières années céderont la place, avec le temps, à des activités plus restreintes et à des occupations plus calmes. Bien entendu, lorsqu'il y a des enfants, les changements sont encore plus rapides et plus prononcés. Tous les parents le savent, d'ailleurs.

C'est ainsi que se succèdent à un rythme effarant les carrés de sable, les barboteuses, les tricycles et les bicyclettes, les balançoires, les installations de basketball et la seconde voiture familiale. Chaque fois, de nouveaux besoins appellent de nouvelles installations.

S'il est donc important de répondre aux besoins du moment, il ne faut pas oublier qu'ils n'auront qu'un temps. D'où la sagesse, et même la nécessité, de prévoir à long terme. Une vieille boîte à sable fera plus tard un excellent cadre pour une plantation de fines herbes. La barboteuse deviendra un bassin de nénuphars. Le campement indien ou la jungle de l'arrière-terrain se transformera en parterre ou en potager. La cour de jeu, refaite et ensemencée, deviendra une pelouse ou un golf miniature. Bref, que vous ayez des enfants ou non, vos intérêts comme vos besoins se transformeront avec le temps. Les aménagements doivent en tenir compte.

Comment vous servir de la section suivante

En feuilletant les pages qui suivent, vous pourrez voir le genre de décisions qu'il faut absolument prendre avant même de dresser un plan d'aménagement.

Dans cette seconde section vous trouverez des données fondamentales sur un sujet qui reste complexe et qu'on ne saurait assimiler à la hâte. Prenez donc le temps de les consulter soigneusement et de vous y référer au besoin. Dès le premier coup d'œil, cependant, vous relèverez sans doute certains moyens de tirer le meilleur parti de votre terrain.

A mesure que vous découvrirez les coins de votre jardin qui se prêtent le mieux à des amé-

liorations, il vous sera probablement utile de revenir en arrière pour examiner les suggestions et les exemples de la première section. Ce sera alors le moment de lire intégralement le texte qui accompagne les illustrations. Vous pourrez ainsi prendre connaissance des principes à suivre dans l'exécution des divers projets.

Cette première section et celle qui la suit se complètent. Les exemples que nous vous avons tout d'abord montrés visaient à vous donner une idée des aménagements que vous pourriez faire. La prochaine section vous aidera à définir vos besoins et à évaluer vos possibilités en fonction du temps, de l'espace et des fonds dont vous disposez.

Ne soyez pas trop timide

On peut être porté à croire que les aménagements paysagers exigent beaucoup d'efforts, d'argent et de temps. S'il en est parfois ainsi, il reste néanmoins impossible de le savoir tant qu'on n'a pas fait au moins quelques esquisses et évalué les frais.

En modifiant le paysage, non seulement on embellit le cadre dans lequel on vit, mais on augmente aussi les possibilités qu'offrent les loisirs et la vie en plein air. Souvent, les frais sont bien inférieurs à ce que l'on prévoyait. Le projet le plus modeste peut ajouter beaucoup à la beauté et à l'utilité de votre jardin. Plus tard, quand vous aurez mis au point un plan général, vous pourrez passer à des améliorations plus importantes, au rythme et dans l'ordre qui vous conviendront.

D'ailleurs, il n'en coûte rien de faire des projets. Et qui sait? Vous découvrirez peut-être avec surprise qu'un léger placement affecté à la rénovation de votre jardin vous rapportera des dividendes incalculables sous forme d'agréments dans votre vie quotidienne.

2

Le plan

Ce qu'il faut savoir pour ajuster vos projets
au budget et à l'espace dont vous disposez

7

Les principes fondamentaux

Comment un architecte paysagiste aborderait votre cas

Les paysagistes professionnels ont mis au point des méthodes dont on a tout intérêt à s'inspirer lorsqu'on veut aménager un jardin. Il s'agit, en somme, d'examiner séparément les diverses parties, d'établir un ordre de priorité et de définir des objectifs généraux, après quoi on dresse un plan global et précis. Bien sûr, tout cela est plus facile à dire qu'à faire et certains atouts, comme le sens des proportions par exemple, ne peuvent s'acquérir qu'avec l'expérience. Mais en procédant d'une façon logique, on peut tout au moins se fixer un point de départ indispensable à la réussite des projets.

D'abord, décidez ce que vous voulez conserver. En effet, même s'il s'agit d'une maison toute neuve et d'un terrain qui n'a jamais été travaillé, il peut y avoir sur les lieux des arbres que vous aimeriez garder, une fondrière ou des rochers que l'on pourrait exploiter et intégrer au jardin. Par ailleurs, s'il s'agit simplement de rénover un jardin existant, il y a souvent lieu de conserver la plupart des éléments en place. Dans un cas comme dans l'autre, votre choix doit être clairement indiqué sur un brouillon de plan comme celui que vous voyez ici. Cette esquisse, comme toutes les autres dont

nous parlerons plus loin, doit être à l'échelle, c'est-à-dire que, sans pousser l'exactitude jusqu'à la perfection, il faut tout de même respecter approximativement les proportions des éléments et les distances. Cette préoccupation vous amènera d'ailleurs à étudier les diverses parties du terrain et à accorder à chacune l'importance qui lui revient. Sur le dessin que vous voyez sur cette page, vous remarquerez des éléments fixes, mais également une rangée de X qui indique des arbustes encombrants qu'il faudra enlever. Ce cas se présente souvent dans les vieux jardins où certaines plantes ont pris des proportions excessives.

Pensez au vent, au soleil et à la pluie. La répartition des zones ensoleillées et des zones ombragées, la force et la direction des vents, la pluie, la neige et l'écoulement des eaux produisent des effets sur la façon de vivre des propriétaires et sur la croissance des plantes. C'est pourquoi, dès qu'il examine un terrain, l'architecte paysagiste songe à l'action des éléments. Il sait d'expérience les endroits où le soleil ré-

▶ **La délimitation** de zones d'activité est une des premières étapes de l'élaboration d'un plan. Même si on ne les indique pas sur les dessins, il faut les garder présentes à l'esprit. La zone d'entrée doit, le cas échéant, pouvoir servir au stationnement des voitures. Des espaces assez vastes doivent être réservés aux terrasses. Il faut prévoir aussi de la place pour une piscine ou un terrain de jeu, une remise avec un atelier, un potager, et des plates-bandes si on le désire. Les voies de circulation doivent aussi être établies (indiquées par des lignes en pointillé). Bien entendu, tous ces aménagements ne sont pas indispensables et on peut leur apporter des changements par la suite.

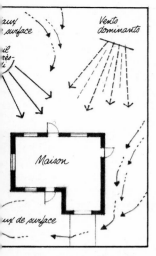

chauffera la terre et ceux qui resteront plus froids. Il découvrira les zones où souffleront les vents et celles qui seront à l'abri. Il prévoira les effets des eaux de pluie et de la fonte des neiges et reconnaîtra les endroits où le sol risque d'être saturé ou érodé. Il vous faut en faire autant et découvrir les microclimats qui sont propres à votre terrain. Après avoir recueilli peu à peu ces données, vous pourrez les reporter sur une esquisse que vous consulterez lorsqu'il s'agira, par exemple, de choisir l'emplacement d'un potager ou d'une terrasse. Vous pouvez dessiner une série de croquis (comme nous le faisons ici) ou indiquer toutes vos données sur une seule esquisse en utilisant un code de couleurs.

La vue depuis la maison. Dans les cas les plus favorables, on ne choisit l'emplacement de la maison qu'après avoir étudié soigneusement les particularités du terrain et les effets du climat que nous venons de mentionner dans les lignes qui précèdent. Le plan du jardin et celui de la maison doivent se compléter.

Mais il faut pour cela que l'architecte et le paysagiste puissent collaborer dès le début à l'élaboration du projet. Le plus souvent, il s'agit d'aménager le terrain en fonction d'une maison déjà construite. L'emplacement des portes et des fenêtres prend alors une très grande importance. On placera, par exemple, la terrasse pour la cuisine de plein air au pied d'une porte donnant sur la cuisine ou la salle à manger. Et tant mieux si une autre porte permet de prolonger le salon sur une terrasse affectée au repos et aux réceptions. Quelquefois, une porte secondaire, dans une chambre à coucher, peut déboucher sur un patio supplémentaire ou encore sur un jardin séparé.

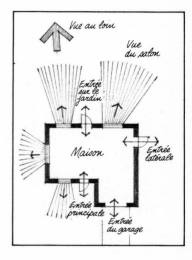

Souvent, on peut placer des éléments décoratifs comme des arbres à fleurs, des sculptures

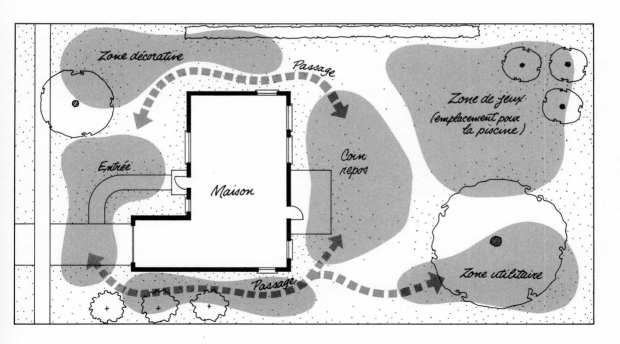

et des massifs à des endroits où on pourra les voir de l'intérieur de la maison. D'ailleurs, la maison est généralement située de façon qu'on puisse y bénéficier du paysage. De même, il faut tenir compte de la vue en choisissant l'emplacement des terrasses. Toutes ces données doivent figurer sur les esquisses.

La vue depuis la rue. La majeure partie des terrains qui entourent les maisons de banlieue est exposée à la vue des passants et des proches voisins. Dans bien des cas, cependant, certains coins du jardin sont dissimulés par divers écrans, comme la zone A sur le plan ci-dessous. Il faut alors les indiquer sur le plan car ils constituent des lieux privilégiés pour la vie en plein air. Lorsque ces zones ne se prêtent pas à une telle utilisation, à cause du manque de soleil, du vent ou d'un mauvais emplacement par rapport à la maison, on peut alors choisir d'autres endroits (comme la zone B sur le plan) que l'on dissimulera par des écrans. Si l'on érige des clôtures, on s'efforcera de les rendre aussi attrayantes que possible. Si on préfère des plantations, il est sage de les placer à l'intérieur du terrain, de façon à ne pas être obligé d'aller chez le voisin lorsqu'on veut les tailler.

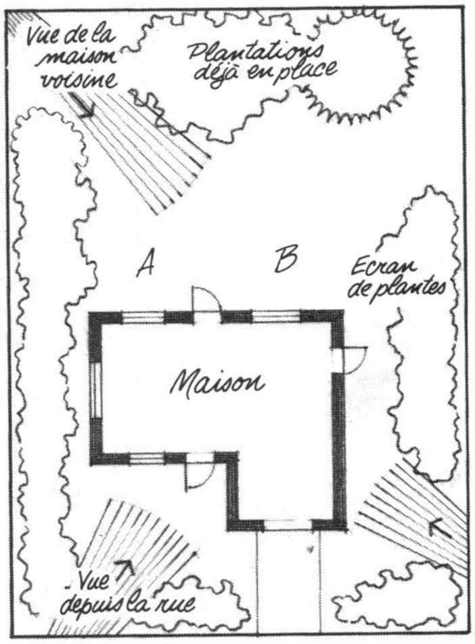

En plus d'assurer l'intimité du jardin, il est bon de protéger aussi celle de la maison. Les divers types d'écrans que vous installerez devront donc servir également à cette fin, sinon vous ne vous sentirez pas chez vous.

Votre première étape consistera donc à dresser des plans sommaires, comme ceux que nous illustrons, ou tout au moins à tenir compte des principes que nous avons exposés. Un architecte paysagiste trouverait sans doute cette préparation incomplète et y ajouterait probablement un plan global, une étude de dénivellement et de drainage, au besoin un plan d'irrigation, un projet de plantations et des dessins de divers détails. Il reste que vous aurez déjà pris un bon départ et aurez entrepris votre travail avec méthode.

Important

Les pages qui précèdent vous ont probableme amené à vous poser déjà plusieurs questio sur la façon d'aménager votre terrain. M il reste encore bien des détails et des points p cis à élucider. C'est pourquoi nous vous soum tons maintenant une série de questions c vous poserait tout architecte paysagiste d vous auriez retenu les services.

Après avoir choisi les questions qui s'ap quent à votre cas, demandez à votre fami de vous aider à y répondre. Vous pourrez ai bénéficier de plusieurs points de vue et vc faire une meilleure idée de ce que vous pou attendre des améliorations et des aména ments à apporter à votre terrain. Nous ne p tendons pas que cette liste de questions s exhaustive. Ajoutez celles qui vous vienne à l'esprit ou qui conviennent à votre cas pa culier.

☐ **1** Les visiteurs peuvent-ils stationner d la rue? Sinon, il vous faudra prévoir un esp où ils pourront garer leur voiture.

☐ **2** Votre entrée est-elle clairement indiqu de façon qu'on puisse voir de la rue le num de votre porte aussi bien la nuit que le jo Le stationnement et la porte d'entrée sont faciles à localiser?

☐ **3** Faut-il installer un éclairage spécial pc indiquer le chemin à suivre, des autos à la m son? Si tel est le cas, il conviendra de poser fils avant d'aménager la pelouse.

☐ **4** Le chemin d'entrée est-il assez large pc que deux personnes puissent le suivre côt côte? Pour des raisons d'esthétique, il faut p voir une largeur de cinq pieds, et même p si le chemin est d'une longueur importante.

☐ **5** Avez-vous songé à enjoliver le chen d'entrée en le bordant de plantes, de mass de jardinières ou de corbeilles de fleurs, ou core à le décorer avec une sculpture ou des é ments naturels?

1 questions à vous poser avant de commencer

6 Y a-t-il lieu de dissimuler, au moins par-ellement, par des plantations le côté de la aison qu'on aperçoit de la rue? En ce cas, il a lieu d'accorder une attention particulière à l'emplacement des arbres. Peut-être fau-rait-il ajouter une rangée d'arbustes.

7 Pouvez-vous planter sur le côté sud des bres qui pousseront très haut et qui donne-nt de l'ombre et de la fraîcheur à la maison?

8 Avez-vous une zone dégagée, assez vaste ensoleillée pour faire une pelouse? Sinon, vaut peut-être mieux chercher d'autres solu-ions pour couvrir le sol : plantes tapissantes autres.

9 Y a-t-il de la place pour manœuvrer une rouette sur tous les côtés de la maison? La ose serait certainement utile pour les tra-ux d'entretien.

10 Le sol, dans son état actuel, est-il assez che pour assurer le plein épanouissement des antes? S'il faut l'améliorer, servez-vous d'une cheuse rotative et ajoutez une bonne couche e terre arable. N'hésitez pas à faire ces travaux ès le début.

11 Avez-vous décidé des dimensions à don-er à la terrasse, compte tenu de vos habitudes e vie en plein air et des réceptions que vous omptez donner? Pour plus de précisions à ce ujet, consultez la page 188.

12 Serait-il avantageux d'aménager plu-eurs endroits pour les repas en plein air? Vous ourriez, par exemple, installer, à l'écart de a maison, une zone de pique-nique qui serait asquée par des plantations. Ce serait une so-ution avantageuse pour les enfants.

13 Comptez-vous faire la cuisine en plein ir? Si tel est le cas, songez dès maintenant ux installations et à l'équipement dont vous urez besoin.

☐ **14** En plus de la terrasse, aimeriez-vous avoir un coin tranquille pour la lecture et le repos? Le voulez-vous à l'ombre ou au soleil? Peut-on aménager quelque part un tel refuge sans trop de travaux de construction ou de plantation?

☐ **15** Serait-il utile de prévoir des sièges ou des bancs fixes, en utilisant par exemple un mur ou une plate-bande surélevée? On écono-mise ainsi de l'espace et les sièges sont toujours disponibles, même quand on a rangé le mobilier de jardin.

☐ **16** Y a-t-il un endroit pour remiser les meu-bles de jardin lorsqu'on ne s'en sert pas? Sinon, on peut utiliser des meubles pliants et leur construire une remise simple et étroite contre une palissade ou sur le côté d'un bâtiment.

☐ **17** Avez-vous prévu un endroit pour les poubelles, les cordes à linge et autres choses du genre? Avez-vous prévu un espace de ran-gement pour la machinerie et les outils de jardinage?

☐ **18** Faut-il ajouter des écrans pour assurer l'intimité du jardin? Si tel est le cas, il faut choi-sir entre les divers types possibles : plantes, clôtures, murs ou grillages.

☐ **19** Si vous avez des enfants en bas âge, avez-vous prévu l'espace et les installations dont ils ont actuellement besoin et qui leur seront nécessaires au cours des ans?

☐ **20** Aimez-vous le jardinage? Peut-être se-rait-il bon de prévoir de la place pour un pota-ger, un parterre et un tas de terreau. Il y aurait lieu aussi de les cacher par quelque moyen.

☐ **21** Envisagez-vous de faire plus tard des travaux importants, comme l'installation d'une piscine ou l'aménagement d'une vaste terrasse? Si tel est le cas, prévoyez tout de suite des voies d'accès pour les camions et l'équipement lourd.

167

L'écoulement des eaux et l'érosion du sol

L'eau de pluie se précipite vers les endroits les plus bas. Si la pente du terrain est inclinée vers la maison, l'eau risque de s'accumuler contre les murs et de pénétrer dans les fondations et le sous-sol. Par ailleurs, s'il y a des creux dans le terrain, l'eau s'y réfugiera, menaçant de détruire le gazon et de faire dépérir les arbres et les arbustes. Enfin, si l'eau s'écoule trop rapidement, elle pourra éroder la surface du sol et emporter avec elle la bonne terre.

Dans tous les terrains en pente, l'écoulement des eaux présente donc des inconvénients, parfois très graves. Corriger la pente ou faire dévier les eaux est sans doute onéreux, mais il en coûtera encore plus cher si on néglige l'exécution de ces travaux.

L'importance de connaître le sol

Si vous habitez une région pluvieuse, il serait bon de savoir quelle quantité d'eau sera absorbée par la terre et quelle quantité, au contraire, s'écoulera en surface. De même, avant de faire des plantations et des travaux de nivellement sur un nouveau terrain, il est prudent de vérifier si le sol est perméable ou non.

Pour faire votre expérience, utilisez un renfoncement du terrain ou creusez un trou assez large à la surface du sol. Versez-y lentement de l'eau jusqu'à ce que le sol soit saturé, c'est-à-dire jusqu'à ce que l'eau s'accumule à la surface. Si l'eau reste ainsi plusieurs heures, sans être absorbée par le sol, il est probable que les eaux de pluie et de neige s'écouleront à la surface du terrain. Reste à savoir où elles se dirigeront et à quel débit. Bien entendu, plus la pente est accentuée, moins l'eau sera absorbée et plus vite elle s'écoulera. Par ailleurs, lorsque l'eau se déverse dans une voie qui va en se rétrécissant, la rapidité de son débit augmente. Les risques d'érosion dépendent donc de la stabilité du sol de surface et du débit des eaux.

A découvert, la terre de jardin est plutôt instable. Même sur une pente légère, la pluie emporte facilement le sol de surface. Une couverture de plantes tapissantes, par contre, facilite l'écoulement de l'eau et retient la terre sur une pente prononcée, même en plein orage.

Ne laissez pas l'eau chargée de terre se déverser hors de votre terrain : elle irait salir les ruisseaux et les lacs des environs.

▶ **Modifiez la pente.** Lorsque l'eau s'accumule et rend le sol trop boueux pour le gazon et les plantes de jardin, on peut abaisser les parties élevées ou combler les dépressions. Si de tels travaux semblent trop difficiles ou trop coûteux, il vous reste comme solution de transformer la zone humide en jardin aquatique que vous peuplerez de plantes de marécage telles que les soucis d'eau *(Caltha palustris)* et les lobélies du cardinal *(Lobelia cardinalis)*.

▶ **Dirigez l'écoulement des eaux.** Si l'eau qui inonde les zones basses provient de la surface au lieu de monter du sous-sol, comme c'est parfois le cas, on peut la réorienter au moyen d'une rigole ou cassis qui l'intercepte. On fait alors une coupe et un remblai dans la pente (à gauche sur l'illustration) et on donne au cassis la direction voulue, selon le terrain. Les dimensions du cassis dépendent, bien entendu, du débit prévu mais il ne faut pas oublier, à ce sujet, que le débit augmente lorsque l'eau s'engouffre dans un passage étroit. Pour protéger le cassis de l'érosion, on peut le couvrir de gazon, de gravier, d'asphalte ou d'une mince couche de ciment.

▶ **Drainez le sol.** Pour beaucoup de jardins, surtout dans les banlieues fortement peuplées, c'est la seule solution. Malheureusement, elle peut être très coûteuse. S'il s'agit simplement de creuser un puisard ou de poser un tuyau perforé pour répandre l'eau dans le sol, vous pouvez sans doute faire les travaux vous-même. Mais s'il faut mettre en place tout un système de drainage, et surtout s'il faut le raccorder aux égouts collecteurs de la rue, vous aurez absolument besoin des services de spécialistes. Malheureusement, lorsqu'on achète une maison, on ne peut être sûr que le constructeur a prévu le drainage des eaux de surface.

▶ **Réduisez le débit par des plantes.** On parvient à diminuer l'érosion en couvrant la pente avec des plantes qui poussent de façon serrée, comme l'*Euonymous fortunei*, la pachysandre ou la pervenche *(Vinca minor)*. Les petits arbustes comme l'if du Japon et le genévrier horizontal *(Juniperus horizontalis)*, qui est dense et pousse à ras de terre, réussissent aussi très bien à retenir l'eau. Toutes ces plantes forment un réseau serré de racines fibreuses qui stabilisent le sol et absorbent l'eau. Leurs feuilles recueillent aussi une partie de l'eau de pluie.

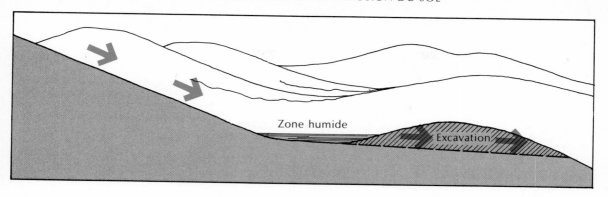

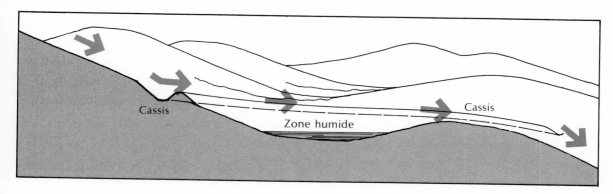

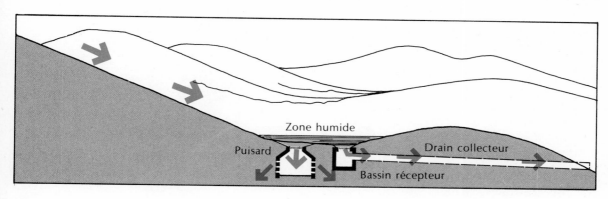

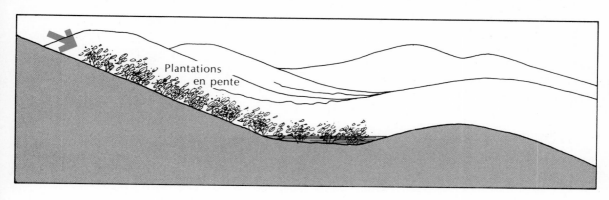

Le soleil et l'ombre

S'il est une chose que tout propriétaire devrait savoir, c'est bien la répartition des zones de soleil et d'ombre sur son terrain. Pour cela, il est indispensable de comprendre les déplacements du soleil, au cours de la journée et des saisons, par rapport à l'emplacement et à l'axe de la maison.

C'est grâce à ces données que l'on peut résoudre nombre de problèmes que pose l'aménagement du terrain, comme, par exemple, le choix de l'emplacement de certaines fleurs, des arbres et des arbustes. Les plantes qui ont besoin d'ombre souffriraient d'une trop longue exposition au soleil ardent de l'après-midi. Les autres, au contraire, pousseront mal si elles sont presque toute la journée à l'ombre.

De même, il est bon de connaître la trajectoire du soleil pour choisir les endroits qui seront consacrés à la vie en plein air. La même terrasse, par exemple, peut vous offrir la chaleur du soleil pour le petit déjeuner et une ombre rafraîchissante pour le repas du midi. L'après-midi, il faudra un endroit pour les bains de soleil et, par les soirées fraîches, un coin où l'on pourra bénéficier des derniers rayons du soleil couchant. Dans tous ces cas, on comprendra l'importance de savoir exactement où se situent les zones d'ombre et de soleil.

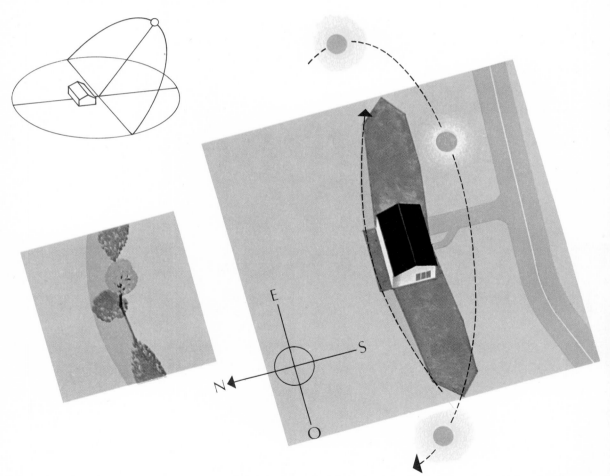

En été, dans notre hémisphère, le soleil se lève et se couche légèrement au nord de l'axe est-ouest. Par conséquent, le côté nord de tout bâtiment disposé selon cet axe est à l'ombre à midi et se trouve un peu au soleil au début de la matinée et à la fin de l'après-midi. Les plantes qui ont besoin de soleil y pousseront mal.

Bien entendu, si vous achetez une maison déjà construite, la question se trouve réglée, encore qu'il soit possible d'effectuer certains changements. Mais si vous faites construire votre maison, vous pouvez alors tenir compte de l'ensoleillement.

La maison ci-dessous est orientée selon un axe est-ouest. Bien qu'elle ne soit pas à recommander, une telle orientation simplifie du moins la répartition des zones d'ombre et de soleil quand il s'agit de planter un arbre ou d'ajouter un bâtiment. Sur la page de gauche, on peut suivre le trajet du soleil au solstice d'été, le 22 juin, jour le plus long de l'année. Le soleil se trouve alors le plus au nord. Comme on peut le voir sur la page de droite, il commence ensuite sa lente progression vers le sud,

jusqu'au jour le plus court de l'année ou solstice d'hiver, c'est-à-dire le 22 décembre.

A mesure que le soleil accomplit sa progression de l'est à l'ouest, les ombres qu'il projette se déplacent en sens contraire. Ces mouvements sont indiqués par les lignes en pointillé. Les régions foncées, sur les images, délimitent les zones ombragées au début de la matinée, à midi et le soir. On observera que, dans le cas d'une maison orientée selon un axe est-ouest, le côté nord de la maison n'est presque jamais ensoleillé, tandis que le côté sud, au contraire, n'est presque jamais à l'ombre. Il est préférable d'orienter la maison de façon qu'elle forme un angle avec l'axe est-ouest, pour que tout le terrain bénéficie de l'ombre et du soleil et que toutes les fenêtres reçoivent la lumière.

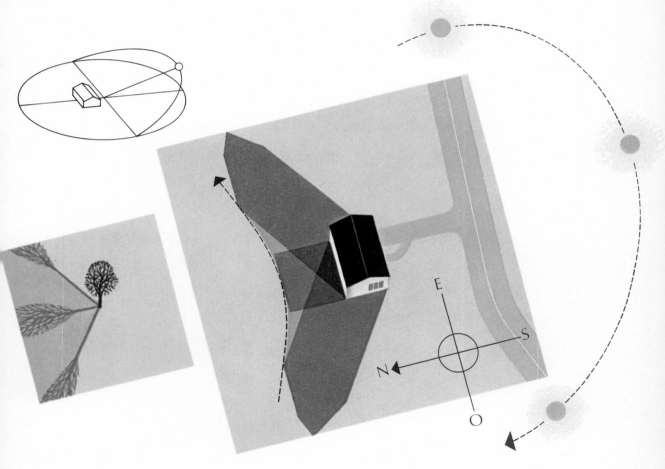

En hiver, le soleil se lève et se couche nettement au sud de l'axe est-ouest et projette des ombres allongées sur le côté nord de la maison, ce qui restreint le choix des plantations dans cette zone. Le côté sud, par contre, bénéficie d'un plein ensoleillement. Les bâtiments peuvent être conçus pour tirer parti de l'angle du soleil.

A l'infini

Plafond
des nuages
10 000'

Dimensions à l'extérieur
Dimensions à l'intérieur
Limites du terrain

Faîte
des arbres
20'

150'

75'

9'

12'

Comment s'adapter à l'échelle de la nature

Les dimensions habituelles de la maison sont remplacées par d'autres :
au lieu de plafond, des branches à 20 pieds de haut,
et des arbres lointains à la place des murs.

Le plus souvent, les propriétaires ont tendance à voir trop petit. Les plantations sont trop serrées ou trop rapprochées de la maison. Les escaliers et les sentiers sont exigus. Les zones consacrées à la vie en plein air manquent d'étendue. Toutes ces erreurs sont dues à une seule cause : on oublie qu'il faut changer d'échelle lorsqu'on passe de la maison au monde extérieur.

L'univers réduit de la maison

Dans nos maisons, nous passons la majeure partie de notre temps sous des plafonds de moins de 8 pieds de haut et dans des pièces de 12 à 20 pieds de large. De nos jours, on considère qu'une pièce est vaste lorsqu'elle mesure 20 pieds sur 30. Les escaliers, de même que les portes, ont une largeur d'environ 30 pouces. Ces dimensions sont imposées par le coût de la construction et ne répondent pas nécessairement à nos goûts ni à nos besoins réels. En fait, la plupart des gens préféreraient sans doute vivre dans des espaces plus vastes. De toute façon, l'univers réduit de nos maisons nous a maintenant habitués à « penser petit » lorsqu'il s'agit de notre espace vital, si bien que nous nous adaptons difficilement aux dimensions infiniment plus vastes de la nature.

Si nous réussissons à trouver notre confort dans un salon de 20 pieds sur 30, pourquoi, en effet, en irait-il autrement dans le cas d'une terrasse? En fait, c'est pour deux raisons : l'une qui tient à l'esthétique, l'autre qui est de nature pratique.

En plein air, la dimension verticale n'est pas délimitée par un plafond, à 8 pieds de haut,

mais par le feuillage des arbres, à 20 pieds, ou même par des nuages qui s'étendent à 10 000 pieds au-dessus de nous. De même, au lieu d'une distance de 15 pieds entre les murs, on trouve un espace de quelque 100 pieds entre la maison et le fond du jardin, ou même de 500 pieds jusqu'à une rangée d'arbres qui marque le terrain voisin. Il y a une façon bien simple de se rendre compte des différences d'échelle entre la maison et l'extérieur : délimitez sur votre terrain un espace correspondant à la pièce la plus vaste de la maison, et vous verrez comme il semblera perdu dans le paysage. Les limites de votre propriété définissent légalement la surface dont vous pouvez disposer, mais la dimension horizontale s'étend aussi loin que la portée du regard. Ainsi, sur le dessin ci-contre, la maison du voisin, les arbres et la vue sur la montagne font partie du décor des « pièces » extérieures.

Dehors, tout est plus grand

Si les dimensions habituelles des pièces de la maison ne conviennent pas pour la vie en plein air, ce n'est pas seulement pour une raison d'équilibre visuel, mais c'est aussi pour une raison pratique. Les meubles de jardin, par exemple, sont plus gros et plus lourds que le mobilier de maison. De plus, lorsque nous sommes dehors, nos gestes et nos déplacements sont plus amples, plus libres et exigent donc plus d'espace. Les escaliers et les allées du jardin doivent être assez larges pour que deux personnes puissent les emprunter côte à côte.

Le plus souvent, les propriétaires qui aménagent eux-mêmes leur jardin n'accordent guère d'importance à cette question... jusqu'au jour où ils constatent avec dépit que la terrasse est trop petite. Par contre, le problème est facile à résoudre si on sait le voir à temps. Dans les pages qui suivent, vous trouverez les moyens de déterminer avec exactitude les dimensions à respecter dans vos plans.

On voit ici la différence d'échelle entre la maison et le jardin. La personne qui se trouve dans la maison est entourée de murs et d'un plafond de faibles dimensions. L'autre, qui se trouve dans le jardin, se situe dans un espace infiniment plus vaste. Les pièces de plein air, les escaliers et les allées doivent être à l'échelle de la nature.

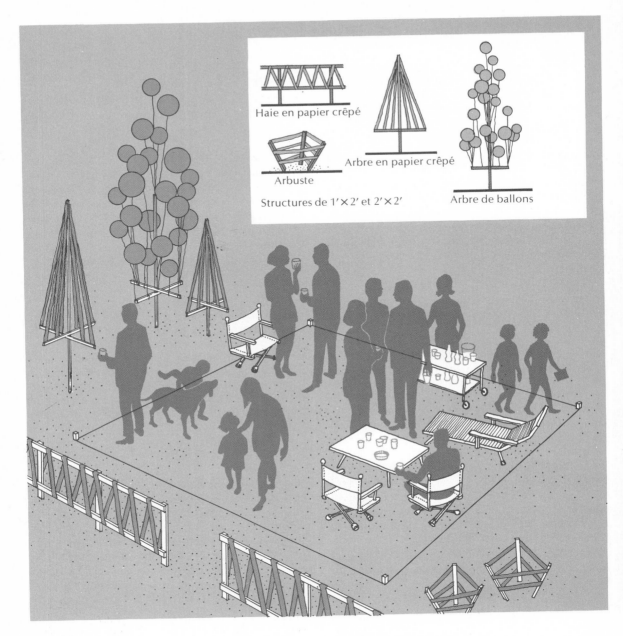

Haie en papier crêpé

Arbuste

Arbre en papier crêpé

Structures de 1' × 2' et 2' × 2'

Arbre de ballons

Pour calculer les dimensions

Au lieu de chercher à deviner les dimensions qu'il faut donner à la terrasse ou les endroits où il faut placer les plantes, mieux vaut procéder par mesure et vérification. Réunissez vos amis et faites une expérience avec des maquettes. Délimitez, avec des pieux et de la corde, l'espace dont vous pensez avoir besoin; placez-y le mobilier et invitez à y prendre place autant de personnes que vous aimeriez recevoir. Vous verrez alors si l'espace est suffisant. Pour varier les essais, vous n'avez qu'à déplacer les pieux. Pour compléter le décor, vous pouvez fabriquer avec des matériaux légers des accessoires grandeur nature.

8

Les dimensions normales

Pour bien remplir leur rôle, certains aménagements tels que les allées, les sentiers, les entrées de garage et les zones de stationnement, doivent absolument respecter des dimensions minimales. Il est donc important de connaître ces règles fondamentales avant d'entreprendre les travaux.

Dans les pages qui suivent, nous vous indiquons diverses normes à observer pour les projets de ce genre. N'oubliez pas, cependant, qu'il s'agit là d'exigences minimales. Lorsque l'espace le permet, il est généralement avantageux d'augmenter la largeur des chemins et des allées.

Allées et sentiers

En se promenant dans le jardin ou en se dirigeant vers la porte d'entrée, deux personnes devraient pouvoir marcher côte à côte plutôt que l'une derrière l'autre. Il n'y a rien de plus désagréable que de se heurter, de surveiller ses pas, ou d'être obligé de marcher sur le gazon.

De plus, les sentiers trop étroits déparent le paysage. Pour que le décor soit harmonieux, il est bon, dans le cas des allées et des sentiers qui traversent de vastes pelouses, de dépasser la largeur minimale que nous indiquons ci-dessous.

Chemins d'entrée

La largeur que nous proposons ci-dessus permet à deux personnes de marcher à l'aise côte à côte. Si on veut s'écarter de cette dimension, il vaut mieux l'augmenter que la réduire.

Allées de jardin

Au besoin, les allées peuvent être plus étroites que les chemins d'entrée. Assurez-vous cependant qu'elles soient assez larges pour les brouettes et autres instruments.

Entrées de voitures et terrains de stationnement

La circulation et le stationnement des voitures exigent un espace que l'on peut calculer avec précision. Si cet espace est insuffisant, les manœuvres deviennent difficiles et on s'expose à voir le gazon ou les plates-bandes abîmés par des marques de pneus. Nos illustrations vous indiquent les dimensions minimales qu'exige la manœuvre d'une voiture de taille ordinaire. Si la place le permet, ces dimensions peuvent être augmentées, mais il ne faut absolument pas les restreindre. A partir des divers plans que nous vous proposons, c'est à vous de choisir le modèle d'entrée et les aménagements qui conviendront le mieux à votre terrain.

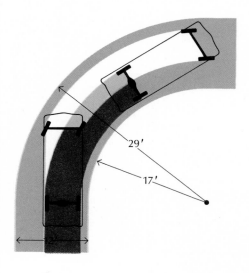

Le rayon de braquage

On peut calculer la largeur à donner aux courbes des chemins à partir du rayon de braquage des autos. Etant donné que les roues avant sont les seules à tourner, la largeur de la courbe doit avoir au moins un tiers de plus que celle de la voiture. Pour prendre son virage dans l'espace indiqué ici (valable pour voitures de modèles courants), l'automobiliste doit manœuvrer avec précaution s'il veut éviter que les roues arrière empiètent sur le terrain.

Marche arrière et demi-tour

Cette solution est particulièrement indiquée lorsque l'espace est limité et que l'entrée de garage donne sur une rue à grande circulation. Elle évite à l'automobiliste d'avoir à engager sa voiture à reculons dans la rue. Comme l'indiquent les flèches sur l'illustration, la voiture recule dans la première courbe pour se tourner ensuite face à la rue. La zone centrale peut aussi servir d'aire de stationnement pour une ou même deux autos. On peut d'ailleurs l'élargir à cette fin, ce qui facilitera d'autant la manœuvre.

N'oubliez pas de consulter les règlements municipaux pour savoir à quelle distance la zone doit être située par rapport à la rue. Enfin, tenez compte dans vos calculs de la distance qui sépare le pare-choc des roues arrière. Vous pouvez poser un butoir pour les roues.

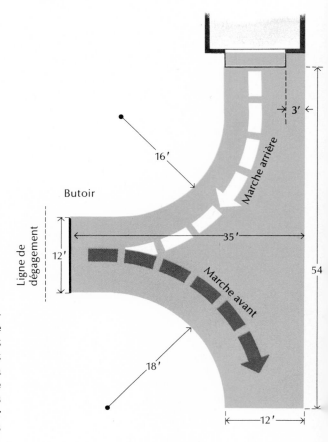

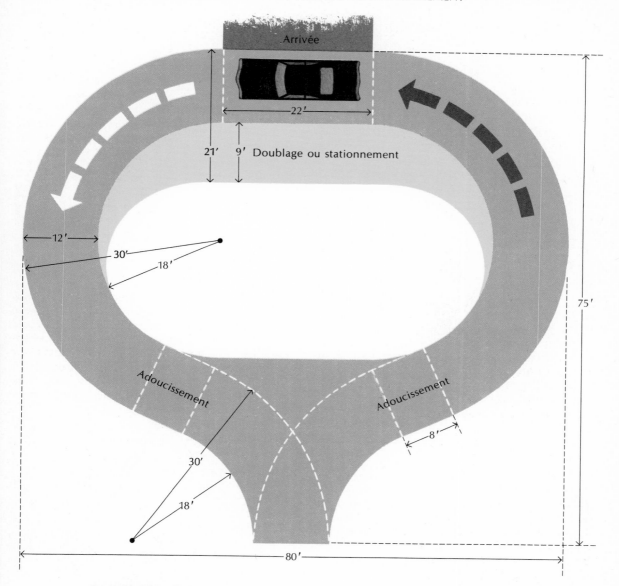

Entrée circulaire
et stationnement parallèle

Les entrées circulaires sont toujours pratiques, surtout lorsqu'on reçoit des invités. Elles facilitent les manœuvres d'entrée et de sortie des voitures et permettent le stationnement et le doublage. De plus, elles décorent le paysage, à condition toutefois que leurs dimensions soient en harmonie avec celles de la maison et du terrain. Pour mieux les intégrer au paysage, on peut donner à la zone centrale l'allure d'un jardin en la garnissant de plantes tapissantes,

d'arbres et d'arbustes. Les arbustes de grande taille sont particulièrement indiqués dans un pareil cas : ils font un écran entre la maison et la rue et rendent l'entrée plus discrète en la masquant partiellement sous tous les angles.

(Le pin, l'épinette et le genévrier sont à recommander du fait qu'ils rendent les mêmes services en toute saison.)

Le terrain de stationnement peut servir au doublage lorsqu'une voiture est déjà arrêtée devant l'entrée (qui devrait avoir au moins 22 pieds de long). On peut aussi, dans le même espace, tracer une entrée en demi-cercle.

177

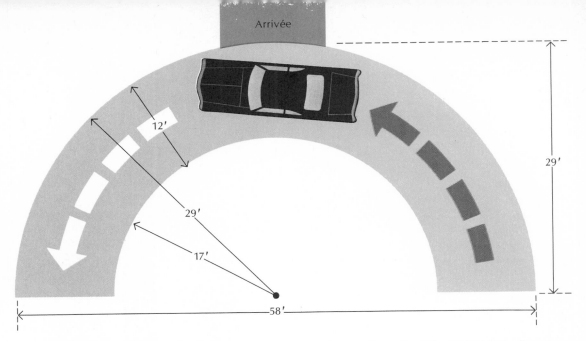

Arrivée

12'

29'

17'

58'

29'

Entrée en demi-cercle

Cette formule a l'avantage de permettre aux voitures d'entrer et de sortir sans avoir à reculer ni à faire demi-tour. Nous indiquons ici les dimensions minimales. Si l'on ne peut réduire la largeur de la courbe, on peut par contre diminuer ou prolonger les deux extrémités du demi-cercle selon l'espace dont on dispose entre la rue et la maison. L'allée en demi-cercle est souvent pratique pour desservir une entrée latérale et faciliter le transport des colis de l'auto à la maison. Pour que les voitures puissent stationner parallèlement à la zone d'arrivée sans avoir à reculer, il faut prévoir un espace supplémentaire d'une largeur de 22 pieds, comme celui qui apparaît sur l'illustration de la page précédente.

Stationnement en dents de scie

Le stationnement en dents de scie est à la fois pratique et esthétique. Les zones étant nettement délimitées, même les chauffeurs distraits ou inexpérimentés s'en tiendront à l'espace qui leur est attribué. Par ailleurs, les lignes en zigzag permettent de jolis aménagements de plates-bandes de petits conifères ou de plantes tapissantes. Sur notre illustration, le terrain de stationnement, prévu pour trois voitures, constitue un prolongement de l'entrée de garage. Dans la mesure où l'on respecte les dimensions voulues, on peut appliquer la même formule à une allée circulaire ou à une zone en bordure de la rue. Dans la mesure du possible, on utilisera pour le stationnement le même matériau que pour l'allée, mais on peut se contenter, pour des raisons d'économie, de gravier ou d'une simple couche d'asphalte. Les butoirs, faits le plus souvent en béton ou en bois, doivent être fixés solidement et à la bonne hauteur.

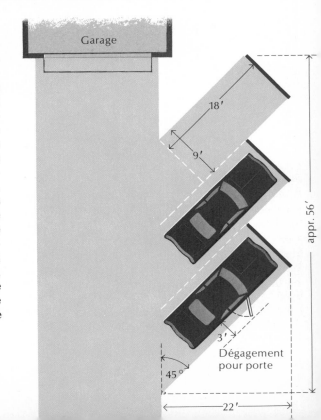

Garage

18'

9'

appr. 56'

3'

Dégagement pour porte

45°

22'

178

Stationnement en anse

L'anse que forme par rapport à la rue la zone de stationnement illustrée ci-contre est aménagée dans un terrain en pente, devant la maison. La plupart des maisons construites au sommet d'une dénivellation sont desservies par une allée longue et étroite qui mène à un garage situé au fond du terrain. Dans notre plan, le stationnement accapare une bonne partie du terrain, mais il a l'avantage de permettre aux visiteurs de laisser leur voiture près de l'entrée de la maison. Cet aménagement a, par contre, l'inconvénient d'obliger les automobilistes à reculer pour s'engager dans la rue, ce qui présente certains risques lorsque la circulation est dense. Quand l'espace le permet, il est donc préférable d'aménager l'anse à partir d'une courbe de l'allée d'entrée. Les dimensions que nous proposons permettent d'ouvrir la portière d'une voiture sans qu'elle heurte la voiture voisine. On peut délimiter par des lignes l'emplacement réservé à chaque auto.

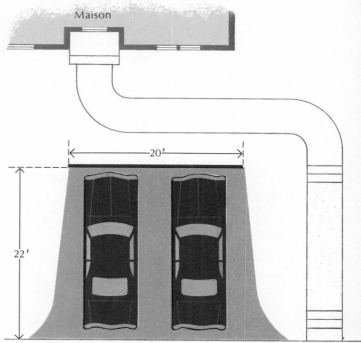

Trottoir ou rue

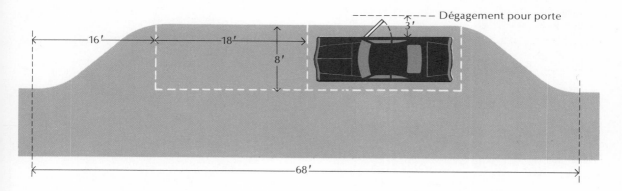

Stationnement parallèle

Le stationnement parallèle offre souvent une bonne solution lorsque l'espace est trop restreint pour permettre un stationnement en anse ou en dents de scie. Le dessin ci-dessus montre qu'on a élargi l'allée de façon que deux autos puissent y stationner. Tout emplacement supplémentaire nécessite un agrandissement d'une longueur de 22 pieds.

Dans un stationnement parallèle conçu pour deux voitures, la première voiture n'a pas à manœuvrer pour prendre sa place, mais la seconde doit reculer. Normalement, les autos n'ont pas à reculer pour sortir du stationnement. Cette formule offre donc l'avantage de la sécurité lorsque le terrain de stationnement donne sur une rue à circulation très dense.

Pour des raisons d'esthétique, le stationnement devrait être fait du même matériau que l'allée qu'il borde, mais on peut aussi choisir un matériau qui fera contraste. Le meilleur est sans doute l'asphalte, mais le gravier demeure le plus économique. Une bordure de bardeaux ou de briques enjolive le stationnement et, le cas échéant, retient le gravier. Pour faciliter l'écoulement de l'eau, il est bon de donner au terrain une légère pente.

179

Les terrains de jeux

Les jeux de plein air fournissent à toute la famille l'occasion de s'amuser tout en faisant de l'exercice. Etant donné qu'ils exigent beaucoup d'espace, il est bon de prévoir, au moment même où l'on dresse le plan général du jardin, les zones qui leur seront affectées. Sur nos illustrations, nous indiquons les dimensions réglementaires pour chaque jeu. Si vous n'avez pas assez de place pour les respecter, rien ne vous empêche de les réduire : la plupart des joueurs s'amuseront tout autant. Il en est de même pour la surface des terrains. On peut très bien jouer au tetherball, au badminton, au croquet ou au volleyball sur une pelouse imparfaite. Une entrée d'asphalte peut servir aussi bien au basketball qu'à la balle au mur. Dans la mesure du possible, il serait toutefois préférable de changer de temps à autre les jeux de place pour ne pas trop abîmer le terrain. A plus forte raison s'il s'agit d'endroits bien en vue. N'oubliez pas non plus qu'il est possible de refaire en une saison un terrain endommagé. La méthode consiste à l'aérer et à le réensemencer. Enfin, à l'exception des courts de tennis et de deck-tennis, vous pouvez aménager vous-même toutes les zones de jeu que nous illustrons ici.

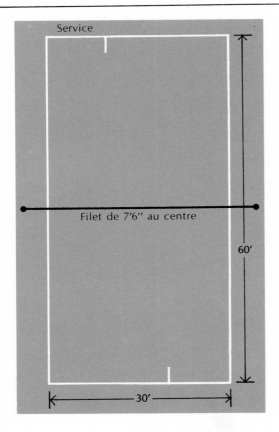

Le volleyball

Le volleyball est un jeu que l'on peut pratiquer à tout âge. Le nombre des joueurs peut aller de 2 à 16 et même jusqu'à 20. Le terrain doit être aménagé assez loin des arbres. La largeur du terrain doit être d'au moins 30 pieds, mais il est permis d'en réduire la longueur, qui, elle, est normalement de 60 pieds. Le filet se fixe soit à des poteaux, soit à des arbres. Les limites du terrain peuvent être tracées à la craie ou marquées par du ruban ou des lattes.

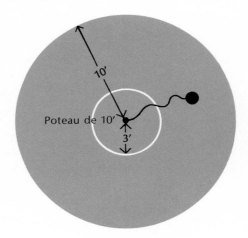

Le tetherball

Ce jeu très animé n'exige que peu d'espace et qu'une installation très simple. Il se pratique soit sur le gazon, soit sur l'asphalte. Au centre du terrain, on place un poteau très solide. On utilisera de préférence un tuyau de métal qu'on encastrera dans un bloc de béton enterré. Le cercle que l'on voit sur l'illustration délimite la zone interdite aux joueurs. Il n'est pas indispensable, mais il ajoute à la difficulté et à l'intérêt du jeu.

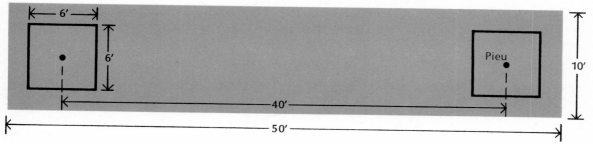

Les fers à cheval

Le jeu de fers à cheval s'adresse surtout aux adultes ou aux adolescents, mais on peut l'adapter pour les enfants, simplement en rapprochant les pieux. Etant donné que les fers rebondissent dans toutes les directions, il est recommandé de choisir un endroit assez éloigné des autos, des bâtiments et des allées. Par ailleurs, le sol qui s'étend entre les pieux étant appelé à être piétiné, il vaut mieux que le terrain ne soit pas trop en vue. Le gazon fait un terrain idéal parce qu'il étouffe le bruit des fers, et parce qu'il se répare plus facilement que l'asphalte ou toute autre surface quand on y fait des brèches. Les carrés qui entourent les pieux peuvent être remplis d'écorce à tan, de sciure de bois, de terre ou de sable.

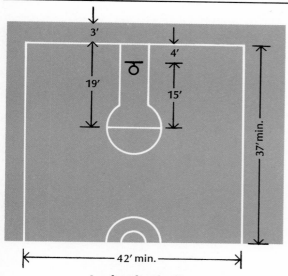

Le basketball

Le terrain que nous illustrons ici est conforme dans tous les détails aux règlements officiels, mais il ne représente qu'une moitié du terrain régulier. En fait, il n'est pas indispensable de construire un terrain professionnel. Pour faire une bonne partie, il suffit d'un panneau de planches et d'un panier fixés au cadre d'une porte de garage, à un mur, à un arbre ou à un poteau. Selon les règles, le haut du panier doit se trouver à 10 pieds du sol. En guise de terrain, on peut utiliser une entrée d'asphalte, une surface dure ou même un sol de terre bien tassé.

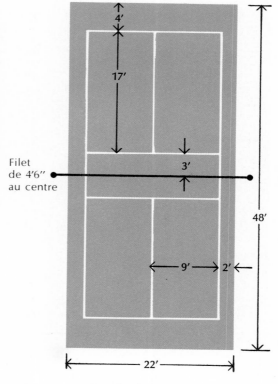

Le deck-tennis

Ce jeu doit sans doute sa popularité croissante au fait qu'on peut s'y adonner presque en toute saison. En outre, il exige beaucoup moins d'espace que le tennis ordinaire. Enfin, on peut au besoin installer le court sur un terrain en pente. Ce court se compose d'un plancher de bois dur, posé sur une plate-forme. On l'entoure d'un simple grillage. Il est recommandé cependant de confier les travaux d'installation à des spécialistes. Pour alléger le fardeau des dépenses, il arrive souvent que des voisins s'entendent pour faire aménager un court collectif.

Le choix des matériaux : argile, gazon, asphalte ou autre, dépend des goûts de chacun, du climat local et des fonds dont on dispose. Il est fortement conseillé de confier les travaux d'aménagement à des professionnels.

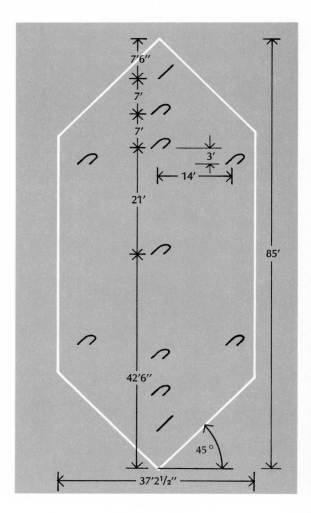

Le croquet

Le croquet fait appel à l'adresse des joueurs ainsi qu'à leur sens de la stratégie. C'est un jeu auquel on peut s'adonner à tout âge. Il ne requiert qu'un matériel très simple : des arceaux, des boules de bois, des maillets et un terrain aussi plat et régulier que possible. On peut y jouer sur une pelouse sans que le gazon en souffre trop. Nous indiquons ici les dimensions réglementaires, mais on peut les modifier à volonté sans que le jeu perde de son intérêt.

Le tennis

Le tennis est un sport apprécié de tous, mais il exige un espace assez vaste. De plus, le terrain doit être parfaitement plat. Des grillages élevés doivent être placés aux deux extrémités du court, à au moins 15 pieds de la ligne du fond.

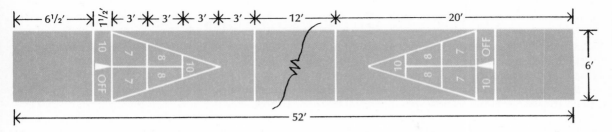

Le shuffleboard

D'abord passe-temps en vogue à bord des transatlantiques, ce jeu est devenu un véritable sport. Pratiqué selon les règlements officiels, sur un terrain lisse et plat et de dimensions régulières, il exige beaucoup d'adresse. Les terrains de béton poli sont à la fois les plus pratiques et les moins coûteux. Avec une polisseuse (que l'on peut louer) et un peu de peinture toute saison, on peut, en une fin de semaine, transformer en shuffleboard n'importe quel espace pavé et plat. Souvent, on aménage le jeu près d'une piscine, sur une partie de la terrasse.

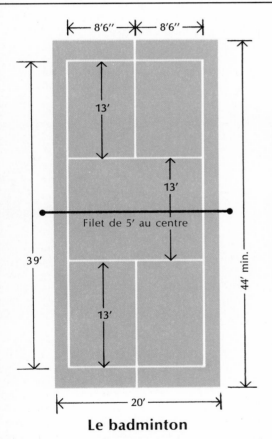

Le badminton

Tout comme le volleyball, le badminton peut se pratiquer sur n'importe quel gazon, pourvu qu'il y ait assez de place pour le filet et pour deux à huit joueurs. En fait, le même terrain peut très bien servir aux deux jeux. Les vrais adeptes du badminton, cependant, préféreront un terrain de dimensions réglementaires (celles que nous indiquons), à l'abri du vent et à l'écart des branches d'arbres.

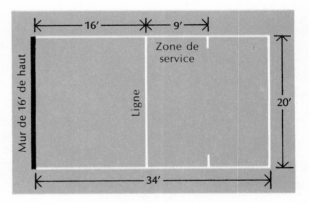

La balle au mur

Ce jeu n'exige qu'un mur élevé (lisse autant que possible) et un terrain dur (de préférence antidérapant). Le plus souvent, les enfants apprennent à jouer à la balle au mur dans la cour de leur école, sur un terrain vague ou dans une entrée de garage. A condition d'être assez grand, presque n'importe quel mur peut faire l'affaire. Au besoin, on peut le recouvrir d'un revêtement en bois bouveté. Quant au terrain, on peut le couvrir d'asphalte ou de béton, ou simplement tasser la terre de façon que le sol soit bien dur.

183

Formes et dimensions des piscines

Des plus modestes jusqu'au modèle olympique officiel, les piscines peuvent avoir n'importe quelles dimensions. Tout dépend de l'espace et des moyens financiers dont on dispose. Cependant, en deçà des dimensions que nous vous indiquons pour les divers modèles ci-après, les piscines risquent de perdre beaucoup de leur intérêt. A vrai dire, il n'est pas sûr que des piscines exiguës vaillent le coût de leur aménagement et de leur entretien.

Si vous disposez d'assez de place pour ajouter quelques pieds aux dimensions indiquées, parlez-en avec le constructeur. Ces quelques pieds supplémentaires accroîtraient les plaisirs de la natation sans peut-être augmenter de façon notable le coût global des travaux.

Au moment d'établir votre budget, n'oubliez pas de calculer tous les frais qui peuvent accroî-tre le prix de votre piscine. A cet égard, il n'y a pas que les dimensions qui jouent. D'autres frais sont à envisager, comme ceux de l'installation d'une palissade, par exemple, puisque certaines municipalités l'exigent. Par ailleurs, peut-être sera-t-il indispensable de miner le sol pour pouvoir creuser la zone de profondeur, d'où une augmentation du coût. Enfin, il suffit de choisir un modèle spécial pour que le prix d'une piscine s'élève sensiblement.

Il serait bon aussi d'examiner la possibilité de construire une cabine, avec ou sans douche. Nous vous donnons ici les dimensions minimales d'une cabine avec douche. Il suffit de les doubler si l'on veut construire deux cabines adjacentes. Grâce à cet aménagement supplémentaire, vous éviterez évidemment beaucoup de va-et-vient dans la maison.

Nous indiquons ici les dimensions minimales. Une piscine plus petite ne saurait satisfaire les bons nageurs. La bordure qui entoure la piscine n'est pas absolument nécessaire mais elle est pratique et esthétique. De plus, elle aide à garder l'eau propre. On peut se passer de la cabine et de la douche, mais le filtre est indispensable.

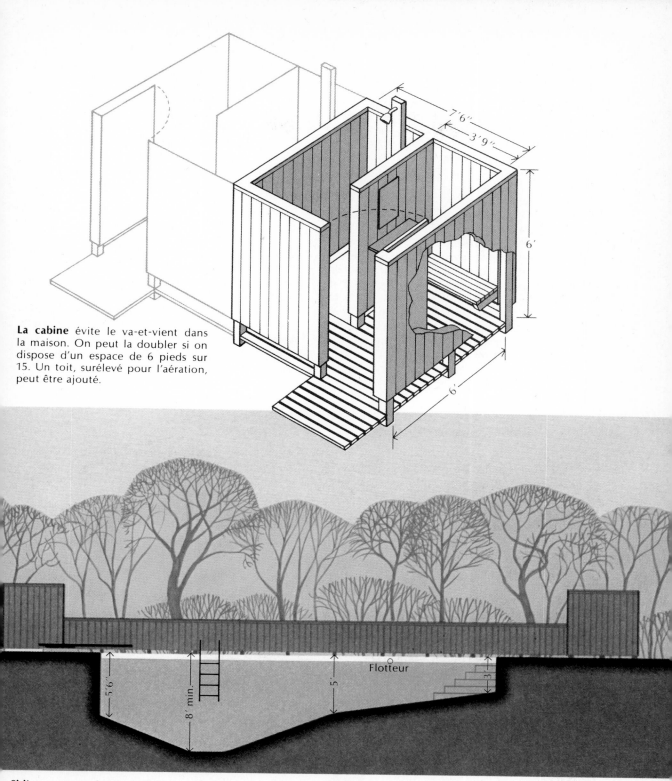

La cabine évite le va-et-vient dans la maison. On peut la doubler si on dispose d'un espace de 6 pieds sur 15. Un toit, surélevé pour l'aération, peut être ajouté.

Flotteur

Si l'on veut un plongeoir, il faut au moins huit pieds d'eau dans la zone de plongeon. Et si le terrain est rocheux, on peut être obligé de le miner, ce qui risque d'être coûteux. Il est donc prudent d'étudier le sol avant de choisir l'emplacement de la piscine. Une profondeur de quatre pieds suffit pour la natation.

9

Formes et dimensions spéciales

On peut facilement varier la forme et les dimensions de certains aménagements ou installations, sauf bien entendu celles d'un court de tennis ou d'une entrée de voitures. Ainsi les dimensions à donner à une terrasse dépendent essentiellement de la grandeur du terrain, du budget et des goûts de chacun. Cependant, certaines limites s'imposent toujours. Il ne vaudrait guère la peine, par exemple, d'aménager une terrasse où l'on ne pourrait placer que trois ou quatre chaises. De même, il serait irréfléchi de faire une piscine trop petite pour qu'on puisse y nager avec plaisir. Enfin, dans le cas notamment des terrasses, des piscines et des plates-bandes, la forme peut dépendre aussi des matériaux employés. Les dimensions que nous indiquons ici vous serviront à élaborer votre plan.

Les bordures de terrasse

Nous illustrons ci-dessous les formes que l'on donne le plus souvent aux bordures de terrasses et de plates-bandes, en indiquant le matériau qui convient le mieux dans chaque cas. Pour les bordures droites, la brique est à la fois pratique et attrayante. Le béton conviendra mieux aux courbes simples (comme d'ailleurs aux lignes droites). Enfin, les dalles, à cause de leurs formes irrégulières, sont à recommander pour les courbes multiples. Voyez comment vous pourrez vous inspirer de ces modèles dans votre plan d'aménagement.

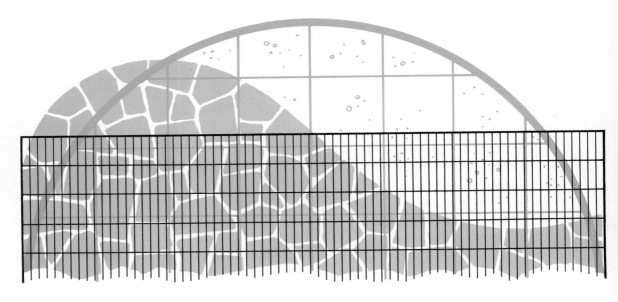

Une variété de modèles

La piscine courante est de forme rectangulaire; cependant, les piscines rondes ou en forme de haricot sont devenues si populaires que plusieurs fabricants les ont standardisées. Ci-dessous, vous voyez, en bleu, le plus grand modèle de piscine en haricot que l'on trouve sur le mar-ché et, en pointillé à l'intérieur, est tracé le plus petit modèle. On peut obtenir toutes sortes d'autres formes, mais le coût de conception et de construction des piscines non standardisées est beaucoup plus élevé. Il est donc important de demander un devis.

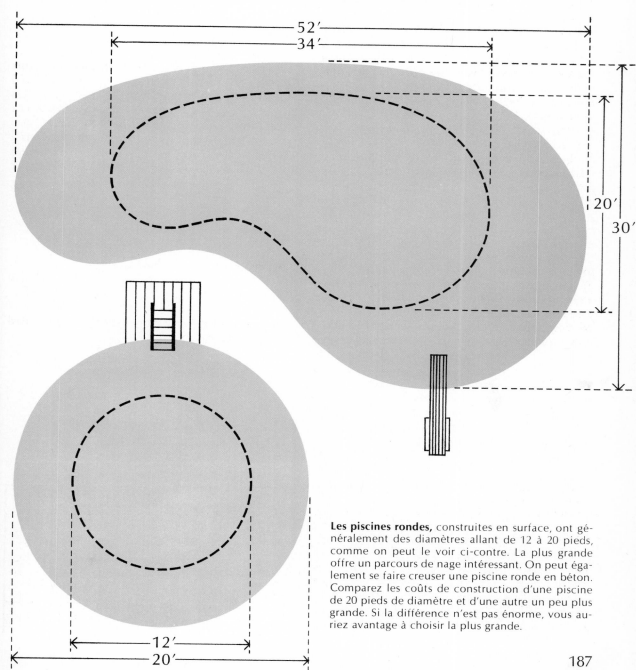

Les piscines rondes, construites en surface, ont généralement des diamètres allant de 12 à 20 pieds, comme on peut le voir ci-contre. La plus grande offre un parcours de nage intéressant. On peut également se faire creuser une piscine ronde en béton. Comparez les coûts de construction d'une piscine de 20 pieds de diamètre et d'une autre un peu plus grande. Si la différence n'est pas énorme, vous auriez avantage à choisir la plus grande.

Le choix d'un mobilier de terrasse

Le plan que vous voyez ci-contre vous donne les formes et les dimensions d'un certain nombre de meubles dessinés à l'échelle de un quart de pouce. Chaque petit carreau, sur le plan, équivaut à un pied carré sur le terrain. Pour établir votre propre plan, mesurez l'espace que vous destinez à votre terrasse. En vous servant de l'échelle imprimée à droite, reportez ces dimensions sur une feuille de papier quadrillé. Vous aurez alors un plan dont l'échelle est la même que celle des meubles. Vous pourrez ainsi choisir la forme et les dimensions de votre mobilier sans crainte d'encombrer votre terrasse. Les parties ombrées indiquent l'espace libre qu'il faut ménager autour des meubles pour que l'on puisse circuler aisément et faire le service avec diligence.

Pour tirer plein parti de votre plan, vous pouvez avoir recours à deux techniques. La première consiste à découper dans du carton les meubles dessinés ici et à les déplacer sur le plan jusqu'à ce que vous ayez obtenu le résultat souhaité. La deuxième façon est de dessiner les meubles directement sur votre plan. Si les meubles que vous avez en vue ne s'apparentent pas à ceux-ci, faites-en des dessins simplifiés à l'échelle. En jouant sur votre plan avec les formes et les dimensions, vous éviterez des erreurs coûteuses ou simplement regrettables. En outre, plus vous vous servirez de votre plan, mieux vous découvrirez les problèmes, mais aussi les avantages que vous réserve votre terrasse.

Si votre terrasse a déjà l'air encombrée sur le plan, elle le sera dans la réalité. Par contre, si avec les meubles que vous lui destinez elle paraît vide, ne vous en faites pas. A l'intérieur, une pièce trop peu meublée a piètre allure; mais à l'extérieur, l'effet est totalement différent. Une terrasse demeure toujours un élément décoratif qui s'inscrit dans le paysage que composent les arbres, la pelouse, et le ciel.

Quand on choisit des meubles de jardin, il faut penser à d'autres facteurs. A leur couleur par exemple : sur une petite terrasse, les coloris francs font plus d'effet. A la matière dont ils sont faits : si vous les déplacez souvent, vous les choisirez légers. Bien entendu, ils seront à l'épreuve de la pluie. Si vous utilisez votre terrasse à la fois pour prendre du soleil et pour manger, vous disposerez les meubles en deux groupes. N'oubliez pas que pour qu'une terrasse soit agréable, il faut qu'il y ait amplement d'espace pour circuler.

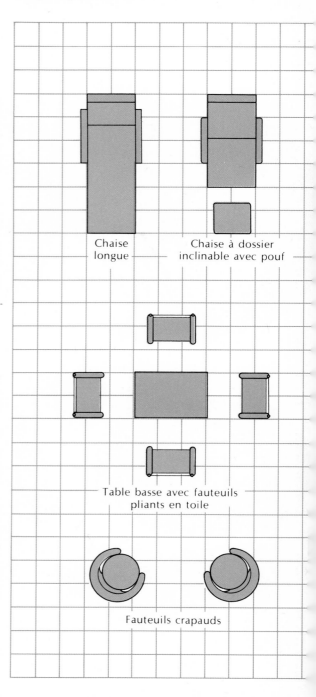

Chaise longue

Chaise à dossier inclinable avec pouf

Table basse avec fauteuils pliants en toile

Fauteuils crapauds

Les dimensions d'une terrasse doivent être en harmonie avec le paysage environnant. Cela n'est pas toujours possible à cause de la grandeur des terrains, des coûts de construction et des besoins personnels. D'une façon générale, les grandes terrasses sont les plus pra-tiques. Faites la vôtre aussi vaste que possible, surtout si vous voulez y recevoir souvent plusieurs personnes. Pour vous aider à calculer l'espace qui vous convient, renseignez-vous pour connaître les dimensions des terrasses que vous avez déjà admirées.

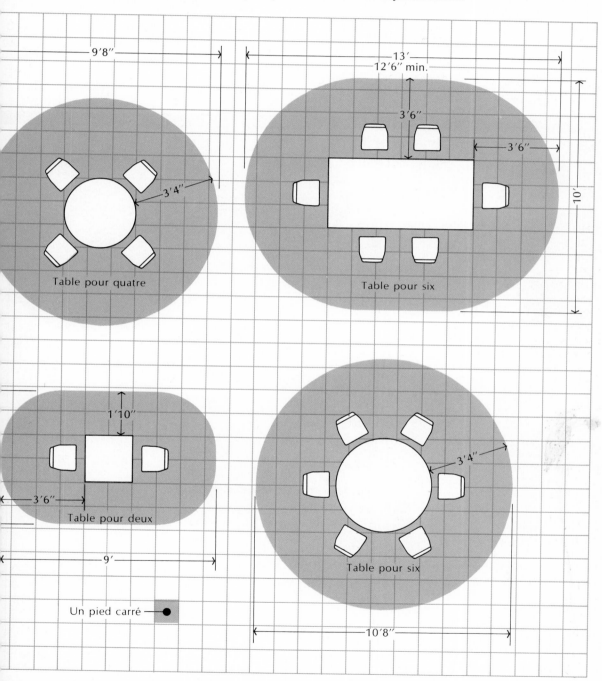

9'8″

Table pour quatre

3'4″

13'
12'6″ min.

3'6″

3'6″

10'

Table pour six

1'10″

3'6″

Table pour deux

9'

Un pied carré

3'4″

Table pour six

10'8″

Pouces
Pieds

189

Pour grandir, les arbres ont besoin d'espace

Avant de planter arbres et arbustes devant votre maison, allez vous promener dans quelques rues de banlieue; vous verrez mille et un exemples de ce qu'il faut éviter de faire avec les plantations.

En maints endroits, vous remarquerez que les arbustes ont été plantés soit trop près de la maison, soit en rangs trop serrés, ou en trop grand nombre. Les feuillages s'entremêlent, les plants s'écrasent sur les murs et les fenêtres s'obscurcissent sous un fouillis de verdure. Que faire dans un tel cas? Hélas, le remède qui consiste à tailler et retailler les branches ne redonne pas souvent son harmonie au décor.

Le seul moyen d'éviter ces inconvénients, c'est de faire ses plantations assez loin de la maison et de les espacer suffisamment pour que les arbres et les arbustes puissent grandir en beauté. Cela exige une connaissance précise des espèces qu'on met en terre, de leur rythme

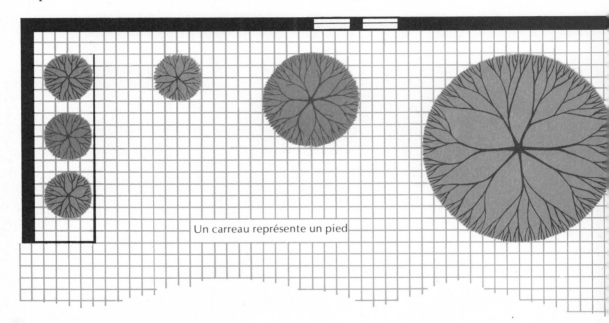

Un carreau représente un pied

Quand on plante près de la maison les arbres et arbustes suivants, il faut laisser au m

Jusqu'à 4 pieds

Genévrier de Chine
(Juniperus chinensis)

If du Japon
(Taxus cuspidata nana)

Cognassier du Japon
(Chaenomeles japonica)

Forsythia
(Forsythia ovata)

Pin mugo
(Pinus mugo mughus)

Deutzia gracilis

De 6 à 8 pieds

Rhododendron de taille moyenne

Genévrier de Chine Pfitzer
(Juniperus chinensis pfitzeriana)

Pieris floribunda

Leucothoe fontanesiana

Cornouiller blanc de Sibérie
(Cornus alba sibirica)

If du Japon
(Taxus cuspidata)

Rosier rugueux
(Rosa rugosa)

De 10 à 12 pieds

Amandier décoratif
(Prunus triloba)

Viorne trilobée
(Viburnum trilobum)

Rhododendron géant

Vinaigrier
(Rhus typhina)

Lilas commun
(Syringa vulgaris)

Amélanchier du Can
(Amelanchier canade

de croissance et de la taille qu'elles peuvent atteindre. Vous trouverez ci-dessous une liste de plantes communément utilisées près de la maison. Le dessin qui l'accompagne vous indique à quelle distance de la maison on doit planter les espèces de grande taille. Dans tous les cas, il faut que la plante ait deux ou trois pieds d'espace libre une fois arrivée à maturité.

Si l'on mettait en terre des arbres adultes, la question serait réglée. On peut toujours le faire, mais à grands frais. La solution de rechange serait de planter des arbres ou des arbustes dont la croissance est suffisamment avancée pour que l'ensemble de la plantation ait tout de suite une certaine densité. Mais si vous devez faire pousser de jeunes plants, vous pouvez combler les espaces vides avec des plantes tapissantes ou des plantes vivaces. A mesure que les arbres et les arbustes grandiront, vous pourrez enlever vos plantations temporaires et les placer ailleurs dans votre jardin ou, dans la meilleure tradition horticole, vous pourrez en faire cadeau à vos voisins. Parmi les plantes vivaces recommandées pour compléter un décor de verdure, on peut mentionner les hémérocalles, les pivoines arborescentes et les iris.

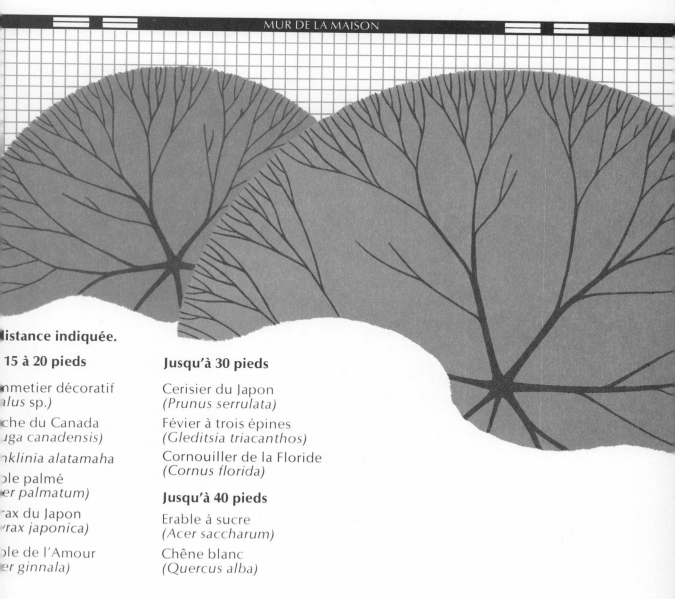

MUR DE LA MAISON

distance indiquée.

15 à 20 pieds

...mmetier décoratif
(...alus sp.)

...che du Canada
(...uga canadensis)

...nklinia alatamaha

...le palmé
(...er palmatum)

...rax du Japon
(...rax japonica)

...le de l'Amour
(...er ginnala)

Jusqu'à 30 pieds

Cerisier du Japon
(Prunus serrulata)

Févier à trois épines
(Gleditsia triacanthos)

Cornouiller de la Floride
(Cornus florida)

Jusqu'à 40 pieds

Erable à sucre
(Acer saccharum)

Chêne blanc
(Quercus alba)

Dimensions minimums pour diverses plantations

On peut planter de tout : un arbre ou une forêt, une plante en pot ou des massifs de fleurs. Dans votre jardin, cependant, les dimensions des plates-bandes seront dictées par le sens des proportions et par les impératifs de l'entretien. Plus la plate-bande est large, plus il devient difficile de planter, de sarcler ou de repiquer. Si, par contre, elle est très petite, l'évaporation se faisant plus rapidement, les arrosages doivent être plus fréquents. L'esthétique a aussi son rôle à jouer. Comme, à l'extérieur, tout semble plus réduit, on court davantage le risque que les plates-bandes paraissent trop petites plutôt que trop grandes. Vous trouverez ici quelques dimensions minimums, calculées à l'échelle d'un jardin familial. Faire plus petit aurait pour effet de gâcher l'harmonie du jardin.

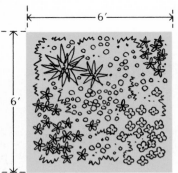

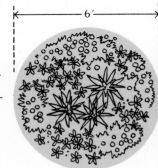

Les plates-bandes de fleurs sont souvent trop petites pour être ornementales. Cependant, une petite plate-bande où les fleurs seront très rapprochées sera plus jolie et commode qu'une autre, plus grande, où les fleurs seront plus espacées. Les trois qui figurent ici sont de dimensions courantes et pourtant le jardinier ne se trouve jamais à plus de trois pieds des plantes. Les plates-bandes rectangulaires peuvent avoir n'importe quelle longueur, mais si elles ont plus de six pieds de largeur, il faudra y ménager une allée.

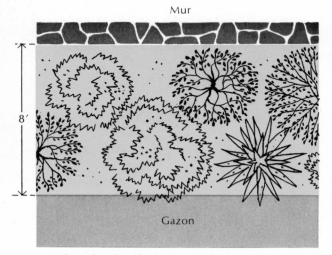

Les plates-bandes d'arbustes, qu'elles soient placées près de la maison ou ailleurs, auront au moins huit pieds de largeur. Pour déterminer leur longueur, on pourra se laisser guider par les dimensions d'un élément de la maison — celles d'une véranda par exemple.

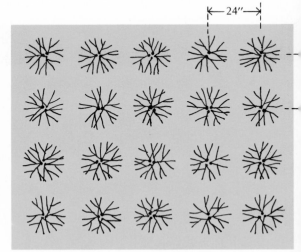

Les rosiers ont besoin d'espace pour que leurs racines se développent en liberté. Pour faciliter leur entretien, les rosiers (hybrides de thé, floribundas et grandifloras) seront espacés de deux pieds dans des plates-bandes de quatre à six pieds de large.

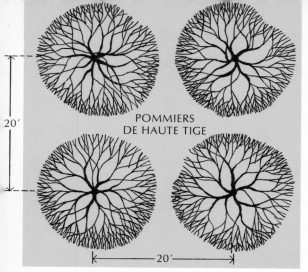

POMMIERS
DE HAUTE TIGE

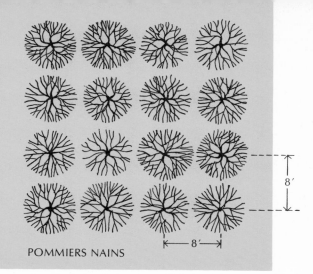

POMMIERS NAINS

Les arbres fruitiers de haute tige (ci-dessus à gauche) doivent être plantés à 20 pieds les uns des autres et les variétés naines (ci-dessus à droite), à 8 pieds seulement. C'est dire que, sur le même terrain, vous pouvez faire pousser quatre fois plus d'arbres nains que d'arbres de haute tige et, par conséquent, récolter beau-

coup plus de fruits. Selon la variété, les arbres nains atteignent de 8 à 15 pieds de hauteur. Ils sont donc plus faciles à tailler et à arroser, et les fruits se cueillent sans effort. Mais bien des jardiniers ont un faible pour les grands pommiers, même si leur entretien demande plus de temps.

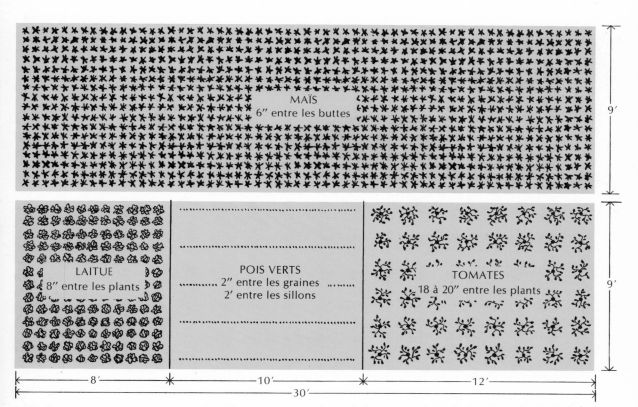

MAÏS
6" entre les buttes

LAITUE
8" entre les plants

POIS VERTS
2" entre les graines
2' entre les sillons

TOMATES
18 à 20" entre les plants

Le jardin potager que vous voyez ici suffit pour une famille de quatre; on y fera pousser quatre légumes appréciés sur la table familiale. On a accordé plus d'espace au maïs qu'aux autres légumes parce que chaque pied produit peu d'épis. En outre, pour que la pollinisa-

tion soit fructueuse, le maïs doit être planté de façon compacte. Ne semez jamais les graines de maïs sur une ou deux rangées; si vous n'avez pas 30 pieds à y consacrer, un carré de 9 pieds de côté suffira amplement à produire une bonne récolte.

193

10

Comment lever
un plan

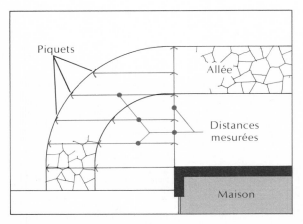

Pour tracer une courbe sur un plan, mesurez d'abord les distances entre des piquets disposés comme ici.

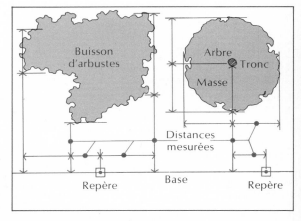

Voici comment mesurer, et reporter sur le plan, des buissons d'arbustes ainsi que des arbres.

Si vous avez l'intention d'aménager votre terrain vous-même, vous aurez besoin de prendre des mesures et de les reporter sur un plan où vous devrez aussi indiquer certains éléments. En effet, avant de situer une aire de stationnement, une terrasse ou une cour de jeux, il vous faudra relever la place et les dimensions des éléments qui sont déjà sur votre terrain : maison, entrée de garage, allée, arbres, etc. Voici comment procéder.

Commencez par déterminer une ligne de base le long de votre terrain et parallèlement à la maison ou aux limites de votre propriété. Sur cette ligne, tous les dix pieds, plantez une série de piquets que vous relierez les uns aux autres par une corde. Numérotez-les en partant de l'avant vers l'arrière. Vous aurez ainsi une

série de repères grâce auxquels vous pourrez mesurer puis reporter sur papier quadrillé les divers éléments qui se trouvent sur votre terrain. Faites en sorte que chaque carreau sur le papier soit équivalent à un pied carré sur le terrain. Pour situer la maison, mesurez du bord du trottoir (piquet 1) au coin avant de celle-ci. Supposons que cela donne 22 pieds; inscrivez alors 2+2 (piquet n° 2+2 pieds). Si le coin arrière de la maison se trouve 32 pieds plus loin, inscrivez 5+4 (piquet n° 5+4 pieds). Continuez de la sorte jusqu'à ce que vous ayez

▶**Voici les principales mesures** à prendre pour lever le plan d'un terrain de banlieue. La base est parallèle au côté de la maison. Les petits carrés indiquent la position des piquets placés à intervalles de 10 pieds.

194

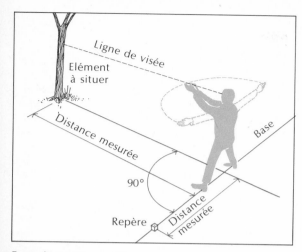 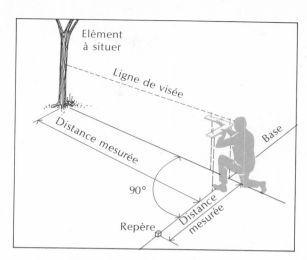

Pour situer vite un élément, visez en vous plaçant parallèlement à la base et mesurez à partir du piquet.

Une façon plus précise d'obtenir le même résultat est d'utiliser une équerre.

relevé la position de tous les éléments importants par rapport à la base. Les éléments situés au-delà de la base sont mesurés de la façon indiquée ci-dessus. Inscrivez les piquets par leur numéro sur le papier (à 10 carreaux d'intervalle) et situez les éléments par rapport à eux.

Vous disposerez alors d'un plan sur lequel vous pourrez ajouter ou déplacer des éléments,

et cela toujours à l'échelle. Vous pouvez aussi les inscrire sur du papier-calque placé sur le plan. S'il s'agit d'un nouveau jardin, il vous suffira de relever les limites de la propriété, l'entrée de garage, les allées, la maison, la terrasse et un arbre ou deux.

Pour délimiter l'espace requis par des éléments nouveaux, voir les pages précédentes.

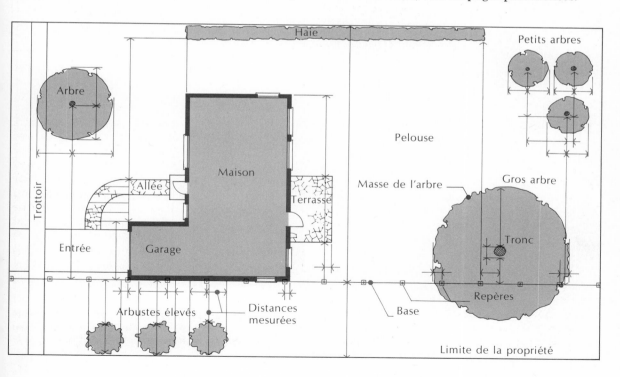

Comment mesurer une pente

Quiconque se propose de niveler un terrain irrégulier, de construire un escalier ou une terrasse par-dessus un talus ou de couper à même le talus pour ménager un espace plat ne saurait se passer d'un niveau à bulle d'air. On peut en acheter un pour moins de dix dollars. Le niveau est un instrument qui permet de mesurer l'horizontalité d'une ligne ou d'un plan.

En visant d'une hauteur donnée un jalon de la même hauteur, on détermine aisément la différence de niveau entre les deux points. Vous trouverez quelques applications pratiques de ce principe à la page suivante. Une fois bien comprise, cette méthode vous permettra de calculer la hauteur des marches d'un escalier (voir détails, page 199), de savoir de combien il faut rehausser ou rabaisser un terrain pour le niveler, ou d'établir la pente nécessaire à l'écoulement des eaux de surface.

Si vous utilisez cette méthode toute simple d'arpentage, il faudra que le jalon soit placé en amont de la pente et que le point zéro se trouve au sommet du jalon. Le niveau sera placé à la hauteur des yeux d'une personne debout ou sur un support dont la hauteur est égale à celle du jalon.

A gauche, une règle de charpentier sert de jalon. La partie inférieure a été repliée de façon que la règle mesure cinq pieds six pouces, hauteur à laquelle se trouve le niveau tenu par l'arpenteur. On peut fixer une verge sur une pièce de bois de 1″ × 2″ et la mettre au niveau de l'œil ou fabriquer un jalon qui convient.

Les chaînes d'arpenteur sont graduées en dixièmes, ce qui permet d'établir facilement des pourcentages ou de faire des transpositions. Pour les petits travaux dont nous parlons ici, il est préférable d'utiliser les pouces.

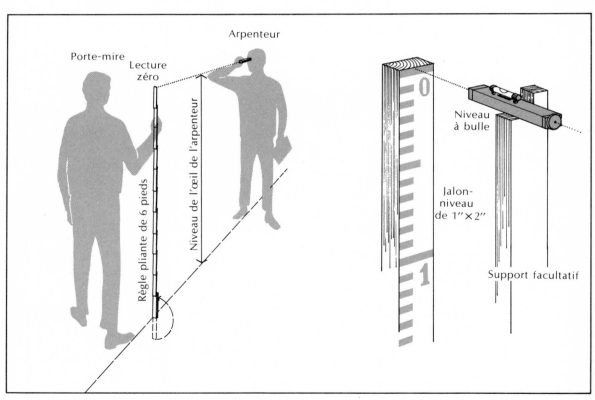

Le jalon doit être à la même hauteur que le niveau. En guise de jalon, on peut utiliser une règle pliante ou une pièce de bois de 1″ × 2″ graduée en pieds et en pouces, comme sur l'illustration. Le porte-mire déplace son doigt jusqu'à ce qu'il soit dans l'axe de la ligne de visée de l'arpenteur.

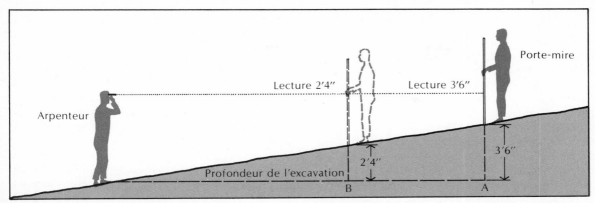

Quand on envisage de creuser dans une pente, l'arpenteur se place au niveau qu'on veut maintenir et le porte-mire, en amont. Là où la ligne de visée frappe le jalon (le zéro étant au sommet), on lira la profondeur de l'excavation nécessaire pour niveler le terrain entre l'arpenteur et le point A ou B.

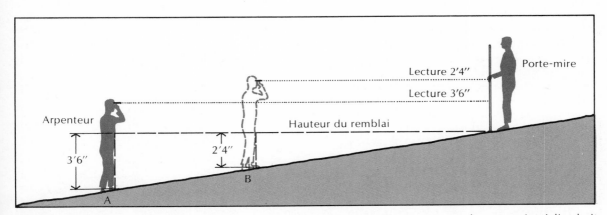

S'il s'agit de remblayer un terrain, l'arpenteur se place là où l'on veut élever un mur et le porte-mire, à l'endroit dont on veut maintenir le niveau. Le zéro étant au sommet, la lecture sur le jalon donne la hauteur qu'on devra donner au remblai pour niveler le terrain : 3 pieds 6 pouces en A; 2 pieds 4 pouces en B.

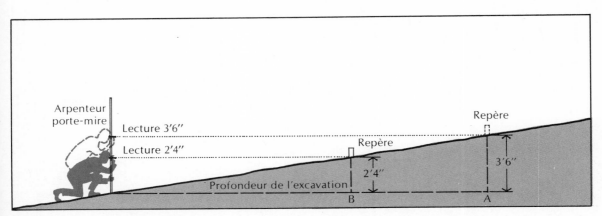

Lorsqu'il est seul, l'arpenteur fait glisser son niveau sur le jalon jusqu'à ce qu'il soit en ligne avec le piquet. Le zéro étant en bas, la lecture sur le jalon donnera la profondeur de l'excavation ou la hauteur du remblai nécessaires pour niveler le terrain entre l'arpenteur et les points A et B.

Pour être chez soi

Les plans de lotissement visent toujours la construction du plus grand nombre possible de maisons. Cela s'explique par les coûts sans cesse croissants des terrains. Mais le propriétaire d'un lot, lui, ne partage pas toujours cette opinion.

Ce qui fait le charme des maisons unifamiliales, c'est précisément qu'on puisse y vivre en paix au grand air. Mais cela nécessite que l'on soit plus ou moins à l'abri des regards indiscrets. Or, jusqu'à quel point peut-on l'être?

Si vous vivez dans un quartier où les clôtures sont permises, leur coût sera probablement inclus dans le prix de la maison. L'idée de clôturer leur terrain répugne à certaines personnes. Mais il reste qu'avec des plantations appropriées, haies, arbustes ou arbrisseaux, on peut enlever aux clôtures ce qu'elles ont d'hostile. Et de la sorte, l'intimité des voisins, autant que celle du propriétaire, se trouve protégée.

Si l'isolement total est chose impossible à réaliser, vous pouvez néanmoins soustraire certaines parties de votre jardin aux regards des voisins. La situation n'est pas toujours aussi mauvaise que celle illustrée ici, où une grande fenêtre donne en plein sur la terrasse des voisins. Mais les solutions que nous préconisons s'appliquent à un bon nombre de cas.

Sur le dessin du haut, vous remarquerez que l'écran est un prolongement du mur de la maison. Il délimite en même temps un salon de plein air. On peut obtenir les mêmes résultats avec une haie élevée, qu'on plantera en L si l'on veut isoler la terrasse encore davantage. Une troisième solution, illustrée sur le dessin du bas, consiste à planter un massif d'arbustes en guise d'écran.

En haut, à droite, l'écran prolonge le mur de la maison et peut avoir la même hauteur. Il faudra d'ailleurs le hausser si la maison du voisin est surélevée par rapport à la vôtre.

Au centre, une haie élevée (ou de la vigne accrochée à un mur treillissé) sert d'écran. On lui donnera la forme d'un L si l'on veut se protéger davantage contre les regards ou les vents dominants.

En bas, des arbustes plantés à la limite de la propriété dissimulent tout en composant un décor harmonieux. Utilisez des plantes à feuilles caduques si vous ne voulez d'écran qu'à la verte saison.

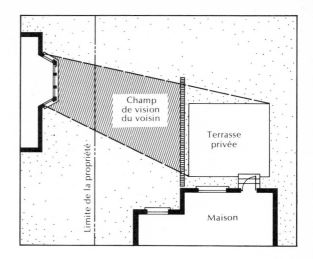

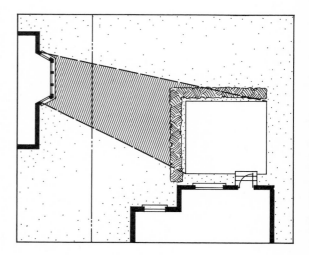

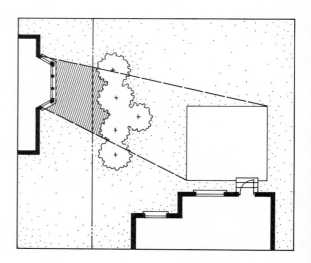

198

Un escalier bien conçu

La déclivité du terrain déterminera en partie la hauteur des marches d'un escalier de jardin. Pour que celui-ci soit sûr et commode, il y a néanmoins d'autres règles à respecter. Comme on le voit ci-dessous, la hauteur totale des contremarches d'une volée de cinq marches peut être de 30 pouces pour un giron total de 5 pieds 10 pouces, ou de seulement 20 pouces pour un giron total de 7 pieds 6 pouces. Tous les multi-

ples sont permis. Une fois que vous connaîtrez le rapport entre contremarche et giron, vous déterminerez sans difficulté le nombre de marches qu'il vous faut et leur hauteur. Mesurez la déclivité comme il est dit à la page 196.

Il existe une formule toute simple pour déterminer le giron (ou largeur) d'une marche par rapport à sa contremarche (ou hauteur) : *contremarche × 2 + giron doit égaler 26 pouces.*

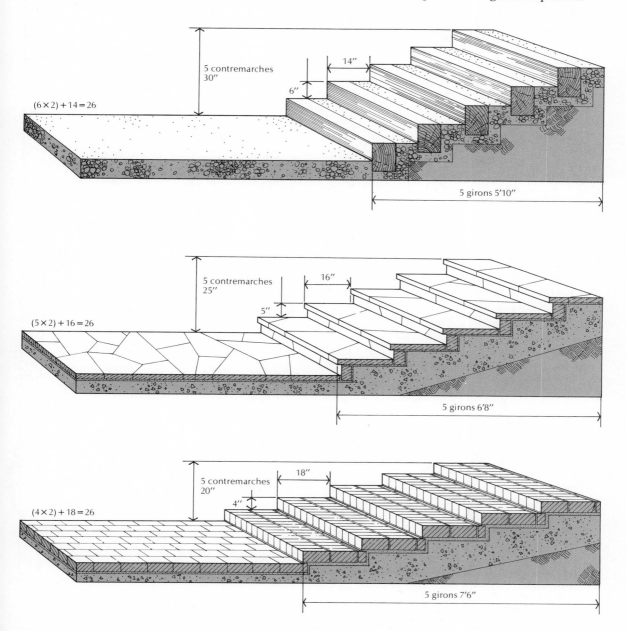

Le langage des plans

Nous vous indiquerons maintenant divers symboles qui vous seront particulièrement utiles dans l'élaboration de vos plans. Ce sont ceux qu'utilisent les architectes paysagistes. On pourrait, bien sûr, écrire tout simplement le nom des plantes et des matériaux aux endroits appropriés, mais les symboles ont l'avantage d'indiquer la texture, la forme et les dimensions de chaque élément. On représente toujours les plantes selon les dimensions qu'elles auront une fois parvenues à maturité et on indique d'un X le tronc des arbres et des arbustes. D'habitude, on indique aussi sur le plan le nom des plantes et leur espacement (la distance suffisante qui devra séparer les troncs lorsque les arbres et arbustes auront atteint leur pleine maturité), méthode qui évite d'avoir à consulter sans cesse une liste séparée.

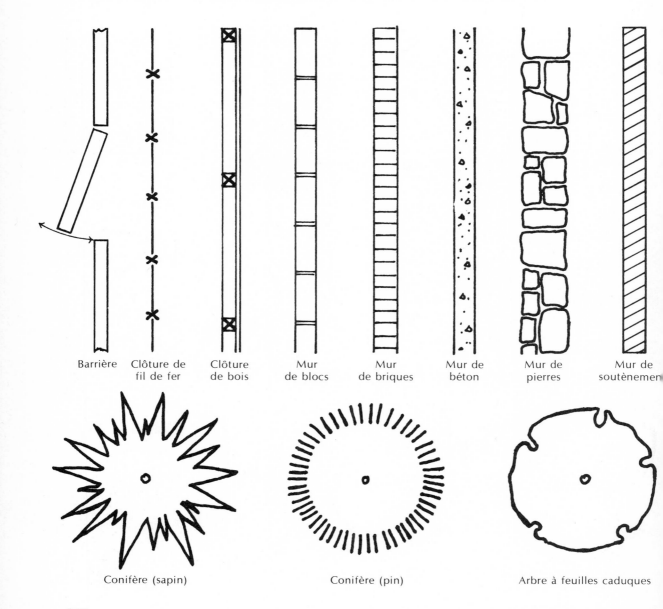

| Barrière | Clôture de fil de fer | Clôture de bois | Mur de blocs | Mur de briques | Mur de béton | Mur de pierres | Mur de soutènemen |

Conifère (sapin)　　　　　　Conifère (pin)　　　　　　Arbre à feuilles caduques

200

Haie (taille conventionnelle)

Haie (taille non conventionnelle)

Plantes tapissantes

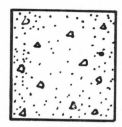
Briques

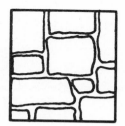
Béton

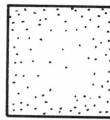
Pierres

Gazon

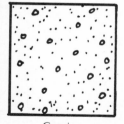
Gravier

Asphalte

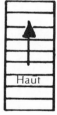
Marches

Roches

Groupe d'arbustes

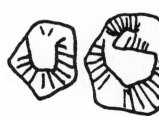
Arbuste à
feuillage persistant

Vasque

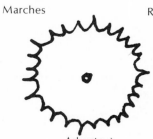
Arbuste à
feuillage caduc

Boîte à fleurs

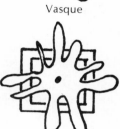

Du plan...

Il n'est certes pas facile de se représenter un jardin à partir d'un simple plan. Afin de vous aider à passer de l'un à l'autre, nous vous montrons ci-dessous un plan typique et, sur la page de droite, des photos du jardin achevé. Des flèches noires sur le plan indiquent d'où et sous quel angle les photos ont été prises. Bien entendu le plan ne révèle pas certains aspects particuliers du jardin. Il n'indique pas, par exemple, la couleur, la texture ni la forme précise des divers éléments. (Des cercles irréguliers marquent approximativement l'espace occupé par les arbres et les arbustes.) La dimension verticale manque également. Pour l'imaginer,

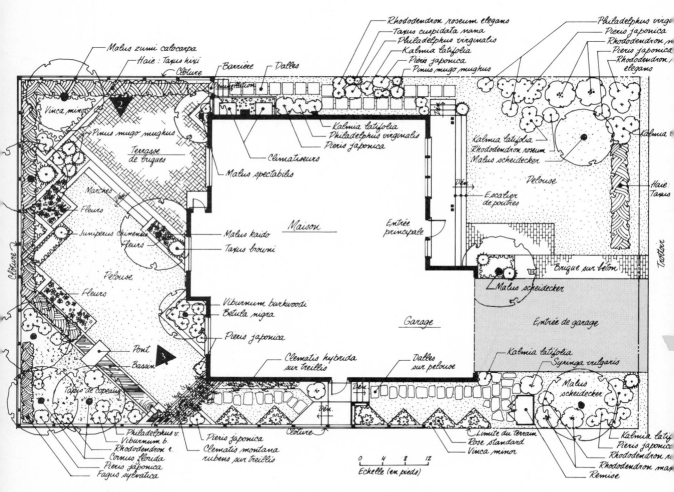

Voici le plan du jardin que l'on voit sur la page de droite. Il est exactement comme celui qu'aurait dessiné un architecte paysagiste. Les flèches noires indiquent les endroits d'où les photos ont été prises et les angles de l'appareil photo : 1) du trottoir, en face de la maison; 2) de la terrasse donnant sur le jardin, à l'arrière de la maison; 3) du bout de la pelouse : vue sur la terrasse et le fond du jardin. Les plantes sont représentées selon la taille qu'elles auront une fois parvenues à maturité. Les points indiquent les endroits où les plantes sont mises en terre, de façon à donner une idée des distances qui les séparent. Pour éviter toute confusion, on utilise les noms latins des plantes. Au lieu d'écrire les noms sur le plan, certains architectes préfèrent se servir de chiffres ou de lettres qui renvoient à une liste distincte.

202

... au jardin réalisé

pensez d'abord aux éléments qui se situent au niveau du sol, tels que les allées et les plates-bandes, puis à ceux qui sont plus élevés, soit aux meubles, aux fleurs et aux arbustes, et enfin aux arbres avec leur tronc et leur masse de feuillage. N'oubliez pas, par ailleurs, que les plans n'indiquent pas les propriétés voisines.

1.

2.

1. L'entrée principale vue de la rue. L'entrée de garage, le chemin et la pelouse sont plus faciles à situer sur le plan que les arbres, les arbustes et les marches.
2. Le fond du jardin vu de la terrasse. Dans quelques années, les plantes auront complètement dissimulé les maisons voisines.
3. La pelouse et la terrasse. Elles prennent dans le plan une importance qu'elles n'ont pas dans la réalité. Car leur effet se trouve atténué par la masse et la hauteur des arbres et des arbustes.

3.

Ce qu'il faut savoir sur les frais et les contrats

En règle générale, les frais d'aménagement du jardin devraient représenter environ le dixième du prix global de la maison et du terrain. Il ne s'agit là, toutefois, que d'une approximation.

Il faut tenir compte, en effet, de divers facteurs dont les effets sont difficiles à évaluer, par exemple : la nature du sol (de la terre glaise au roc), les projets du propriétaire (selon qu'il veut une terrasse, une piscine, un jardin exotique ou simplement une pelouse avec quelques arbres et arbustes) et la part de travaux qu'il entend exécuter lui-même.

La meilleure façon de faire une estimation globale des frais est d'évaluer minutieusement, pour chaque élément à construire, le coût des matériaux et de la main-d'œuvre. Même alors, les frais excèdent souvent le montant prévu parce qu'on a oublié certains détails. Par ailleurs, on dépasse presque toujours les délais prévus pour les travaux : les matériaux ne sont pas livrés à temps ou l'ouvrier sur lequel on comptait, ne résistant pas à l'appel d'une journée ensoleillée, a décidé d'aller à la pêche.

Mais ne vous laissez pas décourager pour autant. Il est néanmoins possible de contrôler les frais de façon à les garder dans les limites de votre budget. Il suffit de planifier les travaux avec soin.

Comment réduire les frais

Le coût de la main-d'œuvre représente une partie de plus en plus importante des frais d'aménagement. Une des meilleures façons de réduire les frais est donc de faire vous-même tous les travaux que vous pouvez. Mais il y en a d'autres. Ainsi, vous pouvez épargner beaucoup en achetant de jeunes plants. Le prix des arbres, par exemple, augmente proportionnellement à leur taille. Choisissez donc de très jeunes plants qui se développeront dans votre jardin plutôt qu'à la pépinière. Vous trouverez à des prix abordables des arbres de petit diamètre à racines nues que vous pourrez planter vous-même. Par ailleurs, les plantes à croissance rapide coûtent généralement moins cher que les autres. Par exemple, pour couvrir une pente, il est moins coûteux d'utiliser la pervenche que la pachysandre. De même, il est plus économique d'ensemencer la pelouse que de poser des bandes de gazon toutes prêtes.

Il est aussi avantageux d'utiliser des espèces indigènes : elles coûtent moins cher et poussent plus vite. En comparant les prix et en faisant vos achats avec soin, vous pourrez réaliser certaines épargnes, mais adressez-vous cependant à des établissements reconnus où l'on entretient bien les plantes.

Les frais d'aménagement

En faisant votre plan, efforcez-vous de trouver une solution qui s'accorde avec la topographie des lieux et qui n'exige pas de déplacement de sol. Ainsi, vous n'aurez pas à utiliser de la machinerie lourde, ce qui serait coûteux. Il y a souvent avantage à se servir de matériaux de grandes dimensions, comme les blocs de béton, plutôt que de matériaux de faibles dimensions comme la brique. Si la chose est possible, posez votre terrasse sur le sable plutôt que sur le béton. Sans sacrifier la qualité, cherchez toujours des moyens d'économiser.

Malgré ce que l'on pourrait croire, il est financièrement avantageux d'avoir recours aux services d'un professionnel. Vous pouvez vous adresser à un architecte paysagiste ou à un jardinier spécialisé, ou même à un pépiniériste qui offre les mêmes services. La plupart des pépiniéristes, cependant, se consacrent plutôt exclusivement à la vente des plantes.

Le spécialiste dont l'aide peut vous être le plus utile reste l'architecte paysagiste. Bien sûr, il vous faudra débourser une certaine somme pour bénéficier de ses services, mais vous en retirerez des avantages à court et à long terme. Grâce à sa connaissance approfondie des plantes, de la construction et du dessin, ce professionnel vous aidera à obtenir les meilleurs résultats tout en utilisant les matériaux et les techniques les plus économiques.

Quand il s'agit de travaux importants, il peut vous aider à choisir un entrepreneur qui fera un bon travail à un prix raisonnable. Il vous épargnera ainsi du temps et de l'argent.

Par ailleurs, si vous tenez à exécuter vous-même tous vos travaux d'aménagement, il se peut que le dessin et la construction vous posent certains problèmes. Là encore vous aurez sans doute avantage à consulter un professionnel qui vous dessinera des plans complets ou de simples esquisses. Vous pourrez ainsi prévoir exactement vos frais. Grâce à leur formation et à leur expérience, les architectes paysagistes peuvent ajuster vos projets et vos besoins aux impératifs de votre budget.

L'architecte paysagiste

Si vous décidez de retenir les services d'un architecte paysagiste, exposez-lui vos projets et votre budget dès la première rencontre. En discutant avec lui, vous serez amené à vous faire une idée de plus en plus précise des aménagements que vous envisagez. En se fondant sur ces renseignements, l'architecte mettra au point un programme d'aménagement qui comprendra notamment la construction des terrasses, la plantation et le drainage. Il établira aussi un budget en conséquence. Il vous soumettra ensuite ce programme et ce budget, en discutera avec vous et au besoin effectuera certains changements. Puis, il dessinera quelques esquisses illustrant la mise en œuvre du programme. Quand vous les aurez approuvées, il pourra alors dresser un avant-projet ainsi que des devis qui vous donneront une idée plus exacte des frais à envisager.

Une fois l'avant-projet et le budget approuvés, l'architecte mettra au point un plan définitif qui servira à l'entrepreneur (ou à vous-même) dans l'exécution des travaux. Si vous avez besoin d'un entrepreneur mais n'en connaissez pas, l'architecte demandera et recevra les soumissions, proposera l'entrepreneur qui lui semblera le plus recommandable et, au besoin, surveillera les travaux.

Services complets ou partiels?

Il n'est pas indispensable que l'architecte paysagiste auquel vous vous adressez vous fournisse tous les services que nous venons d'énumérer. Ainsi, vous pouvez vous passer de plans définitifs (et du fait même épargner de l'argent) si votre entrepreneur est capable de travailler avec de simples esquisses suffisamment détaillées. Dans ce cas, cependant, assurez-vous qu'il pourra quand même consulter l'architecte s'il le juge nécessaire.

Vous pouvez aussi étaler vos frais sur plusieurs années en demandant à un architecte de vous faire un plan d'ensemble. Vous pourrez alors vous servir des parties du plan au fur et à mesure que vous exécuterez les travaux.

Les rémunérations des architectes paysagistes sont généralement fixées selon un taux horaire mais, lorsqu'il s'agit de projets précis comme un plan de plantations autour d'une terrasse, le prix est parfois forfaitaire. Dans le cas de travaux importants, les honoraires sont souvent évalués à un certain pourcentage du coût total des travaux.

Les entrepreneurs, pour leur part, travaillent soit à tarif horaire soit à forfait. Pour les grands projets, tous les intéressés ont généralement avantage à s'entendre au préalable sur un plafond que l'architecte et l'entrepreneur ne devront pas dépasser.

Un contrat formel entre l'architecte paysagiste et son client n'est pas obligatoire, mais il est recommandé de définir l'entente par écrit, ce qui peut se faire dans une simple lettre. On s'assure ainsi que tout le monde est d'accord sur les services à fournir, les matériaux à utiliser et les rémunérations à verser.

Les plantations

L'art de choisir et d'entretenir
les plantes de jardin

11

Petit guide
des arbres d'ornement

L'influence du climat

Les arbres sont sans contredit les éléments majeurs de l'ornementation végétale. Mais on ne
devrait pas en planter dans son jardin sans
avoir quelques notions élémentaires de clima-
tologie. Il vous faut donc connaître le climat
de votre région et surtout les températures minimales qu'on y enregistre, car le *froid* demeure
le plus grand ennemi des plantes.

La carte des zones de rusticité du Canada,
qui apparaît ci-contre, vous indiquera dans
quelle zone climatique se situe votre région.
Les neuf zones cartographiées ont été détermi-
nées à partir du relevé des températures hi-
vernales minimales. On a aussi tenu compte
d'autres facteurs qui influent, quoique moins
fortement que le froid, sur la rusticité (ou degré de résistance) des plantes croissant dans une
région donnée : durée des périodes sans gel, ré-
gime des pluies, degré d'humidité, force des
vents, etc. A cette carte correspond une classification des plantes que nous utilisons dans le
présent chapitre. Vous remarquerez, en effet,
que chaque plante de notre liste est accompagnée des numéros de ses zones de rusticité.

Il faut noter cependant que ces divisions ne
sont pas absolument rigoureuses et qu'il existe
des microclimats régionaux susceptibles de
faire varier l'échelle de rusticité. Par ailleurs,
il n'y a pas à proprement parler de frontière
étanche entre ces zones, mais il est tout de
même sage d'en respecter les limites.

Grâce à la collaboration de dizaines de fermes expéri-
mentales, le ministère de l'Agriculture du Canada a
pu dresser une carte dont nous nous inspirons, qui divise le pays en neuf grandes zones climatiques.

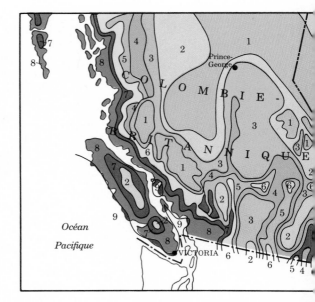

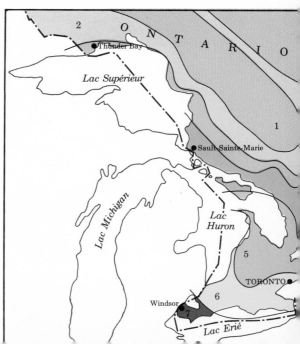

Les zones de rusticité

Les régions très froides (Moyen Nord) appartiennent à la zone 1 : la végétation y est limitée en raison des basses températures qu'on y enregistre (−45°C). La région la plus tempérée (côte de la Colombie-Britannique) se trouve dans la zone 9 : les périodes de gelée y sont de courte durée et les températures ne descendent que rarement au-dessous de 0°C. La grande région de Montréal est située à mi-chemin entre ces deux extrêmes, dans la zone 5 : la température minimale s'y situe autour de −30°C. Pour celui qui veut faire des plantations dans son jardin, les zones s'interprètent de la façon suivante. Toute plante qui est classée dans la zone 1 peut croître jusque dans la zone 9, alors que l'inverse n'est pas vrai. Suivant ce principe, une plante dont la zone de rusticité est 5 peut pousser dans les zones 5, 6, 7, 8 et 9, mais non dans les zones 4, 3, 2 et 1. En somme, plus une plante est rustique, plus elle s'acclimate.

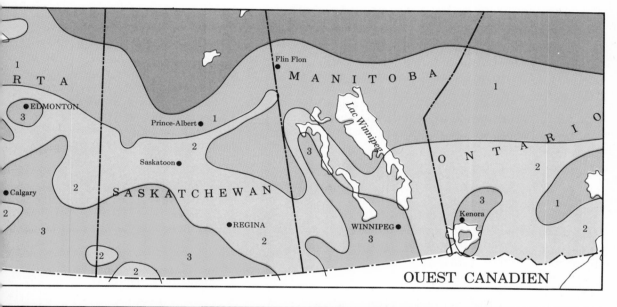

OUEST CANADIEN

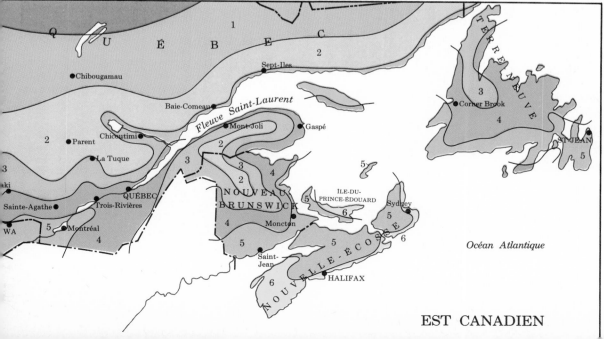

EST CANADIEN

Les critères de choix

Les arbres n'ont pas tous une égale valeur ornementale, non plus qu'un même degré d'adaptation aux conditions climatiques. Un choix des espèces s'impose donc quand on veut garnir son jardin de ces plantes. Bien choisir un arbre d'ornement signifie tenir compte de critères horticoles aussi bien que de points de vue esthétiques et pratiques. La zone de rusticité, l'utilisation que l'on compte faire des arbres, leur forme, leurs dimensions, leurs attraits particuliers sont autant de facteurs à envisager.

C'est pourquoi nous vous présentons dans les pages qui suivent une liste d'arbres qui tient compte de ces divers éléments. Au moyen des symboles graphiques expliqués ci-dessous, nous indiquons pour chaque sujet sa forme générale, son système radiculaire, ainsi que le feuillage et la floraison qui le caractérisent. Un texte d'accompagnement vient compléter pour chaque plante ces données essentielles.

Les formes

Sphérique. Ce symbole désigne les arbres de forme ronde, aussi bien que ceux dont les branches s'étalent horizontalement. Le dessin représente aussi un arbre aux racines superficielles au pied duquel les plantes pousseront mal.

Conique. La plupart des conifères ont cette forme, que l'on qualifie aussi de pyramidale. Ils peuvent être soit plus larges soit plus étroits que le modèle qui sert ici de symbole. On remarquera le système radiculaire superficiel.

Erigée. La plupart des arbres de grande taille prennent la forme érigée. Certains d'entre eux s'évasent au sommet. Mais tous les sujets à port érigé sont plus hauts que larges. Ici encore le symbole indique que les racines sont superficielles.

Les feuilles

Caduques. Quand elles se détachent de l'arbre l'hiver venu, les feuilles sont dites caduques. On les retrouve surtout sur les arbres de la catégorie des feuillus, laquelle compte des espèces reconnues pour leurs riches couleurs automnales.

Persistantes. Ce qualificatif désigne les feuilles qui restent sur l'arbre toute l'année et demeurent vertes. Elles peuvent avoir diverses dimensions ou, comme chez les conifères, prendre la forme d'aiguilles plus ou moins longues ou d'écailles.

Les racines

Profondes. (Les racines *superficielles* apparaissent dans les symboles voisins.) La bande verte au niveau du sol montre que, vu leur profondeur, les racines n'accaparent pas l'eau ni les éléments nutritifs au détriment d'autres plantes.

Les caractéristiques

La catégorie des arbres feuillus se reconnaît à ce dessin. Certains ont des feuilles persistantes, d'autres des feuilles caduques.

On utilise ce symbole pour désigner les arbres dont le feuillage prend la forme d'aiguilles, autrement dit les conifères.

Ce symbole indique les arbres qui ajoutent à leurs autres attraits une floraison particulièrement digne d'attention.

Grands arbres : de 40 à 100 pieds ou plus

On ne soulignera jamais assez l'importance de la présence des arbres dans les villes. Ils y jouent un rôle vital en captant les éléments polluants de l'air et en dégageant de l'oxygène. Ils contribuent également à l'équilibre climatique : en été, ils dispensent de la fraîcheur; en hiver, ils réchauffent l'atmosphère et servent de brise-vent.

Les arbres n'ont pas qu'une fonction écologique : ils sont aussi les plus beaux ornements de nos villes. Ils en humanisent le décor un peu rigide; ils rendent les maisons plus accueillantes; ils donnent au moindre jardin la stature d'un paysage.

Voir grandir un arbre d'année en année est un plaisir sans pareil; il n'en tient qu'à nous de l'apprécier.

zones 1-9

Sapin baumier *(Abies balsamea)*. Ce sapin est l'un des arbres les plus caractéristiques du Canada. Il se distingue particulièrement par sa forme symétrique. Sa cime effilée évoque la flèche d'un clocher. Il s'adapte à presque tous les sols. Il faut noter toutefois que le sapin baumier est particulièrement sensible à la pollution atmosphérique des villes. Comme tous les sapins il demande un milieu frais et humide et un terrain assez vaste, car il a avant tout besoin d'air et de lumière. C'est pourquoi on l'utilisera surtout à la campagne ou en milieu naturel, pour la confection d'écrans ou de massifs.

zones 1-9

Peuplier faux-tremble *(Populus tremuloides)*. Les peupliers peuvent servir à former des écrans. Le peuplier faux-tremble, qui n'est pas véritablement un arbre de jardin, permet cependant, dans les régions froides, de composer de jolis bosquets.

zones 2-9

Epinette bleue du Colorado *(Picea pungens glauca)*. L'épinette a un port plus droit que le sapin et ses aiguilles sont souvent piquantes. L'épinette bleue du Colorado sert fréquemment d'élément de décor dans les jardins. La teinte nette-ment bleutée de ses aiguilles, qui sont placées à angle droit sur les rameaux, attire l'attention. Cet arbre est tout à fait à son avantage dans les espaces libres où l'on peut mieux admirer sa forme pyramidale et sa couleur qui s'harmonise à celle du ciel. Toutefois il est déconseillé de le planter (on peut dire la même chose de tous les conifères) au milieu d'une pelouse ou devant la maison.

zones 2-9

Pin blanc *(Pinus strobus)*. Dans les jardins où l'on veut planter des conifères, les pins sont généralement préférables aux autres espèces. Le pin blanc est un arbre vigoureux qui croît rapidement. Son feuillage est gris-vert. Attachées haut sur le tronc, ses branches s'étendent horizontalement. Les jeunes pins font d'excellents écrans. L'arbre se fait plus dense si on taille les jeunes pousses.

zones 2-9

Peuplier de Caroline *(Populus canadensis)*. Malgré ses racines encombrantes, le peuplier de Caroline est digne d'intérêt, notamment à cause de ses feuilles d'un vert vif qui se détachent sur le paysage. Il est complètement à déconseiller en milieu urbain, mais peut s'employer dans les grands parcs. Comme les autres peupliers, il peut se planter en rang pour servir d'écran.

zones 2-9

Tilleul d'Amérique *(Tilia americana)*. Cet arbre indigène se développe beaucoup. Lisse au début, l'écorce se fragmente ensuite en crêtes écailleuses. Les feuilles sont simples, très grandes et cordiformes. Le tilleul se couvre en juillet de fleurs jaunes odorantes. Arbre à croissance rapide, facile à transplanter.

zones 2-9

Erable argenté *(Acer saccharinum)*. Cet arbre atteint un grand développement et croît très vite. Il demande un grand terrain car il possède un système radiculaire superficiel. Cet érable supporte bien les conditions difficiles et est peu sensible aux maladies. La variété *Acer s. laciniatum* est très recherchée.

zones 2-9

Pin rouge *(Pinus resinosa)*. Lorsqu'il est jeune, cet arbre indigène a un port conique régulier. Avec l'âge, sa base se dégarnit de ses branches. Ce pin est reconnaissable à son tronc rougeâtre et écailleux et à ses aiguilles vert foncé groupées par deux. Sa croissance est rapide et il s'adapte très bien aux sols pauvres. Comme brise-vent, il offre beaucoup d'intérêt. C'est donc un arbre tout à fait approprié aux régions froides.

zones 3-9

Mélèze d'Europe *(Larix decidua)*. Cet arbre est assez exceptionnel puisqu'il s'agit d'un conifère à feuilles caduques. Les aiguilles, qui sont disposées en spirales, ont environ un pouce de long. Au printemps, les nouvelles feuilles se colorent d'un vert éclatant. A l'automne, elles virent au jaune avant de tomber. Le mélèze est élégant et harmonieux.

zones 3-9

Bouleau jaune *(Betula alleghaniensis)*. Cet arbre indigène du Canada se reconnaît à son écorce jaune argenté et à ses feuilles qui, froissées, sentent le thé des bois. On le conseille dans les parcs et pour la naturalisation. Il se transplante facilement au printemps et préfère les milieux humides.

zones 3-9

Frêne blanc d'Amérique *(Fraxinus americana)*. La cime de l'arbre est arrondie. A l'automne, le feuillage se teinte de magnifiques couleurs : jaune vif ou pourpre. Le frêne supporte très bien la transplantation et pousse dans presque n'importe quel sol bien drainé.

zones 3-9

Noyer noir *(Juglans nigra)*. Cet arbre peut devenir très grand. Son écorce est noire et profondément crevassée et ses rameaux sont duvetés. Ses longues feuilles se composent de 15 à 23 folioles. Le noyer noir donne une noix douce et comestible. Arbre à croissance rapide, il demande un sol bien drainé et doit être planté en isolé. Plantation en motte au printemps.

Chêne rouge *(Quercus rubra)*. Les chênes prennent des dizaines d'années à arriver à maturité. Le chêne rouge offre donc les avantages d'un arbre qui croît lentement mais régulièrement. Il se tient plus droit que les autres chênes. Son feuillage prend des teintes remarquables en automne.

Le chêne à gros fruit *(Q. macrocarpa)* est un grand arbre aux ramifications abondantes. Il s'accommode des terrains argileux et supporte bien la fumée mais pas l'ombre. Il peut atteindre 50 pieds. Il orne un grand nombre de parcs publics.

Sapin de Douglas bleu *(Pseudo-tsuga taxifolia)*. On aurait intérêt à choisir les variétés originaires des Rocheuses, car elles sont plus rustiques. Le Douglas bleu est un arbre à grand développement, au tronc solide, qui résiste bien au vent. Elagué, il peut très bien servir à faire des haies.

Peuplier blanc pyramidal *(Populus alba pyramidalis)*. Cette variété offre évidemment les principales caractéristiques de l'espèce : croissance rapide, racines voraces, vocation ornementale. Toutefois, elle supporte mieux la sécheresse que les autres.

Pruche du Canada *(Tsuga canadensis)*. Quand elle est jeune, la pruche est un magnifique conifère aux branches gracieuses et au feuillage gris-vert. Elle pousse facilement à condition que le sol soit humide. Pour en faire une haie, il faut la planter dans un endroit abrité ou la protéger du vent par une palissade, et la tailler régulièrement. Elle se transplante facilement si on la prend dans une pépinière, mais très difficilement si on la prélève dans la nature.

Caryer à noix douces *(Carya ovata)*. Un bel arbre, droit et haut, dont l'écorce gris sombre se détachant du tronc par lambeaux garde sa valeur décorative toute l'année. Il produit des noix excellentes. Le caryer pousse bien dans les sols maigres et rocailleux. La plantation se fait en motte au printemps. On s'en servait jadis pour faire les rayons des roues de carrosse.

Chêne des marais *(Quercus palustris)*. Un bel arbre d'ornement de forme symétrique et dégagée. Les branches supérieures s'étalent horizontalement alors que les branches inférieures retombent. Les feuilles, fortement découpées et d'un vert brillant, tournent à l'automne au rouge foncé, puis au brun. Le feuillage résiste souvent partiellement à l'hiver.

Chêne blanc *(Quercus alba)*. Un arbre au port étalé et à la cime ronde. Il porte des feuilles aux lobes longs et arrondis. Ses racines profondes l'ancrent solidement dans le sol. De croissance lente, le chêne blanc peut atteindre jusqu'à 90 pieds de hauteur. Il est doué d'une grande longévité.

Arbre aux quarante écus *(Ginkgo biloba)*. Ce bel arbre croît de façon lente et irrégulière. Il lui faut de 50 à 60 ans avant d'arriver à maturité. Il se situe entre les feuillus et les conifères et se distingue par son feuillage épais, en forme d'éventail. Les jeunes feuilles, qui forment des bouquets sur les branches, sont particulièrement décoratives au printemps. L'automne, elles virent au jaune vif. Le ginkgo résiste très bien aux insectes et aux maladies et s'adapte facilement à la ville. On vend surtout les arbres mâles.

Micocoulier occidental *(Celtis occidentalis)*. Arbre indigène qui se rencontre dans l'est du Canada. Il se distingue par sa cime large et son écorce à crêtes liégeuses. Ses feuilles simples et alternes ressemblent à celles de l'orme. A l'automne, il donne une cerise, ou drupe, rouge foncé. Cet arbre s'adapte bien au milieu urbain et peut croître en terrain pauvre. Plantation en motte au printemps.

Erable à sucre *(Acer saccharum)*. Cet érable est difficile à cultiver en ville et sur les petits terrains. Par contre, à la campagne, c'est presque un élément indispensable au décor. Son feuillage d'automne, avec ses brillantes couleurs orangées, demeure sans pareil. Ses racines sont voraces, ses branches nombreuses et plutôt lourdes. Il pousse dans presque n'importe quel sol. Sa croissance est lente, mais il vit très vieux. C'est un arbre tout indiqué pour les vastes jardins.

Hêtre à grandes feuilles *(Fagus grandifolia)*. Un arbre indigène mais qu'il est difficile d'acclimater à un milieu urbain. En terrain découvert, il prend une apparence robuste. Son écorce est lisse et argentée.

Erable de Norvège *(Acer platanoides)*. Si l'on veut un arbre qui dispense de l'ombre, c'est cette espèce qu'il faut choisir. Cependant il sera difficile de faire pousser quoi que ce soit sous ses épaisses branches. Ses racines superficielles seront aussi un obstacle à des plantations. L'arbre croît rapidement et vit longtemps. A l'automne, ses feuilles se teintent d'un beau jaune. L'espèce comprend diverses variétés qui se distinguent par leur forme.

Superficiel   Profond
SPHÉRIQUE CADUC

Superficiel   Profond
SPHERIQUE PERSISTANT

Superficiel   Profond
ERIGE CADUC

Superficiel   Profond
ERIGE PERSISTANT

Caduc   Persistant
CONIQUE

Feuilles   Aiguilles
FEUILLAGE

FLEUR

zones 5-9

Sapin du Colorado (*Abies concolor*). Cette espèce exotique est communément utilisée dans l'aménagement paysager. On distingue le sapin du Colorado à ses longues aiguilles (deux fois plus longues que celles des autres espèces) de teinte gris-vert. Ce conifère impressionnant est facile à cultiver.

zones 5-9

Chêne rouvre ou chêne anglais (*Quercus robur*). Cette espèce européenne est bien connue maintenant au Canada. Elle ressemble au chêne blanc indigène, mais ses feuilles sont plus petites. Sa croissance est lente.

zones 5-9

Platane d'Occident (*Platanus occidentalis*). Un bel arbre à la texture rugueuse et aux branches bien dégagées. Jusqu'à tout récemment, on s'en servait beaucoup dans les villes à cause de sa résistance à la maladie. Maintenant, il est sujet à la rouille. Parvenu à maturité, il prend de magnifiques formes. Son écorce tachetée et écailleuse et ses fruits semblables à des pompons frappent la curiosité. En Europe, on a coutume de le tailler à l'automne, ce qui favorise la repousse des jeunes branches au printemps. Dans une plantation dense, celles-ci formeront une voûte. Les platanes aiment particulièrement les sols riches et humides.

zones 5-9

Tulipier (*Liriodendron tulipifera*). Appelé couramment bois jaune, le tulipier est un arbre remarquable. Le sommet de ses feuilles est tronqué et ses fleurs, d'un jaune verdâtre et dont la forme rappelle celle des tulipes, sont partiellement cachées par le feuillage. Etant donné ses dimensions, le tulipier a besoin de beaucoup d'espace.

zones 5-9

Chêne pyramidal (*Quercus robur fastigiata*). Arbre à moyen développement, dont les rameaux érigés forment une cime fusiforme semblable à celle du peuplier d'Italie. Les feuilles demeurent sur l'arbre tard à l'automne. On ne lui connaît aucune maladie spécifique et il résiste très bien à l'atmosphère polluée des villes.

zones 6-9

Hêtre d'Europe (*Fagus sylvatica*). C'est sans doute le plus majestueux de tous les arbres des régions nordiques. Il a besoin de beaucoup d'espace, tant pour ses racines que pour ses branches. Son écorce lisse et grise est remarquable et, à l'automne, son feuillage prend de magnifiques teintes jaunes et brunes.

On trouve d'autres variétés qui viennent d'Europe, moins résistantes que le hêtre américain. Le hêtre à feuilles laciniées (*F. s. laciniata*) se distingue par la texture de son feuillage. Il y a aussi des hêtres pleureurs et d'autres à fût droit. En règle générale, les hêtres, taillés ou non, font d'excellents écrans. A cause de leurs branches basses, rien ne peut pousser à leur pied.

zones 6-9

Magnolia à feuilles acuminées (*Magnolia acuminata*). Un arbre indigène à croissance rapide, qui exige beaucoup d'espace. Droit au début, il prend avec le temps une forme conique. Lorsqu'il est arrivé à maturité ses branches touchent le sol. Malgré la grosseur de ses feuilles, l'arbre conserve son élégance.

Suite à la page 216

Marronnier d'Inde

Noyer noir d'Amérique

Ces arbres qui font de vraies merveilles

Le contraste entre les photos que vous voyez ici montre bien qu'il suffit de quelques arbres pour transformer tout un paysage. Aussi étonnant que cela puisse paraître, les photos de la page de droite ont été prises aux mêmes endroits que celles ci-contre, mais quinze ans plus tard. Heureusement pour les propriétaires, l'entrepreneur qui avait construit les maisons avait pris soin de planter immédiatement des arbres le long des rues. Si vous songez à acheter une maison neuve, ne négligez pas ce détail. S'il n'y a pas d'arbres en bordure de la rue, plantez-en le plus tôt possible. (Ou assurez-vous que la municipalité le fasse, si c'est sa responsabilité.) Les arbres représentent un excellent placement, puisqu'on est sûr d'en profiter longtemps. Et comme vous pouvez le constater en regardant les photos, la plus belle maison semble insolite et déplacée lorsqu'il n'y a pas d'arbres pour l'ancrer dans le décor.

Les arbres n'ont pas qu'une valeur esthétique. Ils rendent aussi de nombreux services. Leurs racines stabilisent le sol. Leurs troncs et leurs branches protègent du bruit. Quant au feuillage, il donne une ombre rafraîchissante et transforme en oxygène le gaz carbonique qui est absorbé par les arbres. En se décomposant, les feuilles enrichissent le sol de matières minérales. Par conséquent, on ne saurait ignorer le rôle essentiel que jouent les arbres pour assurer la qualité de l'environnement.

Dès que les maisons ont été construites, on a planté des arbres et des arbustes sur les terrains et en bordure de la rue. En comparant les photos, on voit l'effet esthétique des arbres arrivés à maturité.

Les arbres et les arbustes disposés sur la pelouse, en plus de donner de l'ombre, cachent la rue et les maisons voisines. Les conifères enrichissent le paysage de leurs couleurs durant la saison d'hiver.

zones 6-9

Cryptomeria du Japon *(Cryptomeria japonica)*. Cet arbre présente une caractéristique intéressante : ses petites branches, qui portent des aiguilles, poussent par grappes, de sorte que l'on peut voir tout le tronc, d'une belle couleur brun-rouge. Seul ou en groupe, l'arbre est impressionnant. Il se cultive facilement. C'est un excellent conifère pour les jardins situés sur le littoral occidental.

zones 7-9

Copalme *(Liquidambar styraciflua)*. Un des plus beaux arbres à l'automne. Ses feuilles, de forme étoilée, prennent diverses nuances de rouge, depuis l'écarlate jusqu'au violet foncé. Sa croissance est lente sauf dans les sols riches et humides. Seuls les jeunes sujets peuvent supporter d'être transplantés. La culture du copalme ne présente aucune autre difficulté.

zones 7-9

Faux cyprès de Lawson *(Chamaecyparis lawsoniana)*. Arbre de forme conique dont les ramules retombantes sont couvertes de petites feuilles en forme d'écailles. L'espèce est particulièrement élégante et tout indiquée pour donner une note décorative à n'importe quel jardin.

zones 7-9

Pécanier *(Carya pecan)*. Arbre à feuilles composées et au port délié. Il peut atteindre 100 pieds de hauteur. A l'automne, les feuilles virent au jaune. Pour réussir la transplantation, il vaut mieux utiliser des arbres achetés à la pépinière. Le pécanier a besoin de beaucoup d'espace et d'un sol riche et humide. Il produit des noix qui, cependant, au Canada, n'ont pas le temps de mûrir. Ses racines s'enfoncent profondément dans le sol et il est doué d'une grande longévité.

zones 7-9

Pruche de la Caroline *(Tsuga caroliniana)*. Le genre Tsuga se retrouve surtout dans les forêts de l'Amérique du Nord et de l'Asie orientale. Alors que les aiguilles de la pruche du Canada *(T. canadensis)* ne poussent que sur deux côtés des rameaux, celles de la pruche de la Caroline poussent tout autour des rameaux. Cette dernière est donc bien plus décorative. Cependant, c'est une espèce difficile à trouver.

zones 7-9

Noyer royal *(Juglans regia)*. Cet arbre est presque aussi grand et imposant que le pécanier et il est un peu plus rustique. Certaines variétés se distinguent par la qualité de leurs noix. Le port de l'arbre est bien dégagé. Ses feuilles, composées, tombent dès le début de l'automne. Le noyer est parfois attaqué par les insectes.

zones 8-9

Libocèdre *(Libocedrus decurrens)*. Un conifère étroit dont les petites branches plates, à bout recourbé, portent des feuilles en forme d'écailles d'une belle couleur verte. L'arbre garde ses ramifications jusqu'à la base, même lorsqu'il est arrivé à maturité et a atteint de bonnes dimensions. Le libocèdre fait de meilleures haies que le thuya ou le genévrier. C'est un arbre qui est doué d'une bonne résistance à la maladie. Il croît à un rythme modéré et exige un sol riche et bien humide.

zones 8-9

Cèdre du Liban *(Cedrus libani)*. Un conifère au port bien dégagé, à aiguilles vert foncé, groupées en verticilles. Avec le temps, les branches inférieures disparaissent, dégageant le tronc. Le cèdre de l'Himalaya *(C. deodara)* ressemble à celui du Liban mais ses branches retombent et ses feuilles sont d'un vert plus pâle.

Arbres de taille moyenne : de 30 à 50 pieds

On trouve dans cette catégorie d'excellentes espèces que l'on peut utiliser pour ombrager les terrasses et les pelouses, pour border les rues ou tout simplement pour planter aux endroits où de grands arbres risqueraient d'être encombrants.

Un grand nombre des meilleurs conifères de jardins ainsi que plusieurs arbres à fleurs figurent aussi sur notre liste.

zones 1-9

Saule laurier *(Salix pentandra)*. Un arbre très attrayant si on sait en prendre soin. (Autrement il fera les délices des chenilles.) Ses feuilles d'un vert vif rappellent celles du véritable laurier. Il s'accommode bien des lieux assez humides et, taillé, peut s'utiliser en haies.

zones 2-9

Bouleau blanc d'Europe *(Betula pendula)*. Un arbre étroit à écorce blanche, dont les branches sont fines et légèrement recourbées. Il existe plusieurs variétés « pleureuses ». Le bouleau blanc est très populaire bien qu'il ne vive pas très vieux et qu'il soit souvent victime des insectes. Les bouleaux sont plus décoratifs s'ils sont groupés.

zones 2-9

Bouleau à papier *(Betula papyrifera)*. Malgré la popularité du bouleau blanc d'Europe, célèbre notamment pour son élégance, le bouleau à papier a sur ce dernier l'avantage de donner vraiment de l'ombre, grâce à son tronc plus développé et à ses branches mieux ramifiées. En outre, il résiste mieux aux insectes. Au début du printemps, il se couvre de chatons très décoratifs. A l'automne, ses feuil-

Suite à la page 218

Superficiel	Profond	Superficiel	Profond	Superficiel	Profond	Superficiel	Profond	Caduc	Persistant	Feuilles	Aiguilles	
SPHÉRIQUE CADUC		SPHÉRIQUE PERSISTANT		ÉRIGÉ CADUC		ÉRIGÉ PERSISTANT		CONIQUE		FEUILLAGE		FLEUR

Pin blanc

Cerisier noir

Platane d'Occident

Sapin de Douglas

Érable à sucre

les d'un jaune vif le rendent spectaculaire. Il a besoin d'un sol riche et supporte mal les grandes chaleurs.

zones 2-9

Cerisier noir *(Prunus serotina)*. C'est le plus grand des cerisiers indigènes. Il est reconnaissable à sa cime ovale et étalée et à son écorce foncée. Il donne des fleurs blanches en juin et des fruits presque noirs à l'automne. De croissance rapide, il doit être planté au printemps. Espèce souvent attaquée par les chenilles.

zones 2-9

Pin sylvestre *(Pinus sylvestris)*. Un arbre étroit à la cime irrégulière. Les aiguilles, d'un gris bleuâtre, font contraste avec l'écorce rouge. Le tronc est souvent dégagé, surtout au sommet, de sorte qu'on le voit bien. Au bout de 40 à 50 ans, l'arbre risque de devenir dénudé. On plante les pins en groupe pour mieux tirer parti de leur valeur ornementale.

zones 3-9

Thuya du Canada *(Thuya occidentalis)*. Arbre indigène dont les feuilles sont réduites à des écailles de couleur jaune-vert. Le thuya est très ornemental lorsqu'il est planté en massif. Il demande un terrain humide et le plein soleil. Il ne se dégarnit jamais à la base.

zones 3-9

Ostryer de Virginie *(Ostrya virginiana)*. Les jeunes arbres sont étroits et ressemblent à des ormes. Les vieux sont pittoresques avec leur cime ovale. L'écorce sur l'arbre jeune est rougeâtre; elle se détache en lamelles lorsque l'arbre vieillit. L'ostryer résiste bien aux insectes. Il donne un fruit en forme de cône et ses feuilles tournent au jaune à l'automne. L'arbre s'accommode bien de l'ombre. Son bois lourd au grain serré en fait un des arbres indigènes les plus vigoureux.

zones 3-9

Erable rouge *(Acer rubrum)*. Le plus élégant et le plus déployé de tous les érables. On l'utilise souvent dans les plantations urbaines. Il pousse surtout dans les sols acides. Il se pare de fleurs rouges au printemps. A l'automne, ses feuilles deviennent d'un écarlate brillant. Son feuillage se couvre parfois de piqûres d'insectes qui, cependant, ne causent aucun dégât à l'arbre. Autrement, l'érable rouge résiste bien aux maladies. Parmi les meilleures variétés, signalons les deux suivantes : 'October Glory', d'un rouge remarquable et qui garde ses feuilles plus longtemps que les autres, et 'Tilford', dont les branches sont particulièrement robustes.

zones 3-9

Orme de Sibérie *(Ulmus pumila)*. On l'appelle parfois, mais à tort, orme chinois. C'est un arbre de croissance rapide, qui peut atteindre de 25 à 30 pieds en quelques années. Il porte de très petites feuilles étroites. En aménagement paysager, il est surtout utile pour faire des écrans provisoires, en attendant que des espèces, plus décoratives mais à croissance plus lente, aient atteint leur maturité. La variété 'Park Royal' se distingue par sa forme régulière.

zones 3-9

Tilleul à petites feuilles *(Tilia cordata)*. La profondeur de ses racines et sa résistance au vent sont les principales caractéristiques de cet arbre. Les vieux tilleuls, tout comme les hêtres, produisent et gardent des branches sur tout le tronc jusqu'au sol. Les fleurs, qui apparaissent en juin, se voient à peine et ne durent que quelques jours, mais elles embaument tout le jardin. A l'automne, les feuilles tournent au jaune et, si le sol est pauvre, elles tombent dès le début de la saison. Le cultivar 'Greenspire' se distingue par son tronc bien droit, sa forme régulière et sa croissance rapide.

zones 3-9

Charme de la Caroline *(Carpinus caroliniana)*. Un bel arbre indigène de l'Amérique du Nord, qui croît lentement. Le tronc noueux se démultiplie chez plusieurs sujets. A l'automne, les feuilles se teintent d'un beau rouge. Le charme résiste assez bien aux insectes.

zones 4-9

Saule pleureur *(Salix alba tristis)*. Arbre gracieux à cime arrondie et à rameaux pendants de couleur jaune vif. Cette espèce est très décorative, surtout quand on la plante près des étangs ou en isolé, mais elle n'est pas recommandée près des maisons car son système radiculaire est superficiel. Sa croissance est très rapide.

zones 4-9

Virgilier *(Cladrastis lutea)*. C'est un arbre étroit et élégant lorsqu'il est jeune, mais qui s'arrondit et devient dense avec le temps. Ses feuilles sont d'un vert vif et ses fleurs, blanches et retombantes, sont très parfumées. L'écorce est d'un beau gris pâle et, à l'automne, le feuillage prend une couleur jaune orange. Un excellent arbre d'ornement que l'on recherche aussi pour l'ombre qu'il dispense.

zones 4-9

Févier à trois épines *(Gleditsia triacanthos)*. A l'origine cet arbre se caractérisait par ses épines et ses branches irrégulières mais, par suite d'une culture sélective, on en trouve maintenant diverses variétés bien fournies et sans épines, recherchées pour leur ombre. Parmi les meilleures, signalons : le févier 'Moraine', aux branches denses et déployées; le 'Majestic', plus compact et idéal pour les petits terrains; le 'Skyline', plus étroit et de forme conique, et le 'Continental', au port très déployé.

Superficiel Profond
SPHÉRIQUE CADUC

Superficiel Profond
SPHÉRIQUE PERSISTANT

Superficiel Profond
ÉRIGÉ CADUC

Superficiel Profond
ÉRIGÉ PERSISTANT

Caduc Persistant
CONIQUE

Feuilles Aiguilles
FEUILLAGE

FLEUR

zones 4-9

Pin noir d'Autriche *(Pinus nigra)*. Un arbre dense, de couleur vert foncé, qui fait de très bons écrans. Ses aiguilles sont rigides et pointues. Il s'adapte à presque n'importe quel sol, y compris les plages de sable. On le cultive fréquemment au Canada.

zones 4-9

Phellodendron de l'Amour *(Phellodendron amurense)*. Un petit arbre exotique qui se ramifie dès les premières années. Il se distingue par l'élégance de sa forme et la texture subéreuse de son écorce. Sa croissance est rapide. C'est un arbre tout désigné pour orner les terrasses ou les pelouses. Le phellodendron résiste bien aux insectes et aux maladies, s'accommode de tous les sols, même des sols secs, et pousse bien dans les villes.

zones 5-9

Métasequoia de Chine *(Metasequoia glyptostroboides)*. Un conifère étroit et élancé, de forme érigée, qui offre en gros les mêmes caractéristiques que le sequoia. Ses aiguilles, qui ressemblent à des plumes, tombent en hiver. Il aime les terrains humides où il peut croître de presque trois pieds par an. On ne le connaissait qu'à l'état fossile jusqu'à ce qu'on le découvre vivant, en 1945, dans une vallée de la Chine centrale.

zones 5-9

Tilleul de Crimée *(Tilia euchlora)*. Il porte des feuilles d'un vert brillant qui lui donnent une élégance particulière. Ses branches retombent légèrement. Il dispense beaucoup d'ombre et est très utile pour faire des écrans. Tous les tilleuls d'ailleurs ont une grande valeur décorative, qu'on les plante isolément, espacés ou en rangs serrés.

zones 5-9

Noisetier de Byzance *(Corylus colurna)*. Bel arbre à développement lent. Il porte des feuilles simples et épaisses. Il est peu sensible aux maladies et on recommande de le planter en motte au printemps.

zones 5-9

Marronnier à fleurs rouges *(Aesculus carnea briotii)*. Arbre plus petit que le marronnier d'Inde *(A. hippocastanum)*. Ses fleurs, qui poussent en grappes, sont rose pâle ou même rouges. Ses feuilles sont d'un vert vif et résistent mieux à la rouille que celles du marronnier d'Inde. Il est recommandé de le planter en isolé et uniquement sur de grands terrains. A l'automne, le marronnier ne change pas de couleur mais produit de gros fruits non comestibles que les enfants s'amusent à cueillir. La variété 'Baumanni' donne des fleurs doubles et plus grosses, mais ne produit pas de fruits. Les marronniers aiment particulièrement les sols riches.

zones 5-9

Cercidophille du Japon *(Cercidiphyllum japonicum)*. Un arbre qui change radicalement avec l'âge. Quand il est jeune, il est élancé. Au bout de 15 à 20 ans, il a tendance à se ramifier et ses branches s'étendent jusqu'au sol. Il porte de délicates feuilles vertes en forme de cœur, qui, à l'automne, tournent à un magnifique jaune orange. On préfère généralement les sujets à troncs multiples, car ils sont plus spectaculaires. Le cercidophille sert souvent à remplacer le bouleau blanc. Il résiste très bien aux maladies et aux insectes.

zones 5-9

Pin de Corée *(Pinus koraiensis)*. Il ressemble beaucoup au pin noir d'Autriche *(P. nigra)*, mais il pousse bien plus lentement et s'accommode des espaces restreints. Il est parmi les conifères les plus recommandés pour les jardins de petites dimensions.

Le pin noir du Japon *(P. thunbergii)* a des branches déployées qui poussent souvent près du sol. On peut lui donner toutes les formes voulues. Son feuillage est d'un beau vert sombre. Il produit un très bel effet l'hiver quand il est enneigé, à cause de l'irrégularité de ses formes. Excellent pour faire des écrans. Le pin noir du Japon pousse dans n'importe quel sol, y compris les plus secs et les plus pauvres comme les plages de sable.

Le pin rouge du Japon *(P. densiflora)*, comme tous les pins japonais, qu'ils soient rouges, blancs ou noirs,

est un arbre intéressant par l'originalité de sa forme. De ligne plutôt horizontale, cet arbre offre une silhouette un peu irrégulière.

zones 5-9

Catalpa *(Catalpa bignonioides)*. Espèce attrayante, le catalpa porte une écorce rugueuse et de grandes feuilles. Il donne des fleurs paniculées jaunes et blanches. Ses fruits, de longues gousses brunes, ressemblent à des haricots. Cet arbre doit être taillé tôt le printemps avant que les feuilles ne se forment. La variété 'Aurea', communément appelée catalpa doré, se distingue par son feuillage jaune.

zones 6-9

Sophora du Japon *(Sophora japonica)*. Un beau petit arbre à la cime ronde et au feuillage vert foncé, qui peut atteindre une quarantaine de pieds. Au début de l'été, il se couvre de grappes de fleurs blanches de la grosseur d'un pois. Son ombre est agréable et accueillante pour les autres plantes. La variété 'Regent' est la plus recommandée lorsqu'on peut la trouver, car elle pousse plus vite et résiste parfaitement aux maladies.

zones 6-9

Zelkova du Japon *(Zelkova serrata)*. Un arbre haut et élégant dont la cime étroite est arrondie. Ses feuilles, qui rappellent celles du hêtre à feuilles laciniées, c'est-à-dire divisées en étroites lanières, tournent au rouge-brun en automne. Sa croissance est relativement rapide et il résiste bien aux maladies. Le zelkova sert surtout à donner de l'ombre. La variété 'Village Green' est tout particulièrement recommandée pour sa grande vigueur.

zones 7-9

Frêne à fleurs *(Fraxinus ornus)*. Un magnifique frêne à la cime bien ronde et qui se couvre, en mai, de fleurs blanches et parfumées. Les feuilles sont riches et brillantes. Bien qu'il soit peu connu, c'est un excellent arbre pour donner de l'ombre, pour orner les jardins et pour les divers autres usages propres à l'aménagement paysager.

zones 7-9

Mûrier à feuilles de platane *(Morus platanifolia).* Un arbre vigoureux aux branches déployées et portant de grandes feuilles vernissées. L'espèce est stérile, donc pas de fruits qui encombrent le sol, ni de drageons qu'il faut arracher. Il pousse facilement, même dans les villes, où on le plante le long des rues. Le mûrier est tout indiqué pour les jardins qui viennent d'être aménagés et où l'on est pressé d'avoir de l'ombre.

zones 7-9

Pin à ombrelles *(Sciadopitys verticillata).* Un arbre de forme érigée au riche feuillage composé d'aiguilles qui ressemblent à celles de l'if, mais qui sont plus longues et plus épaisses. Avec le temps, il peut atteindre une taille élevée. Le pin à ombrelles est excellent pour meubler un coin, pour faire des haies ou pour donner une note classique aux plantations mixtes. Il pousse aussi bien dans les endroits ensoleillés que dans les milieux semi-ombragés.

zones 8-9

Arbousier de Menziès *(Arbutus menziesii).* C'est le seul feuillu indigène à feuilles persistantes. Cette caractéristique de son feuillage permet de le reconnaître en hiver. Sa forme est irrégulière et ses branches sont minces et sinueuses. L'écorce passe du vert pâle au rouge brique avant de s'écailler.

zone 9

Laurier de Californie *(Umbellularia californica).* Un bel arbre au feuillage vert brillant. Les feuilles sont minces et dégagent un parfum qui rappelle celui de la feuille de laurier qu'on utilise en assaisonnement. Il sert d'écran, donne une ombre agréable et ajoute une touche sylvestre au décor. Il conserve ses branches basses. A noter qu'il ne se cultive bien qu'en Colombie-Britannique.

Petits arbres : jusqu'à environ 25 pieds

Souvent les petits arbres n'offrent d'autre intérêt que leurs dimensions peu encombrantes. Les espèces que nous indiquons ici présentent d'autres avantages que celui-là. Elles se distinguent par l'originalité ou l'harmonie de leurs formes et par la beauté de leur feuillage ou de leurs fleurs.

zones 1-9

Cerisier de Pennsylvanie *(Prunus pennsylvanica).* Petit arbre indigène, très rustique, au fût svelte et droit, et à l'écorce rougeâtre, lisse et marquée de lenticelles. Ses feuilles simples, lancéolées, se colorent d'un rouge vif à l'automne. Il se couvre de grappes de fleurs blanches en juin et de fruits rouges, ou merises, en juillet. Il demande le plein soleil et fait plus d'effet quand on le plante en groupe.

zones 2-9

Erable de l'Amour *(Acer ginnala).* Le plus rustique de tous les érables. En raison de la densité de ses branches, il fait un excellent écran. Utile aussi pour son ombre. Les fruits, des samares ailées, de même que les feuilles, virent au rouge à l'automne.

zones 2-9

Olivier de Bohême *(Elaeagnus angustifolia).* Un arbuste qui pousse en buisson mais que l'on peut tailler pour en faire un arbre. Comme son nom l'indique, il prend les formes noueuses de l'olivier. Les feuilles sont étroites, de couleur gris-vert, avec des reflets argentés. Des écailles brillantes recouvrent ses rameaux. Ses fruits, de petites baies rondes et jaunes, apparaissent à l'automne. Au printemps, l'arbre se couvre de petites fleurs jaunes. L'olivier de Bohême pousse particulière-

ment bien dans les sols secs et sablonneux. Il supporte les vents violents et les brises marines. Par contre, il se fane facilement dans certaines régions. Vérifiez auprès de votre pépiniériste.

zones 2-9

Marronnier de l'Ohio *(Aesculus glabra).* Plus petit et moins classique que le marronnier d'Inde. Le port est arrondi et dense. Les fleurs jaunes forment des panicules de six pouces de long. A l'automne, les feuilles prennent une belle couleur jaune ou orangée.

zones 2-9

Alisier *(Viburnum lentago).* Un grand arbuste qui, bien cultivé, peut atteindre la taille d'un arbre. Les fleurs, blanches et parfumées, forment des corymbes aplatis. Les fruits, de couleur noire, sont comestibles. L'arbre attire les oiseaux. Les feuilles prennent de belles couleurs à l'automne. L'alisier pousse bien jusque dans le Grand Nord.

zones 3-9

Mûrier blanc *(Morus alba).* Petit arbre originaire d'Asie, à rameaux étalés formant une cime arrondie, très ramifiée. Il porte des feuilles luisantes, simples, polymorphes, pleines ou à plusieurs lobes. Il donne, en août, un fruit blanc rosé semblable à une mûre. Il aime les sols pauvres et est idéal pour la confection de haies libres. A signaler : une très belle variété à forme pleureuse, *M. a. pendula.*

zones 3-9

Bouleau à feuilles de peuplier *(Betula populifolia).* Un des arbres les plus rustiques au Canada. On le confond souvent avec le bouleau à papier, dont il est pourtant très différent : le bouleau à feuilles de peuplier est plus étroit et plus compact. Son tronc porte des lenticelles noires triangulaires et non horizontales et son écorce ne s'exfolie pas.

Superficiel Profond
SPHÉRIQUE CADUC

Superficiel Profond
SPHÉRIQUE PERSISTANT

Superficiel Profond
ÉRIGÉ CADUC

Superficiel Profond
ÉRIGÉ PERSISTANT

Caduc Persistant
CONIQUE

Feuilles Aiguilles
FEUILLAGE

FLEUR

Ses feuilles, d'un beau vert pâle, s'agitent comme celles du tremble. C'est un arbre vigoureux mais à faible longévité. Ses feuilles, souvent rongées par les insectes, peuvent être vaporisées au cygon.

Vinaigrier *(Rhus typhina).* Un arbre de plus en plus populaire et très décoratif. De forme arrondie, il donne une ombre dense et prend de belles couleurs à l'automne. Il produit des fruits en forme de cône qui se tiennent dressés au bout des branches. Ses drageons sont cependant encombrants. Le vinaigrier pousse dans n'importe quel sol. C'est un arbre intéressant quand on veut donner une note spéciale au décor.

Ptéléa trifolié *(Ptelea trifoliata).* Petit arbre indigène, de forme sphérique, à feuilles alternes composées de trois folioles. Le fruit, qui est une samare ronde et aplatie, demeure sur l'arbre une bonne partie de l'hiver. Les feuilles et l'écorce dégagent une odeur caractéristique lorsqu'on les froisse. Le ptéléa vit bien à l'ombre.

Amélanchier du Canada *(Amelanchier canadensis).* Ses fleurs blanches et délicates apparaissent dès le début du printemps mais ne durent pas longtemps. Vers le milieu de l'été, l'arbre se couvre de petits fruits pourpres et, à l'automne, les feuilles, de forme ovale et de couleur vert pâle, virent au roux. Les amélanchiers ont souvent des troncs multiples, ce qui permet de les planter en massif pour leur donner plus d'effet.

Cerisier de Virginie *(Prunus virginiana).* Petit arbre indigène très décoratif avec son écorce grisâtre et ses fleurs blanches disposées en grappes très touffues. En août, il donne des cerises comestibles. Idéal en massifs ou pour la confection de haies libres. A signaler la variété 'Shubert', plus rustique, à feuilles épaisses de couleur rouge vin. A noter que cette variété demande un milieu ensoleillé.

Faux cyprès de Sawara *(Chamaecyparis pisifera).* Son feuillage vert se dresse en forme de colonne. La variété 'Squarrosa' se distingue par ses feuilles bleuvert, semblables à des plumes. On s'en sert notamment dans les jardins de style japonais, mais elle n'atteindra pas la hauteur qu'elle aurait dans son pays d'origine. Le cyprès a besoin de beaucoup de soleil, sinon il perd ses branches inférieures.

Aralia du Japon *(Aralia elata).* Un arbre pittoresque qui a souvent des troncs multiples et épineux. Les branches sont robustes et chargées de grandes feuilles composées, atteignant jusqu'à deux pieds et demi de longueur. Les fleurs blanches forment de gros épis que soutiennent des tiges rouges. Les fruits sont noirs. Il se pare de belles couleurs à l'automne.

Pommetier du Japon *(Malus floribunda).* Nombre de pommetiers sont en fait de gros arbustes plutôt que de vrais arbres. Plusieurs espèces ont des troncs multiples. Il existe un grand nombre de variétés qui se différencient par la couleur de leurs fleurs. Nous en indiquons ici quelques-unes qui résistent bien aux maladies.

Le pommetier thé *(M. hupehensis)* dont les fleurs vont du rose au blanc; le 'Snowdrift' à fleurs blanches; le 'Radiant' à fleurs rouges; l''Aldenhamensis' à fleurs rouges et à feuilles violacées (il croît rapidement et est plus rustique); l''Eleyi', variété plus petite, très populaire et aussi plus rustique.

Poirier Bradford *(Pyrus calleryana 'Bradfordi').* Les fleurs de cet arbre sont blanches et apparaissent en mai. Les feuilles, luisantes, deviennent écarlates à l'automne. L'arbre porte de petits fruits qui ne tombent pas et n'encombrent donc pas le sol. Le poirier Bradford est un arbre vigoureux, qui pousse facilement et résiste bien aux maladies, d'où sa popularité croissante. Il s'adapte même à la ville et, de ce fait, sert souvent à orner les rues.

Faux cyprès du Japon *(Chamaecyparis obtusa erecta).* Un arbre droit et élancé qui ressemble au libocèdre. Les feuilles, en forme d'écailles, sont d'un vert foncé. Sa croissance est lente et il n'atteint de hautes tailles que dans son pays d'origine. Il a besoin de beaucoup de soleil.

Châtaignier de Chine *(Castanea mollissima).* Un bon arbre à tous égards. Les feuilles sont grandes, luisantes et bien découpées. A l'automne, il donne d'excellents fruits, à condition toutefois qu'on plante deux variétés ensemble car, planté individuellement, le châtaignier reste stérile. Les feuilles deviennent jaunes ou brunes en automne. Arrivé à maturité, il peut mesurer 30 pieds ou même plus.

Pêcher à fleurs *(Prunus persica).* Un des plus colorés des arbres fruitiers à fleurs. Il a cependant comme inconvénients de ne pas vivre longtemps et d'être sujet aux maladies. C'est un petit arbre exotique, utilisé surtout pour sa valeur décorative. Lorsqu'il est jeune, il produit une abondance de fleurs. Il a besoin de beaucoup de soleil.

Cerisier du Japon *(Prunus serrulata).* Un arbre splendide dont les fleurs pendent en lourdes grappes. Nous ne signalerons ici que les meilleures variétés. Le cerisier 'Kwanzan' est le plus rustique. Il donne des fleurs doubles de teinte rose. Lorsqu'il est jeune, il est droit et évasé mais avec le temps ses branches se déploient. Le 'Shirotae' a des fleurs blanches, doubles et parfumées et est moins dense que le 'Kwanzan'. L''Amanogawa', de forme érigée, produit des fleurs rose pâle et parfumées. Le 'Jo-nioi' se distingue par son branchage déployé. Ils ont tous besoin d'un sol plutôt riche, bien irrigué et bien drainé. Il faut aussi les planter à l'abri du vent pour protéger leurs fleurs, qui sont fragiles.

Suite à la page 224

221

24 excellents arbres à fleur

Printemps

CORNOUILLER MALE (*Cornus mas*). Bel arbuste aux formes rondes, au feuillage vert foncé, qui a l'allure d'un arbre. Les fleurs, qui apparaissent dès le début du printemps, forment des grappes jaunes. A l'automne; les feuilles prennent une teinte rougeâtre. *(Zones 5-9.)*

POMMETIER DU JAPON (*Malus floribunda*). Arbuste bien fourni, à branches étalées. Boutons rouges qui se transforment en fleurs blanches. C'est le pommetier qui donne le plus de fleurs. Sa culture est difficile du fait qu'il est vulnérable aux insectes et aux maladies. *(Zones 5-9.)*

PRUNIER MYROBOLAN POURPRE FONCE (*Prunus cerasifera pissardii*). Petit arbre au tronc foncé et au feuillage pourpre. Les fleurs, roses et blanches, ne durent que quelques jours. Souvent attaqué par les chenilles : en ce cas, détruire les nids au printemps. *(Zones 5-9.)*

AUBEPINE BLANCHE (*Crataegus oxyacantha*). Arbuste bien fourni, à cime arrondie. Branches munies de longues épines. Porte des grappes de 6 à 12 fleurs blanches qui, à l'automne, se transforment en petites baies écarlates. Variétés à fleurs rouges ou roses. *(Zones 6-9.)*

MAGNOLIA ETOILE (*Magnolia stellata*). Petit arbre dense à feuilles foncées. Fleurs blanches à plusieurs pétales rubanés. Elles durent une semaine s'il n'y a pas de gel. L'arbre fleurit dès qu'il a environ trois pieds de haut. En hiver, il porte de gros boutons veloutés. *(Zones 5-9.)*

AMELANCHIER DU CANADA (*Amelanchier canadensis*). Arbuste qui a l'allure d'un arbre de forme élancée. Pousse à l'état sauvage dans les endroits humides. Fleurs blanches, délicates et éphémères. Le feuillage, en automne, vire au rouge. Les fruits attirent les oiseaux. *(Zones 4-9.)*

GAINIER DU CANADA (*Cercis canadensis*). Un petit arbre à cime irrégulière. Les fleurs forment des grappes de couleur rose et apparaissent avant les feuilles. Dans les régions nordiques, l'arbre doit être protégé du vent qui risque de lui causer de graves dégâts. *(Zones 6-9.)*

ARBRE AUX CLOCHES (*Halesia monticola*). Petit arbre (ou gros arbuste) dont le tronc massif et court se divise parfois en plusieurs tiges qui forment une large couronne. Fleurs blanches en forme de cloche, groupées en grappes. L'arbre a besoin d'être protégé du froid. *(Zones 6-9.)*

CERISIER DU JAPON (*Prunus serrulata*). La plupart des variétés sont de forme érigée et atteignent de 20 à 35 pieds de hauteur. Les fleurs, simples ou doubles, peuvent être blanches, roses ou vert pâle. La floraison dure environ trois semaines, selon le climat. *(Zones 6-9.)*

AUBEPINE A FEUILLES EN COEUR (*Crataegus phaenopyrum*). Arbuste érigé qui donne des grappes de fleurs blanches dont le centre est vert. Les feuilles sont d'un rouge orangé à l'automne. Ses fruits et ses épines durent tout l'hiver. L'aubépine ne résiste qu'à la rouille. *(Zones 5-9.)*

MAGNOLIA SOULANGE (*Magnolia soulangeana*). Petit arbre à cime ronde et à branches basses. Les fleurs sont roses ou violettes à l'intérieur et blanches à l'extérieur. Parfois attaqué par les insectes : le vaporiser avant que les boutons ne s'ouvrent. *(Zones 5-9.)*

CHAIN DORE OU CYTISE (*Laburnum watereri* 'Vossii'). Petit arbre de forme érigée. Variété améliorée à feuillage dense et à fleurs jaune-vert formant des grappes. A placer à un endroit abrité dans les régions nordiques. Plante vénéneuse dans toutes ses parties. *(Zones 6-9.)*

CORNOUILLER DE FLORIDE (*Cornus florida*). Petit arbre élégant à branches étalées formant couronne. Les fleurs, blanches ou roses, sont formées de bractées de deux pouces de large à reflets métalliques. Fruits écarlates en courtes grappes et feuillage rouge à l'automne. *(Zones 6-9.)*

LILAS JAPONAIS (*Syringa amurensis*). Pe arbre de forme arrondie, au feuillage v foncé. C'est le plus grand des lilas, m en le taillant, on peut réduire sa haute à celle d'un arbuste. Il donne des fle blanches parfumées formant des grapp de six pouces de long. *(Zones 2-9.)*

— calendrier de la floraison

Eté	Automne

ATALPA DE L'OUEST (*Catalpa speciosa*). pectaculaires fleurs blanches et jaunes, n panicules. Fruits bruns en forme de lonues gousses. Larges feuilles cordiformes. n gros arbre qui a besoin de beaucoup 'espace, de soleil et d'un sol sec. (*Zones -9.*)

KALOPANAX (*Kalopanax pictus*). Branches solides et étalées. Feuilles lustrées rouge vif dont la forme rappelle celle des feuilles de l'érable. Les fleurs, petites et blanches, forment des boules qui se regroupent en grappes. En saison, elles se transforment en fruits noirs. (*Zones 5-9.*)

ORNOUILLER DU JAPON (*Cornus ousa*). Un petit arbre compact. Les fleurs ont modestes, mais les bractées sont dé-oratives du fait qu'elles passent du vert blanc, puis au rose. La coloration peut urer un mois. Les fruits sont roses et atti-nt les oiseaux. (*Zones 6-9.*)

HORTENSIA PANICULE (*Hydrangea paniculata grandiflora*). Gros arbuste auquel on peut donner la forme d'un petit arbre. Les fleurs forment des cônes de un pied de long et passent du blanc au rose, puis au violet et, une fois sèches, restent souvent accrochées à la plante. (*Zones 3-9.*)

SAVONNIER (*Koelreuteria paniculata*). Ne dépasse pas 30 pieds de hauteur. Branches étalées. Les fleurs, d'un demi-pouce de long, se dressent en grappes jaunes et sont marquées de taches orange à la base, caractéristique très rare. Les fruits se distinguent par leur forme originale. (*Zones 6-9.*)

ANGELIQUE DU JAPON (*Aralia elata*). Enormes fleurs paniculées, atteignant deux pieds de long. Les feuilles, multiples et vert foncé, peuvent avoir trois pieds de long. Un arbre imposant, à utiliser à bon escient. Feuillage rouge en automne. A tendance à drageonner. (*Zones 5-9.*)

SOPHORA DU JAPON (*Sophora japonica*). Arbre de taille moyenne, pouvant atteindre 30 pieds, à tronc court et aux branches étalées formant une couronne. Les fleurs sont d'un blanc crémeux et forment des grappes d'environ 15 pouces de long. Le fruit est une grande gousse ronde. (*Zones 6-9.*)

FRANKLINIA (*Franklinia alatamaha*). Arbuste à fleurs blanches d'une largeur de trois pouces. A l'automne, il prend des couleurs orange et rouge. A planter en plein soleil. Dans les régions nordiques, il a du mal à survivre. (*Zones 7-9.*)

OXYDENDRE EN ARBRE (*Oxydendrum arboreum*). Petit arbre de forme érigée et à branches retombantes. Les feuilles tournent au rouge vif à l'automne. Les fleurs, blanches et évasées, forment des grappes, puis deviennent des fruits bruns. Pousse bien dans les sols acides. (*Zones 7-9.*)

HAMAMELIS DE VIRGINIE (*Hamamelis virginiana*). Gros arbuste à fleurs jaunes qui paraissent de septembre à octobre. Les fruits restent sur l'arbre et ne mûrissent que l'automne suivant, de sorte que l'hamamélis porte en même temps des fruits et des fleurs. (*Zones 4-9.*)

Comment consulter le tableau

Bien que dans les régions tempérées certaines espèces puissent fleurir plus tôt qu'indiqué sur le calendrier ci-dessus, vous pouvez, en règle générale, vous fier à cet ordre chronologique. Il vous aidera à trouver les arbres qui coloreront votre jardin du début du printemps jusqu'à la fin de l'automne. Par exemple, en choisissant le cornouiller de Floride, qui fleurit au milieu du printemps, et celui du Japon, qui fleurit en plein été, vous serez sûr que les floraisons ne chevaucheront pas. Pour assurer la transition, vous pourriez avoir recours à une aubépine à feuilles en cœur ou à un chain doré. Par ailleurs, la largeur des rectangles du tableau indique la durée de la floraison, facteur important dans le choix des espèces. Adressez-vous à votre pépiniériste si les espèces mentionnées ici ne se trouvent pas dans votre région : il vous indiquera des substituts.

zones 6-9

Gainier du Canada *(Cercis canadensis).* Les fleurs violettes, en forme de pois et soutenues par des branches noires, apparaissent au printemps, avant les feuilles. Celles-ci sont cordiformes. Le port du gainier est irrégulier. Il croît mieux à l'ombre. La variété 'Alba' donne des fleurs blanches.

zones 6-9

Aliboufier du Japon *(Styrax japonica).* Un petit arbre aux formes gracieuses, au port déployé et au feuillage vert foncé. Au printemps, il se couvre de fleurs blanches qui pendent aux branches. L'aliboufier a tendance à faire beaucoup de drageons. On le classe souvent parmi les arbustes mais, en le taillant soigneusement, on peut lui faire prendre la taille d'un arbre.

zones 6-9

Cerisier hérissé *(Prunus subhirtella).* Dès le début du printemps, les fleurs forment un nuage rose, avant même que les feuilles apparaissent. La variété 'Autumnalis' se caractérise par sa floraison abondante. La variété pleureuse est la plus remarquable. Le cerisier a besoin d'un sol assez riche et d'être protégé du vent.

zones 6-9

Erable du Japon *(Acer palmatum).* Cette espèce a souvent des troncs multiples. Les feuilles, en étoiles, forment un joli dais. Cet érable croît lentement et aime particulièrement les sols riches et les endroits abrités du vent. Il résiste bien aux maladies et aux insectes.

L'érable champêtre *(A. campestre)* est un petit arbre à cime arrondie, au feuillage dense, très intéressant à planter en massifs. Il a des feuilles vert tendre et des rameaux liégeux semblables à ceux du fusain. Utilisé avec succès dans les caisses à arbres.

zones 7-9

Abricotier du Japon *(Prunus mume).* Les fleurs, teintées de rose ou de blanc, sont parfumées et apparaissent dès le début de mai. Il existe de nombreuses variétés de cette espèce, qui se distinguent toutes par la beauté de leurs fleurs. L'arbre est petit et particulièrement décoratif au printemps.

zones 8-9

Arbre de soie *(Albizzia julibrissin).* Un arbre remarquable pour ses feuilles finement découpées et semblables à des plumes, qui se referment la nuit. Il se couvre de fleurs roses, en forme de pompon, qui persistent presque tout l'été. Il peut atteindre une trentaine de pieds, pousse rapidement et s'accommode des sols pauvres ou secs. Les fruits, qui prennent la forme de gros pois secs, restent accrochés aux branches tout l'automne et parfois même l'hiver. Arbre facile à cultiver, mais à faible longévité.

Dans les régions froides, s'en tenir à la variété 'Rosea' qui est un peu plus petite mais plus robuste, surtout si l'on prend soin de protéger l'arbre pendant ses premiers hivers.

Arbres fruitiers de petite ou de moyenne taille

Il y a certains arbres fruitiers, comme le cerisier, l'abricotier ou le prunier, qui, sans exiger de très grands soins, produisent des fruits excellents. D'autres, au contraire, dont le pommier par exemple, ont besoin de beaucoup d'entretien pour donner de bonnes récoltes. Mais les uns et les autres sont des arbres très intéressants car, en plus d'orner magnifiquement le paysage, ils fournissent ces fruits qui font les délices des gourmets. Toutefois, il ne faut pas oublier que, pour donner leur plein rendement, tous les arbres fruitiers sans exception ont besoin de soleil.

zones 3-9 Pommier. C'est sans doute l'arbre fruitier le plus populaire. Il atteint jusqu'à 20 ou 30 pieds de hauteur. Ses branches se déploient harmonieusement. Il donne d'excellentes récoltes. Les pommes qui tombent et restent sur le sol attirent les abeilles : les enlever pour que les insectes ne transmettent pas de maladies à l'arbre. Pour que ses fruits soient bons, le pommier doit être vaporisé régulièrement. Le plus souvent, il faut aussi le tailler.

zones 4-9 Cerisier. Un arbre qui donne bien des satisfactions. Il peut atteindre environ 30 pieds. Au printemps, il se couvre de jolies fleurs blanches. Son feuillage dispense une ombre rafraîchissante. Bien que quelques branches puissent être ravagées par la maladie (on peut alors les couper), le cerisier vit longtemps.

zones 4-9 Prunier. Cet arbre fruitier convient bien aux petits jardins. Ses fleurs aux pétales blancs ou rosâtres paraissent au printemps. Il est productif pendant plusieurs années.

zones 4-9 Poirier. C'est peut-être le meilleur de tous les arbres fruitiers pour les jardins ordinaires. Sa forme étroite et érigée le rend peu encombrant. Il peut vivre jusqu'à cent ans et même plus. Ses racines profondes permettent de cultiver des plantes au pied du tronc. Ses fleurs blanches apparaissent dès le début du printemps. Les poires restent accrochées à l'arbre jusqu'en octobre ou novembre, c'est-à-dire après la saison des insectes. On dit qu'un poirier planté près de la fenêtre d'une chambre garantit un sommeil reposant.

zones 6-9 Abricotier. Particulièrement recommandé pour les petits jardins. Il ne dépasse pas 15 à 20 pieds de hauteur. Il est décoratif et produit d'excellents fruits durant de longues années.

zones 6-9 Pêcher. Un petit arbre de 10 à 15 pieds de haut, qui produit rapidement. Dès la deuxième ou troisième année après la plantation, on peut récolter de pleins paniers de pêches.

Superficiel Profond
SPHÉRIQUE CADUC

Superficiel Profond
SPHÉRIQUE PERSISTANT

Superficiel Profond
ÉRIGÉ CADUC

Superficiel Profond
ÉRIGÉ PERSISTANT

Caduc Persistant
CONIQUE

Feuilles Aiguilles
FEUILLAGE

FLEUR

Bouleau à papier

Févier à trois épines

Cornouiller de Floride

Thuya occidental

Cerisier pleureur

Espèces recommandées

Arbres de forme érigée

zones 2-9 Peuplier de Simon *(Populus simonii)*. Semblable au peuplier de Lombardie mais plus petit. De plus, il résiste au chancre qui tue le premier. Feuillage vert foncé. Peut atteindre jusqu'à 40 pieds de hauteur. Les feuilles sont caduques.

zones 4-9 Peuplier blanc pyramidal *(Populus alba pyramidalis)*. Un des meilleurs de cette forme. Le tronc est verdâtre, les feuilles sont vertes sur le dessus, blanches et duveteuses sur le dessous. Atteint jusqu'à 50 pieds et vit longtemps. Feuillage caduc.

zones 5-9 Erables *(Acer)* au port érigé. Il s'agit de variétés de l'érable de Norvège *(A. platanoides)*, de l'érable à sucre *(A. saccharum)* et de l'érable rouge *(A. rubrum)*. Arbres à croissance lente qui vivent vieux et atteignent 50 pieds. Feuillage caduc.

Petits arbres

zones 2-9 Pommetier décoratif. Il en existe diverses variétés de forme colonnaire. Signalons le pommetier de Strathmore *(Malus Strathmore)* et le pommetier de Sibérie *(M. baccata columnaris)*. Tous ont de belles fleurs. Ils peuvent atteindre environ 25 pieds. Feuillage caduc.

zones 3-9 Genévrier de Virginie *(Juniperus virginiana)*. Conifère étroit, excellent pour faire des écrans. Peu décoratif lorsqu'il est isolé. Le plus robuste des arbres de forme colonnaire. Peut atteindre jusqu'à une quarantaine de pieds, mais sa taille est facilement contrôlable.

zones 3-9 Thuya du Canada *(Thuya occidentalis)*. Excellent conifère de forme érigée. Il peut atteindre plus de 50 pieds, est particulièrement droit et élancé.

zones 5-9 Aubépine pyramidale *(Crataegus phaenopyrum fastigiata)*. Un bon petit arbre que l'on plante le long des rues. Très beau en automne quand il est chargé de fruits écarlates et brillants.

zones 5-9 If *(Taxus)*. L'if de Hick *(T. media hicksii)* est un des ifs les plus rustiques. Etroit et colonnaire, il peut devenir dense. Il ne dépasse pas une quinzaine de pieds. C'est un excellent conifère que l'on peut tailler pour lui donner une valeur ornementale.

zones 6-9 Cerisier du Japon *(Prunus serrulata)*. Un arbre colonnaire, qui se couvre au printemps de fleurs rose pâle. Atteint une vingtaine de pieds. Feuilles caduques.

zones 8-9 Cyprès d'Italie *(Cupressus sempervirens)*. Un conifère classique de forme colonnaire. Ses racines ont besoin d'un sol bien drainé. Peut atteindre environ 60 pieds. Pousse en Colombie-Britannique seulement.

Arbres pleureurs

Grands arbres : 50 pieds ou plus

zones 3-9 Erable argenté à feuilles laciniées *(Acer saccharinum laciniatum)*. Ce n'est pas vraiment un arbre pleureur, mais l'extrémité des branches retombe gracieusement. Croissance rapide. Feuilles caduques.

zones 4-9 Saule pleureur doré *(Salix alba tristis)*. Un des arbres dont la croissance est la plus rapide. Très apprécié pour sa magnifique ramure. Avec le temps, il devient trop encombrant pour les petits jardins. Feuillage caduc. Brindilles jaune vif.

zones 6-9 Hêtre pleureur d'Europe *(Fagus sylvatica pendula)*. Forme aussi magnifique que celle du saule pleureur. A l'inconvénient d'être muni de racines voraces. Il lui faut beaucoup de place. Croissance lente. Feuilles caduques.

Petits arbres de jardin

zones 2-9 Bouleau blanc d'Europe à feuilles laciniées *(Betula pendula gracilis)*. Allie la beauté du bouleau à la grâce des arbres pleureurs. Aussi attrayant l'hiver que l'été. Il est recommandé de s'adresser à une pépinière pour obtenir un sujet de belle forme. Excellent pour faire des écrans et briser le vent.

zones 3-9 Sorbier pleureur *(Sorbus aucuparia pendula)*. Belle couleur en automne. Fruits attrayants, rougeâtres et brillants. Garde sa valeur décorative toute l'année. Atteint environ 25 pieds. Un des plus beaux arbres d'ornement. Feuillage caduc. Sensible à la brûlure bactérienne.

zones 3-9 Caragana pleureur *(Caragana arborescens pendula)*. Arbre très robuste. Croissance rapide. Il porte des fleurs jaunes de la forme d'un pois. Ses feuilles sont caduques. On s'en sert fréquemment comme brise-vent ou écran.

zones 4-9 Mûrier pleureur *(Morus alba pendula)*. Petit arbre très décoratif aux branches retombant jusqu'au sol. Idéal pour orner un jardin de petites dimensions.

zones 4-9 Orme parasol *(Ulmus glabra camperdownii)*. Orme d'Europe greffé sur tige à 10 pieds de hauteur. Arbre à branches horizontales et à rameaux retombants. Forme de parapluie très décorative. Recommandable en plantation isolée dans un jardin.

zones 5-9 Pommetier pleureur *(Malus 'Oekonomierat Echtermeyer')*. Pommetier décoratif, idéal en plantation isolée dans un jardin. Produit une profusion de fleurs violacées en mai et des fruits mauves durant tout l'été. Les branches retombent jusqu'au sol.

zones 6-9 Cerisier hérissé pleureur *(Prunus subhirtella pendula)*. Un des meilleurs arbres pleureurs de petite taille. Atteint environ 25 pieds. Se couvre de fleurs rose pâle au printemps. Beau feuillage vert, caduc. Garde son attrait en hiver grâce à l'harmonie de ses formes et à la qualité de son écorce.

Petits arbres à troncs multiples

zones 2-9 Erable de l'Amour *(Acer ginnala)*. Tronc très court d'où partent de grosses branches. Ecorce de texture fine et dense. Remarquable par les couleurs vives de son feuillage en automne. Samares rouges en été. S'élève à 15 ou 20 pieds. Feuilles caduques.

zones 3-9 Bouleau à feuilles de peuplier ou bouleau gris *(Betula populifolia)*. Croît souvent en touffes. Les troncs blancs forment de beaux écrans ajourés. Branches grêles se terminant en fins rameaux qui retombent. Les feuilles, caduques, sont souvent attaquées par les insectes.

zones 3-9 Charme de la Caroline *(Carpinus caroliniana)*. Ecorce gris ardoise à crêtes longitudinales faisant l'effet de muscles saillants. Feuilles fines et fruits attrayants. Prend de très belles couleurs à l'automne. Feuillage caduc.

zones 3-9 Viorne à feuilles de prunier *(Viburnum prunifolium)*. Beau feuillage, rouge en automne. Fruits noirs et comestibles. Petit arbre d'une grande valeur décorative. Indigène dans l'est du Canada. Feuillage caduc.

zones 4-9 Amélanchier du Canada *(Amelanchier canadensis)*. Magnifique tronc gris. Arbre presque aussi décoratif que le bouleau. Fleurs blanches s'épanouissant au début du printemps. Feuillage caduc.

zones 5-9 Saule tortueux *(Salix matsudana tortuosa)*. Arbre dont les branches sont sinueuses. Feuilles caduques.

zones 5-9 Pin parasol du Japon *(Pinus densiflora umbraculifera)*. Troncs nombreux. Cime arrondie. Un magnifique conifère tout désigné pour les petits jardins, malgré sa fragilité.

zones 6-9 Erable du Japon *(Acer palmatum)*. Grand nombre de variétés à feuilles rouges ou vertes. Atteint une vingtaine de pieds. Feuillage caduc.

Arbres et arbustes pour haies et écrans

Si les clôtures et les palissades constituent, dès leur installation, des écrans qui prennent peu de place, les arbres et les arbustes ont l'avantage d'être plus esthétiques et plus discrets, tout en assurant aussi bien l'intimité du jardin. Nous vous proposons ici une liste d'espèces particulièrement appropriées à cet égard. Vous en trouverez la description détaillée dans la liste qui précède pour ce qui est des arbres, et dans celle qui suit pour ce qui est des arbustes.

Arbres et arbustes pour écrans denses

Forme étroite
Genévrier de Virginie
Thuya du Canada
Pruche du Canada (taillé)
Sapin de Douglas (taillé)
Pin blanc au port fastigié
If d'Hick
Cyprès d'Italie

Pommetier de Strathmore
Aubépine ergot de coq

Forme large
Epinette du Colorado
Sapin de Douglas
Sapin baumier
Pruche du Canada (en massif)
Pin blanc
Pin noir d'Autriche
Rhododendron sp.
Houx d'Europe
Cerisier de Virginie
Amélanchier du Canada

Arbustes jusqu'à six pieds

If d'Hick (taillé)
Buisson-ardent écarlate (taillé)
Chèvrefeuille de Tartarie (taillé)
Buis de Corée (taillé)
Charme d'Europe (taillé)
Viorne trilobée
Caragana de Sibérie
Fusain ailé
Rosier rugueux
Physocarpe à feuilles d'obier

Pour attirer les oiseaux

Une mangeoire bien remplie et de l'eau fraîche, disposées à un endroit situé hors de la portée des chats et des autres prédateurs, il n'en faut pas plus pour attirer chez vous de nombreuses espèces d'oiseaux. En plaçant les mangeoires, les maisonnettes et les baignoires aux endroits appropriés, vous pourrez assister, même de l'intérieur de la maison, au spectacle toujours renouvelé du va-et-vient des oiseaux.

Mais si vous voulez que ces oiseaux fassent leurs nids, il faut aussi leur offrir des arbres et des buissons. Certains arbres et arbustes portent des baies qui les attirent. N'oubliez pas cependant que les fruits ne durent que quelques jours tout au plus, tandis que les plantes sont en place toute l'année.

Choisissez donc des espèces qui, comme celles que nous vous indiquons ici, ajoutent une note décorative à votre jardin tout en faisant les délices de ces charmants visiteurs.

Arbres
Pommetier décoratif
Sorbier des oiseleurs
Cerisier
Aubépine
Amélanchier

Arbustes
Olivier de Bohême
Buisson-ardent
Symphorine
Viorne
Bleuet
Groseillier
Cornouiller
Chèvrefeuille
Houx

Comment tirer parti des arbres

Les arbres constituent un élément primordial de votre jardin. Ils contribuent grandement à sa beauté. En les choisissant, n'oubliez pas qu'ils sont appelés à durer longtemps, des générations peut-être. Les grands arbres ont besoin d'espace pour se déployer. Du point de vue décoratif, il leur faut un ciel dégagé pour produire tout leur effet. Prenez donc soin de les planter à des endroits où ils pourront donner leur mesure.

Bien placé à côté d'un mur de pierre, ce pommetier décoratif offre un agréable spectacle, qu'on le voie de la rue ou de la maison. L'espace dégagé qui l'entoure le met pleinement en valeur.

Ce cornouiller à fleurs se dégage sur un fond d'arbres plus grands et plus verts. Le contraste est moins prononcé l'été, quand l'arbre a perdu sa floraison, mais il réapparaît à l'automne.

Les fleurs diaphanes de ce cerisier du Japon couronnent de façon gracieuse cette allée du jardin. L'arbre est placé à un endroit idéal pour recevoir la lumière et animer le paysage.

Avec son tronc multiple et ses cascades de fleurs, cet arbre *(Laburnum anagyroides)* mérite bien une place de choix où il pourra se déployer librement dans toute sa splendeur.

Ces pommetiers de la variété Hopa, qui bordent les deux côtés de la rue, embellissent tout le quartier. Sans arbres, les maisons de banlieue ont l'air perdues dans un cadre désolé.

Un arbre en fleur qui se profile sur le ciel bleu : c'est sans doute un cliché, mais il garde ici tout son charme. Il vaut la peine de placer un tel arbre à un endroit qui permette de l'admirer de tous les coins du jardin.

229

En choisissant l'endroit où vous planterez un arbre, quelles que soient l'espèce et les dimensions de celui-ci, pensez à la vue que vous en aurez de la maison aussi bien que du jardin. Quoi de plus agréable en effet que de pouvoir admirer un arbre en fleur du salon ou de la salle à manger! En prenant soin de placer au bon endroit l'arbre qui convient, vous obtiendrez une arche de verdure au-dessus d'une allée ou encore un dais de feuillage qui répandra une ombre bienfaisante sur votre terrasse.

On peut disposer de petits arbres contre un fond composé d'arbres plus grands, contre une maison ou contre une clôture. En ce cas, il est indiqué de choisir les arbustes selon leur forme et leurs couleurs pour qu'ils se dégagent bien nettement. Recherchez les contrastes : des couleurs foncées sur des teintes pâles ou l'inverse, des lignes verticales sur une clôture, une maison ou un ciel ouvert. Ainsi, vous mettrez en valeur les verts printaniers, les fleurs vives de l'été et les couleurs flamboyantes de l'automne. Vous pourriez aussi amplifier l'effet des arbres en les groupant, tels des îlots.

Tout en vous efforçant de suivre ces principes, choisissez aussi selon vos goûts les arbres qui vous semblent les plus beaux. Plantez-les aussitôt que possible pour mieux en profiter.

Judicieusement situé, ce cerisier offre un spectacle incomparable lorsqu'il est en fleur. Il soustrait la maison à la vue des passants et s'harmonise, grâce à ses branches déployées, avec les lignes basses de la maison.

▶ **Il suffit d'un seul arbre** comme celui-ci pour illuminer toute une partie de la rue. Cet érable, majestueux tout au long de l'année, déploie vraiment sa splendeur à l'automne.

12

Les arbustes

Principales formes et dimensions

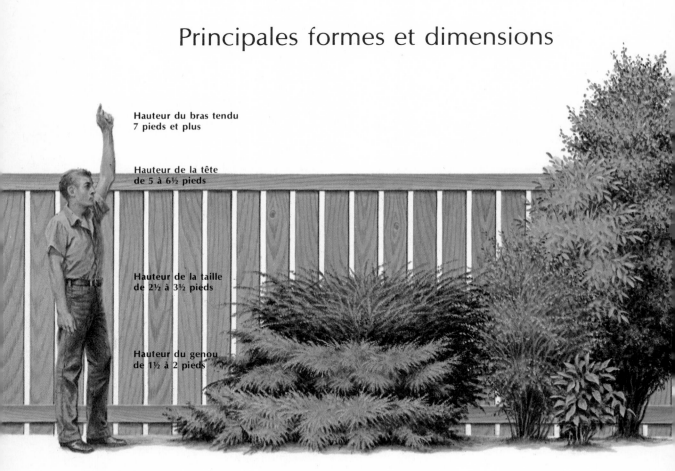

Hauteur du bras tendu
7 pieds et plus

Hauteur de la tête
de 5 à 6½ pieds

Hauteur de la taille
de 2½ à 3½ pieds

Hauteur du genou
de 1½ à 2 pieds

Port étalé

Les arbustes de cette forme sont utilisés pour composer des massifs et pour couvrir de grandes surfaces. Parmi les espèces courantes, on trouvera les genévriers et leurs variétés *(Juniperus canadensis stricta)* ainsi que les ifs *(Taxus cuspidata nana)*.

Port érigé

Cette catégorie comprend une très grande variété d'arbustes à fleurs parmi lesquels nous nous contenterons d'en citer trois à titre d'exemple : le cerisier des sables *(Prunus cistena)*, le tamaris *(Tamarix pentendra)* et le houx japonais *(Ilex crenata microphylla)*.

De toutes les plantes que l'on utilise dans l'aménagement paysager, les arbustes sont parmi les plus populaires. Contrairement à celle des arbres et des fleurs, leur taille est à la mesure de l'homme, comme le démontrent d'ailleurs nos illustrations. Les arbustes doivent surtout leur attrait à la richesse et à la variété de leur feuillage et de leurs fleurs. On les plante généralement près des maisons (souvent trop près) pour les mettre bien en évidence. On s'en sert aussi très souvent pour délimiter les espaces et séparer les diverses parties du jardin.

La variété des formes et des dimensions des arbustes est telle que vous n'avez que l'embarras du choix. Pour vous aider à faire votre sélection, nous les regroupons ici en quelques catégories précises selon les endroits où l'on peut les placer. Intentionnellement, nous avons simplifié les formes et les tailles. En fait, il existe des arbustes de toutes les hauteurs, mais les quatre catégories que nous avons établies répondent de manière suffisante aux besoins courants de l'aménagement paysager. Il en est de même pour les formes qui peuvent varier à l'infini mais que nous avons classées également en quatre catégories, précisément dans le but de simplifier votre choix et de vous permettre d'harmoniser plus facilement vos diverses plantations.

Nous illustrons donc ici des formes et des dimensions typiques, que l'on peut, bien sûr, modifier en taillant les arbustes. En règle générale, cependant, les plantes sont plus belles et exigent moins d'entretien si on respecte leur forme naturelle lorsqu'on les taille.

Port arrondi

La forme arrondie convient quand on veut obtenir un effet décoratif rapide. Il suffit d'ailleurs de tailler certains arbustes pour leur donner cette forme. Sinon on peut choisir des espèces dont c'est le port naturel : deutzias, rhododendrons, certains seringas.

Port évasé

Les arbustes qui ont cette forme gracieuse sont généralement très appréciés, surtout quand leurs branches retombent légèrement. Dans cette catégorie, on peut choisir les spirées (*Spiraea van houttei*), les seringas (*Philadelphus lemoinei*) ou le kolkwitzia (*Kolkwitzia amabilis*).

Les trois principales catégories d'arbustes

Les arbustes de jardin se distinguent par les caractéristiques de leurs feuilles : arbustes à feuilles larges ou en aiguilles, persistantes ou caduques. D'où les trois catégories correspondantes que nous mentionnons ci-après.

Les arbustes à larges feuilles persistantes ont l'avantage de garder leur attrait toute l'année. En outre, certains, comme les rhododendrons, les pieris et les azalées, produisent en saison de magnifiques fleurs. Le feuillage, selon les espèces, peut prendre une variété de teintes.

Les arbustes à feuilles en forme d'aiguille ont tous un feuillage persistant, à l'exception de quelques-uns, dont le mélèze par exemple, qui ont un feuillage caduc. Les uns et les autres, par ailleurs, sont des conifères. S'ils se ressemblent tous par leur feuillage, ils varient grandement par leur forme, leur texture et les nuances de leur couleur verte.

Par définition, les plantes à feuillage caduc perdent normalement leurs feuilles en hiver. Certaines, cependant, qui poussent dans des régions où le climat est doux, et qu'on pourrait classer dans une catégorie intermédiaire, réussissent à garder leurs feuilles, ce qui ajoute à leur valeur décorative.

Arbustes à feuilles larges et persistantes

Ce mahonia à feuilles de houx est remarquable par sa riche couleur. Groupés en massifs, les arbustes de cette catégorie sont tout indiqués pour diviser les zones d'un jardin. Ils nécessitent un climat doux mais certains comme le raisin d'ours *(Arctostaphylos uva-ursi)* ou le cotonéaster *(Cotoneaster dammeri)* s'accommodent des climats froids.

Arbustes à feuilles caduques

Les lilas, qui appartiennent à cette catégorie, sont particulièrement populaires en raison de leur beauté et de leur parfum. Il s'en trouve de nombreuses espèces qui varient par leurs dimensions ainsi que par la grosseur et la couleur de leurs fleurs. Comme la plupart des plantes à feuilles caduques, les lilas supportent bien les climats froids. Pour fleurir, il leur faut cependant beaucoup de soleil. Certains arbustes de la même catégorie se distinguent par la forme attrayante de leurs branches, qui les rend décoratifs même en plein hiver. Le buisson-ardent *(Pyracantha coccinea),* par exemple, avec ses fruits de couleur orange et ses branches noueuses, donne un effet particulièrement intéressant quand il se détache sur un mur nu.

Arbustes à feuilles en aiguilles

Le genévrier rampant que l'on voit ici possède les qualités de notre troisième catégorie d'arbustes : une belle teinte verte à longueur d'année et des formes nettes. Il fait un tapis de sol qui n'exige presque pas d'entretien. Divers arbustes à feuilles en aiguilles, dont la pruche *(Tsuga)* et l'if, servent à faire des haies et sont utilisés dans l'art topiaire.

235

Pour faciliter les travaux ardus

Les forces de friction et la pesanteur nous imposent bien des efforts physiques. C'est pour les contrer que l'homme a inventé la roue, qui réduit la friction, et le levier, qui neutralise la pesanteur. Les huit méthodes que nous illustrons ici reposent sur ces deux principes. Elles ont pour but de vous faciliter les tâches ardues. Vous pourrez, en vous en inspirant, mettre au point d'autres procédés qui vous rendront de grands services.

La roue est à utiliser chaque fois qu'il est possible de le faire. Le diable, que vous voyez ici, combine les avantages de la roue et du levier. On glisse la base sous la charge que l'on peut ensuite soulever facilement en appuyant sur le manche. Sur un terrain mou ou dans une pente, on tire au lieu de pousser. La brouette, que l'on voit à côté, est indispensable pour les travaux de jardinage. Pour les gros travaux, utilisez plutôt le modèle muni de poignées de bois, droites et directement reliées à l'essieu. Vous pouvez vous en servir pour mélanger le béton avant de le transporter à l'endroit voulu. Quant à la voiturette de droite, son fond plat et sa stabilité la rendent très utile pour le transport d'objets lourds mais de petites dimensions. On peut en agrandir la surface en y posant des planches. Par ailleurs, elle ne roule bien que sur un terrain dur et régulier.

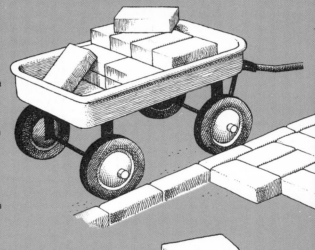

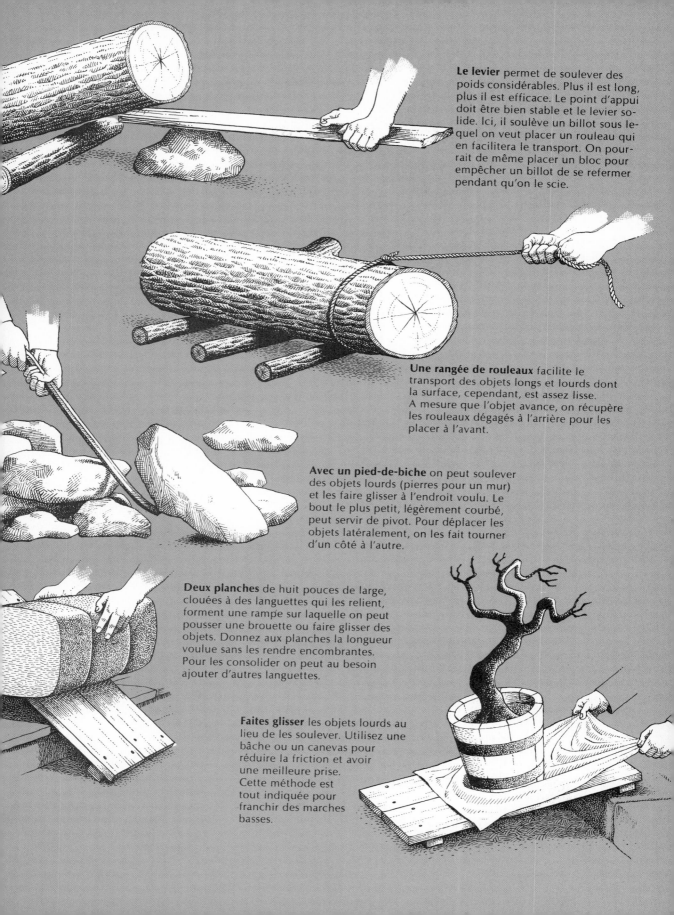

Le levier permet de soulever des poids considérables. Plus il est long, plus il est efficace. Le point d'appui doit être bien stable et le levier solide. Ici, il soulève un billot sous lequel on veut placer un rouleau qui en facilitera le transport. On pourrait de même placer un bloc pour empêcher un billot de se refermer pendant qu'on le scie.

Une rangée de rouleaux facilite le transport des objets longs et lourds dont la surface, cependant, est assez lisse. A mesure que l'objet avance, on récupère les rouleaux dégagés à l'arrière pour les placer à l'avant.

Avec un pied-de-biche on peut soulever des objets lourds (pierres pour un mur) et les faire glisser à l'endroit voulu. Le bout le plus petit, légèrement courbé, peut servir de pivot. Pour déplacer les objets latéralement, on les fait tourner d'un côté à l'autre.

Deux planches de huit pouces de large, clouées à des languettes qui les relient, forment une rampe sur laquelle on peut pousser une brouette ou faire glisser des objets. Donnez aux planches la longueur voulue sans les rendre encombrantes. Pour les consolider on peut au besoin ajouter d'autres languettes.

Faites glisser les objets lourds au lieu de les soulever. Utilisez une bâche ou un canevas pour réduire la friction et avoir une meilleure prise. Cette méthode est tout indiquée pour franchir des marches basses.

Le choix des arbustes et des arbrisseaux

Si les arbres revêtent une importance primordiale dans tout décor paysager, il n'en reste pas moins que ce sont les arbustes et les arbrisseaux qui enjolivent le plus les abords immédiats des maisons. Celles-ci acquièrent plus de grâce et d'intimité quand elles sont entourées de ces plantes. La présence des arbustes est en outre nécessaire à l'harmonie spatiale : leurs proportions contrebalancent celles des autres éléments du milieu, c'est-à-dire de la maison, des arbres et des fleurs. Enfin la variété de leur forme, de leur coloris et de leur floraison en fait des éléments décoratifs remarquables.

Les arbres et arbrisseaux offrent aussi un intérêt pratique. En premier lieu, ils permettent la confection de haies libres ou régulières. Ils peuvent aussi séparer différents secteurs du jardin, masquer des objets inesthétiques ou délimiter une propriété. Certaines espèces peuvent servir à stabiliser les pentes et les berges, et à reconstituer des milieux naturels.

La multiplicité des espèces rend cependant le choix difficile. Afin de vous guider, nous vous présentons, comme nous l'avons fait pour les arbres, une liste d'arbustes élégants et faciles à cultiver. Dans leur cas aussi nous adoptons la classification par zones de rusticité. Rappelez-vous que les espèces qui sont classées dans les zones 1 à 5 résistent mieux au froid que celles qui appartiennent aux zones 6 à 9, tout en pouvant croître dans les régions plus tempérées. Pour de plus amples détails, reportez-vous aux pages 208 et 209. Voyez ci-dessous l'explication des symboles qui seront utilisés.

Les formes

Etalée. Ce symbole désigne les arbustes dont les branches s'étalent à ras de terre. Ils s'utilisent dans les rocailles ou pour couvrir le sol.

Erigée. C'est par ce dessin que l'on indique les arbustes ou arbrisseaux à rameaux ascendants. Ils sont toujours plus hauts que larges. On se sert de telles plantes dans les haies, ou comme ornement isolé.

Arrondie. A ce symbole vous reconnaîtrez les arbustes qui ont un peu la forme de boules. Ils peuvent composer des massifs ou se planter isolément.

Evasée. Ce symbole représente les arbustes et arbrisseaux dont la cime s'étale et les branches se recourbent légèrement. Toutes les plantes de cette forme produisent toujours un effet spectaculaire.

Le feuillage

Persistant. Ce dessin indique une plante qui garde ses feuilles toute l'année. Celles-ci demeurent vertes et peuvent avoir diverses formes et dimensions. Chez les conifères, elles sont réduites à des aiguilles.

Caduc. Les plantes accompagnées de ce symbole portent des feuilles qui tombent plus ou moins tardivement en automne. Chez plusieurs, les feuilles prennent de vifs coloris qui annoncent leur chute.

Les caractéristiques

Feuillage remarquable. La forme, la texture ou la couleur des feuilles peuvent devenir les attraits majeurs d'une plante. **Aiguilles.** Les aiguilles ont leur charme propre. Leur couleur peut être très décorative. **Floraison remarquable.** Une quantité d'arbustes sont renommés pour leurs magnifiques fleurs, solitaires ou groupées.

A hauteur du genou : de 1½ à 2 pieds

Kalmia à feuilles étroites (Kalmia angustifolia). Un arbuste aux branches déployées, dont les fleurs forment des touffes violettes.

zones 1-9

Le kalmia préfère les sols humides, acides et tourbeux. Mêlé à des rhododendrons et à des kalmias à feuilles larges, il compose de jolis massifs appropriés à un décor quelque peu sauvage.

Epigée rampante (Epigaea repens). Plante indigène de la famille des éricacées. Elle produit en mai des fleurs odoriférantes de teinte rose pâle. Elle est difficile à transplanter car elle demande un sol acide et humide ainsi qu'un milieu semi-ombragé.

zones 1-9

Daphné camélée (Daphne cneorum). Arbuste rampant, utilisé surtout dans les rocailles. Il produit en juin une quantité impressionnante de fleurs roses.

zones 2-9

Il pousse bien dans un sol calcaire et demande le plein soleil.

Cytise prostré (Cytisus decumbens). Arbuste au port retombant se couvrant d'une multitude de fleurs jaunes au printemps. Plante idéale pour les rocailles, qui demande le plein soleil et s'adapte aisément à des sols pauvres.

zones 2-9

Genévriers (Juniperus). Les arbustes de ce groupe varient de forme et de hauteur. Il y en a dont les branches s'élèvent et d'autres dont les branches sont à ras du sol. Certains ont une forme pyramidale et d'autres ont un port étalé. Tous, cependant, sont très utiles en aménagement paysager. Voici quelques espèces assez rustiques pour survivre dans les régions moins tempérées.

zones 2-9

Le genévrier Douglas (J. horizontalis douglasii) forme un tapis de feuillage gris bleuté qui s'étend sur une largeur de quatre pieds. Cet arbuste est recommandé pour recouvrir des talus et des espaces découverts. On s'en sert aussi pour les massifs et les bordures. Il aime le soleil et prospère dans les terrains secs.

Le genévrier Wilton (J. h. wiltonii) est de taille plus élevée que celui qui précède. Ses branches touffues se redressent nettement. Son feuillage est d'un vert qui se nuance de gris avec des reflets bleutés.

Le genévrier 'Blue Danube' (J. sabina 'Blue Danube') est une variété au branchage étalé, quelque peu buissonneuse. Il porte des aiguilles bleues qui ont la forme d'écailles. Ce genévrier est idéal pour composer de grands massifs. On peut aussi le mettre en contraste avec d'autres conifères. Arbuste très résistant.

Tous les genévriers préfèrent les endroits ensoleillés et bien dégagés. Dans une petite plantation ou en bordures, ils devront être élagués chaque année.

Spirée de Bumalda (Spiraea bumalda). Les fleurs, d'un rouge violacé, forment des cymes aplaties. La variété 'Anthony Waterer' est particulièrement

zones 2-9

populaire. La variété 'Froebelii' atteint une plus haute taille. La plante pousse bien dans les sols secs et ne demande que peu de soins. Les floraisons se succèdent de façon irrégulière pendant presque un mois entre juillet et août.

Viorne naine (Viburnum opulus nanum). Arbuste touffu, de forme érigée, et qui porte de petites feuilles trilobées. Il s'élève à deux

zones 2-9

pieds et ne produit ni fleurs, ni fruits. Idéal pour les massifs ou les haies basses.

Physocarpe à feuilles d'obier (Physocarpus opulifolius nanum). Variété naine du physocarpe. Un feuillage dense qui forme une masse vert foncé. Les

zones 2-9

fruits, rougeâtres, qui apparaissent à l'automne, ont la texture du papier. Excellent arbuste pour faire des haies.

Conifères nains. Il existe des variétés naines de plusieurs espèces de conifères comme l'épinette, le pin et le sapin. On les regroupe

zones 3-9

souvent dans un coin du jardin. On peut aussi les placer dans les plates-bandes pour faire contraste avec les fleurs ou pour combler des vides. Ces conifères servent également dans les rocailles. La taille de ces arbustes varie selon les espèces, mais tous cependant connaissent une croissance plutôt lente.

Millepertuis à feuilles de kalmia (Hypericum kalmianum). Petit arbuste indigène, produisant de très jolies fleurs jaunes en juillet. Il préfère un sol humide et le plein soleil. Plantation en massifs de préférence.

zones 3-9

Cotonéasters. Ces arbustes font de très belles plantes d'ornement. Le cotonéaster Skogholm (Cotoneaster dammeri 'Skogholm') forme un tapis plat et descend le long des murs. Les feuilles sont persistantes et de forme ronde. Cette plante est robuste et connaît une croissance très rapide. Elle peut s'étendre sur une largeur de 10 pieds et suit le contour du terrain.

zones 4-9

Le cotonéaster apprimé (C. adpressa praecox) est aussi un arbuste rampant, mais sa croissance est lente. Ses petites feuilles, de forme ronde, sont persistantes. Il donne des fleurs solitaires se transforment au mois de juin en fruits rouges qui restent sur les branches jusqu'à l'automne. Idéal pour les rocailles.

Genévrier tamarin (Juniperus sabina tamariscifolia). Genévrier rampant pourvu de rameaux horizontaux dont les jeunes ramules se redressent. Le

zones 4-9

feuillage, un peu plumeux, est d'un vert glauque. Plante très appréciée dans la culture d'ornement. Idéale pour les rocailles et les massifs.

Bruyère (Erica ou Calluna). Petites feuilles persistantes, vertes et étroites, sur des pousses pointues qui s'étendent de façon irrégulière. Les fleurs, blan-

zones 5-9

ches ou roses, font leur apparition au printemps ou à l'été. Elles ressemblent à des clochettes et forment des touffes. Les variétés de bruyère sont nombreuses et certaines fleurissent à l'automne. Toutes exigent un sol acide et sec, ainsi que beaucoup de soleil.

Fusain de Fortune (Euonymus fortunei). Arbuste sarmenteux à rameaux verts et à feuilles persistantes. Il produit de magnifiques

zones 5-9

fruits rouges et orange, enveloppés dans une capsule rose. Cette espèce donne un grand nombre de variétés horticoles à feuillage panaché.

Symphorine de Chenault *(Symphoricarpos chenaultii)*. Beaux fruits rouges tachés de blanc du côté qui est exposé à l'ombre. La symphorine s'adapte bien à la ville, pousse au soleil et dans les endroits légèrement ombragés.

zones 5-9

Xanthorrhiza à feuilles de céleri *(Xanthorrhiza simplicissima)*. Arbuste excellent comme tapis de sol, spécialement sous des arbustes plus hauts. Il supporte bien l'ombre et n'exige presque pas d'entretien. Il forme une masse dense et se propage par drageons souterrains. Les feuilles, vertes et luisantes, tournent à l'orange vif en automne.

zones 5-9

Spirée Arguta *(Spiraea arguta compacta)*. La plus belle espèce de spirée. Arbuste à rameaux fins et retombants. Ses fleurs blanches en ombelle sont précoces. Idéal pour haies basses. Espèce peu sensible aux insectes et facile à propager par boutures.

zones 5-9

Cytise à fleurs pourpres *(Cytisus purpureus)*. Arbuste à floraison printanière. Il forme un tapis de fleurs rouge foncé. Idéal pour les rocailles. Peut aussi accompagner des massifs.

zones 5-9

Rosier miniature *(Rosa chinensis minima)*. Un authentique rosier d'environ un pied de haut, qui donne de magnifiques fleurs. Il exige cependant beaucoup de soins : arrosage, fertilisation et protection contre les insectes. Parmi les variétés les plus populaires, signalons le 'Oakington Ruby' le 'Red Elf' et le 'Perle d'Alconda'. Cette dernière variété donne des fleurs roses.

zones 6-9

Cotonéaster horizontal *(Cotoneaster horizontalis)*. Arbuste dont les branches plates et étagées s'étendent sur une distance de trois ou quatre pieds. Les tiges peuvent atteindre une hauteur de deux pieds, mais on peut les raccourcir en les taillant. Ce cotonéaster s'allie bien avec le genévrier. Les feuilles, petites et rondes, tombent à l'automne. Les fruits rouges, qui apparaissent à l'automne, ont une valeur décorative.

zones 6-9

Houx du Japon *(Ilex crenata)*. Espèce à feuilles persistantes. La variété *helleri*, à petites feuilles rondes de couleur vert foncé, pousse en touffes de un pied de haut et de 18 pouces de large. On s'en sert pour faire des bordures ou comme plante tapissante.

zones 6-9

Lierre arbustif *(Hedera helix arborescens)*. Un arbuste à feuilles persistantes et pointues. Les pousses se dressent jusqu'à une hauteur de un pied. Peut croître à même le sol ou sur des supports peu élevés. Supporte le soleil comme l'ombre légère.

zones 6-9

Buis commun *(Buxus sempervirens suffruticosa)*. Une plante dont on se sert couramment pour les haies, soit en ligne continue soit en intercalant entre d'autres plantes. Peut pousser en massifs de trois ou quatre pieds de haut. Prospère aussi bien au soleil qu'à l'ombre légère.

zones 7-9

If commun d'Europe *(Taxus baccata)*. Conifère à branches aplaties et rayonnantes, chargées d'aiguilles foncées. Le bout des branches est légèrement recourbé. S'accommode de l'ombre et pousse bien sous les arbres. Atteint en vieillissant des dimensions qui permettent de lui donner une place importante dans le jardin.

zones 7-9

Skimmia de Reeves *(Skimmia reevesiana)*. Alors que le skimmia du Japon *(S. japonica)* atteint quatre pieds de haut, celui-ci ne dépasse guère deux pieds. Ses feuilles sont pointues et d'un vert brillant. Fleurs blanches et fruits rouges. Pousse à l'ombre totale ou partielle.

zones 7-9

Cotonéaster à petites feuilles *(Cotoneaster microphylla)*. Arbuste qui pousse dans les rocailles. Ses petites feuilles vertes persistantes forment de jolies touffes. Ses fleurs, blanches, sont rapidement remplacées par des fruits rouges. Le cotonéaster réussit à survivre sous des climats rigoureux, mais sa croissance est alors si lente qu'il n'est

zones 7-9

guère utile de le planter dans les zones plus froides que celles indiquées ici.

De nombreuses plantes tapissantes peuvent entrer dans la présente catégorie. Signalons notamment, pour nous en tenir aux plus populaires : le rosier 'Max Graf', le faux jasmin *(Trachleospermum)*, le rosier de Noël *(Heleborus niger)*, le fusain rampant, le lierre terrestre, la pachysandre, la petite pervenche *(Vinca minor)* et le liriope.

A hauteur de la taille : de 2½ à 3½ pieds

Rosier aciculaire *(Rosa acicularis)*. Rosier indigène très rustique qui se couvre de très belles fleurs roses auxquelles succèdent des fruits rouges en forme de poire. Idéal pour naturalisation et plantations en massifs.

zones 1-9

Pin mugo *(Pinus mugo mughus)*. Une plante de forme ronde ou irrégulière, à aiguilles vert foncé. Peut, selon les sujets, rester à ras de terre ou s'élever jusqu'à cinq pieds du sol, d'où l'intérêt de faire son choix chez un pépiniériste. Prospère au soleil, dans les sols sablonneux et plutôt alcalins.

zones 1-9

Potentille frutescente *(Potentilla fruticosa)*. Arbuste indigène dans la plupart des régions du Canada. Il porte de jolies feuilles pentagonales. Les fleurs sont d'un jaune vif et durent presque tout l'été. La variété 'Gold Drop' donne de plus grosses fleurs, d'un jaune encore plus prononcé. Bien que la potentille résiste bien au froid, on lui préfère généralement les conifères. A noter que cette espèce a tout de même besoin de soleil.

zones 1-9

Genévrier commun à feuillage jaune *(Juniperus communis depressa aureaspica)*. Un des plus beaux arbustes auquel son feuillage bicolore, qui devient très dense, ajoute une grande valeur décorative. Autre attrait : le bout de ses branches est doré. Plus large que haut, ce genévrier atteint tout de même parfois quatre pieds. A besoin de soleil.

zones 2-9

zones 2-9

Amandier nain de Russie *(Prunus tenella).* Arbuste au port étalé, donnant en mai une abondance de fleurs rouge rosé. Un des cerisiers les plus rustiques et les plus florifères. Plantation en massifs recommandée.

zones 2-9

Osier rouge gracile *(Salix purpurea gracilis).* Saule très rustique à rameaux grêles et souples. Les feuilles prennent une teinte gris bleuté. Recommandé pour les massifs ou les haies. Très facile à propager par boutures d'automne.

zones 3-9

Thuya d'Occident à forme arrondie *(Thuya occidentalis woodwardii).* Variété naine de forme globulaire, dense et à feuillage vert foncé. Il conserve sa forme sans avoir besoin de taille. Croît lentement et a sa place dans des massifs d'arbustes ou de conifères.

zones 3-9

If du Canada *(Taxus canadensis stricta).* Variété érigée, à grande valeur ornementale. Port ouvert avec extrémités des branches retombantes. Feuillage vert pâle. L'if demande un milieu ombragé et est recommandé pour les massifs. De croissance lente.

zones 3-9

Groseillier alpin *(Ribes alpinum).* Un arbuste à bourgeons aigus, jaunes, qui se prête particulièrement bien à la confection de haies. On notera cependant que les plantes femelles servent d'hôtes intermédiaires à la rouille vésiculaire du pin blanc.

zones 4-9

If du Japon *(Taxus cuspidata nana).* Une plante compacte à aiguilles d'un beau vert foncé. Bien que de taille restreinte, l'if du Japon peut devenir encombrant après huit ou dix ans. Il est alors facile de le tailler pour lui donner les dimensions voulues. Il pousse bien au soleil ou à l'ombre partielle.

zones 4-9

Thuya doré *(Thuya occidentalis ellwangeriana aurea).* Conifère de forme globulaire, dense, à feuillage doré. Il pousse lentement et demande le plein soleil. Très joli quand il est mis en contraste avec d'autres conifères.

zones 4-9

Aronie à feuilles d'arbousier *(Aronia arbutifolia).* Arbuste indigène à fleurs blanches. Il donne des fruits rouges très décoratifs qui persistent jusqu'à l'hiver. La variété 'Brilliantissima' possède un feuillage qui se colore d'un rouge éclatant à l'automne.

zones 4-9

Rosiers floribundas. D'excellents arbustes pour faire des bordures, des haies ou des massifs. Les fleurs forment des grappes et se renouvellent tout l'été. Ces espèces sont moins vulnérables aux maladies que les rosiers hybrides de thé. A planter en plein soleil.

zones 4-9

Spirée du Japon *(Spiraea nipponica* 'Snowmound'). Forme des touffes de petites feuilles vertes. Se couvre de fleurs blanches au printemps. La plupart des spirées résistent mal dans les jardins à cause de la fragilité de leurs feuilles. La spirée du Japon, cependant, est particulièrement robuste. Il lui faut beaucoup de soleil.

zones 4-9

Epinette naine d'Europe *(Picea abies nidiformis).* Une plante dense à aiguilles vert foncé, qui peut prendre diverses formes. On en compte plusieurs variétés. Celle que nous indiquons ici résiste bien sous les climats froids mais sa croissance est très lente.

zones 4-9

Genévrier à pointes dorées *(Juniperus chinensis pfitzeriana aurea).* Genévrier à feuillage doré en été et jaune-vert en hiver. Croissance lente. Il s'harmonise à d'autres conifères et est idéal en massifs. Plantation en motte.

zones 5-9

Cerisier glanduleux *(Prunus glandulosa alba).* Arbuste bas qui forme un buisson compact. Spectaculaire avec ses étroites feuilles vert pâle et ses abondantes fleurs rose pâle aux pétales finement frangés. Elles apparaissent tôt le printemps. Il faut couper les branches qui meurent de brûlure bactérienne. A besoin de soleil.

zones 5-9

Genévrier de Chine 'Blaauw' *(Juniperus chinensis* 'Blaauw'). Arbuste nain, dressé, très attrayant. Ses branches retombent et son feuillage, d'un vert bleuâtre, devient très épais. Il est très intéressant comme plante isolée. Il peut aussi figurer dans une rocaille ou être disposé en massifs.

zones 5-9

Daphné de Burkwood *(Daphne burkwoodii).* Un arbuste à feuilles persistantes, gracieux et bien déployé. Ses feuilles sont petites et d'un vert délicat. Les fleurs, qui apparaissent au début du printemps, passent du blanc au rose et dégagent un parfum très agréable. Le daphné de Burkwood a besoin de soleil et d'un sol légèrement alcalin.

zones 5-9

Mahonia à feuilles de houx, *(Mahonia aquifolium).* Certaines branches sont ascendantes, d'autres déployées. Les feuilles sont persistantes et ressemblent à celles du houx. Fleurs jaunes en grappes, qui cèdent la place à des baies d'un noir bleuté. Dans les régions froides, les feuilles deviennent violettes en hiver. Fait un bon tapis de sol.

zones 5-9

Cognassier du Japon *(Chaenomeles japonica).* Formes irrégulières et originales que l'on peut souligner par la taille. Fleurs de couleurs vives, apparaissant au printemps. Epineux. Les meilleures variétés sont les hybrides, notamment : le 'Knaphill', écarlate, de 16 pouces de haut; l''Aurea', jaune orange, de trois pieds; l''Alba', blanc, et l''Atrosanguinia', rouge vif.

 Etalé   Erigé   Arrondi   Evasé | Persistant   Caduc | Floraison remarquable   Feuillage remarquable   Aiguilles

241

zones 5-9

Viorne de Carles *(Viburnum carlesii).* Très bel arbuste à croissance lente. Se pare en juin de belles fleurs blanches au parfum exquis. A planter dans un endroit protégé et en plein soleil.

zones 5-9

Buis de Corée *(Buxus microphylla koreana).* Le plus rustique de tous les buis. Les feuilles, persistantes, sont petites et sont plus pointues que celles du buis commun. Une plante de texture élégante, qui pousse facilement au soleil ou à l'ombre partielle.

zones 5-9

Rhododendron de Corée *(Rhododendron yedoense poukhanense).* Arbuste à feuillage caduc, sauf dans les régions chaudes où il persiste. Il donne, en mai, des fleurs violet foncé. Un des plus rustiques de tous les rhododendrons. Supporte jusqu'à −10°C.

zones 5-9

Rhododendrons nains. Il existe des douzaines d'excellentes variétés de cette espèce. Mais l'une des meilleures est sans doute la 'Boule de neige' qui forme de beaux massifs et produit une multitude de fleurs blanches au printemps. Faites votre choix chez le pépiniériste lorsque les plantes sont en fleurs. Tous les rhododendrons croissent mieux dans les endroits semi-ombragés et ont besoin d'un sol riche et légèrement acide.

zones 5-9

Genévrier de Chine *(Juniperus chinensis pfitzeriana compacta).* Un bel arbuste à la texture fine, aux branches déployées et au feuillage gris-vert. Il pousse particulièrement bien quand il est exposé au soleil.

Azalée à fleurs blanches *(Rhododendron mucronatum* ou *R. ledifolium album).* Feuilles qui peuvent atteindre jusqu'à trois pouces de long et qui sont persistantes dans les régions les plus clémentes. Les fleurs, blanches comme neige, odoriférantes, apparaissent au début du mois de mai. L'arbuste résiste bien à des températures descendant jusqu'à −17°C.

zones 6-9

Deutzia gracile *(Deutzia gracilis).* Une plante compacte portant de délicates feuilles vert pâle. Les fleurs blanches, aux pétales frangés, apparaissent à la fin de mai. On obtient des floraisons plus abondantes en taillant les branches mortes.

zones 6-9

Pivoine arbustive *(Paeonia suffruticosa).* Sans conteste un des meilleurs arbustes à fleurs. Les feuilles, d'un beau vert pâle, sont finement découpées. La plante est de forme irrégulière et étalée, et peut atteindre cinq pieds ou même plus. Les fleurs, de coloris divers et toujours riches, apparaissent à la fin du printemps. Les branches dénudées persistent tout l'hiver. Planter dans un endroit abrité du vent.

zones 7-9

Viorne du Père David *(Viburnum davidii).* Arbuste nain aux longues feuilles vertes, minces et persistantes. Les veines proéminentes donnent à la plante une texture originale. Fleurs blanc rosé, de forme aplatie. Baies bleu métallique à l'automne. La viorne pousse à l'ombre partielle.

zones 7-9

Faux cyprès du Japon *(Chamaecyparis obtusa gracilis).* Cette variété horticole se distingue par ses aiguilles semblables à des écailles, d'un riche vert foncé. Les rameaux sont aplatis et forment des touffes denses qui se dressent de façon irrégulière le long de la branche centrale. Une des plantes les plus remarquables pour son feuillage décoratif. Il suffit d'en placer deux ou trois à des endroits bien choisis pour donner de l'harmonie au jardin. Le faux cyprès du Japon peut atteindre jusqu'à cinq pieds ou même plus. Il aime le soleil et supporte une ombre légère.

zones 7-9

Skimmia du Japon *(Skimmia japonica).* Arbuste dense de forme érigée ou arrondie. Feuilles vertes, luisantes et persistantes. Les fleurs sont petites et blanches et forment des grappes. Elles apparaissent en mai et sont suivies, sur les plantes femelles, de baies rouge vif. Il faut donc combiner des plants mâles et femelles dans les plantations pour

obtenir des fruits. Le skimmia est particulièrement recommandé pour composer des haies.

zones 7-9

Abélie à grandes fleurs *(Abelia grandiflora).* Les feuilles sont petites et teintées de rouge. L'abélie peut faire de bonnes haies à condition qu'on la taille. Une plante gracieuse et légère dont les fleurs d'un rose soutenu durent de juillet à septembre. Pousse plus facilement au soleil.

zones 8-9

Sarcocoque à feuilles de fragon *(Sarcococca ruscifolia).* Les feuilles sont petites, pointues, d'un vert foncé et brillant. Elles forment une masse dense et colorée. La plante est bien déployée. Elle donne de petites fleurs blanches et parfumées, qui sont remplacées par des baies rouges. Cette variété dépasse légèrement trois pieds. Le sarcocoque de l'Himalaya *(S. hookeriana)* est plus petit et porte des fruits noirs. Les deux poussent bien à l'ombre.

zones 8-9

Azalée du Japon *(Rhododendron obtusum).* Cette azalée de taille moyenne se distingue par ses petites feuilles persistantes, d'un vert brillant, soutenues par des branches bien ramifiées. Elle se couvre littéralement de fleurs. Comme tous les rhododendrons, il lui faut une ombre partielle et un sol riche et plutôt acide. La variété 'Amoenum' foisonne de fleurs qui vont du violet au magenta. L''Hinodegiri' porte des fleurs cramoisies. Celles de la variété 'Hinoerinsan' sont rouges, de même que celles de la 'Christmas Cheer'. Quant à celles de la 'Coral Bell', elles sont roses et elles se dédoublent.

zones 8-9

Ciste à feuilles de laurier *(Cistus laurifolius).* Un arbuste dont le port peut être étalé ou arrondi et qui porte des feuilles pointues, vert foncé. Se couvre en été de fleurs qui ressemblent à des pavots. La taille de la plante et la couleur des fleurs varient selon les espèces. Certaines sont blanches, d'autres violettes ou blanches avec des taches jaunes à la base des pétales. Toutes les espèces poussent dans des endroits chauds et ensoleillés et s'accommodent des sols plus ou moins secs.

Petit houx *(Ruscus aculeatus).* Petites feuilles pointues qui ressemblent à des brindilles. La plante femelle produit des baies rouges. Arbuste excellent pour les bordures. Il se taille facilement et pousse au soleil ou à l'ombre légère.

zones 8-9

Véronique impériale *(Veronica imperialis).* Une plante qui attire l'attention par ses feuilles lisses et ovales, formant quatre rangées. Feuillage persistant. Donne des épis de fleurs violettes qui durent tout l'été. La plante garde sa valeur décorative en hiver. On la connaît aussi sous le nom de *Hebe speciosa.*

zones 8-9

Troène du Japon *(Ligustrum japonicum rotundifolium).* Feuilles en forme de cœur, vert foncé, ressemblant à du cuir, qui poussent de façon dense sur des branches droites. Une belle plante pour faire des bordures ou pour donner une note décorative. Sa forme est caractéristique.

zone 9

A hauteur de la tête : de 5 à 6½ pieds

Shepherdie du Canada *(Shepherdia canadensis).* Arbuste indigène très rustique, au port étalé. Remarquable par ses feuilles dont la face externe est verte et la face interne gris argent. En août, il donne des fruits variant du rouge à l'orangé. Plantation en motte.

zones 1-9

Cornouiller de Sibérie *(Cornus alba sibirica).* Forme étalée. Écorce d'un rouge éclatant qui, en hiver, donne à la plante une valeur décorative. Les variétés à feuilles panachées sont les plus populaires. Signalons notamment l'"Argento-marginata' (feuilles à bords blancs) et le 'Spaethii' (feuilles jaunes et vertes). Une plante durable et qui résiste bien aux insectes.

zones 2-9

Rosiers arbustifs. Ces arbustes sont très décoratifs et demandent peu d'entretien. Parmi ceux qui poussent dans la zone 2, citons le rosier de Harison aux grandes fleurs doubles, d'un beau jaune vif, et le rosier à feuilles rouges, très attrayant.

zones 2-9

Physocarpe à feuilles d'obier *(Physocarpus opulifolius).* Fleurs blanches ou rose pâle formant des grappes et se transformant en fruits cramoisis. La variété *Luteus* a des feuilles jaunes au printemps. Excellent pour faire des bordures. Très rustique.

zones 2-9

Cotonéaster à feuilles aiguës *(Cotoneaster acutifolia).* Espèce très vigoureuse à feuillage vert foncé et produisant des fruits noirs en septembre. Très utilisé pour la confection de massifs ou de haies. Attaqué par les insectes et sujet à la maladie bactérienne.

zones 2-9

Seringa commun *(Philadelphus coronarius).* C'est le seringa classique, d'origine européenne. Les fleurs sont blanches et très odoriférantes. La variété 'Aureus' se distingue par ses feuilles qui sont d'un jaune vif au printemps. L'espèce *P. virginalis* forme d'énormes touffes de fleurs. Facile à cultiver. S'adapte bien aux régions sèches.

zones 3-9

Pin blanc nain *(Pinus strobus nana).* Se distingue par ses longues aiguilles. Forme avec le temps un buisson large et rond. On peut facilement contrôler ses dimensions en le taillant. A besoin de soleil.

zones 3-9

Némopanthe mucroné *(Nemopanthus mucronatus).* Arbuste indigène vivant dans les milieux humides. Il est reconnaissable à ses pétioles violacés. Il donne en été de jolis fruits rouges. Arbuste utile pour la naturalisation.

zones 3-9

Houx verticillé *(Ilex verticillata).* Arbuste indigène à feuilles caduques. A ses fleurs blanches printanières succèdent des baies rouges très décoratives, qui persistent jusqu'en hiver. Demande un milieu acide.

zones 3-9

Fusain ailé *(Euonymus alata).* Arbuste à branches étalées, à deux ou quatre ailes subéreuses et à tige toujours verte. Ses feuilles sont simples et finement dentées. En automne, elles se teintent d'un magnifique rouge écarlate. Arbuste idéal pour massifs ou haies. Se propage facilement par boutures et n'est pas sujet à la maladie.

zones 3-9

Caragan de Lorberg *(Caragana arborescens lorbergii).* Magnifique arbuste à feuilles finement découpées et retombantes et à fleurs jaunes. Il pousse en plein soleil. Cette variété est moins rustique que l'espèce. A planter en isolé.

zones 3-9

Rosier rugueux *(Rosa rugosa).* Un arbuste étalé qui forme un buisson si on ne le taille pas. Feuilles vert foncé marquées de rides. Les fleurs, de couleur rose, apparaissent en juin et atteignent environ trois pouces. Elles sont remplacées ensuite par des fruits rouges. Le feuillage tourne à l'orange en automne. La plante est vigoureuse et facile à cultiver. Pousse bien en plein soleil et dans des terrains plutôt sablonneux. Parmi les meilleures variétés, signalons l'"Alba, la 'Sir Thomas Lipton' et la 'F. J. Grootendoorst'.

zones 3-9

Rosiers hybrides de thé. Des fleurs qui restent incomparables par la richesse de leurs couleurs et la perfection de leur forme. Des plantes qui gardent leur beauté, même la floraison passée. Tous ces rosiers arbustifs sont extrêmement attrayants. Ils exigent, par ailleurs, des soins minutieux. Pour plus de détails sur l'emploi et la culture des rosiers, voir à la page 276.

zones 4-9

 Etalé   Erigé   Arrondi   Evasé | Persistant   Caduc | Floraison remarquable   Feuillage remarquable   Aiguilles

Weigela *(Weigela florida)*. Arbuste apprécié surtout pour ses fleurs abondantes, rouges, roses ou blanches, qui s'épanouissent en juin. Peu vulnérable aux maladies ou aux insectes. La variété 'Bristol Ruby' se distingue par ses grosses fleurs rouges. Le *W. f.* 'Variegata' est une excellente variété naine à feuilles bordées de jaune.

zones 4-9

 Prunier à feuilles rouges *(Prunus cistena)*. Arbuste apprécié pour son feuillage rouge et ses petites fleurs blanches auxquelles succèdent des fruits violet foncé. Le prunier maritime *(P. maritima)* porte aussi des fleurs blanches, mais il a des feuilles vertes. Ses fruits, violets, sont particulièrement délicieux.

zones 4-9

 Seringa 'Innocence' de Lemoine *(Philadelphus lemoinei* 'Innocence')*. Il existe de nombreuses variétés de seringas. Les plus recherchées sont celles qui, comme le seringa de Lemoine, se distinguent par leur parfum. C'est une plante spectaculaire, bien fournie, qui produit une abondance de fleurs blanches. La variété 'Enchantment', à fleurs blanches doubles, odoriférantes et dont les pétales sont frangés, est aussi excellente. Les seringas sont faciles à cultiver et poussent particulièrement bien en plein soleil.

zones 4-9

 Epinette blanche naine *(Picea glauca* 'Albertiana Conica')*. Forme conique. Feuillage vert pâle, dense et de texture fine. Un très bel arbuste qui attire l'attention où qu'il soit. Pousse bien quand il est exposé au soleil, mais doit être protégé par un écran en hiver.

zones 4-9

 Rosiers hybrides à grandes fleurs *(R. grandiflora)*. Arbustes droits dont les branches se terminent par des grappes de fleurs. Ils sont plus hauts que les hybrides de thé, et sont moins sujets aux maladies. Font de bonnes haies. Parmi les variétés les plus typiques, signalons le rosier 'Spartan' dont les fleurs d'un rouge tirant sur l'orange dégagent un agréable parfum; le 'Queen Elizabeth' à fleurs rose foncé et le 'Carrousel' à fleurs rouges.

zones 4-9

 Bleuet en corymbes *(Vaccinium corymbosum)*. Un arbuste de forme étalée et irrégulière, d'apparence quasi orientale. Au printemps, les fleurs blanches, en forme de clochette, pendent gracieusement aux branches. Baies bleues comestibles à la fin de l'été. Feuilles rouge vif à l'automne. Le bleuet requiert un sol acide et l'ombre pleine ou partielle.

zones 4-9

 Chèvrefeuille de Morrow *(Lonicera morrowii)*. Plante dense, de forme étalée. Les fleurs sont blanches et apparaissent au début du printemps. Baies rouge vif, translucides. Comme la plupart des chèvrefeuilles, c'est une plante utile et vigoureuse, idéale pour couvrir les pentes.

zones 4-9

 Genévrier Pfitzer *(Juniperus chinensis pfitzeriana)*. Conifère à aiguilles en écailles gris-vert. Forme étalée. Une plante qui s'étend et doit donc être placée à l'écart de la maison. Valeur décorative. Exige du soleil, un sol sec et a besoin d'être taillée.

zones 4-9

 Cotonéaster de Diels *(Cotoneaster dielsiana)*. Arbuste gracieux aux branches arquées et aux feuilles luisantes qui prennent une teinte rouge à l'automne. Donne des fruits rouges en septembre. Espèce à utiliser à part.

zones 4-9

 Rhododendron *(Rhododendron catawbiense)*. La plus robuste des espèces hybrides. Un arbuste à feuilles persistantes qui peut s'élever jusqu'à cinq ou six pieds de hauteur. Les variétés 'Nova Zembla' et 'Charles Dickens' ont des fleurs rouges. Le 'Mrs. C. S. Sargent' en porte des roses et le *R. catawbiense alba* en donne des blanches.

zones 5-9

 Forsythia précoce *(Forsythia ovata)*. Un des plus rustiques parmi les forsythias. Il fleurit très bien dans la région de Montréal. Ses fleurs, jaunes, apparaissent très tôt en mai. Il doit être taillé régulièrement après la floraison. Les branches sont souvent écrasées par la neige.

zones 5-9

 Buddleia du Père David *(Buddleia davidii)*. Arbuste gracieux aux branches arquées, qui donne une abondance de fleurs blanches, roses ou rouges. Elles dégagent une odeur de miel. Dans la plupart des régions du Canada, il faut tailler la plante à ras de terre chaque printemps.

 Noisetier tortueux *(Corylus avellana contorta)*. Variété arbustive du noisetier européen. Ses rameaux vrillés et tordus lui donnent une allure tout à fait pittoresque. On recommande de le planter isolément et dans un milieu protégé.

zones 5-9

 Corète du Japon *(Kerria japonica pleniflora)*. Feuilles dentelées, d'un vert brillant. Les longues tiges gardent leur couleur verte tout l'hiver. Arbuste très décoratif si on l'étale contre une clôture. Jolies fleurs doubles de couleur jaune, au début du printemps.

zones 5-9

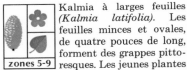 **Kalmia à larges feuilles** *(Kalmia latifolia)*. Les feuilles minces et ovales, de quatre pouces de long, forment des grappes pittoresques. Les jeunes plantes sont rondes mais avec le temps elles prennent une forme érigée et irrégulière. Le kalmia peut atteindre huit pieds de haut ou même plus. D'épaisses grappes de fleurs roses, en forme de coupe, apparaissent en juin. Les plantes sauvages se transplantent mal. Il vaut mieux acheter dans une pépinière des plantes adultes, qui ont de bonnes racines. Le kalmia exige un sol tourbeux et acide. Il peut pousser aussi bien dans un endroit ensoleillé que dans un milieu ombragé.

zones 5-9

 Genévrier écailleux de Meyer *(Juniperus squamata meyeri)*. Conifère au port évasé et aux ramifications ascendantes. Les aiguilles, très rudes au toucher, sont d'un magnifique bleu-gris. Elles ont cependant tendance à brunir en hiver et lorsque la plante vieillit. A planter en isolé dans le jardin pour obtenir des effets spéciaux. Ce genévrier est sensible aux attaques de la tétranyque.

zones 5-9

Pommetier de Sargent (Malus sargentii). Forme étalée. Sans tronc. Peut atteindre jusqu'à six pieds de haut. Se couvre de petites fleurs blanches en mai et de petites pommes rouges à l'automne. Ne risque pas de propager la rouille comme certains autres pommetiers. Prospère surtout au soleil.

zones 5-9

Cognassier hybride (Chaenomeles). Droit, mince et épineux. Feuilles rondes, de couleur vert foncé, et fleurs rouges. Excellent pour faire des haies. Il existe d'autres espèces hybrides de tailles variables, dont les fleurs peuvent être orange clair, rouges, jaunes ou blanches. À planter en plein soleil.

zones 5-9

Rosiers classiques. Plus étendus et plus originaux que les autres rosiers de jardin. Le rosier de Damas (Rosa damascena) porte des fleurs rouge vif odoriférantes. Les variétés 'York' et 'Lancaster' donnent des fleurs blanches et roses. L'espèce R. centifolia se distingue par ses fleurs pleines, roses et parfumées, tandis que l'espèce R. moschata a de grosses fleurs roses.

zones 5-9

Stéphanandre incisée (Stephanandra incisa). Les feuilles, qui peuvent avoir jusqu'à deux pouces et demi de long, sont de couleur vert pâle et marquées de dentelures dont la profondeur atteint jusqu'à un pouce. Les tiges sont droites. Fait des haies originales que l'on peut tailler à la hauteur voulue.

zones 5-9

Rhododendron à fleurs roses (Rhododendron roseum). Les feuilles de la plupart des rhododendrons se recroquevillent et se fanent lorsque la température descend au-dessous de −7°C. Cette espèce hybride est celle qui résiste le mieux au froid. La plante est ronde ou étalée. Les feuilles sont rondes et mesurent environ quatre pouces. Fleurs roses, marquées de vert. Exige un sol riche et plutôt acide.

zones 5-9

Houx du Japon (Ilex crenata). Un magnifique arbuste étalé dont la forme et le feuillage rappellent ceux du buis mais qui pousse plus vite et est plus rustique. Ses feuilles sont persistantes et il donne des baies noires. Il en existe plusieurs variétés de forme ronde. La variété 'Convexa' a des feuilles vertes et luisantes, arquées au milieu. La 'Bullata' est aussi une excellente variété. La 'Rotundifolia', aux formes pleines et arrondies, a des feuilles rondes, plates et brillantes. La variété 'Hetz', de texture dense, est la plus rustique.

zones 6-9

Rosier de Hugon (Rosa hugonis). Excellente espèce qui donne une floraison abondante apparaissant dès la fin de mai. Les fleurs, de deux pouces de large, sont simples et prennent une délicate teinte de jaune. Ce rosier pousse particulièrement bien au soleil et ne demande que peu de soins si on le compare à d'autres espèces, notamment les hybrides de thé.

zones 6-9

Azalée 'Pinkshell' (Rhododendron vaseyi). Plante indigène de l'Amérique du Nord. Résistante, elle fournit pendant deux saisons de jolies fleurs roses. Elle se pare de belles couleurs à l'automne. A besoin d'ombre partielle et d'un sol riche et acide.

zones 6-9

Erable nain du Japon (Acer palmatum). Petit arbre buissonneux. Il en existe au Japon plus d'une centaine de variétés qui se différencient par la forme, la texture et la couleur des feuilles. Celles-ci peuvent prendre diverses teintes de vert, de rouge et de violet. On doit cultiver cette plante avec autant de soin que les rosiers. Mais elle décore admirablement, qu'elle soit isolée ou utilisée pour faire des haies. Dans ce dernier cas, on doit espacer les arbustes. L'érable du Japon a besoin d'une ombre légère et de protection contre le vent. Lorsqu'il est bien abrité, il est souvent le dernier arbre à perdre ses feuilles à l'automne.

zones 6-9

Azalées à feuilles caduques (Rhododendrons et hybrides). Les branches principales se redressent et les branches secondaires s'étendent horizontalement. Les feuilles sont rondes, longues et minces et de couleur vert pâle. Les fleurs, qui sont magnifiques, offrent une vaste gamme de couleurs. Les azalées exigent des sols riches et acides et une ombre partielle. Les azalées 'Ghent' sont les plus rustiques et donnent des fleurs qui peuvent atteindre une longueur de un pouce et demi. Parmi les variétés les plus typiques, signalons l'Altaclarene' jaune-orange, la 'Nancy Waterer' jaune, l'Irene Koster' rose pur et la 'Daviesi' blanche ou jaune pâle.

zones 6-9

Les hybrides 'Mollis' ont des fleurs jaune-orange de trois pouces de diamètre. La 'Miss Louisa Hunnewell' jaune-orange, la 'Hugo Koster' rouge orangé et la 'Snowdrift' blanche sont d'excellentes variétés. Les hybrides 'Exbury' sont des 'Mollis' améliorées qui résistent à des températures descendant jusqu'à −17°C et offrent un choix de belles couleurs. Elles poussent au soleil ou à l'ombre partielle.

L'azalée de Kaempfer (R. obtusum kaempferi) peut être de couleur rouge, orange ou cuivre. C'est une plante droite et robuste, qui a sa place dans les terrains boisés et qui peut faire un excellent fond de décor.

Viorne de Burkwood (Viburnum burkwoodii). Arbuste à feuilles persistantes foncées sur le dessus et plus pâles sur le dessous. Aspect nettement sauvage. Les fleurs, de couleur rosâtre, ont des pétales cireux et sont très odoriférantes. Fruits à l'automne. La plante perd parfois ses feuilles quand elle croît dans les régions nordiques. Un arbuste pittoresque qui pousse bien au soleil ou à l'ombre légère.

zones 6-9

Corylopsis pauciflore (Corylopsis pauciflora). Bel arbuste fleurissant au printemps. Les fleurs sont jaune pâle, en forme de clochette. Demande le plein soleil et un milieu protégé.

zones 6-9

 Etalé   Erigé   Arrondi   Evasé | Persistant   Caduc | Floraison remarquable   Feuillage remarquable   Aiguilles

Andromède du Japon *(Pieris japonica)*. Excellent arbuste dont les feuilles passent du vert pâle au vert foncé. Les jeunes pousses zones 6-9 prennent la couleur du bronze. Les fleurs, en forme de clochette, sont groupées en grappes qui retombent légèrement. Elles apparaissent au printemps. Avec le temps, la plante peut atteindre une hauteur de huit pieds. Les troncs tordus sont visibles à travers le feuillage et donnent à la plante âgée un air pittoresque et exotique. Doit être placé à l'abri du vent. Aime l'ombre partielle et les sols riches, acides ou neutres.

Laurier-cerise *(Prunus laurocerasus)*. Arbuste dense et vigoureux, à feuilles persistantes d'un vert foncé. Les feuilles sont en outre zones 7-9 brillantes, étroites et pointues; elles peuvent atteindre une longueur de trois pouces. On peut laisser croître le laurier-cerise librement ou le tailler pour faire des haies. Il pousse au soleil ou à l'ombre partielle. Les variétés 'Schipkaensis' et 'Zabeliana' se distinguent par la beauté de leur couleur et la facilité avec laquelle on peut les cultiver.

Buis commun *(Buxus sempervirens)*. Le buis, qui peut croître durant des dizaines d'années, devient avec le temps une plante zones 7-9 magnifique. Si on le laisse pousser librement, il forme de beaux massifs qui peuvent s'élever jusqu'à une hauteur de six pieds. On peut aussi le tailler pour faire des bordures et des haies. La variété 'Suffruticosa' est celle que l'on emploie le plus souvent pour les haies. Le buis pousse au soleil ou à l'ombre partielle.

Nandine fruitière *(Nandina domestica)*. Tiges nombreuses et droites comme celles du bambou. Feuilles composées et horizontales. Une plante élégante et dégagée qui produit des fleurs blanchâtres au printemps et des baies rouges à l'automne. Dans les régions froides, les feuilles virent parfois au rouge et tombent. Dans les régions chaudes, la plante peut atteindre huit pieds de haut. Pousse bien au soleil ou à l'ombre légère. Au Japon, on s'en servait traditionnellement pour orner l'entrée des maisons.

Romarin officinal *(Rosmarinus officinalis)*. Arbuste de forme étalée et irrégulière aux feuilles odoriférantes, étroites, vert foncé zones 8-9 sur le dessus et grises sur le dessous, qui atteignent un pouce de long. Les épis de fleurs, qui apparaissent au début de l'été, sont de couleur bleu pâle. Pousse particulièrement bien au soleil et supporte les sols secs.

Aucuba du Japon *(Aucuba japonica variegata)*. Plante décorative, d'apparence exotique. Communément appelée « corbeille zones 8-9 d'or ». Ses feuilles, légèrement dentées et marquées de taches dorées, peuvent atteindre jusqu'à huit pouces de long. Il donne des baies rouges à l'automne. Pousse au soleil ou à l'ombre partielle. Il en existe une variété à feuilles entièrement vertes.

Rosiers classiques pour climats doux. Espèce typique. Arbustes plus gros et plus vigoureux que les variétés courantes que l'on zones 8-9 trouve dans les jardins. Le rosier musqué *(Rosa moschata nastarana)* donne en juin des fleurs roses qui atteignent jusqu'à deux pouces de diamètre. Le rosier thé *(R. odorata)* offre un vaste choix de couleurs; ses fleurs sont abondantes et particulièrement parfumées.

A hauteur du bras tendu : 7 pieds ou plus

Amélanchier à feuilles d'aulne *(Amelanchier alnifolia)*. Petites feuilles vertes et ovales. Branches droites et denses. Donne zones 1-9 des fleurs blanches au début du printemps, puis des fruits noirâtres.

Viorne trilobée *(Viburnum trilobum)*. Arbuste vigoureux à feuilles trilobées. En mai, la viorne donne des grappes de fleurs blanches zones 2-9 aplaties et, en été, des fruits rouges comestibles. Elle est idéale pour les grands massifs et les parcs. Semblable à la viorne européenne, ou *V. opulus*, très connue sous le nom de « boule-de-neige » et qui a donné de nombreuses variétés.

Chèvrefeuille de Maack *(Lonicera maackii)*. Fleurs odoriférantes jaune pâle, apparaissant à la fin de mai. Fruits rouge vif qui zones 2-9 durent une partie de l'automne. C'est un des plus grands chèvrefeuilles.

Physocarpe à feuilles d'obier *(Physocarpus opulifolius)*. Arbuste vigoureux à feuilles d'un vert neutre, et dont l'écorce s'écaille. Il zones 2-9 offre l'avantage de pousser quel que soit le degré d'humidité et de s'accommoder de tous les sols.

Erable de l'Amour *(Acer ginnala)*. Un petit érable gracieux. Les feuilles, qui atteignent jusqu'à trois pouces de long, ont un lobe zones 2-9 central prolongé. Brillantes couleurs en automne. Excellent pour faire des écrans.

Chèvrefeuille de Tartarie *(Lonicera tatarica)*. Un chèvrefeuille communément cultivé au Canada. Arbuste rustique, à rameaux dressés et à tiges zones 2-9 creuses. Il donne en mai de nombreuses fleurs dont la couleur varie entre le rose très pâle et le rouge. Ses fruits sont rouges ou jaune orange. Il compose des haies très denses et il ne demande que peu d'entretien. A donné plusieurs variétés horticoles très décoratives comme l''Arnold Red', la 'Hack's Red' et la 'Zabelii'.

Cerisier tomenteux *(Prunus tomentosa)*. Cerisier de forme étalée, à feuillage d'un vert neutre. Au début du printemps, il connaît sa zones 2-9 période de gloire lorsqu'il se couvre de petites fleurs d'un rose clair qui s'estompe peu à peu vers le blanc. Les cerises, rouges et acides, apparaissent au cours de l'été. Excellent pour faire des haies ou des écrans.

Amorphe arbustif *(Amorpha fruticosa)*. Arbuste vigoureux qui appartient à la famille des légumineuses. Il porte des feuilles zones 2-9 composées et donne, au début de l'été, des fleurs bleu hyacinthe, très décoratives. Cet amorphe ne prospérera que s'il est cultivé dans un milieu ouvert et sec.

zones 2-9

Olivier de Bohême *(Elaeagnus angustifolia)*. Un grand arbuste qui se caractérise par ses feuilles d'un gris argenté. Ses branches sinueuses ainsi que la forme et la couleur de son feuillage le font ressembler à l'olivier. Ses fleurs sont petites mais parfumées. Il pousse dans des endroits ensoleillés, secs et sablonneux. L'*E. umbellata* a des branches au ras du sol. Son feuillage est plus argenté et il est presque aussi rustique.

zones 2-9

Caragan de Sibérie *(Caragana arborescens)*. Arbuste très rustique. Les feuilles se composent de 2 à 18 folioles. Il est reconnaissable à ses rameaux d'un jaune tirant sur le brun. Il donne des fleurs jaunes en été, puis des gousses très décoratives. Une plante très utilisée pour sa résistance à la sécheresse et aux vents. Peut servir de haie et ne demande que peu d'entretien.

zones 3-9

Sureau du Canada *(Sambucus canadensis)*. Petites fleurs blanches formant de grosses grappes aplaties. Baies bleu foncé, comestibles. Une plante à larges feuilles composées, d'aspect rugueux. Elle n'est pas recommandée pour les petits jardins, mais elle convient aux endroits que l'on veut laisser plus ou moins à l'état sauvage. La variété 'Maxima' donne des fleurs de un pied de diamètre. La variété 'Aurea' se distingue par ses fruits rouges et son beau feuillage doré. Tous poussent particulièrement bien en plein soleil.

zones 3-9

Genévrier de l'Est *(Juniperus virginiana)*. Conifère indigène de forme conique, étroit, avec des rameaux ascendants. Aiguilles courtes ou en forme d'écailles, piquantes et d'un vert glauque. Il peut servir pour les haies car il est très rustique, croît rapidement et se taille facilement. A donné de très belles variétés horticoles : la 'Burkii' de couleur bleu acier, la 'Canaertii' qui porte une multitude de fruits bleu pâle, la 'Glauca' à grand développement et la 'Sky-

rocket' de forme colonnaire étroite et à feuillage bleu-gris.

zones 3-9

Cornouiller à feuilles alternes *(Cornus alternifolia)*. Arbuste indigène qui, avec le temps, se transforme en un petit arbre. Ses branches étagées, son écorce rayée et sa cime arrondie le rendent très attrayant. Il donne en mai des fleurs blanches disposées en corymbes. Des fruits bleu foncé leur succèdent. Idéal pour les massifs. Aime les milieux semi-ombragés.

zones 3-9

Lilas commun *(Syringa vulgaris)*. Arbuste bien connu dont les fleurs forment des grappes parfumées. Les feuilles, en forme de cœur, sont espacées. Les troncs, minces et élégants, peuvent atteindre une hauteur de 20 pieds. Les fleurs sont blanches, violettes ou mauves. La rouille attaque souvent les feuilles en été. On la contrôle avec plus ou moins de succès par des vaporisations de fongicide, mais de toute façon les dégâts ne sont pas graves. On peut planter les lilas isolément ou en groupe pour faire des écrans. Ils vivent longtemps et n'exigent que très peu de soins. On peut tailler abondamment les gros arbustes. Il existe des variétés hybrides qui se distinguent par la grosseur de leurs fleurs.

zones 3-9

Genévriers au port érigé. A cause de leur riche texture, ces genévriers sont tout indiqués pour faire des écrans ou comme fond de décor. On en trouve plusieurs variétés dans la plupart des pépinières. Le 'Canaertii' se distingue par son feuillage d'un beau vert brillant. Supportent les sols secs. Ne poussent qu'au soleil.

zones 4-9

Fusain d'Europe *(Euonymus europaea aldenhamensis)*. Arbuste très étalé, presque un arbre, qui prend à l'automne une couleur rouge vif semblable à celle du fusain commun, mais dont les feuilles sont plus longues et plus élégantes. Le feuillage persiste jus-

qu'à la fin de l'automne. Excellent pour orner les coins de clôture. Peut servir de haies si on le taille.

zones 4-9

Pruche du Canada *(Tsuga canadensis)*. Aiguilles fines, d'un vert plus ou moins foncé. Atteint une hauteur respectable si on la laisse pousser librement, mais on peut la tailler pour en faire d'épaisses haies. La pruche aime les sols humides, mais s'accommode des sols secs. Elle pousse au soleil ou à l'ombre partielle, quoiqu'elle ait besoin de protection contre le vent.

zones 4-9

Céphalante d'Occident *(Cephalanthus occidentalis)*. Arbuste indigène de forme arrondie qui, en été, se couvre de fleurs blanches en forme de boule, très odoriférantes. Demande un terrain humide et un milieu semi-ombragé. Se plante isolément.

zones 4-9

Viorne de Siebold *(Viburnum sieboldii)*. Elle a de grosses feuilles de six pouces de long et, en mai, elle donne des fleurs blanches et aplaties. L'été, elle porte des baies rouges ou noires.

zones 4-9

Saule épineux *(Hippophae rhamnoides)*. Arbuste dressé, épineux, très drag. onnant. La face interne des feuilles est gris argent. Il donne en septembre de magnifiques fruits jaune orange qui demeurent sur la plante tard à l'automne. Des plants mâles et femelles sont nécessaires pour obtenir une fructification. Idéal pour haies et pour fixer les sables. Demande le plein soleil.

zones 5-9

Viornes. La viorne évasée *(Viburnum dilatatum)* est une des plus fournies et des plus belles de toutes les variétés. Fleurs jaune pâle. Baies rouges en grappes. Feuilles rouges en automne. Excellente comme écran ou fond de décor. Pousse n'importe où et n'exige aucun entretien particulier.

 Etalé　　 Erigé　　 Arrondi　　 Evasé　　|　　 Persistant　　 Caduc　　|　　 Floraison remarquable　　 Feuillage remarquable　　Aiguilles

La viorne du Japon *(V. plicatum mariesii)* est un arbuste rond à feuilles pointues, marquées de veines parallèles. Fleurs blanches, semblables à celles du cornouiller, disposées en rangs au sommet de branches horizontales. Le branchage descend jusqu'au sol. Une très belle plante qui pousse facilement dans tous les jardins.

Troène de l'Amour *(Ligustrum amurense)*. Cet arbuste qui porte un beau feuillage vert foncé est le plus rustique de tous les troènes. Il convient particulièrement pour composer des haies régulières.

Tamaris à cinq étamines *(Tamarix pentandra)*. Arbuste buissonneux à tiges vigoureuses, couvertes de fines ramules retombantes. Fleurs roses en grappes terminales, très décoratives. Il doit être planté de préférence isolément et en plein soleil. On peut le tailler et le rabattre au sol chaque printemps.

Magnolia étoilé *(Magnolia stellata)*. Parvenu à maturité, l'arbuste se couvre d'un épais feuillage vert foncé. Les branches poussent jusqu'au ras du sol. Les fleurs, blanches et en forme d'étoile, peuvent avoir jusqu'à une douzaine de sépales. Elles apparaissent en avril, avant les feuilles. A planter à l'abri du vent.

Cornouiller mâle *(Cornus mas)*. De petites fleurs jaunes, modestes, qui paraissent avant les feuilles, mais de beaux fruits écarlates, comestibles. Feuilles vertes et luisantes qui virent au rouge à l'automne. Un gros arbuste solide et un des premiers à fleurir au printemps.

Arbre à perruque *(Cotinus coggygria)*. Un gros arbuste très joli, dont les rameaux et les feuilles exhalent une odeur agréable quand on les froisse. Il fleurit en juin. Il est particulièrement attrayant lorsqu'il se garnit de fruits dont le pédoncule se couvre de longs poils roses et mousseux. Une plante vedette qui demande un sol calcaire. La variété 'Atropurpureus' a des feuilles pourpre foncé.

Rhododendrons hybrides. D'excellents arbustes à grandes feuilles persistantes. Ils aiment surtout les climats doux. Les variétés sont nombreuses. Parmi les hybrides, les 'Dexter', 'Fortune' et 'Griffith' sont particulièrement conseillés. La variété 'Gill's Crimson' a des fleurs rouges alors que la 'Beauty of Littleworth' a des fleurs blanches.

Saule Marsault *(Salix caprea)*. Un arbrisseau très attrayant, à longues tiges et à gros bourgeons bruns, qui donne au début du printemps d'énormes chatons jaune vif. Il croît en milieu humide. Une espèce indigène, le saule décoloré *(S. discolor)*, est à recommander pour les régions plus froides. Se propage facilement par bouture.

Hamamélis printanier *(Hamamelis vernalis)*. Fleurs jaunes à quatre pétales rubanés, qui apparaissent en mars ou avril, parfois sous la neige. C'est le premier arbuste à fleurir. Les branches, étalées mais ascendantes, ont une apparence nettement sylvestre. Feuilles à lobes ronds. Pousse dans les sols humides, au soleil ou à l'ombre légère. L'hamamélis de Virginie *(H. virginiana)*, espèce indigène, fleurit en octobre et est plus rustique.

Kolkwitzia aimable *(Kolkwitzia amabilis)*. Un arbuste attrayant. Cime arrondie. Petites feuilles pointues. Fleurs roses très luisantes qui apparaissent au début de juin et se transforment en graines brunâtres. Cette plante est vigoureuse et facile à cultiver.

Rhododendron à grandes fleurs *(Rhododendron maximum)*. Le plus haut et le plus rustique de tous les rhododendrons. Longues feuilles persistantes, plus ou moins denses selon les milieux de culture. Dans les régions froides, les feuilles s'affaissent et se fanent. La plante résiste à des baisses de température jusqu'à −3°C mais les bourgeons meurent à environ −6°C. On peut cependant rabattre la plante au sol. La couleur normale des fleurs est le violet rosé. La variété 'Album', par exception,

a des fleurs blanches. Pousse au soleil ou à l'ombre partielle, dans des sols acides et tourbeux.

Gainier du Canada *(Cercis canadensis)*. Petit arbre à tronc droit se ramifiant près du sol en fortes branches dressées, à rameaux grêles. Les feuilles, cordiformes, sont d'un vert brillant en été et jaunissent à l'automne. Ses magnifiques fleurs roses, qui apparaissent en mai, avant les feuilles, font du gainier un arbre qui mérite d'être en vedette. Demande un sol humide et une protection naturelle.

Noisetier à feuilles pourpres *(Corylus maxima purpurea)*. Un arbre élégant au feuillage d'un violet foncé. Les chatons, qui pendent gracieusement des branches au début du printemps, ont une grande valeur décorative qui suffirait à justifier l'emploi de cette plante. A besoin de soleil.

Forsythia *(Forsythia)*. Si facile à cultiver qu'on l'emploie souvent de façon excessive. Jolies fleurs jaunes qui apparaissent dès le début du printemps. Parmi les meilleures variétés, signalons : 'Beatrix Ferrand', à larges fleurs, la 'Spring Glory', jaune pâle, et la 'Lynwood Gold', jaune foncé.

Le forsythia à fleurs pendantes *(F. suspensa)* descend en cascade. On s'en sert surtout au sommet de talus ou de murs.

Pyracanthe ou buisson-ardent écarlate *(Pyracantha coccinea lalandii)*. Fleurs blanches en grappes, suivies de jolies baies rouge orangé. A besoin d'être protégé en hiver mais devient plus résistant avec le temps. Grimpe facilement le long des murs.

Cotonéaster à feuilles de saule *(Cotoneaster salicifolia floccosa)*. Les branches sont gracieusement arquées comme celles du saule. Les feuilles ressemblent aussi à celles de cet arbre. Baies rouges à l'automne. Les feuilles sont persistantes dans les régions chaudes et elles tombent en partie durant l'hiver dans les autres.

Troène commun *(Ligustrum vulgare)*. Cette espèce peut atteindre une hauteur de 15 pieds. Elle se distingue surtout par son magnifique feuillage vert sombre. Quelques-unes de ses variétés offrent un certain intérêt.

zones 6-9

Houx touffu *(Ilex opaca)*. Feuilles pointues et vert foncé, pas aussi brillantes que celles du houx commun mais plus dures. Dépasse facilement 30 pieds de haut. Si l'on mêle plantes mâles et femelles, on obtient des fruits rouges sur les plantes femelles. Parmi les variétés les plus rustiques, on remarque le 'Big Red' et le 'Old Heavy-berry'. Prospère dans les sols riches et bien drainés.

zones 7-9

Aliboufier du Japon *(Styrax japonica)*. Remarquable à la fois pour sa forme, ses feuilles et ses fleurs. Les branches sont étalées et le feuillage est d'un beau vert sombre. Les fleurs apparaissent au début de juin. Elles ont la forme de clochettes et pendent gracieusement aux branches. La transplantation doit s'effectuer lorsque les plantes ne dépassent pas trois pieds de haut. Se cultive facilement aussi à partir de la graine. Résiste aux maladies.

zones 7-9

Franklinia *(Franklinia alatamaha* ou *Gordonia alatamaha)*. A des feuilles étroites, longues parfois de huit pouces. Devient un véritable petit arbre sous les climats doux. Les fleurs, blanches, à cœur jaune, apparaissent en septembre. À l'automne, s'il est cultivé en plein soleil, les feuilles tournent au rouge orangé. Un arbuste ou un petit arbre intéressant pour la couleur de son feuillage et parce qu'il fleurit tard.

zones 7-9

Houx commun *(Ilex aquifolium)*. Feuilles vert foncé et piquantes. La plante peut être de forme plus ou moins ronde ou même érigée. Excellent comme fond de scène ou comme haie, ou encore

zones 7-9

pour décorer les coins des bâtiments. Les plantes femelles produisent des baies rouges, à condition que la plantation comprenne des plantes mâles. Le houx pousse au soleil ou à l'ombre partielle. Il croît mieux dans les sols riches, acides et humides. Le houx cornu *(I. cornuta)* fait de belles haies.

Laurier-cerise du Portugal *(Prunus lusitanica)*. Un arbuste plutôt gros à feuillage persistant. Il fleurit et donne des fruits violets groupés en épis. On peut l'utiliser comme fond de décor ou encore le tailler et s'en servir pour composer une haie. Arbuste utilisé pour les jardins des régions tempérées.

zones 7-9

Cirier *(Myrica cerifera)*. Une plante sauvage, de forme irrégulière, qui peut atteindre de 25 à 35 pieds de haut. Résistante et bien fournie, elle est tout indiquée pour orner le fond d'un jardin. Elle a cependant l'inconvénient de ne pas toujours durer longtemps.

zones 7-9

If commun *(Taxus baccata)*. Plante fortement étalée qui peut devenir avec le temps un arbre de 50 pieds. On peut cependant le tailler à la hauteur voulue si l'on veut s'en servir comme haie. L'if vit des centaines d'années. Il existe une très belle variété, le *T. b.* 'Fastigiata', ou if irlandais.

zones 7-9

Photinia serrulée *(Photinia serrulata)*. Buisson de forme ovale. Grandes feuilles vertes et persistantes. Excellent comme fond de décor. Les fleurs, blanches et aplaties, sont remplacées à l'automne par des grappes de fruits rouge vif. Préfère un terrain bien irrigué.

zones 7-9

Osmanthes *(Osmanthus)*. Arbustes à feuilles persistantes, dentelées et d'un beau vert brillant. Ils donnent des petites fleurs très odoriférantes que dissimule le feuillage. On devrait utiliser l'osmanthe comme écran ou fond de

zones 8-9

décor. Il en existe diverses variétés. L'*O. fortunei* a des feuilles rondes, longues d'environ quatre pouces et de couleur vert foncé. Un arbuste qui peut s'élever jusqu'à six pieds de haut. L'*O. iicifolius* a, comme le houx, des feuilles piquantes, mais qui se font face. Il peut atteindre une hauteur de 20 pieds. Tous les osmanthes s'accommodent de presque n'importe quel sol ou emplacement et se cultivent facilement.

Camellias *(Camellia japonica, C. sasanqua, C. reticulata)*. Le camellia du Japon est une plante bien fournie dont les feuilles, vert foncé, ont environ quatre pouces de long. Sa valeur décorative tient à son feuillage aussi bien qu'à ses fleurs célèbres. Il se cultive bien dans les endroits ombragés et a besoin de nuits fraîches pour fleurir. Cette espèce compte une centaine de variétés dont nous citerons les plus typiques : 'Adolphe Audusson', arbuste érigé à fleurs rouges; l''Alba Plena', à fleurs doubles et blanches; le 'Daikagura', arbuste étalé, à fleurs roses en forme de pivoine.

zones 8-9

Le *C. sasanqua* porte des fleurs et des feuilles plus petites. Le *C. reticulata* est un arbuste érigé qui dépasse les autres en hauteur. Il se distingue par ses larges fleurs.

Troène à feuilles persistantes *(Ligustrum)*. Les diverses variétés se ressemblent au point qu'on les confond très souvent. Toutes ont des feuilles vert foncé et luisantes. Elles servent toutes aussi à composer des haies ou des fonds de décor. On peut les laisser pousser librement ou les tailler pour leur donner la forme qu'on veut.

zones 8-9

Laurier commun *(Laurus nobilis)*. Une plante de forme colonnaire qui peut s'élever jusqu'à une hauteur de 20 pieds. Il peut servir d'écran ou être placé en arrière-plan. On peut aussi tailler cet arbuste pour en faire des haies symétriques ou lui donner les formes ornementales voulues. Pousse bien dans un sol tourbeux et bien irrigué.

zone 9

| Etalé | Erigé | Arrondi | Evasé | Persistant | Caduc | Floraison remarquable | Feuillage remarquable | Aiguilles |

13

La mise en place et l'entretien de la pelouse

Rares sont les plans d'aménagement qui ne comportent pas de pelouse. Comme le dit le vieux dicton, « La nature a horreur du vide ». Tout espace laissé vacant finira donc par se couvrir de verdure sous une forme ou sous une autre.

En fait, rien ne vaut une bonne pelouse pour couvrir le sol. C'est encore une des méthodes les plus simples, les moins coûteuses et les plus esthétiques de le faire. Tous les jardiniers professionnels le savent bien. Aussi les propriétaires qui veulent un jardin facile à entretenir ont-ils intérêt à couvrir de gazon tous les endroits où la tondeuse pourra évoluer sans difficulté. Les appareils modernes, dotés de moteurs, sont particulièrement efficaces sous ce rapport.

Les pelouses forment des tapis attrayants sur lesquels il est agréable de marcher et de jouer. Elles ne coûtent pas cher et poussent en quelques semaines. On peut même les installer en posant des bandes de gazon toutes faites.

Il y a cependant des cas où le gazon ne constitue pas la meilleure solution. Par exemple, si vos voisins se plaignent sans cesse des dégâts que les insectes ou les maladies causent à leurs pelouses, vous feriez bien de songer à une autre façon de recouvrir votre terrain.

Au départ, les autres plantes tapissantes, comme le lierre, le fusain rampant, la pervenche *(Vinca minor)* ou la pachysandre, coûtent plus cher que le gazon. De plus, pour recouvrir entièrement le sol, il leur faut plusieurs années au lieu de quelques semaines. Pendant les premières années il vous faudra aussi arracher les mauvaises herbes, ratisser les feuilles mortes et les brindilles. Pour ce qui est des mauvaises herbes, elles ont au moins l'avantage d'être vertes; il suffit donc d'en ôter la plus grande partie et de laisser les plantes étouffer les autres avec le temps. Mais, une fois bien installées, les plantes tapissantes n'exigent que peu d'entretien.

Les cinq erreurs les plus communes

Si les pelouses ont la réputation d'exiger beaucoup de soins, c'est surtout à cause de certaines erreurs que l'on commet fréquemment dans leur mise en place et leur entretien.

1. On divise le terrain en zones trop petites, par exemple de six pieds de large ou même moins. Le gazon pousse alors moins bien et il est plus difficile à tondre et à arroser.

2. On fait une pelouse bien carrée, donc à angles droits, c'est-à-dire difficile à tondre. Or, en règle générale, il faut tondre le gazon régulièrement, c'est-à-dire 12 à 15 fois par an et même plus dans les régions particulièrement chaudes et humides. Il vaudrait la peine de simplifier le travail en traçant une pelouse sans angles droits, ce qui évite de s'arrêter et de reculer pour changer de direction. En fait, les gazons les plus faciles à tondre sont ceux qui suivent des lignes courbes et qui sont limités par des bordures de béton ou de briques. On peut alors manœuvrer la tondeuse avec rapidité et sans s'arrêter, en plaçant une roue sur la bordure. Pas besoin ensuite de tailler les bords à la main.

3. On choisit une sorte de gazon qui ne convient pas au climat ou à l'usage que l'on fait de la pelouse. Pour vous aider dans votre choix, nous décrivons dans les pages qui suivent les principales espèces de graminées, en indiquant les régions où elles s'adaptent le mieux.

Un beau tapis de gazon bien entretenu met magnifiquement en valeur les arbres et les arbustes. Ici, des massifs de rhododendrons, tous de la même couleur, se répondent d'un bout à l'autre de la pelouse.

251

4. On ne nourrit pas assez le gazon. Une pelouse sous-alimentée ne meurt pas nécessairement, mais elle devient une proie facile pour les insectes, les mauvaises herbes et les maladies. Bien sûr, on se trouve des excuses : « Je passe déjà mon temps à tondre le gazon! Pourquoi le faire pousser plus vite en mettant de l'engrais? » En réalité, l'engrais produit un gazon plus dense mais n'augmente pas la fréquence des tontes. D'ailleurs, même lorsqu'il est mal nourri, le gazon doit être tondu régulièrement. Autrement il a l'air mal entretenu.

5. On s'évertue à faire pousser du gazon là où il ne peut pas pousser : sous une ombre épaisse, sur des pentes accentuées, dans des lieux secs ou, au contraire, perpétuellement inondés, ou encore à des endroits où l'on passe sans cesse. De même qu'aucune graminée ne pousse dans le désert, aucun gazon ne peut vraiment pousser de façon satisfaisante là où l'ombre est permanente.

Les conditions essentielles

En plus d'autres besoins qui peuvent se manifester selon les cas, tels que les traitements contre les insectes et les maladies, toutes les pelouses ont un certain nombre d'exigences dont les principales sont les suivantes.

Le soleil du matin. Le gazon a besoin de soleil durant toute la matinée. C'est là un minimum sans lequel il ne durera pas plus d'un an ou deux. La raison en est simple : la chaleur brutale du soleil, à midi ou dans l'après-midi, après une matinée d'ombre, brûle le gazon en refermant les stomates des feuilles. Le processus de photosynthèse se trouve alors entravé, ce qui arrête la croissance des racines et entraîne la mort de la plante.

Un sol chaud. Les graines de graminées ne germent pas si la température du sol n'est pas d'au moins 10°C. Par ailleurs les racines se développent mieux sous des températures de 2° à 15°C. On trouvera plus de détails sur le sujet dans les pages qui suivent.

Un sol humide mais non trempé. Le sol doit être assez humide pour permettre la croissance des racines, la pousse des nouvelles feuilles et le renouvellement de la chlorophylle dont les plantes ont besoin et qui leur donne leur belle couleur verte. Il ne doit cependant pas être trop mouillé ni trop salé. Un sol trop mouillé empêche les racines de trouver l'air qu'il leur faut, tandis qu'un sol trop salé les déshydrate.

Pour empêcher l'eau de s'accumuler, il faut prévoir un bon système d'écoulement en surface. C'est pourquoi les pelouses devraient toujours s'étaler en pente dans toutes les directions à partir de la maison. Mais dans tous les cas la pente doit être assez douce pour que l'on puisse facilement tondre le gazon et pour que l'eau ne s'écoule pas trop rapidement, ce qui l'empêcherait de pénétrer jusqu'aux racines et entraînerait l'érosion du sol.

Un sol friable. Cette qualité est indispensable pour que les eaux de surface puissent pénétrer dans le sol. Il y a une façon simple de s'assurer que le sol est friable. Prenez une poignée de terre et serrez-la fortement dans votre main, puis relâchez-la. Si elle ne s'émiette pas facilement, c'est que le sol est trop gras. Par contre, si elle s'effrite d'elle-même, le sol est trop sablonneux. Dans les deux cas, recouvrez le sol d'une couche de deux à quatre pouces de tourbe ou d'humus et labourez soigneusement.

Un sol assez profond. La couche de sol arable doit avoir de quatre à huit pouces de profondeur, ce qui lui permet d'emmagasiner une réserve d'eau de un pouce. Cette quantité peut satisfaire aux besoins d'une pelouse pendant environ trois jours sous un climat chaud et pendant une semaine dans des régions plus froides. Ajoutez de la terre végétale si votre sol est trop pauvre.

Un pH satisfaisant. Le pH indique le degré d'acidité (ou d'alcalinité) du sol. La plupart des gazons poussent mieux dans un sol légèrement acide (pH de 5.5 à 6.5). A un pH de 7 le sol est neutre; au-dessus de ce niveau, il devient alcalin et donc peu propice à la croissance du gazon. Vous pouvez d'ailleurs faire analyser votre sol par les services du ministère de l'Agriculture. Si le sol est trop acide, ajoutez de la chaux. S'il est trop alcalin, ajoutez du gypse.

Une alimentation régulière. Le gazon étant fréquemment tondu, il faut le nourrir régulièrement. Utilisez à cette fin un engrais complet qui contient de l'azote, du phosphore et de la potasse. A chaque application calculez une livre d'azote pour 1 000 pieds carrés de pelouse.

Comment choisir votre gazon

Vous vous épargnerez beaucoup de temps et de travail si vous choisissez, pour votre pelouse, un type de gazon adapté au climat de votre région. La chose est d'autant plus facile que la plupart des espèces qui conviennent aux climats froids poussent très bien partout au Canada. (Certaines espèces appropriées aux climats secs prospèrent aussi dans les plaines des Prairies.)

A cette règle générale, cependant, il faut apporter quelques restrictions. Ainsi, dans certaines régions, il peut exister un microclimat sensiblement plus chaud ou plus froid que le climat normal de la zone environnante. Si vous habitez l'une de ces régions, vous avez tout intérêt à consulter les spécialistes qui y résident ou les services gouvernementaux. Vous pouvez aussi vous adresser à un pépiniériste reconnu ou même à un voisin qui obtient d'heureux résultats avec sa pelouse.

Les gazons des climats froids — pâturins, fétuques et agrostides — poussent très bien dans les diverses régions du Canada. Ces espèces, cependant, ont besoin de beaucoup d'eau; si on les utilise dans les Prairies, il peut donc être nécessaire d'irriguer le terrain. Dans ces régions, par ailleurs, on peut les remplacer par des espèces indigènes qui sont moins luxuriantes mais dont la culture ne pose pas de problèmes.

Les pâturins

Le pâturin était déjà connu en Europe depuis plusieurs siècles lorsqu'on lui donna, en 1753, son nom scientifique de *Poa pratensis*. Les missionnaires français l'avaient importé dans la région des Grands Lacs avant 1700. Après 1830, on lui a donné le nom de pâturin du Kentucky.

Chaque année, on sème au Canada des centaines de milliers de livres de pâturin. Une bonne partie de cette semence, cependant, est littéralement gaspillée à cause de cette habitude très répandue de réensemencer chaque année, comme par une sorte de rite. Le pâturin, pourtant, se renouvelle tout seul. Avec les soins appropriés, il peut même durer indéfiniment. D'ailleurs les nouvelles graines que l'on répand sur une pelouse sont généralement étouffées par le gazon déjà établi.

Les pâturins de grande qualité. Pendant longtemps, on a utilisé à travers le Canada, à l'exception des régions du Grand Nord, le pâturin ordinaire, dit du Kentucky. On s'en est servi aussi bien pour les terrains de golf que pour les pelouses. Mais il existe maintenant des espèces sélectionnées dont la qualité est supérieure à bien des points de vue. Elles ont notamment l'avantage de ne pas croître trop vite et d'avoir de larges feuilles et de profondes racines, ce qui leur permet de mieux résister à la chaleur et à la sécheresse.

Les pâturins larges. Le 'Merion'. Réputé depuis longtemps, mais vulnérable au mildiou.

Le 'Windsor'. Perd sa couleur durant la saison froide, mais reverdit lentement au printemps. Très vulnérable aux maladies fongiques.

Le 'Nugget'. Bleu-vert foncé. Bonne texture. Garde sa couleur jusqu'aux neiges.

Le 'Delta'. Résiste bien au mildiou. Recommandé pour les endroits humides et ombragés.

Le 'Park'. Exceptionnellement vigoureux. Pousse bien droit. Servait à l'origine à faire du foin.

Les pâturins fins. Le 'Fylking'. Très belle couleur l'été et l'automne. Grosses graines (il en faut le double de la quantité ordinaire). Exige des applications d'engrais et des arrosages réguliers. Peut être tondu ras. Couleur pâle.

Le pâturin extra-fin. Le 'Prato'. Brins exceptionnellement fins qui donnent à la pelouse l'apparence d'un épais tapis.

Deux pâturins à exclure. Le pâturin rude *(Poa trivialis)*. On le recommandait autrefois pour les lieux ombragés. S'il résiste mieux à l'ombre que les autres pâturins, il est par contre très vulnérable à la chaleur et aux maladies et dure rarement plus d'un an.

Le pâturin annuel *(Poa annua)*. Aussi connu sous le nom de « gazon d'hiver ». Certains le considèrent comme une mauvaise herbe. Bien entretenu, il fait d'excellentes pelouses de golf, car il résiste à la sécheresse et s'accommode de sols lourds et peu fertiles. Autrefois vulnérable aux maladies; on le protège maintenant avec des fongicides.

Les fétuques

La fétuque rouge *(Festuca rubra)* donne un gazon fin qui devient de plus en plus dense quand elle est semée dans des endroits secs et ensoleillés. Elle ne supporte ni les sols trop argileux, ni les tontes de moins de 1½ pouce, ni les lieux trop humides. Ne lui donnez pas d'engrais en plein été : elle risquerait de contracter des maladies.

Les fétuques de grande qualité. Elles sont évidemment plus coûteuses que les espèces ordinaires (Rouge ou 'Chewings').

La 'Pennlawn'. Se répand rapidement pour former une pelouse épaisse. Elle n'est pas aussi verte que l'espèce 'Chewings', mais elle se tond plus facilement.

La 'Highlight Chewings'. La seule fétuque qui forme une couche épaisse lorsqu'on la coupe à moins de 1½ pouce.

La 'Dawson', la 'Golfrood' et la 'Ruby'. Elles sont fort répandues en Hollande où on les considère de qualité supérieure, mais elles n'ont pas encore fait leurs preuves en Amérique du Nord.

Les fétuques larges. La fétuque élevée *(Festuca elatior)* a l'avantage de germer et de pousser rapidement, ce qui la rend très populaire auprès des gens qui sont pressés. Elle donne cependant un gazon rude et touffu qui se tond difficilement.

La grande fétuque *(Festuca arundinacea)*, souvent considérée comme une mauvaise herbe, résiste à tous les herbicides. Si on la sème seule et de façon dense, elle est utile pour les terrains de jeux et le long des routes. On trouve au Canada les variétés 'Alta' et 'Kentucky 31' (à ne pas confondre avec le pâturin du même nom).

Presque tous les mélanges de graines bon marché contiennent de la fétuque ordinaire, même si l'étiquette ne l'indique pas. Il suffit alors d'une proportion de 1% de fétuque ordinaire pour répandre 50 000 graines sur 1 000 pieds carrés de terrain. Laissez germer les graines, puis arrachez les pousses lorsque le sol est mou, par exemple après une pluie ou un arrosage.

La fétuque dure *(Festuca ovina)* donne un gazon plutôt rugueux et de couleur médiocre. La plupart des gens le trouvent très difficile à tondre.

Les ray-grass

Le ray-grass anglais *(Lolium perenne)* doit sa popularité à son coût modique et au fait qu'il donne rapidement une pelouse acceptable. Il lui suffit de 5 à 10 jours pour produire une sorte de duvet qui peut passer pour du gazon. Sans être vraiment permanent, il peut durer de trois à quatre ans. Il s'étend par touffes et ne donne pas de pelouse bien fournie comme le pâturin ou la fétuque rouge.

Dans la catégorie des ray-grass, le 'Manhattan' est sans doute l'espèce qui donne le gazon le plus dense, bien qu'à cet égard il ait désormais à affronter la concurrence de nouvelles espèces hollandaises comme le 'Barvestra', le 'Reveile', le 'Barlatra' et le 'Taptoe'.

Le ray-grass italien *(Lolium multiflorum)* ne dure, en principe, qu'un an. Il est donc indiqué pour les aménagements provisoires. Les graines sont généralement mélangées à des semences de ray-grass anglais, de sorte que certaines herbes durent de trois à cinq ans. Dans une pelouse de pâturin ou de fétuque, on le considère d'habitude comme une mauvaise herbe.

La plupart des pâturins, comme les fétuques et les ray-grass, poussent bien dans les endroits où la température du sol ne dépasse pas 15°C la nuit. Les fétuques s'accommodent particulièrement bien des nuits fraîches. La 'Pennlawn' et la grande fétuque sont celles qui s'adaptent le mieux aux variations de température.

Les agrostides

Ce sont les espèces traditionnellement utilisées pour les terrains de golf. Fines et élégantes, elles exigent des soins plus attentifs que la plupart des autres graminées.

L'agrostide à petites feuilles *(Agrostis tenuis)* existe en diverses variétés : 'Astoria', 'Highland' et 'Exeter'.

L'agrostide rampante *(Agrostis palustris)* comprend des centaines de variétés dont les plus connues sont la 'Seaside', la 'Penncross', la 'Congressional' et la 'Old Orchard'. On l'utilise sur presque tous les terrains de golf.

L'agrostide blanche *(Agrostis alba)* entre dans la composition des mélanges bon marché dont l'étiquette indique généralement qu'ils contiennent de l'agrostide. Elle ne vaut pas les espèces utilisées sur les terrains de golf et elle se fait étouffer par le pâturin du Kentucky.

Comment réussir votre pelouse

A en juger par la correspondance que reçoivent les pépiniéristes et les services gouvernementaux d'agriculture, la plupart des gens semblent avoir des difficultés avec leurs pelouses.

Pourtant, la pelouse provient de graminées vigoureuses et peu exigeantes qui, laissées à elles-mêmes, peuvent pousser presque n'importe où. Sa culture ne devrait donc pas être difficile : il est même possible de transformer un champ couvert de chaume en une belle pelouse, simplement en y semant du pâturin qu'on fertilise.

Les spécialistes recommandent les méthodes les plus simples. D'ailleurs, lorsqu'il s'agit de leur propre gazon, ils s'en tiennent généralement aux principes fondamentaux de la fertilisation, de la tonte et de l'arrosage. Les jardiniers amateurs, poussés par les conseils de leurs voisins, des vendeurs et des chroniqueurs, infligent parfois à leur gazon des traitements aussi inutiles qu'impitoyables. Certains scalpent littéralement leur pelouse, s'imaginant ainsi la « renforcer ». (En réalité, on entrave la croissance du gazon lorsqu'on coupe plus du tiers de la feuille. En outre, plus le gazon est court, plus la digitaire, qui aime le soleil, s'y trouve à l'aise.) Celui qui doublerait la dose d'engrais dans le but de faire pousser son gazon deux fois plus vite aurait une grande déception : en deux jours sa pelouse pourrait être complètement brûlée. De même, le jardinier peu averti qui arroserait copieusement son gazon dans l'espoir de noyer le champignon parasite qui y fait souvent son apparition verrait celui-ci se répandre en toute liberté.

Si vous voulez obtenir le meilleur gazon sans trop de complications, commencez par choisir une graminée de qualité qui convient à votre région. Evitez les mélanges bon marché qui contiennent généralement du ray-grass ou d'autres espèces de courte durée, auxquels on ajoute une bonne dose de graines médiocres, y compris souvent des mauvaises herbes.

Les meilleurs mélanges, en fait, se composent de pâturin du Kentucky et de fétuque rouge. Cependant, pour les endroits ombragés, la meilleure formule reste encore un mélange de 75% de fétuque fine et de 25% de pâturin du Kentucky, c'est-à-dire les proportions inverses des graminées qu'on utilise pour les endroits ensoleillés.

Enfin, n'oubliez pas que les espèces délicates exigent des soins minutieux. Les agrostides, par exemple, nécessitent des tontes, des applications d'engrais et des arrosages fréquents.

Pour ce qui est des principaux soins à donner au gazon — fertilisation, tonte et arrosage — on a tendance à négliger le premier, à exagérer le second et à pratiquer le troisième trop souvent mais avec parcimonie. Parlons d'abord de la tonte. Il est essentiel que la tondeuse soit bien aiguisée, sinon vous risquez d'arracher le gazon. Si vous utilisez du pâturin, laissez-lui une hauteur de $1\frac{1}{2}$ à 2 pouces.

La fréquence des arrosages varie selon les régions. En règle générale, on peut voir à deux signes qu'un gazon a besoin d'eau : s'il commence à prendre une teinte bleuâtre et s'il garde les traces de pas. Que penser des arrosages peu fréquents mais prolongés? En fait, parce qu'ils permettent à l'eau de pénétrer jusqu'à une profondeur d'au moins six pouces, ils facilitent la croissance des racines et, par conséquent, sont très profitables. Par ailleurs, contrairement à ce que l'on croit souvent, on peut très bien arroser les pelouses en plein soleil.

Si vous suivez les conseils des spécialistes, votre tâche sera simplifiée, mais il vous restera néanmoins à déceler les dangers qui menacent votre pelouse. Le pire, c'est évidemment les mauvaises herbes, parmi lesquelles la digitaire est la plus menaçante. Dans la famille des insectes nuisibles, il faut surtout surveiller les vers, qui rongent les racines, et les punaises de céréales, qui s'attaquent aux feuilles. Heureusement, il existe des remèdes pour presque tous les problèmes. Les renseignements que nous vous avons déjà donnés devraient vous permettre de trouver des solutions, à condition que vous sachiez diagnostiquer le mal.

Citons, à titre d'exemple, le cas d'un jardinier dont le gazon, pourtant tout neuf, jaunissait et dépérissait à vue d'œil. La raison : le manque d'engrais. En augmentant la quantité d'azote, il a promptement remédié à la situation.

Un autre s'est débarrassé de la digitaire tout simplement en ajustant les lames de sa tondeuse à une hauteur de deux à trois pouces. Auparavant, il coupait son gazon beaucoup trop ras, ce qui permettait à la digitaire de prospérer. Il suffisait de laisser le gazon devenir assez fort pour se défendre tout seul.

Les huit étapes du gazonnage

La mise en place de votre pelouse sera une tâche bien moins ardue si vous procédez par étapes. Commencez par préparer le terrain, puis ensemencez. Ensuite viendront les soins de reprise et l'entretien régulier.

Tout d'abord, quand faut-il ensemencer? Dans les régions froides, septembre est le meilleur moment pour le faire. La température est alors fraîche et le sol ne s'assèche pas comme en été. L'autre saison propice est le début du

1. Nivelez le terrain de façon cependant à lui donner une pente dans toutes les directions à partir de la maison. Etalez ensuite la terre végétale. Arrosez pour repérer les endroits où l'eau pourrait s'accumuler. Vérifiez aussi s'il n'y a pas de bosses où le gazon serait arraché par la tondeuse.

2. Labourez le sol, mais sans excès. Des particules de terre de la grosseur d'un pois et de nombreux interstices permettront à la terre d'absorber les graines. Ajoutez les amendements : gypse, chaux, etc. Nivelez ensuite le sol et arrosez-le pour qu'il se tasse mieux. Attendez environ un jour avant d'ensemencer.

3. Epandez la graine de façon régulière mais pas trop dense. Les plantules ont besoin de place. Si les graines sont trop serrées, les plantules se multiplieront d'abord pour ensuite se nuire. Choisissez des graines de qualité et calculez une ou deux livres de semences par 1 000 pieds carrés.

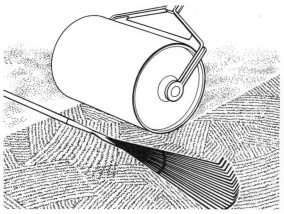

4. Ratissez légèrement, par exemple avec le dos d'un râteau de bambou, de façon à ne recouvrir qu'environ la moitié des graines. Passez ensuite le rouleau vide pour bien fixer les semences. N'oubliez pas que pour germer les graines ont besoin de lumière, d'humidité, d'oxygène et de chaleur.

printemps : le gazon est devenu assez vigoureux quand viennent les chaleurs de l'été. (Là où les pluies printanières risquent d'emporter les graines, il faut couvrir les zones ensemencées avec de la paille ou de la toile de jute.)

Pour un sol imparfait, la mousse de tourbe offre une solution-miracle. Sur un sol trop sablonneux qui ne retiendra pas l'eau dont les racines ont besoin, ajoutez quatre pouces de mousse de tourbe. Si le sol, au contraire, est trop lourd et argileux, ce qui empêcherait le passage de l'air et de l'eau, la tourbe résoudra encore le problème. Enfin, s'il y a lieu de corriger le pH du sol, ajoutez aussi, selon le cas, de la chaux ou du gypse et mélangez-les soigneusement à la terre avant d'ensemencer.

5. Engraissez le sol abondamment, car les graines de gazon ne contiennent que la quantité de matières nutritives nécessaire à la germination et à la formation des racines. Pour continuer de croître, l'herbe a donc besoin d'engrais. Appliquez-le soit immédiatement avant, soit immédiatement après l'ensemencement.

6. Arrosez la pelouse neuve deux ou trois fois par jour, par exemple à 10, 13 et 16 heures. N'oubliez pas que les graines ont besoin d'humidité pour germer. Jusqu'à ce que le gazon émerge bien, c'est-à-dire durant environ les deux premières semaines, le sol ne doit jamais être complètement sec.

7. Tondez le gazon dès qu'il mesure plus de deux pouces de hauteur. Les premières tontes sont particulièrement importantes. Durant la première année, ne coupez pas le gazon tant qu'il n'a pas deux pouces, sauf dans le cas de certaines espèces qu'il faut tondre à un pouce. Enlevez toutes les rognures.

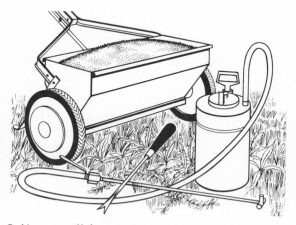

8. Ne vous affolez pas lorsque les mauvaises herbes font leur apparition. La majeure partie disparaît généralement dès que l'on a commencé les tontes hebdomadaires. On se débarrasse des autres l'année suivante en utilisant un engrais contenant un herbicide, ou en mettant dès le début un produit préventif.

Autres méthodes

Voici trois autres façons de réaliser une pelouse. Elles donneront aussi de bons résultats à condition que l'on procède avec soin et que l'on tienne compte du climat.

Les bandes de gazon. Cette méthode consiste à enlever une pelouse déjà établie et à l'installer ailleurs. On sème des graminées expressément à cette fin, puis on « pèle » le gazon obtenu par bandes de dimensions régulières (18 pouces sur 6 pieds) qu'on pose ensuite en les déroulant comme un tapis. Les bandes doivent être assez minces (environ $\frac{3}{4}$ de pouce) pour que les nouvelles racines s'enfoncent immédiatement dans le sol. Après une dizaine de jours, le gazon est solidement implanté. Pour aider à la croissance des racines, il faut arroser le gazon et l'engraisser généreusement. Les amateurs font souvent l'erreur de détacher des bandes trop épaisses, en s'imaginant qu'elles résisteront mieux à la transplantation. En fait, on a intérêt à acheter des bandes toutes prêtes dans un établissement reconnu.

Cette technique permet d'obtenir avec certitude et rapidité un gazon épais et exempt de mauvaises herbes. Pour un prix à peine plus élevé on épargne les engrais, on limite les arrosages et les tontes et on évite les six mois d'attente qu'exige une pelouse ensemencée.

Les stolons. On peut utiliser des stolons d'un gazon établi (généralement de l'agrostide), que l'on a coupés ou arrachés. On les répand sur un sol préparé, comme des graines semées à la volée. Un boisseau de stolons suffit pour environ 200 pieds carrés de terrain. Pour qu'ils soient bien en contact avec le sol, on passe le rouleau à plusieurs reprises, puis on étend une couche de un quart de pouce de terre et de tourbe mélangées en proportions égales. Il faut arriver à couvrir les trois quarts des stolons. Puis on passe de nouveau le rouleau et on arrose régulièrement de façon à garder le sol bien humide pendant au moins dix jours. Au bout de trois ou quatre mois, le nouveau gazon devrait être dense et solidement implanté. Si on l'arrose fréquemment, on peut le tondre après deux semaines.

Enfin, on peut aussi acheter des stolons d'agrostide de qualité supérieure qu'on utilise pour la multiplication végétative. Il s'agit généralement non pas de graines, mais de pousses prélevées sur des terrains de golf ou des pelouses sélectionnées.

L'entretien de la pelouse

La tonte. Il est bon de couper le gazon dès qu'il a poussé de un pouce. En le laissant devenir plus long, on risque, surtout si on le tond d'un seul coup, de l'exposer aux brûlures du soleil. En règle générale, on peut le tondre une fois par semaine s'il dépasse deux pouces.

La fertilisation. Pour rester verte et fournie et pour résister aux mauvaises herbes, une pelouse a absolument besoin d'être nourrie. L'élément nutritif principal est l'azote. La quantité nécessaire dépend de l'espèce de graminée utilisée, et la fréquence des applications varie selon le type d'engrais et son contenu en azote. Ainsi l'engrais 20-10-5 ne contient que 20% d'azote : il en faudra donc cinq livres pour donner une livre d'azote.

Pour la *fétuque*, on utilise deux livres d'azote par an pour 1 000 pieds carrés. (Soit 10 livres de 20-10-8 pour un espace de 20 pieds sur 50.)

Pour le *pâturin commun* et le *pâturin Fylking*, on calcule quatre livres par an pour 1 000 pieds carrés. (Soit 20 livres de 20-10-8 pour un espace de 20 pieds sur 50.)

Pour le *pâturin Windsor*, il faut six livres par an.

Pour le *pâturin Merion*, huit livres par an.

Attention! N'appliquez pas plus de une livre d'azote par 1 000 pieds carrés à la fois. Autrement, vous risqueriez de brûler et même de tuer le gazon. D'ailleurs, cette dose est déjà excessive pour la plupart des gazons, à moins d'arroser copieusement aussitôt après l'application.

L'effet d'un engrais à action rapide, comme les produits à base d'ammoniaque, de nitrate ou d'urée, peut durer de une à trois semaines.

L'effet d'un produit à action lente, comme le formaldéhyde azoté ou l'azote organique, peut se prolonger pendant une période de quatre à six semaines.

Remarque : Dans le cas de l'IBDU et des urées enrobées de soufre, qui sont les produits les plus récents et dont les effets durent le plus longtemps, une seule application suffit pour une période de deux à six mois. Ainsi, une application effectuée au printemps peut fournir assez d'azote pour l'année. Les particules se dissolvent progressivement à un rythme prévu, dégageant chaque jour une certaine quantité d'azote.

L'arrosage. Dans les régions où la pluie ne lui fournit pas un pouce d'eau par semaine, le gazon doit être arrosé régulièrement. En règle générale, pour déverser un pouce d'eau, les arroseurs automatiques doivent rester au même endroit de quatre à huit heures. Vérifiez le débit de votre appareil en plaçant à sa portée des boîtes de conserves vides : vous verrez le temps qu'il faudra pour y recueillir un pouce d'eau. A noter que dans les pentes prononcées et les endroits chauds et secs, il faut plus d'un pouce d'eau pour bien alimenter les racines.

De nombreux sols, surtout dans les régions arides,

sont trop denses pour absorber même ¼ de pouce d'eau à l'heure : le reste s'écoule en surface. On perd aussi une certaine quantité d'eau sur les sols sablonneux qui n'absorbent que ½ pouce à la fois : il faut donc arroser plus souvent.

Le début de la matinée est le meilleur moment pour l'arrosage. Ensuite vient le milieu de la journée. La fin de l'après-midi et le soir sont moins indiqués parce que le gazon est particulièrement exposé aux maladies fongiques s'il reste mouillé pendant la nuit.

Toute eau potable est bonne pour le gazon. L'eau des piscines, par contre, est parfois trop riche en chlore.

Le désherbage. Les pelouses en santé ne contiennent à peu près pas de mauvaises herbes. La présence de ces dernières indique donc quelque erreur dans la tonte, la fertilisation ou l'arrosage.

Prenez soin d'utiliser le produit qui convient au gazon en cause, et ce, au moment propice et dans les quantités appropriées. Pour absorber la dose qui leur sera fatale, les mauvaises herbes doivent être en pleine croissance. Au printemps, attendez, par exemple, que les pissenlits soient en fleur pour les exterminer. Si le temps est sec, arrosez copieusement le sol, puis attendez deux ou trois jours pour donner aux herbes le temps de pousser et d'absorber l'herbicide.

Les applications d'herbicide effectuées en fin d'automne peuvent ne donner aucun résultat visible, mais les mauvaises herbes attaquées ne passeront pas l'hiver.

Après avoir appliqué un herbicide, vous pouvez ratisser le gazon, mais légèrement. Si vous y allez trop fort, vous risquez de ramener à la surface des graines de mauvaises herbes qui pourront alors germer.

Les engrais herbicides. Les herbicides doublés d'engrais sont particulièrement efficaces. N'oubliez pas, cependant, qu'ils ont des effets rigoureux sur le gazon et qu'ils ne doivent pas être considérés comme des engrais ordinaires. Ne les utilisez donc que s'il y a vraiment des mauvaises herbes dans votre pelouse.

Assurez-vous aussi que le produit employé n'est pas dangereux pour les racines d'arbres ou d'arbustes. Ainsi les produits riches en MCPA peuvent faire mourir un arbre, même en ne s'attaquant qu'à une seule racine principale.

Vers, insectes et maladies. La situation sera grave seulement si la pelouse est mal entretenue. Cependant, il faut intervenir énergiquement si les vers blancs font leur apparition. Injectez alors dans le sol des spores d'une bactérie *(Bacillus popillae)* qui leur communiqueront une maladie laiteuse. Si vous avez eu des ennuis avec les vers gris l'année précédente, utilisez des produits chimiques préventifs. Dans le cas de la rouille, appliquez de l'engrais plus souvent.

L'enlèvement des rognures. Il arrive souvent que les rognures résultant des tontes et les brins d'herbe desséchés s'accumulent sur le sol sans se décomposer. Il faut alors les enlever. Autrement ils finiront par former une couche étanche qui empêchera la pénétration de l'eau et des matières nutritives, bloquant ainsi la croissance des racines. Le gazon s'affaiblira, se fanera sous l'effet de la chaleur et deviendra la proie des insectes et des maladies. Pour y remédier, vous pouvez louer des appareils qui hachent les rognures.

La meilleure époque pour effectuer cette opération se situe après les grandes chaleurs du milieu de l'été. Le gazon se remet alors rapidement des dégâts qu'il a subis. Par contre, le printemps n'est pas un moment propice parce que le gazon n'aura pas le temps de reprendre sa vigueur avant les chaleurs de l'été.

Vous aurez sans doute à enlever une impressionnante quantité de rognures et de brins d'herbe : jusqu'à deux pouces d'épaisseur. Il se peut aussi que, par la suite, vous assistiez à une véritable invasion de mauvaises herbes, notamment de mouron des oiseaux à l'automne et de digitaire au printemps.

L'aération. Il existe des appareils qui fendent le sol pour permettre à l'eau et aux éléments nutritifs de pénétrer jusqu'aux racines. Si le sol est trop compact, c'est généralement parce qu'on y circule trop lorsqu'il est mou.

Les aérateurs les plus efficaces sont les modèles mécanisés, munis d'une rangée de lames et d'une série de dents qui percent et déchirent les herbes mortes accumulées à la surface du sol.

On peut aussi utiliser des rouleaux à clous ou des appareils qui creusent des trous, mais les résultats sont moins satisfaisants.

Le chaulage. Comme il s'agit d'un travail ardu, pénible et salissant, les propriétaires sont généralement convaincus que le chaulage doit être excellent pour leur gazon. Sans compter que le spectacle, qui s'impose à la vue de tous, est de nature à impressionner les voisins.

Il ne faudrait pas oublier, cependant, que la chaux n'est aucunement un engrais, mais un produit chimique qui sert simplement à amender le sol.

Tant que le pH de votre sol reste inférieur à 6.0 vous pouvez attendre l'année suivante pour ajouter de la chaux. Pour faire l'analyse du sol, vous pouvez vous adresser au ministère de l'Agriculture ou à un agronome. Il se vend aussi des nécessaires avec lesquels vous pouvez faire la vérification vous-même. Quant au produit à utiliser, le meilleur est la chaux dolomitique.

On peut aussi améliorer les sols alcalins en y ajoutant du gypse qui fournit du calcium et allège le sol sans augmenter l'alcalinité. Avec 40 livres de soufre agricole par 1 000 pieds carrés, on fait baisser le pH d'environ un point.

259

Les plantes tapissantes

On se sert généralement de gazon pour tapisser de grandes étendues de terrain. Pourtant on pourrait utiliser tout autant le lierre anglais, la pervenche ou la pachysandre, et même des plantes à fleurs comme le muguet, l'alysse et la capucine.

Comme le savent tous les propriétaires de jardins, il y a des endroits où il est inutile de s'évertuer à semer du gazon. Il en est ainsi des lieux trop ombragés ou trop exposés au soleil, de même que des endroits où le sol est trop humide, trop sec ou rocailleux, des pentes, et des recoins situés sous des arbres ou près des rochers. Pour tous ces cas, il y a cependant des plantes tapissantes qui conviennent parfaite-

ment. Nous vous en proposons une liste à la page suivante.

Une fois bien établis, ces tapis de plantes exigent moins d'entretien que le gazon, mais leur plantation demande des soins attentifs. Remplissez tout l'espace disponible et assurez-vous que les racines sont en bon état. Plantez-les dès le début du printemps, ou à l'automne dans les régions où le climat est doux. Durant les deux ou trois premières années, il est indispensable d'arroser et de désherber régulièrement. Par la suite on peut se contenter d'un minimum d'entretien. Enfin, pendant les premières années, il est toujours recommandé d'engraisser le sol au printemps.

Les fraisiers sauvages, en plus d'être extrêmement résistants, font un tapis touffu qui, ici, contraste avec les dalles lisses du sentier. Ils ont besoin de beaucoup de soleil et d'un sol bien irrigué.

La pachysandre pousse à merveille dans les endroits ombragés. Le sol doit être enrichi régulièrement pour remplacer les matières nutritives absorbées par les racines des arbres.

Le lierre anglais est tout indiqué pour les pentes. Il fait un couvre-sol attrayant qui empêche l'érosion du terrain. Pas besoin de tailler les bords à la main : une tondeuse rotative fait très bien l'affaire.

Les meilleures espèces

Nous avons choisi, pour vous les proposer ici, des plantes attrayantes, résistantes, qui conviennent parfaitement pour couvrir le sol.

zones 3-9 Asaret du Canada *(Asarum canadense)*. Belles feuilles en forme de cœur. Pousse bien à l'ombre, dans les sols riches et humides.

zones 3-9 Achillée millefeuille *(Achillea millefolium)*. Pousse bien au soleil et dans les sols pauvres et secs. De deux à trois pouces de haut.

zones 3-9 Muguet de mai *(Convallaria majalis)*. Bien connu pour ses petites fleurs blanches parfumées. Pousse à l'ombre légère dans des sols riches et humides.

zones 4-9 Bugle *(Ajuga reptans)*. Feuillage luisant et fleurs bleues au printemps. Pousse rapidement au soleil ou à l'ombre. A besoin d'un bon sol humide.

zones 4-9 Cotonéaster apprimé *(Cotoneaster adpressa)*. Petites feuilles et fruits rouges. Pousse dans un sol ordinaire.

zones 4-9 Herbe des goutteux *(Aegopodium podagraria)*. Plante de croissance rapide. Feuilles larges et fleurs blanches. Prospère aussi bien à l'ombre qu'au soleil.

zones 4-9 Pachysandre *(Pachysandra terminalis)*. Plante basse très populaire. De six à huit pouces de haut.

Pousse en milieu semi-ombragé.

zones 4-9 Petite pervenche *(Vinca minor)*. Plante robuste à feuilles vert foncé. Fleurs blanches ou bleues. A besoin d'ombre. Feuillage caduc.

Le genévrier de Wilton a des feuilles basses et plates, de couleur bleu-vert. *(Zones 2-9.)*

zones 4-9 Statice armeria *(Armeria maritima)*. Plante qui pousse en touffes. Fleurs roses au printemps. Aime les sols sablonneux.

zones 5-9 Bruyère commune *(Calluna vulgaris)*. De six pouces à deux pieds de haut. A besoin du plein soleil et d'un sol humide et plutôt acide. Nombreuses variétés.

zones 5-9 Fusain fortune *(Euonymus fortunei radicans)*. Ressemble à du lierre. Pousse dans n'importe quel sol.

zones 6-9 Lierre commun *(Hedera helix)*. A besoin d'ombre et d'un sol riche, gras et plutôt humide.

zones 6-9 Rosier 'Max Graf' *(Rosa 'Max Graf')*. Fleurs basses de teinte rose pour de larges plates-bandes. Pousse dans les sols ordinaires, en plein soleil. Peut s'élever à un ou deux pieds.

zones 7-9 Cytise du Portugal *(Cytisus albus)*. Plante de 6 à 12 pouces de haut, à fleurs blanches en forme de pois. Pousse en plein soleil dans des sols bien drainés.

zones 7-9 Millepertuis à grandes fleurs *(Hypericum calycinum)*. Feuillage attrayant et fleurs jaunes en été. Excellent dans les sols riches et sablonneux. A besoin de soleil.

La potentille tridentée a des fleurs blanches et atteint de deux à huit pouces de haut. *(Zones 1-9.)*

14

Comment tirer parti des fleurs

Pour l'architecte paysagiste, les fleurs sont l'équivalent de la palette du peintre. Annuelles et vivaces lui offrent une gamme infinie de couleurs. Le plus souvent, il s'en tiendra cependant à quelques espèces qu'il assortira dans des massifs. Le jardinier amateur, pour sa part, préférera plutôt la variété : une petite quantité de fleurs de plusieurs espèces aiguisera plus vivement son intérêt. De ces deux points de vue opposés découlent des méthodes de plantation différentes.

Quoi qu'il en soit, pour produire un effet vraiment marquant sur le paysage, il faut de grandes quantités de fleurs. Il est conseillé de planter les vivaces et les annuelles par douzaines, et les plantes bulbeuses par centaines. Les fleurs de même couleur doivent être concentrées en massifs et en plates-bandes pour donner un meilleur coup d'œil.

C'est, bien sûr, au moment de la floraison que les plantes resplendissent de toute leur beauté, mais elles gardent quand même un certain charme tout au long de la saison. Evidemment le jardinier amateur ne peut guère espérer des floraisons continuelles qui ne sont possibles que dans les vastes domaines et les jardins publics où on s'occupe de renouveler les plants.

Lorsqu'un jardinier se plaint de sa « malchance » avec certaines plantes, c'est généralement qu'il a placé celles-ci au mauvais endroit. En effet, il y a toujours un lieu approprié pour chaque espèce. C'est au jardinier de le trouver.

Mais également il faut donner à chaque plante les soins qui lui conviennent. Si vous prenez la peine de bien vous renseigner sur les divers facteurs dont dépend la croissance de vos plantes : aération, température, humidité et lumière, vous obtiendrez sûrement d'heureux résultats.

Dans les pages qui suivent, vous trouverez des listes de plantes vivaces, annuelles et bisannuelles. Nous avons choisi les espèces les plus résistantes et les plus faciles à cultiver. Le tableau de la page 264 vous indique la couleur, la hauteur et la période de floraison des diverses espèces. Pour plus de renseignements sur les plantes annuelles et vivaces, reportez-vous aux listes alphabétiques (pp. 263, 266, 270, 271, 272).

Si certaines espèces ne figurent pas sur les listes, c'est parce qu'elles sont difficiles à cultiver ou qu'elles font relativement peu d'effet dans un jardin. Enfin, les plantes bulbeuses, les rosiers et les plantes grimpantes à fleurs sont traités sous des rubriques distinctes.

Les vivaces : une gamme riche, un placement sûr

Les plantes vivaces herbacées constituent un élément permanent du jardin. Si on les entretient bien, en prenant soin notamment de les diviser et de les replanter après quelques années, elles dureront de 3 à 20 ans, ou même plus, selon les espèces.

Certaines plantes vivaces sont bien connues pour leur tendance à se répandre et à accaparer de grands espaces. D'autres perdent leurs feuilles après avoir fleuri, laissant ainsi des vides

dans les plates-bandes. Certaines poussent très haut. D'autres enfin ne sont vraiment décoratives qu'au moment de la floraison ou perdent facilement l'éclat de leurs couleurs. Toutes ces caractéristiques peuvent constituer des avantages ou des inconvénients selon les cas. Il est donc utile de les connaître si vous voulez tirer pleinement parti des diverses espèces.

Les vivaces ne servent pas qu'à former des massifs ou des plates-bandes et l'on peut aussi les mélanger à d'autres plantes. Ce qui compte, c'est de pouvoir les admirer lorsqu'elles sont en fleurs. N'oubliez pas qu'on peut aussi contempler un jardin de l'intérieur de la maison. Pensez à la vue que vous avez des pièces importantes, par exemple de la salle de séjour.

Il peut être intéressant de constituer des massifs de plantes vivaces aux endroits les plus en vue de façon à faire alterner les couleurs tout au long de la saison des fleurs. En ce cas, vous pouvez, par exemple, commencer au début de mai avec des jonquilles naturalisées. Des primevères pourront ensuite prendre la relève. Au début de l'été, une corbeille d'iris de couleurs variées enrichira le jardin. On pourra aussi planter des touffes d'astilbes de diverses couleurs de façon qu'elles fleurissent à une semaine ou deux d'intervalle. Signalons aussi la liriope qui, grâce à ses feuilles basses et joliment découpées, a une valeur décorative même pendant les deux ou trois mois qui précèdent sa floraison. La rudbeckie fleurit plus tard et ses couleurs continueront d'animer le jardin.

Avec les vivaces, on ne peut pas faire d'erreurs irréparables. Presque toutes les espèces peuvent être transplantées même durant la floraison. Pour ce faire, mouillez le sol au préalable, enlevez la plante avec une bonne motte de terre de façon à ne pas abîmer les racines, arrosez-la dès que vous l'avez replacée et donnez-lui de l'ombre durant les trois ou quatre jours qui suivent. Les jardiniers refont souvent leurs plates-bandes d'une année à l'autre en tenant compte de la couleur et de la hauteur des plantes. La liste que nous vous donnons ici n'est pas complète mais sélective : elle comprend les espèces qui vous donneront les meilleurs résultats pour un minimum d'entretien, à condition toutefois qu'elles soient placées aux bons endroits et reçoivent les soins nécessaires.

Un choix de plantes vivaces

L'achillée millefeuille (Achillea millefolium) est une plante sur laquelle on peut toujours compter. La variété 'Coronation Gold' donne de grandes fleurs aplaties et des feuilles de texture fine. Arrivée à maturité, au milieu de l'été, la plante forme une masse vivement colorée.

L'alysse corbeille d'or (Alyssum saxatile), facile à cultiver et rampant sur le sol, fait une excellente plante pour les bordures. Au début du printemps, elle se couvre de fleurs d'un jaune éclatant. La floraison augmente d'une année à l'autre. A utiliser lorsqu'il y a des espaces à couvrir.

L'anémone du Japon (Anemone japonica), bien qu'elle atteigne deux pieds, est une plante qu'on peut placer en premier plan du fait que son feuillage n'est pas très dense. Les fleurs, qui apparaissent en septembre et en octobre, sont roses ou blanches. Elles se dressent sur des tiges droites, au-dessus des feuilles. L'anémone supporte bien l'ombre et a besoin d'humidité.

L'asclépiade tubéreuse (Asclepias tuberosa) se voit souvent le long des routes. Sa beauté ne se révèle vraiment que lorsqu'elle forme des touffes plus ou moins denses. Ses fleurs, groupées en grappes de couleur orange vif, attirent les papillons. Elles apparaissent en juillet et août. On peut les couper pour en faire des bouquets qui durent plusieurs jours. A la fin de l'été ou à l'automne, elles se transforment en graines semblables à des pois. L'asclépiade pousse dans des endroits ensoleillés, où le sol est bien drainé.

Les asters comprennent des variétés qui augmentent sans cesse. Les asters 'Michaelma', par exemple, peuvent être hauts ou courts. Leurs couleurs offrent toute une gamme qui va du jaune au blanc. Parmi les asters d'Italie (Aster amellus), plantes hybrides, la variété la plus remarquable est le 'Frikartii', dont les fleurs bleues ne se composent que d'une rangée de minces pétales. Cette variété ne pousse pas dans les endroits humides ou froids. Les asters fleurissent à l'automne, au moment où le jardin a justement besoin de quelques touches de couleur.

L'astilbe, cette plante proche de la spirée, se distingue par ses panicules de fleurs roses, blanches ou rouges. Elle pousse aussi bien à l'ombre qu'au soleil. Elle fleurit généralement au début de l'été et atteint de deux à trois pieds de haut, mais il existe des variétés, plus petites, de six pouces de haut, et qui fleurissent à l'automne. Certaines hybrides atteignent quatre pieds et fleurissent tout au long de l'été. Les pieds se multiplient avec les ans et on peut les diviser pour faire des massifs. Après la floraison, la plante produit une abondance de graines très décoratives. On ne cesse de mettre au point de nouvelles variétés qui se différencient par leur hauteur, leurs couleurs et leur période de floraison.

La benoîte (Geum coccineum) a l'avantage de rester en fleurs de mai jusqu'en octobre. Il en existe des variétés à fleurs jaunes, orange, dorées et rouges, qui atteignent environ 18 pouces de haut. Les tiges sont multiples et les fleurs sont assez abondantes pour qu'on en coupe quelques-unes destinées à des bouquets et qu'il en reste encore assez pour décorer le jardin.

La boulette azurée (Echinops ritro) est une plante haute dont les tiges piquantes se couronnent, au milieu de l'été, de fleurs bleu métallique en forme de globe. Elle pousse au soleil et il suffit d'une touffe de quelques pieds de large pour produire un effet décoratif frappant. On peut en faire de beaux bouquets, même en hiver, en les utilisant comme fleurs séchées.

Suite à la page 266

Les fleurs et leurs couleurs

Dans le tableau ci-dessous, on a classé les fleurs selon leur hauteur et leur couleur afin de vous aider à faire un choix. Les fleurs y sont désignées sous leur appellation la plus connue, qu'elle soit scientifique ou familière. En face du nom de cha-

Hauteur	**Blanc**	**Jaune**	**Doré**	**Rose**
1 pied	A Myosotis des Alpes (P) V Corbeille d'argent (P) A Pétunia (E) V Céraiste corbeille d'argent (E) A Œillet de poète (E) A Zinnia élégant (E-A) A Reine-marguerite (E-A)	V▲ Sedum brûlant (P) A Gazania (E) A Pétunia (E) A Muflier (E) A Dyssodie (E) A Œillet d'Inde (E-A) A Zinnia élégant (E-A) A Reine-marguerite (E-A)	V Alysse corbeille d'or (P) A Matricaire (E) A Pétunia (E) A Muflier (E) A Gazania (E) A Œillet d'Inde (E-A) A Zinnia élégant (E-A) A Reine-marguerite (E-A)	A Pétunia (E-A) A Œillet de poète (E) A Muflier (E) V▲ Astilbe (E) A Zinnia élégant (E-A) A Reine-marguerite (E-A)
2 pieds	V▲ Astilbe (E) V Heuchera (E) V Chrysanthème vivace (E) A Sauge écarlate (E-A) A▲ Pervenche de Madagascar (E-A) A Zinnia élégant (E-A) V Véronique (E-A) A Reine-marguerite (E-A) V▲ Funkia (E)	V Euphorbe polychrome (P) V▲ Trolle d'Europe (P) A Souci (E) V Chrysanthème vivace (E) A Dahlia annuel (E-A) A Zinnia élégant (E-A) V Helenium d'automne (E-A)	V▲ Benoîte (P-E-A) A Souci (E) A Dahlia annuel (E-A) A Zinnia élégant (E-A)	V Heuchera (E) V Achillée millefeuille (E) A Impatiens (E-A) A Dahlia annuel (E-A) A▲ Pervenche de Madagascar (E-A) Zinnia élégant (E-A) V▲ Physostegia virginiana (A)
3 pieds	V Iris (P) V-B Lupin (P-E) A Tabac décoratif (E) A Cléome (E) V▲ Astilbe (E) V Gypsophila paniculé (E) V▲ Funkia (E) V▲ Monarde (E) A Zinnia élégant (E-A) V Phlox (E-A) V Anémone du Japon (A)	V Podalyre des teinturiers (P-E) V Iris (P-E) A Tabac décoratif (E) V Achillée millefeuille (E) V▲ Hémérocalle (E) A Rose d'Inde (E-A) A Muflier (E) A Zinnia élégant (E-A)	V Iris (P-E) V Achillée millefeuille (E) V▲ Hémérocalle (E) A Rose d'Inde (E-A) A Muflier (E) A Zinnia élégant (E-A) V Coréopsis (E-A) V Rudbeckie (E-A)	V-B Lupin (P-E) A Scabieuse (E) V▲ Astilbe (E) V▲ Hémérocalle (E) A Muflier (E) A Cléome (E-A) A Zinnia élégant (E-A) Reine-marguerite (E-A) V Anémone du Japon (A) V▲ Physostegia virginiana (A)
4 pieds	V▲ Physostegia (P) V Campanule (E) V▲ Cimicifuga (E) V Pied-d'alouette (E) V Rose trémière (E) A▲ Cosmos (E-A) V▲ Liatris (E-A)	V Thermopsis (E) A▲ Cosmos (E-A) A Rose d'Inde (E-A)	A Rose d'Inde (E-A) V Helenium d'automne (E-A)	V-B Lupin (P-E) P Rose trémière (E) A▲ Cosmos (E-A) V▲ Liatris (E-A) A▲ Aster (A)

que fleur figure l'une des trois lettres suivantes : « V » pour vivace, « A » pour annuelle, et « B » pour bisannuelle. Toutes ces plantes poussent et fleurissent au soleil, mais celles marquées d'un triangle fleurissent également à l'ombre. Une lettre à la suite de chaque nom indique si la floraison apparaît au printemps (P), en été (E), ou en automne (A). Deux lettres signifient une floraison prolongée. A noter qu'une description de ces fleurs apparaît dans les listes du présent chapitre.

Rouge	Orange	Violet	Bleu	Hauteur
Pétunia (E-A) -B Œillet de poète (E-A) Muflier (E) Zinnia élégant (E-A) Reine-marguerite (E-A)	A Pétunia (E-A) A Gazania (E) A Muflier (E) A Œillet d'Inde (E-A) A Zinnia élégant (E-A)	A Pétunia (E-A) A-B Œillet de poète (P-E) A Lobélie (E) A Zinnia élégant (E-A) V Campanule des Carpathes (E-A) A Reine-marguerite (E-A)	A Myosotis des Alpes (P) V Buglosse (P) A Ageratum (E) A Pétunia (E-A) V Campanule des Carpathes (E-A) A Reine-marguerite (E-A) V Plumbago (A)	**1 pied**
▲ Benoîte (P-E-A) ▲ Achillée millefeuille (E) ▲ Astilbe (E) Heuchera (E) Dahlia annuel (E-A) Zinnia élégant (E-A) Reine-marguerite (E-A)	V▲ Benoîte (P-E-A) A Souci (E) A Dahlia annuel (E-A) A Zinnia élégant (E-A)	A Zinnia élégant (E-A) A Reine-marguerite (E-A)	A Ageratum (E) A Centaurée (E) V Véronique (E-A) A Reine-marguerite (E-A)	**2 pieds**
-B Lupin (P-E) Scabieuse (E) ▲ Astilbe (E) ▲ Hémérocalle (E) Iris (E) Tabac décoratif (E) Muflier (E) Zinnia élégant (E-A) Phlox (E-A) Anémone du Japon (A)	V Asclépiade tubéreuse (E) V▲ Hémérocalle (E) V Iris (E) A Rose d'Inde (E-A) A Zinnia élégant (E-A)	V-B Lupin (P-E) V Iris (E) V▲ Monarde (E) A Rose d'Inde (E-A) A Sauge (E-A) A Zinnia élégant (E-A) V Phlox (E-A) A Reine-marguerite (E-A) V▲ *Physostegia virginiana* (A)	V Pavot de l'Himalaya (P) A Scabieuse (E) V Podalyre des teinturiers (E) V Iris (E) B Campanule à grosse fleur (E) A-B Lupin (P-E) V▲ Aster (A)	**3 pieds**
Helenium d'automne (E-A) ▲ Cosmos (E-A) Rose trémière (E-A) Soleil miniature (E-A)	V-B Rose trémière (E) A Rose d'Inde (E-A)	V Sauge vivace (E) A Sauge farineuse (E-A) V *Pennisetum alopecuroides* (A)	V Buglosse (E) V Podalyre des teinturiers (E) V Campanule (E) V Pied-d'alouette (E) V Boule azurée (E) A Sauge farineuse (E-A) V▲ Aster (A)	**4 pieds**

La buglosse d'Italie *(Anchusa azurea)* est un myosotis court qui fleurit au début de juin. Les délicates fleurs bleues se détachent bien sur les feuilles épaisses et vernissées. La variété 'Dropmore' fleurit en juin et pendant une bonne partie du mois de juillet. Une plante décorative qui peut atteindre jusqu'à quatre pieds de haut et même plus.

La campanule des Carpathes *(Campanula carpatica),* même si elle ne dure pas longtemps, fait de magnifiques bordures. Les fleurs, larges et en forme de clochettes, se dressent au-dessus des feuilles sur des tiges de un pied de haut. Il existe des variétés à fleurs bleues ou blanches. La campanule lactiflore *(Campanula lactiflora)* donne en juillet et en août des fleurs blanches ou bleues, en forme de clochettes, dont les grappes se détachent nettement du feuillage riche et lourd. Toutes les campanules prospèrent en plein soleil.

Le céraiste corbeille d'argent *(Cerastium tomentosum)* forme un tapis de six pouces d'épais, composé de fleurs blanches et de feuilles argentées. Il fleurit pendant quelques semaines en juin et supporte bien la sécheresse à condition d'avoir beaucoup de lumière.

Le chrysanthème vivace *(Chrysanthemum maximum),* qui atteint deux ou trois pieds de hauteur, produit au milieu de l'été de grosses fleurs blanches ou jaunes, semblables à des marguerites et souvent doubles. Il dure de nombreuses années si l'on divise les pieds tous les deux ou trois ans. Il a besoin de beaucoup de soleil.

Les cimicifugas *(Cimicifuga foetida simplex* et *C. racemosa)* se distinguent par leurs tiges de trois à cinq pieds de haut et leurs fleurs retombantes, couronnées de blanc, qui éclosent en septembre et octobre. Les feuilles, nettement découpées, gardent leur beauté tout l'été. Les deux variétés poussent aussi bien à l'ombre qu'au soleil, et surtout dans les sols humides.

La corbeille d'argent *(Arabis alpina),* de six pouces de haut, fleurit dès le début du printemps et sert à faire des bordures. On peut aussi l'intercaler entre des plantes à bulbe. Elle se couvre de petites fleurs blanches, d'où sa valeur décorative. Elle a besoin de beaucoup de soleil.

Le coréopsis *(Coreopsis lanceolata),* avec ses fleurs jaunes semblables à des marguerites et dont le bout des pétales est tout déchiqueté, apporte au jardin une note de fantaisie. Il fleurit à partir de juin et jusqu'aux gelées. Les feuilles, finement découpées, ne cachent pas les fleurs, de sorte que la plante est aussi décorative en pleine terre qu'en bouquets. Bien qu'il puisse atteindre jusqu'à trois pieds de haut, le coréopsis se passe facilement de tuteurs.

L'euphorbe *(Euphorbia polychroma)* est resplendissante au début de mai, lorsque chaque tige s'orne de petites fleurs vert pâle. Les feuilles du sommet prennent alors la même couleur vive, ajoutant leur effet à celui des fleurs. La plante atteint environ deux pieds, en largeur comme en hauteur. L'euphorbe pousse particulièrement bien dans les endroits secs et ensoleillés.

Les funkias *(Hosta subcordata grandiflora)* poussent aussi bien à l'ombre qu'au soleil. Leurs feuilles, d'une riche texture et d'un très beau vert, atteignent environ 18 pouces de hauteur. Les fleurs, blanches et un peu courbées, apparaissent à la fin de l'été. Mais même avant la floraison, les funkias donnent de belles plates-bandes. La variété *Hosta sieboldiana,* plus grande que les autres, atteint jusqu'à trois pieds de haut. Ses feuilles sont larges, de couleur gris-bleu. Ses fleurs, qui s'épanouissent en juillet, sont blanches, teintées de lavande.

Le gypsophila paniculé *(Gypsophila paniculata)* donne au jardin une note d'élégance. D'une hauteur qui peut aller jusqu'à quatre pieds, le gypsophila se distingue par son feuillage délicat et ses jolies petites fleurs blanches qui brisent la monotonie de plantes plus imposantes. Si on lui donne assez de soleil et d'espace (quatre pieds par plante), il fleurira pendant deux bons mois au cours de l'été.

L'hélénie automnale *(Helenium autumnale)* forme de grosses touffes qui atteignent jusqu'à trois pieds de haut. De juin à septembre, la plante se couvre de jolies fleurs rouges, jaunes ou orange, qui ressemblent à des marguerites. Il existe une variété plus petite, l'*H. autumnale pumilum,* qui n'a qu'environ 18 pouces de haut. A planter au soleil. Pour revivifier la plante, il est bon de la diviser tous les printemps.

Les hémérocalles *(Hemerocallis)* sont parmi les plus rustiques, les plus attrayantes et les plus faciles à cultiver de toutes les plantes vivaces. Leurs racines sont épaisses et augmentent d'une année à l'autre. Certaines variétés fleurissent à partir du début de l'été jusqu'à l'automne. Leurs couleurs vont du jaune à l'orangé et au rouge. Les fleurs, en forme de trompettes, sont abondantes. Elles ne durent qu'un jour, mais elles se succèdent à un rythme si rapide qu'il y en a toujours pour décorer le jardin pendant toute la saison.

L'heuchera *(Heuchera sanguinea),* une valeur sûre, donne au milieu de l'été de petites fleurs fragiles dont les tiges se dressent au-dessus du feuillage, à une hauteur d'environ 18 pouces. Les plus belles sont blanches ou roses. Une plante à intercaler entre d'autres fleurs ou à placer en premier plan, dans un endroit ensoleillé.

Les iris regroupent un grand nombre d'espèces et de variétés. Leurs fleurs peuvent prendre toutes les couleurs de l'arc-en-ciel et certaines sont agréablement parfumées. Les gros iris de Sibérie et d'Allemagne, droits et élancés, et le majestueux iris du Japon, qui aime les sols humides, sont parmi les plus hauts. Ils atteignent jusqu'à trois pieds et même plus et décorent magnifiquement les jardins de tout style, à condition qu'on les plante dans un endroit ensoleillé. Par contre, l'*Iris cristata* ne dépasse guère quatre pouces et se met à fleurir à la fin d'avril. Les autres variétés fleurissent jusqu'au début de l'été.

Le liatris en épi *(Liatris spicata)* se compose d'une longue tige mince ressemblant à une plume et qui peut atteindre plus de quatre pieds de hauteur. En août et en septembre apparaissent les fleurs violettes, blanches ou roses, disposées en capitules sur la tige.

Le lupin *(Lupinus),* dont la hauteur peut varier entre deux et cinq pieds, possède de longues tiges qui portent des fleurs en forme de pois. Il fleurit en mai et juin et les fleurs offrent un vaste choix de couleurs. Le lupin a besoin de beaucoup d'humidité. Il aime le soleil mais peut s'accommoder d'une ombre légère.

Le meconopsis, de la famille des pavots (il ressemble au pavot d'Orient), fleurit presque tout l'été. On en cultive trois ou quatre variétés. Achetez-les

Suite à la page 270

Seules les fleurs peuvent donner une telle richesse de coloris. Ce jardin de vivaces, photographié en plein été, se compose d'hémérocalles (au premier plan, à gauche) derrière lesquelles se dressent des rudbeckies. Des phlox complètent le tableau. On peut prolonger la floraison en enlevant les fleurs fanées.

Les outils de jardinage
choix, entretien et emploi

Vous avez intérêt à n'acheter que les meilleurs outils. Les instruments de qualité inférieure vous feront gaspiller votre temps. Ils risquent d'ailleurs de se briser au moment où vous en avez le plus besoin. Ne vous laissez pas leurrer par une peinture lustrée, des chromes éclatants ou des prix alléchants : les articles à bas prix sont finalement les moins économiques.

Le quincaillier de réputation établie est sans doute votre meilleur conseiller dans le choix des marques (pour certains outils, il existe des marques de qualité supérieure; pour d'autres, les marques s'équivalent) et des sortes d'instruments.

Vérifiez d'abord le manche (ou la poignée) de l'outil. Il doit se loger confortablement dans votre main et vous donner une impression d'équilibre parfait lorsque vous le tenez. Assurez-vous qu'il est solidement fixé. Les manches en bois arrondis doivent être enfoncés profondément dans des douilles de métal et rivés fermement. Les tranchants doivent être résistants, affilés et bien découpés. Les lames traitées au Teflon réduisent la friction et facilitent d'autant le travail. N'oubliez pas que les bons outils méritent de bons soins. Pour les parties mobiles, une simple goutte d'huile fait souvent des merveilles. Pour ôter la rouille, servez-vous d'un dissolvant et de laine d'acier. Affûtez les lames dès qu'il y apparaît des brèches et resserrez les vis le cas échéant. Surtout, utilisez toujours l'outil qui convient à la tâche. Vous aurez sans doute besoin de tous ceux que vous voyez ici.

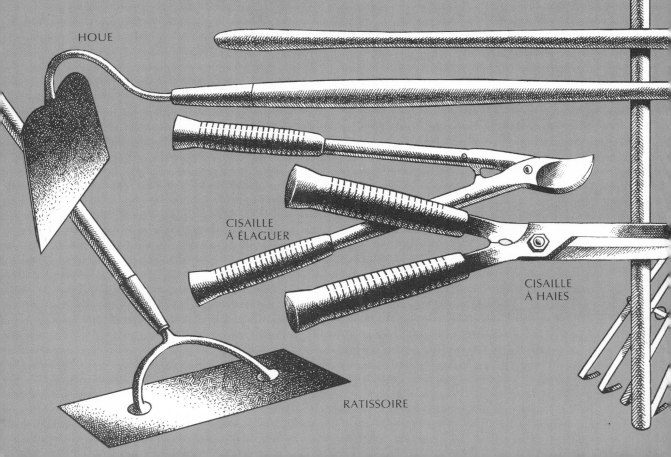

HOUE

CISAILLE À ÉLAGUER

CISAILLE À HAIES

RATISSOIRE

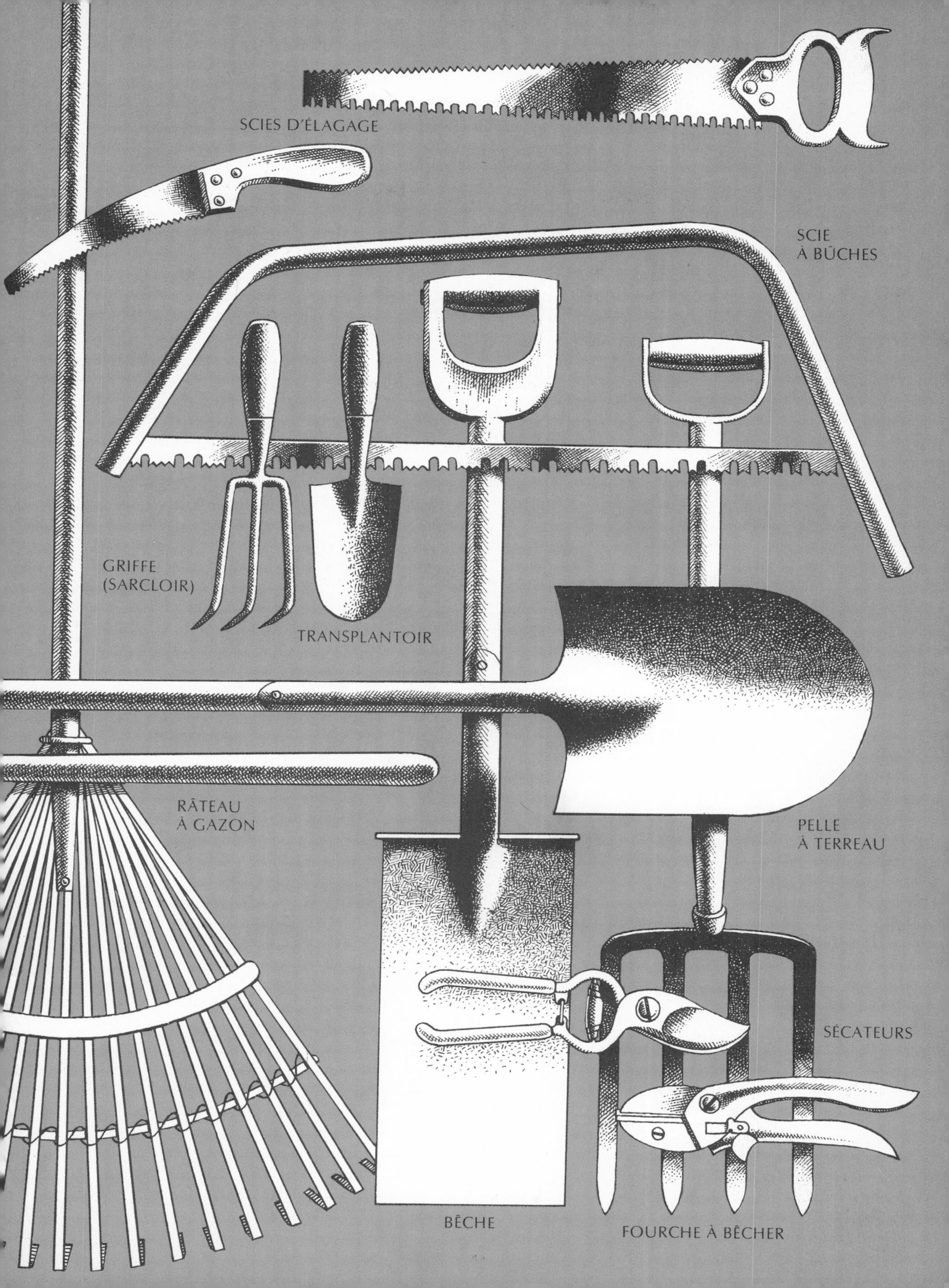

SCIES D'ÉLAGAGE

SCIE
À BÛCHES

GRIFFE
(SARCLOIR)

TRANSPLANTOIR

RÂTEAU
À GAZON

PELLE
À TERREAU

SÉCATEURS

BÊCHE

FOURCHE À BÊCHER

dans votre pépinière pour être sûr qu'ils sont bien rustiques. Les bleus sont les plus impressionnants.

La molène *(Verbascum)* est une espèce hybride et normalement bisannuelle, mais si on la plante dans un endroit bien ensoleillé elle répand ses graines et devient vivace. Les fleurs, qui apparaissent à la fin de juin et au début de juillet, forment des grappes jaunes que soutiennent des tiges d'environ quatre pieds de haut. La molène prospère au soleil mais supporte les expositions ombragées.

La monarde *(Monarda didyma),* ou thé de Pennsylvanie, est une plante facile à cultiver. Son feuillage épais peut atteindre trois pieds de haut. Elle reste en fleur tout l'été, qu'elle soit à l'ombre ou au soleil. Si on la plante dans un sol sec, il est bon de l'arroser copieusement. La variété 'Cambridge Scarlet', d'un rouge vif, est sans doute la plus frappante mais on en trouve aussi à fleurs blanches, roses ou lavande.

L'orpin âcre *(Sedum acre)* est une magnifique plante basse aux fleurs d'un beau jaune doré. Les feuilles vert pâle ne mesurent guère plus de trois ou quatre pouces. Au début de l'été, la plante se couvre de petites fleurs éclatantes. L'orpin pousse particulièrement bien au soleil mais il peut se contenter d'un milieu semi-ombragé.

Les phlox sont parmi les plantes vivaces les plus populaires. Leurs bouquets de fleurs de diverses couleurs illuminent les plates-bandes. On a mis au point de nombreuses variétés dont la floraison se prolonge tout au long de l'été. Les horticulteurs se sont aussi efforcés de produire des espèces hybrides qui résistent particulièrement bien à diverses maladies. Si certaines espèces, comme le phlox subulé *(Phlox subulata),* qui fleurissent dès le début de l'été, n'ont qu'environ quatre pouces de haut, la plupart des hybrides atteignent deux ou trois pieds. Les phlox ont besoin de beaucoup de soleil pour fleurir tout l'été.

Le physostegia de Virginie *(Physostegia virginiana)* commence à fleurir au milieu de l'été et continue jusqu'aux gelées. Les fleurs paniculées, qui ressemblent à des gueules-de-loup, se dressent sur des tiges d'environ trois pieds de haut. Elles peuvent être blanches, roses ou lavande. La plante, qui pousse aussi bien à l'ombre qu'au soleil, a besoin de beaucoup d'eau.

Les pieds-d'alouette *(Delphinium)* hybrides sont parmi les plus frappantes de toutes les plantes de jardin. Ils commencent à fleurir en juin et continuent tant qu'il ne fait pas trop chaud. Ils atteignent de trois à six pieds de haut, selon les variétés. Les fleurs sont de teintes diverses : blanches, bleues, violettes, rouges ou jaunes, et toujours de ton riche. Les pieds-d'alouette ont besoin de soleil mais ne supportent pas la chaleur. Il faut donc les planter dans un endroit bien frais.

Le podalyre des teinturiers *(Baptisia tinctoria),* plante de la même famille que le pois, donne des fleurs qui ressemblent à celles du lupin. Alors que les fleurs du *B. tinctoria* sont jaunes, celles du *B. australis* sont bleues. Mais les deux variétés forment de hautes touffes et fleurissent à la fin du printemps et au début de l'été.

Les roses trémières ou passeroses *(Althaea rosea)* donnent des fleurs qui peuvent prendre toutes les couleurs à l'exception du bleu. Elles poussent le long de tiges qui mesurent entre quatre et sept pieds de haut. La floraison est

Le chrysanthème vivace peut prendre une variété de formes et de couleurs. Il pousse au soleil ou en milieu semi-ombragé. Au besoin, on divise les pieds.

progressive, si bien qu'on obtient des fleurs tout l'été. A cause de leur haute taille et de leur forme, les roses trémières gagnent à être plantées en groupes. Il leur faut un endroit ensoleillé et un sol bien drainé.

La rudbeckie *(Rudbeckia speciosa),*

dont la popularité est solidement établie, comprend un nouveau groupe d'hybrides dont le meilleur est la *Rudbeckia* 'Goldsturm'. Celle-ci fleurit à la fin de l'été et pendant plusieurs semaines. Ses larges fleurs abondantes, qui ressemblent à des marguerites, couvrent la majeure partie du feuillage. Les rudbeckies atteignent environ deux pieds de haut.

La sauge vivace *(Salvia uliginosa)* fleurit dès la première année. On peut donc la cultiver comme n'importe quelle autre vivace ou comme une annuelle en semant des graines chaque année. Les fleurs sont bleues, tachées de blanc au milieu. La sauge farineuse *(S. farinacea),* également bleue, est un peu fragile, mais elle survit bien si on prend soin de garder les racines dans un endroit frais durant l'hiver pour les mettre en terre au printemps. Les résultats justifient amplement cette précaution. Les deux espèces sont hautes mais peu denses, décoratives dans une bordure ou dans une plate-bande. Elles poussent aussi bien à l'ombre qu'au soleil.

Le thermopsis *(Thermopsis caroli-nianum)* atteint quatre ou cinq pieds de haut. Ses longues grappes de fleurs en boules d'un jaune vif apparaissent en juin et juillet. Elles donnent une note de gaîté aux bordures et peuvent aussi, groupées en touffes, décorer un coin de jardin. Le thermopsis supporte assez bien la sécheresse et a besoin de beaucoup de soleil.

Le thlaspi toujours vert *(Iberis sempervirens)* est une plante remarquable par sa masse de petites feuilles vert foncé. C'est toutefois du début du mois de mai jusqu'à la fin de juin qu'il prend toute sa splendeur, alors qu'il se couvre de grappes de fleurs blanches comme neige. Le thlaspi est excellent pour faire des bordures dans les endroits ensoleillés. Il s'utilise aussi dans les rocailles ou comme tapis de sol. Il existe diverses variétés dont les fleurs sont soit blanches soit roses ou lavande, mais les blanches sont nettement les plus attrayantes de toutes.

La véronique *(Veronica maritima)* donne, en juillet, août et septembre, de jolis épis de fleurs blanches ou bleues. Elle atteint environ deux pieds de hauteur. Elle peut servir dans des bordures mixtes avec en avant-plan des fleurs plus basses qui se détachent sur son riche feuillage.

Les annuelles : croissance aisée et rapide

Les plantes annuelles suivent en une seule saison un cycle complet : à partir de la graine, elles croissent jusqu'à leur maturité, fleurissent et produisent de nouvelles graines. Leur croissance rapide leur permet de fleurir en quelques semaines. Les annuelles ajoutent donc à la richesse et à la variété de leurs couleurs plusieurs avantages pratiques.

Pour ce qui est de la taille, les annuelles offrent encore une grande variété : de la lobélie qui ne dépasse guère trois pouces et dont les fleurs sont de la grosseur d'une pièce de dix sous, au soleil géant dont les fleurs mesurent 20 pouces de diamètre.

Plusieurs espèces peuvent être cultivées à partir de semis placés au bord d'une fenêtre et transplantés ensuite au jardin après les dernières gelées du printemps. Certaines fleurissent tout l'été, jusqu'aux premières gelées d'automne.

Dans un jardin de verdure, composé d'arbustes et de plantes tapissantes, les annuelles apporteront de fascinantes touches de couleurs vives. Vous pouvez aussi vous en servir pour constituer des réserves de fleurs à couper qui décoreront la maison. Choisissez alors des espèces à croissance rapide et munies de longues tiges, comme les soucis ou les zinnias, ou encore les impatientes. Faites-les pousser dans un coin à l'écart : vous pourrez les transplanter n'importe quand pour combler des vides dans les massifs ou les plates-bandes, et cela, même lorsqu'elles sont en fleurs. Prenez soin alors de creuser tout autour de la plante pour ne pas abîmer les racines. Tassez bien la terre près des pieds transplantés et arrosez copieusement.

Placez les diverses espèces aux endroits qui leur conviennent. Certaines ont besoin de beaucoup de soleil alors que d'autres poussent mieux à l'ombre. Le degré d'humidité nécessaire varie aussi selon les plantes. Inutile de vouloir les faire pousser à des endroits inappropriés : vous n'obtiendrez, au mieux, que des résultats médiocres.

Il est important que les plantes puissent croître normalement et sans interruption jusqu'à la floraison. Par conséquent, il ne faut pas les semer au jardin tant que l'air et le sol ne sont pas assez chauds pour permettre la germination et la croissance. Par ailleurs, vous pouvez faire des semis dans la maison et mettre les plantules en terre quand le temps sera favorable.

Le gel ne fait pas qu'interrompre momentanément le développement des plantes, il enraie aussi le processus de division cellulaire, de sorte que les plantes ne peuvent reprendre leur rythme normal de croissance, même lorsque, par la suite, la température devient plus clémente. Vous trouverez ci-dessous d'autres renseignements sur les plantes annuelles qui figurent au tableau de la page 264.

Un choix de plantes annuelles

L'ageratum du Mexique (*Ageratum mexicanum*) ne dépasse guère huit pouces de haut. Les fleurs veloutées, bleues, blanches ou lavande, produisent un bel effet décoratif si on espace les plantes d'environ huit pouces. L'ageratum pousse bien à l'ombre légère, mais peut supporter le soleil si celui-ci n'est pas trop ardent. Il fleurit de la mi-juin jusqu'aux gelées.

La campanule à grosses fleurs (*Campanula medium*) est une bisannuelle qui fleurit dès le premier été si on la sème tôt, mais qui donne des fleurs encore plus abondantes l'année suivante si on la sème au milieu de l'été. La plante, qui atteint environ trois pieds de hauteur, se couvre de fleurs en forme de clochettes, généralement bleues ou blanches, mais parfois roses ou violettes. Elles apparaissent en mai et peuvent durer jusqu'à la fin de juin. Il est bon d'arroser la campanule tous les deux ou trois jours lorsqu'elle est en fleur.

Le cléome (*Cleome spinosa*) est facile à cultiver. A certains endroits, il se perpétue par ses propres graines d'une année à l'autre. La plante peut s'élever jusqu'à trois pieds de hauteur. Les fleurs, blanches ou de teintes pastel, persistent du milieu de l'été jusqu'aux gelées.

Le cosmos (*Cosmos bipinnatus*) donne de magnifiques fleurs à larges pétales et de couleurs vives, que portent des tiges de trois à quatre pieds de haut. Si on le sème dès le début de la saison, il fleurit à partir de juillet jusqu'en automne.

Le dahlia annuel (*Dahlia mercki*), à ne pas confondre avec l'espèce à tubercules, peut facilement se cultiver à partir de semis que l'on fait dans la maison un ou deux mois avant la dernière gelée. Les fleurs, simples ou doubles, se renouvellent de la mi-juin jusqu'aux gelées. La plante atteint environ 18 pouces de haut. Les hybrides 'Unwin' et 'Coltness' donnent des fleurs de diverses teintes. Le dahlia a besoin du soleil du matin et il lui faut beaucoup d'eau les jours de grande chaleur.

Le gazania (*Gazania splendens*) est une sorte de marguerite dont la tige mesure environ un pied. Il pousse particulièrement bien en plein soleil. Ses fleurs, dont les rayons sont jaunes ou orange et qui ont un cœur brun, se referment la nuit.

L'impatiens (*Impatiens sultanii*) pousse aussi bien à l'ombre qu'au soleil. Ses fleurs, simples ou doubles, se renouvellent de juin jusqu'aux gelées. Elles sont généralement roses, mais on en trouve des rouges, des blanches ou des violettes. A noter que les fleurs simples sont préférables aux doubles. Les tiges mesurent entre un et deux pieds, ce qui permet diverses utilisations de la plante. Il est bon d'arroser copieusement dès que les fleurs commencent à se faner.

La lobélie annuelle (*Lobelia erinus*) est une belle plante compacte d'environ six pouces de haut, excellente pour faire des bordures. Ses fleurs, bleues, blanches, violettes ou rouges, se renouvellent tout l'été. Dans les régions chaudes, il vaut mieux placer la lobélie à l'ombre légère. Ailleurs, elle prospère en plein soleil.

La matricaire (*Matricaria parthenium*) est un chrysanthème annuel qui se couvre tout l'été de centaines de petites fleurs.

Le muflier ou gueule-de-loup (*Antirrhinum majus*) se trouve dans un nombre sans cesse croissant de variétés de toutes dimensions. Il en existe une qui n'a que six pouces de haut et peut prendre toutes les couleurs à l'exception du bleu. On s'en sert surtout pour faire des bordures. Les variétés géantes (mesurant deux à trois pieds) produisent de plus grosses fleurs et supportent mieux la chaleur. Elles poussent et fleurissent en plein soleil ou à l'ombre légère pendant environ six semaines, jusqu'aux gelées. A semer en pleine terre au début du printemps.

Le myosotis des Alpes (*Myosotis alpestris alba*) est à proprement parler une bisannuelle : il faut donc la semer en août. C'est une plante basse dont les petites fleurs blanches apparaissent au début du printemps et se renouvellent jusque tard à l'automne, même sous une ombre épaisse.

L'œillet de poète (*Dianthus barbatus*) fleurit à partir de la graine dès la première saison si on le sème assez tôt.

Selon les variétés, il atteint de six pouces à deux pieds de haut et peut prendre diverses couleurs. Il a absolument besoin du plein soleil.

La pervenche de Madagascar (*Vinca rosea*) fait de magnifiques plates-bandes ou corbeilles. De un à deux pieds de haut, elle fleurit tout l'été. Il est recommandé de faire des semis dans la maison et de les mettre en terre après les gelées. Les couleurs les plus courantes sont le rose et le blanc marqué de rouge. La plante pousse à l'ombre ou au soleil.

Le pétunia (*Petunia hybrida*) se couvre de fleurs à condition d'être dans un endroit bien ensoleillé. On en trouve de presque toutes les couleurs. Le pétunia fleurit tout l'été et a une valeur décorative inégalée.

La reine-marguerite (*Callistephus chinensis*) atteint de un à trois pieds et produit des fleurs en forme de marguerites ou de pompons, de toutes les couleurs imaginables, y compris le vert. En renouvelant les plantations, on obtient assez de fleurs pour décorer le jardin et faire de nombreux bouquets.

Les roses d'Inde (*Tagetes erecta*) et les œillets d'Inde (*T. patula*) nous sont familiers. On peut mettre les graines en terre ou faire des semis dans la maison. Les plantes, dont la hauteur varie de six pouces à quatre pieds, fleurissent à partir de juin et jusqu'aux premières gelées. Les fleurs prennent diverses

La pervenche de Madagascar (*Vinca rosea alba*). Une vivace fragile que l'on cultive comme une annuelle. Beau feuillage et fleurs blanches.

teintes de jaune, d'orange et de rouge. Les variétés de grande taille peuvent servir à faire de magnifiques bouquets à condition de pincer les tiges à six pouces de hauteur pour favoriser la ramification. Les petites variétés font de très belles bordures.

La sauge écarlate (*Salvia splendens*) fait partie de la famille de la menthe, ce qui indique bien avec quelle facilité on peut la cultiver. Sa hauteur varie de un à trois pieds. Ses couleurs vont du rose pastel au violet foncé en passant par le rouge vif. Certaines variétés (*S. farinacea* et *S. patens*) sont vivaces mais fragiles. On peut les cultiver chaque année à partir de semis que l'on fait dans la maison durant l'hiver. La sauge pousse particulièrement bien au soleil.

La scabieuse (*Scabiosa atropurpurea*) a des tiges de deux pieds de haut que couronnent de petites fleurs de coloris divers, en forme de pelotes à épingles. La floraison dure presque tout le mois de juin.

Le soleil décoratif (*Helianthus*) est plus petit que le célèbre soleil géant puisqu'il ne dépasse guère quatre pieds de hauteur. Les fleurs aux rayons jaune brunâtre et au disque noir abondent de juillet à la fin de septembre si la plante bénéficie de beaucoup de soleil.

Le souci (*Calendula officinalis*) a été amélioré par la mise au point de variétés hybrides. Les fleurs jaunes, semblables à des marguerites, sont soutenues par des tiges d'environ deux pieds de haut. Cette plante supporte aisément une ombre légère, mais elle résiste mal à la grande chaleur. Elle demeure en fleur de la fin de l'été jusqu'aux gelées d'automne.

Le tabac décoratif (*Nicotiana alata*) est une des meilleures annuelles. Facile à cultiver à partir de la graine, il donne de jolies fleurs de couleurs variées qui dégagent le soir un agréable parfum. La plante atteint de deux à trois pieds et reste en fleur plusieurs mois.

Le zinnia élégant (*Zinnia elegans*) a droit à une place de choix parmi les annuelles de jardin. Sa hauteur varie de six pouces à trois pieds, et la grosseur des fleurs en conséquence. Il prend toutes les couleurs sauf le bleu. Facile à cultiver. Pour avoir des fleurs plus longtemps, il suffit de semer à plusieurs reprises.

Les œillets d'Inde animent de leur couleur éclatante le cadre de verdure qui les entoure. Ils demandent peu d'entretien et ont une floraison prolongée.

▶ **Des terrasses** servent à retenir le sol en pente. Elles sont couvertes de pétunias (au premier plan) et de mufliers. Pas besoin ici de système d'irrigation.

◀ **Les zinnias** peuvent prendre des formes variées. La plupart des espèces ont un feuillage attrayant et donnent de magnifiques fleurs.

273

Pour la couleur : les plantes à bulbes

Pour fleurir le jardin, les plantes à bulbes sont incomparables. En plus d'offrir la richesse et la variété de leurs couleurs, elles présentent l'avantage de pousser, selon les espèces, aussi bien dans les coins ombragés des jardins que sur des pentes en plein soleil.

Les plantes à bulbes suivent un cycle de germination complet qui les fait refleurir d'une année à l'autre. Il leur faut donc chaque fois accumuler des réserves. Aussi, pendant plusieurs semaines, après la floraison du printemps, les feuilles absorbent-elles des éléments nutritifs qu'elles transmettent aux bulbes avant de se faner. Les bulbes se reposent alors durant de longues semaines, jusqu'à l'automne, moment où leurs racines recommencent à croître. Les plantes sommeillent de nouveau pendant l'hiver, pour fleurir au printemps, ayant ainsi achevé leur cycle de croissance.

Si vous voulez en fleurir votre jardin, ne lésinez pas sur la quantité, car c'est lorsqu'elles abondent que ces fleurs ont le plus d'éclat. Evitez, cependant, une trop grande variété de couleurs qui romprait l'harmonie du jardin, si grand soit-il.

Pour relier des plantations de couleurs différentes, on peut intercaler entre elles d'autres fleurs plus basses, comme des marguerites, des pensées ou des violettes. Sous les climats froids, les giroflées joueront le même rôle. Pour ce qui est du choix des couleurs, aucune limite : vous pouvez aller des teintes pastel les plus délicates jusqu'aux rouges écarlates. Le bleu, le rouge, le jaune et le blanc donnent de beaux effets.

Les espèces sont si nombreuses que vous n'avez que l'embarras du choix. Pour faciliter les choses, commencez par décider si vous préférez un décor de type conventionnel ou des compositions plutôt originales et fantaisistes. Les plantes qui ne se multiplient pas facilement, comme les jacinthes et les tulipes hybrides, font plus traditionnel que les jonquilles, les perce-neige, les crocus ou les scilles. Les tulipes hautes, à la corolle très évasée, ou celles dont les pétales en pointe évoquent ceux du lis, attirent l'attention par leur fière allure. On peut les intercaler entre des fleurs printanières de moins haute taille. Les tulipes à fleurs doubles et les tulipes « perroquet » produisent un effet plus doux. Les jacinthes seront plus attrayantes groupées en plates-bandes régulières.

Il suffit de quelques crocus aux couleurs vives pour animer un coin de jardin. On peut les planter directement dans la pelouse. Comme ils fleurissent dès le début de la saison, leurs feuilles auront le temps de se flétrir pour qu'on puisse les couper lors de la première tonte du gazon.

Les jonquilles peuvent aussi être plantées dans la pelouse ou tout autre milieu naturalisé. Cependant, elles fleurissent plus tard que les crocus et il faut les laisser pousser, quelle que soit la variété, jusqu'à ce que leurs feuilles jaunissent, c'est-à-dire jusque vers le milieu ou la fin de mai, sinon elles ne pourront accumuler leurs réserves nutritives. Il n'est donc pas possible de tondre le gazon à mesure qu'il croît sans risquer d'endommager ces fleurs. Aussi est-il recommandé de les planter dans des endroits où on laisse à la végétation un aspect un peu sauvage. Il existe de nombreuses variétés horticoles de jonquilles (ou narcisses), soit de taille géante comme la 'Mount Hood' en forme de trompette, la 'Fortune' à la corolle évasée ou la 'Yellow Cheerfulness' aux fleurs doubles, soit miniatures comme la 'Dawn', la 'Elfhorn' et la 'Frosty Morn'. Quelques-unes ont même des pétales doubles et des fleurs multiples.

Certaines petites plantes à bulbes fleurissent et se multiplient d'une année à l'autre sans qu'on soit obligé d'en prendre un soin particulier. Parmi les meilleures espèces, signalons le muscari *(Muscari armeniacum)* qui forme un magnifique tapis bleu pour peu qu'on espace les plants de un pouce ou deux; la jacinthe des bois *(Scilla nonscripta),* qui aime particulièrement l'ombre légère des bosquets (elle fait le charme des campagnes anglaises et irlandaises); les perce-neige *(Galanthus nivalis)* dont les fins pétales blancs à pointe verte apparaissent parfois dès le mois de mars, et la nivéole *(Leucojum vernum),* plante de plus grande taille, qui fleurit un petit peu plus tard. Ces deux dernières plantes vous permettent de goûter dès le début du printemps les plaisirs du jardinage.

Enfin, pour mieux illustrer la diversité des espèces à bulbes, citons aussi toutes celles qui fleurissent à l'automne, dont les plus connues sont le crocus d'automne *(Crocus speciosus albus, C. pulchellus),* le colchique *(Colchicum autumnale)* et le cyclamen *(Cyclamen neapolitanum).*

Les tulipes restent incomparables pour la richesse de leurs couleurs, l'élégance de leur forme, et l'abondance de leurs variétés. Pour en obtenir le meilleur effet, il est recommandé de les grouper et de s'en tenir à quelques couleurs comme ici sur la photo.

La beauté classique de la rose

La rose est de tous les temps et de tous les pays. Malgré les efforts d'imagination et les prodiges de patience dont on a fait preuve pour lui donner une variété infinie de formes et de couleurs, elle demeure toujours pareille à elle-même.

Nombreuses sont les théories sur la meilleure façon de cultiver les rosiers. En fin de compte, il s'agit essentiellement de satisfaire leurs besoins fondamentaux. Mais quels sont ces besoins? Tout d'abord, **une bonne aération.** L'air doit circuler librement autour de la plante. **Une terre bien drainée.** Bien qu'ils aient besoin d'humidité, les rosiers poussent mal lorsque leurs racines restent trempées. **Du soleil.** L'ensoleillement, qui est favorable à la plupart des fleurs, est indispensable dans le cas des roses. **L'enlèvement des fleurs fanées.** En ôtant les fleurs dès qu'elles commencent à se faner, on évite la production de graines, qui serait une perte d'énergie, et on favorise l'apparition de nouvelles fleurs. Du même coup, on a l'occasion d'examiner la plante de près et de déceler les maladies fongiques et les insectes pendant qu'il est encore temps d'en venir à bout.

Les sols peu acides (d'un pH de 6.5 à 7) sont propices à la culture des rosiers, surtout si on leur ajoute une bonne dose de terreau et de fumier. On peut remplacer celui-ci par de la tourbe qu'on additionne de chaux pour en diminuer l'acidité.

Dans les jardins, les rosiers se prêtent à une foule d'utilisations décoratives. Les espèces les plus réputées, les hybrides de thé, composent d'agréables plates-bandes auxquelles on peut donner une forme géométrique. Les rosiers grimpants, qui atteignent de 6 à 15 pieds de hauteur, sont très spectaculaires, disposés sur un treillis ou un mur. Les floribundas, qui ressemblent aux hybrides de thé, mais ont des fleurs plus petites et forment des grappes, feront le plus joli des effets si on les plante en grande quantité. Quant aux grandifloras qu'on confond souvent avec les floribundas, ils se distinguent par leur hauteur et leur prestance. Les rosiers sur tige, greffés à environ trois pieds de haut, servent, dans des plates-bandes de fleurs plus basses, d'éléments de contraste.

Nous vous proposons ici un choix d'espèces et de variétés qui poussent facilement si on leur donne les soins de base.

Les hybrides de thé. Rouge : 'Chrysler Imperial', 'Americana', 'South Seas', 'Crimson Glory'. Blanc : 'Matterhorn', 'Garden Party'. Jaune : 'Peace', 'Sutter's Gold'.

Les floribundas. Rouge : 'Frensham', 'Red Glory'. Rose : 'Gay Princess', 'Saratoga'. Jaune : 'Gold Cup', 'Golden Fleece'.

Les grandifloras. Rouge : 'El Capitan', 'Carrousel'. Rose : 'Queen Elizabeth'. Blanche : 'Mount Shasta'. Jaune : 'Queen Elizabeth'.

Les rosiers grimpants. Rouge : 'Blaze', 'Don Juan'. Rose : 'Dr. J. H. Nicolas', 'Pinkie'. Blanc : 'Aloha', 'City of York'. Jaune : 'Royal Gold', 'Mermaid' (dans les endroits abrités).

Pour qu'ils restent vigoureux, tous les rosiers doivent être arrosés de fongicide après chaque pluie. Il faut aussi les tailler chaque année en respectant les règles suivantes : a) tailler toutes les branches mortes, brisées ou trop faibles; b) tailler les bonnes branches de charpente sur deux ou trois bons yeux; c) éliminer à ras de terre les tiges en trop, de façon à en laisser trois ou quatre; d) garder les tiges poussant vers l'extérieur afin d'aérer le centre et d'élargir l'arbuste; e) tailler juste au-dessus d'un œil dirigé vers l'intérieur.

Des rosiers au soleil le long d'une clôture : tableau classique qui continue d'embellir bien des paysages. A noter qu'il faut prendre soin d'attacher les tiges à la clôture en leur laissant du jeu.

Il est recommandé de prendre des mesures de protection pour assurer la survie des rosiers au cours de l'hiver. Voici les principales : a) à partir de la mi-juillet, supprimer les engrais, surtout les engrais azotés; b) pour éviter les bris de branches, rabattre les tiges à 15-18 pouces (à faire à l'automne alors que la croissance est ralentie); c) butter le rosier sur une hauteur de six à huit pouces (aux endroits très exposés, ajouter une protection additionnelle en recouvrant la butte de feuilles mortes, de mousse de tourbe, de fumier bien décomposé, de branchages ou encore de balle de sarrasin); d) ne pas enlever la protection d'hiver trop tôt au printemps et attendre que les yeux commencent à pousser.

Les plantes grimpantes : une autre dimension

Les plantes grimpantes donnent au jardin une dimension verticale. Ne semblent-elles pas s'élancer à la conquête de l'espace? Il suffit de les aider en leur offrant un treillis, un poteau, un arbre ou tout simplement une corde ou un fil.

Nous vous indiquons ici les espèces qui sont considérées comme étant les plus pratiques, les plus résistantes et les plus belles. Nous mentionnons la zone de rusticité quand il est utile de le faire. La clématite mérite la première place. Un seul pied peut, par exemple, suivre une gouttière ou le bord d'un toit sur une distance de 30 à 40 pieds, répandant des cascades de fleurs pendant une période qui va de trois à quatre semaines. La floraison a lieu en juin dans le cas de la *Clematis montana rubens,* et en août dans celui de la *Clematis paniculata.* Il y a aussi la *Clematis orientalis,* à fleurs jaunes, qui fleurit en août, et la *Clematis jackmanii,* à fleurs violettes, qui fleurit en juillet et août. Toutes suivront docilement l'orientation que vous voudrez leur donner.

Contrairement aux clématites, l'hydrangée grimpante *(Hydrangea petiolaris),* aux fleurs larges et multiples, n'exige que peu de soleil et pousse même très bien sur un mur exposé au nord. Evidemment, comme toutes les plantes grimpantes, il lui faut un soutien. A l'état naturel, elle choisirait sans doute un arbre; cultivée, elle a besoin d'un treillis ou de quelque autre appui.

Une glycine robuste doit pouvoir s'accrocher à un support solide : un tuyau de métal ou un poteau de bois de 4 pouces sur 4. Si on la laisse grimper le long d'un mur de la maison, elle risque de l'effriter. Aussi est-il plus prudent de lui offrir une tonnelle, un portique ou un treillis. La clématite, malgré sa vigueur, peut sans danger s'aggriper à un mur. Il est bon, cependant, de l'orienter avec des fils ou des tiges de bois.

Parmi les grandes plantes grimpantes, les plus intéressantes sont sans doute l'hydrangée *(Hydrangea petiolaris)* [zone 5], la glycine du Japon *(Wisteria floribunda)* [zone 6] et le jasmin de Virginie *(Campsis radicans)* [zone 5].

Dans la catégorie des plantes grimpantes légères, les espèces suivantes méritent l'attention : la *Thunbergia alata,* annuelle délicate à petites fleurs orangées et marquées de noir, l'*Actinidia arguta* [zone 5] et l'*Actinidia kolomikta* [zone 5] dont le feuillage est particulièrement décoratif, alliant en début de saison diverses nuances de rose, de blanc et de vert pour ensuite tourner peu à peu au vert.

La renouée argentée *(Polygonum aubertii)* se couvre à la fin de l'été d'une multitude de petites fleurs blanches.

La *Cobaea scandens* (aussi annuelle) pousse bien dans les lieux humides. Ses fleurs violettes en forme de coupe s'épanouissent au milieu de l'été.

Le volubilis des jardins *(Ipomoea purpurea)* n'a guère besoin de présentation. Le cultivar 'Heavenly Blue', quand il est planté dans un endroit bien ensoleillé, fleurit en quelques semaines.

L'aristoloche siphon *(Aristolochia durior)* doit son apparence massive à ses lourdes feuilles. Les fleurs, de couleur brune, apparaissent au début de l'été et ont la forme d'une pipe hollandaise.

Enfin, signalons le jasmin *(Jasminum nudiflorum)* [zone 6], qui n'est pas à proprement parler une plante grimpante, mais qui s'accroche quand même à un arbre ou à un treillis. Excellent pour retenir le sol sur les terrains en pente, il se distingue aussi par ses nombreuses fleurs jaunes, qui viennent en mars.

277

15
La touche de naturel et de fantaisie

Les marguerites blanches (*Chrysanthemum leucanthemum*) à cœur jaune allient la simplicité à la grâce. Ces plantes vivaces s'adaptent très bien dans les jardins et se propagent par semence.

On peut certainement s'étonner de ne pas voir dans nos jardins ces merveilleuses plantes qui appartiennent à notre flore. Seule une méconnaissance de leur richesse peut expliquer une telle lacune, car ces plantes apporteraient autant de fraîcheur et de couleur à nos parterres que celles qui viennent de pays étrangers. Qu'on pense seulement au charme discret de nos marguerites des champs et à la grâce naturelle des fougères de nos sous-bois. Pour que notre flore ait dans nos jardins la place qu'elle mérite, nous vous suggérons quelques-unes des meilleures espèces indigènes. Certaines d'entre elles vivent à l'état naturel dans les sous-bois et certaines croissent dans l'eau ou au bord de l'eau. Les autres poussent en plein soleil. Mais elles ont toutes une grande valeur décorative. Leur beauté sera d'autant plus rehaussée qu'on leur procurera un cadre approprié.

Si le charme des plantes indigènes reste à découvrir, celui des plantes exotiques est, par contre, depuis longtemps révélé. Parmi ces plantes, il en est qui, en raison de la particularité de leurs formes et de la richesse de leurs couleurs, retiennent infailliblement l'attention. Ces plantes deviennent particulièrement intéressantes quand elles sont mises bien en évidence : près d'une porte, au bord d'une allée ou à côté d'un banc. Quelques-unes se cultivent dans des corbeilles suspendues et d'autres se prêtent à la culture en espaliers. Certaines conviennent à la culture du bonsaï.

Dans les pages qui suivent, vous trouverez des renseignements sur toutes ces plantes qui se signalent par leurs qualités décoratives.

Les plantes indigènes

Les plantes de sous-bois

Parmi les espèces qui poussent sous les arbres et couvrent le parterre de nos forêts, il y en a certaines qu'on peut introduire dans nos parcs publics et nos jardins privés. Nous en mentionnerons quelques-unes. **L'érythrone d'Amérique** *(Erythronium americanum)* est une plante bulbeuse qui donne de jolies fleurs jaunes en mai. Elle se propage par bulbilles et disparaît vers le 15 juin. **La gaulthérie couchée** *(Gaul-*

theria procumbens), plante remarquable à fleurs blanches couchées sous les feuilles, peut aussi tapisser le sol. **Le maïanthème du Canada** *(Maianthemum canadense)* s'apparente au muguet par ses fleurs blanches en grappes qui apparaissent au printemps. Des fruits rouges leur succèdent. On peut l'utiliser comme plante tapissante dans les endroits ombragés du jardin. **La sanguinaire du Canada** *(Sanguinaria canadensis)* offre d'admirables fleurs simples ou doubles, d'un blanc pur.

◀ **Les trilles** ont toutes les qualités des plantes tapissantes. Le trille grandiflore *(Trillium grandiflorum)*, que l'on voit ci-contre, donne des fleurs d'un blanc qui passe au rose. Le trille ondulé *(Trillium undulatum)* montre des fleurs à pétales ondulés blancs, rayés de rouge.

◀ **Les fougères** demandent un sol acide et un ensoleillement moyen. Il est important de couvrir le sol de feuilles pour préserver l'humidité. Les plus belles de nos fougères sont la capillaire du Canada, la botryche de Virginie, la dyoptéride accrêtée et l'osmonde royale.

▼ **Le cornouiller du Canada** *(Cornus canadensis)* est une plante herbacée qui couvre le sol de nos forêts de sapins et d'épinettes. Ses jolies fleurs vert tendre entourées de bractées blanches se transforment durant l'été en fruits rouges comestibles.

Les plantes aquatiques
ou semi-aquatiques de plein soleil

Le charme des plantes d'eau n'est plus à vanter. Si votre jardin ne contient pas de bassin ni d'étang pour en cultiver, vous pouvez faire pousser des plantes semi-aquatiques dans les endroits humides qui offrent des conditions analogues aux marécages d'où elles sont originaires. Voici une courte liste. **L'acorus roseau** (*Acorus calamus variegata*) s'adapte bien aux zones marécageuses. C'est une plante aquatique aux feuilles vertes panachées de blanc, qui fleurit en été. **Le butôme à ombelle** (*Butomus umbellatus*) produit tout l'été des hampes de fleurs roses ou blanches. **Le populage des marais** (*Caltha palustris*) est une plante herbacée qui vit bien dans les endroits humides et ensoleillés. En mai, il se couvre de magnifiques fleurs jaunes, simples ou doubles. **La sagittaire** (*Sagittaria latifolia*) se cultive dans les milieux humides. Ses feuilles ont la forme d'une flèche. Ses fleurs blanches en grappe éclosent en été. **La sarracénie pourpre** (*Sarracenia purpurea*) mérite de figurer au premier rang de notre flore. C'est une plante carnivore à feuilles en forme d'urne, vertes ou pourprées, et à fleur solitaire penchée qui s'épanouit au printemps. Elle se plaît dans les marécages.

Le nénuphar (*Nymphaea* sp.) demeure toujours une plante fascinante avec ses grandes feuilles rondes flottantes et ses fleurs odoriférantes aux lignes pures, comme posées sur l'eau.

L'iris versicolore (*Iris versicolor*), dont les feuilles sont en forme de glaive, porte noblement au sommet d'une haute tige une magnifique fleur d'un bleu-violet, tachetée de jaune. Une plante vivace qui fleurit en mai.

Les plantes de plein soleil

Voici d'autres espèces indigènes que l'on pourrait cultiver avantageusement comme plantes ornementales. Ainsi que l'indique le titre, elles requièrent une bonne exposition au soleil. **L'anaphale marguerite** (*Anaphalis margaritacea*) fleurit vers la fin de l'été. Ses petites fleurs blanches capitulées ont une texture semblable à celle du papier, ce qui permet de les utiliser dans des bouquets de fleurs séchées. Cette plante s'accommode de tous les sols. **L'aster** (*Aster* sp.) est la plante d'automne par excellence. Elle est vivace et s'adapte à tous les terrains. **L'épilobe à feuilles étroites** (*Epilobium angustifolia*) connaît un ample développement dans nos régions. Sa floraison se situe à la fin de l'été. Ses longues grappes de grandes fleurs mauves ou rouge magenta animent alors le paysage. Cette jolie plante s'adapte aux endroits légèrement humides. **L'hémérocalle fauve** (*Hemerocallis fulva*) est une plante vivace à feuilles linéaires pointues au milieu desquelles émerge une hampe portant de grandes fleurs orange foncé. Celles-ci s'épanouissent le matin, se ferment le soir et meurent le lendemain, d'où leur nom familier de lis d'un jour. Une plantation en touffe dans un milieu humide lui convient très bien. **La rudbeckie hérissée** (*Rudbeckia hirta*) ou marguerite jaune à cœur brun est couramment utilisée dans la culture d'ornement. Elle s'adapte à tous les sols et se resème facilement.

Quand viendra l'automne, la verge d'or du Canada (*Solidago canadensis*) illuminera le jardin de ses nombreuses fleurs d'un jaune remarquable. L'effet sera encore plus spectaculaire si on la plante avec d'autres fleurs vivaces d'un ton contrastant.

L'ancolie du Canada (*Aquilegia canadensis*) est l'un des joyaux de notre flore. Ses fleurs d'un bel écarlate, qui se tiennent légèrement inclinées, naissent au printemps.

Le bonsaï

L'art véritable du bonsaï (mot japonais qui signifie : culture en récipients plats) consiste à faire pousser des arbres et des arbustes ordinaires, mais en les maintenant petits. Il ne s'agit donc pas d'arbres naturellement nains. Ce type de culture nécessite des techniques horticoles spéciales : taille quotidienne des branches et des racines, disposition particulière des branches. On peut obtenir des résultats comparables en utilisant certaines plantes qui demandent moins de soins que les authentiques plantes de bonsaï (voir à la page suivante).

Cet arbre nain offre les traits de la maturité : tronc noueux et racines partiellement exposées. Les espèces à feuilles caduques suivent leur cycle normal : floraison, fructification, chute des feuilles.

Ce pin mugo n'a peut-être pas toute l'élégance raffinée des vraies plantes de bonsaï, mais il s'en rapproche fortement et a l'avantage de n'exiger que des tailles et des arrosages occasionnels.

Ce pot rond fait corps avec l'épinette naine qu'il contient. Dans le bonsaï, la plante et son récipient doivent s'harmoniser par leurs formes et leurs couleurs, de la même façon qu'un tableau et son cadre.

L'illusion du temps est l'effet que recherche le bonsaï. La méthode consiste à tailler les branches et à leur faire prendre certaines formes en les maintenant à l'aide de fils de fer. Cet arbre a l'air modelé par les ans.

Les plantes en pots

On peut faire pousser presque toutes les plantes dans des pots ou d'autres récipients, mais c'est avec celles qui se distinguent par l'originalité de leur forme, de leur texture ou de leur couleur qu'on obtient les résultats les plus intéressants.

Une belle plante en pot joue le même rôle qu'une sculpture et peut orner une entrée ou une terrasse. Choisissez donc la plante et son récipient pour qu'ils s'harmonisent et embellissent le décor.

Cette collection de plantes en pots qui orne un mur de jardin pourrait se comparer à une mosaïque. Si l'une des plantes meurt, rien de plus facile que de la remplacer par une autre. L'arrangement des couleurs peut être modifié à volonté.

Avec leurs formes bizarres ces plantes s'allient particulièrement bien aux pots qui les contiennent. On a l'impression que plante et récipient sont une même substance.

Des plantes qui poussent bien en pots

Arbres de petite taille

Viorne à feuilles de prunier
  (Viburnum prunifolium)
Pin noir d'Autriche
  (Pinus nigra austriaca)
Cornouiller de la Floride
  (Cornus florida)
Erable palmé
  (Acer palmatum)
Olivier de Bohême
  (Eleagnus angustifolia)
Magnolia étoilé
  (Magnolia stellata)

Arbustes

Buis coréen
  (Buxus microphylla)
Andromède du Japon
  (Pieris japonica)
Skimmia du Japon
  (Skimmia japonica)
Kalmia à larges feuilles
  (Kalmia latifolia)
Mahonia à feuilles de houx
  (Mahonia aquifolium)
Pin mugo
  (Pinus mugo mughus)

Bonsaï

Azalées (Rhododendron) :
  variétés diverses
Epinette de Norvège naine
  (Picea abies compacta)
Buisson-ardent écarlate
  (Pyracantha coccinea)
Cognassier du Japon
  (Chaenomeles japonica)
Charme d'Europe
  (Carpinus betulus)
Pin mugo
  (Pinus mugo mughus)

Les corbeilles suspendues

Détachées du sol, se balançant doucement au moindre vent, les plantes suspendues ont un charme particulier, presque mystérieux. Elles conviennent remarquablement bien à la décoration des terrasses de tous genres.

Les espèces les plus appropriées à ce mode de présentation sont celles qui sont munies de longues branches tombantes et celles qui sont pourvues de fleurs attrayantes. Isolées, elles attirent l'attention par leur valeur décorative. Groupées, elles servent à délimiter les espaces ou à dissimuler des objets peu esthétiques.

Une « araignée » *(Chlorophytum)* (sur la photo de gauche) tombe gracieusement, accompagnée d'une fougère de Boston. Le contraste entre les deux plantes fait ressortir la beauté de chacune. Sur la photo ci-dessus, on voit, de haut en bas, des pétunias, des lantanas *(Lantana camara)* et des glaces *(Tradescantia)*, qui forment une heureuse composition.

283

Les fuchsias s'adaptent parfaitement aux corbeilles suspendues. Faciles à cultiver, ils produisent des fleurs aussi abondantes qu'attrayantes. Ils peuvent supporter un peu d'ombre, mais ont besoin d'être arrosés tous les jours.

Des espaliers pour la décoration et la table

La culture en espalier consiste à faire croître contre un mur des arbres ou des arbustes dont les branches sont maintenues par des clous ou des treillis. Cette méthode a été implantée en France à la fin du XVIᵉ siècle. A l'origine elle visait moins des fins décoratives que l'augmentation des récoltes des arbres fruitiers, surtout des pommiers, et l'amélioration de la qualité des fruits. En effet, une taille soignée et une riche alimentation donnent aux arbres de la vigueur et permettent aux branches de se développer également. Les arbres ainsi plantés contre un mur sont protégés du vent et captent mieux la chaleur. En général, les jardiniers amateurs ne recherchent pas des récoltes particulièrement abondantes et ne sont pas prêts à attendre les cinq ou six ans dont les arbres ont besoin pour atteindre leur maturité. C'est sans doute ce qui explique que ce mode de culture ait jusqu'à présent été beaucoup moins répandu dans nos régions que dans les pays européens.

Depuis quelque temps, cependant, on semble avoir découvert la valeur décorative de la culture en espalier. N'est-ce pas en effet un moyen idéal d'orner les murs et les palissades dont on s'entoure pour avoir un peu d'intimité?

Ce poirier est disposé en espalier sur un treillage fixé au mur de la maison. Dans ce cas, l'arbre doit se trouver à environ un pied du mur. Les poiriers et les pommiers adoptent aisément des formes fantaisistes.

D'autant plus que cette technique laisse le champ libre à la fantaisie du jardinier : rien ne l'oblige à se limiter aux compositions symétriques et traditionnelles, quelles que soient leur beauté et leur perfection. On peut orienter selon ses goûts personnels aussi bien que selon ses besoins le développement des arbres ou des arbustes. Suivant la méthode actuelle, les espaliers sont construits en deux dimensions, hauteur et largeur, ce qui leur donne le grand avantage de ne prendre que peu de place dans le jardin. Par contre, ils exigent des soins très attentifs. Tout d'abord, plantez les arbres dans un sol riche, puis ajoutez du terreau et désherbez régulièrement.

S'il s'agit d'arbres fruitiers, n'oubliez pas les traitements phytosanitaires destinés à protéger les récoltes. Enfin, les arbres doivent être taillés fréquemment et soigneusement, surtout si on leur donne des formes élaborées.

Plantez les arbres ou les arbustes à une distance de 8 à 12 pouces du mur ou du treillage. Attachez fermement les branches au treillage ou à des anneaux fixés au mur.

Le feuillage abondant de ce buisson-ardent *(Pyracantha)* décore ici un mur de cheminée. Cette plante se prête bien à la disposition en espalier à cause de ses feuilles épineuses qui s'accrochent.

La culture en espalier peut donner lieu à des variantes, comme l'illustre cette vigne attachée à une palissade. Si on la laissait pousser librement, elle ne tarderait pas à couvrir complètement la palissade. En la taillant avec soin, on a su lui donner une valeur décorative. Elle s'assortit du reste au lierre anglais qui pousse au bas de la palissade. Elle pourrait aussi faire un fond harmonieux pour des fleurs ou de petits arbustes.

285

16

Un jardin potager
qui prend peu de place

Des fines herbes pour l'agrément et la cuisine

Si vous aimez faire la cuisine et si vous avez le moindre jardin, aussi modeste soit-il, vous pouvez facilement cultiver vos fines herbes. Vous serez largement récompensé pour les quelques efforts que vous aurez à fournir. La plupart des fines herbes poussent très facilement et ne prennent que peu de place. Ainsi un espace de quatre pieds sur huit vous suffira pour cultiver les herbes couramment utilisées : persil, menthe, thym, laurier, fenouil, ciboulette, basilic, marjolaine et estragon.

Pour ce qui est du sol, les fines herbes ne sont pas exigeantes. Le moindre recoin ensoleillé où la terre est friable et bien irriguée leur suffira. Cependant, le sol ne doit pas être trop engraissé. Semez les graines à l'intérieur au mois de mars; mettez les plants en pot au mois d'avril et transplantez-les à l'extérieur en mai, ce qui vous permettra de récolter en juillet. La plupart des herbes n'ont pas besoin d'être arrosées souvent, étant donné qu'elles sont originaires de régions où le climat est chaud et sec. La menthe, cependant, fait exception : elle aime les sols humides.

Dès qu'il est possible de les saisir facilement, éclaircissez les plantes afin de leur donner l'espace nécessaire à leur croissance. Désherbez régulièrement et arrosez lorsque le sol est sec.

Bien qu'elles soient meilleures fraîches, les fines herbes restent excellentes séchées. Si vous voulez les faire sécher, cueillez-les juste avant la floraison car c'est à cette époque que la concentration d'huile dans les feuilles est la plus forte. Choisissez une journée ensoleillée et attendez qu'il n'y ait plus de rosée sur les feuilles. Le séchage doit se faire dans un endroit sec de la maison, à l'abri du soleil, en étalant les herbes. (Vous pouvez aussi les suspendre en petits bouquets.) Assurez-vous que l'air circule bien autour des tiges et des feuilles. Après trois ou quatre jours, c'est-à-dire lorsqu'elles sont bien sèches, détachez les feuilles des tiges, écrasez-les ou effritez-les et mettez-les dans des récipients hermétiques. En plus de servir à des fins culinaires, les fines herbes donnent du charme à votre jardin. Mais il faut alors faire preuve d'un peu d'imagination car un simple carré rempli d'herbes ferait une masse grisâtre et monotone. C'est pourquoi la tradition veut que l'on plante les fines herbes par touffes que séparent des fleurs ou des allées de briques ou de pierres plates. En faisant le plan de votre jardin, n'oubliez pas non plus de disposer les plantations de façon à faciliter la cueillette. Les fines herbes peuvent aussi servir à faire des bordures décoratives le long des plates-bandes. Le basilic, le thym et le romarin sont particulièrement indiqués à cette fin. Vous pouvez enfin vous inspirer du jardin médiéval où les bordures étaient faites de fines herbes soigneusement taillées qui ressemblaient à des cordes formant une série de nœuds.

Dans cette version moderne du jardin médiéval les briques ont remplacé les bordures d'herbes entrelacées. Façon originale de tracer des plates-bandes où se mêlent les plantes.

Pratiques et décoratifs, ces carrés de fines herbes sont faits de tuiles de cheminée. Ils mesurent environ deux pieds carrés. On peut semer des herbes différentes à l'intérieur de chaque carré.

Cette roue « végétale » montre bien que les fines herbes ne prennent que peu de place. Il y a ici une provision suffisante pour une famille de quatre personnes. A noter que chaque sorte d'herbe est bien identifiée.

Du potager à la table

A notre époque où les moyens de transport et les procédés de réfrigération apportent à notre table une foule de produits d'origine lointaine, les légumes frais, mûris au jardin, sont devenus chose rare. Si les méthodes modernes rendent des services incontestables durant la saison d'hiver, il n'en reste pas moins qu'en plein été rien ne vaut les tomates toutes fraîches cueillies, les pois bien tendres, la laitue croustillante ou le maïs cueilli juste avant la cuisson.

Rien de plus facile que la culture des légumes. Il suffit d'un peu de place (bien moins qu'on ne le croit généralement), de soleil (il n'y en a jamais trop) et d'un minimum de temps. Dans un jardin de dimensions ordinaires, il y assez de place pour faire pousser, par exemple, des carottes, de la laitue, des radis et des betteraves. Si votre jardin est vraiment très petit, vous pouvez exploiter à fond l'espace disponible en cultivant des légumes qui poussent à la verticale, sur des piquets, des treillages ou des clôtures, comme les tomates, les haricots, les courgettes et les concombres. Vous pouvez aussi faire des cultures rotatives, c'est-à-dire planter des espèces qui produisent en fin de saison (choux, betteraves, brocoli et

choux-fleurs), aux endroits occupés antérieurement par des espèces plus hâtives comme les radis et la laitue. A noter par ailleurs que les radis, qui poussent en trois ou quatre semaines, peuvent durer tout l'été si on en sème de nouveau à mesure qu'on les récolte.

Pour épargner à la fois du temps et de l'espace, vous pouvez commencer la culture de certains légumes comme les tomates, les piments, le brocoli, le chou-fleur et le chou, par des semis dans la maison ou sous des couches chaudes ou dans des bâches. (Vous pouvez aussi acheter des plants en caissettes.) Les plates-bandes surélevées, d'environ un pied de haut, sont excellentes pour les légumes. En plus de faciliter le désherbage et l'application des engrais, elles permettent à l'eau de se concentrer près des racines des plantes. Après la récolte, on peut les couvrir de paillis ou d'humus de façon à les empêcher d'avoir cet air triste et ravagé que prennent si souvent les potagers en fin de saison.

Enfin, n'oubliez pas que vous pourrez obtenir d'utiles conseils et divers renseignements en vous adressant au ministère de l'Agriculture de votre province.

Le potager traditionnel se compose de rangées bien droites et comporte les bâches destinées aux semis. Il prend évidemment beaucoup de place, mais lorsqu'on peut se le permettre, les résultats en valent la peine.

Quand l'espace est restreint on peut faire des cultures à la verticale. Les plants de tomates que l'on voit ici sont attachés à des structures de bambou que l'on peut défaire et remiser à la fin de la saison.

Des filets de pêche fixés à des piquets soutiennent cette plantation de petits pois. Une couche d'humus de six à huit pouces élimine les mauvaises herbes et donne aux racines l'humidité qu'il leur faut.

289

Une rangée d'arbres fruitiers donne de délicieuses récoltes et décore le jardin. Rapprochés, les arbres forment des écrans de verdure qui coupent le vent. On utilise généralement des espèces naines de poiriers, de pommiers et de cerisiers. Les pêchers et les pruniers conviennent aux régions plus tempérées.

Un verger sur mesure

La culture des arbres fruitiers peut procurer beaucoup de satisfaction. Elle demande un coin de terrain plus grand que la culture potagère, de même que beaucoup de soleil et un peu de travail.

Dans les jardins de banlieue, la culture des espèces naines est particulièrement indiquée. Un arbre nain, en effet, peut se contenter d'un espace d'environ 10 pieds de diamètre, alors que l'arbre de taille normale exige un espace de 15 à 35 pieds de diamètre. Les espèces naines, par ailleurs, produisent des fruits de grosseur normale, sont faciles à tailler et à entretenir et donnent des récoltes plus rapides que les espèces ordinaires qui mettent généralement deux à huit ans à produire.

Dans la catégorie des arbres nains, le pommier, le pêcher et le prunier sont les espèces qui se cultivent le plus couramment. Les arbres doivent être taillés tous les ans et vaporisés de cinq à sept fois par an. En outre, la plupart des espèces doivent être soumises à une pollinisation croisée, à l'exception toutefois des pêchers, des abricotiers et des griottiers. Etant donné l'incompatibilité qui peut exister entre certaines espèces, il serait prudent de vous renseigner auprès des autorités de votre région au sujet des procédés de pollinisation.

Les framboisiers et les mûriers exigent des tailles minutieuses, mais donnent de bons résultats. La vigne aussi demande des soins attentifs, du moins si l'on veut qu'elle produise des fruits en plus d'apporter un élément décoratif. Les bleuets (ou airelles), dont les feuilles prennent des teintes éclatantes à l'automne, poussent très bien sous les climats nordiques; en fait, ils ont même besoin des froids de l'hiver. Quant aux fraisiers, dont les fruits n'ont guère besoin d'éloge, on oublie trop souvent qu'ils font le plus ravissant tapis de sol.

▶**Cette potiche percée** et remplie de fraisiers allie l'utile à l'agréable. On peut de la même façon utiliser un vieux baril ou un tonneau. La récolte est généralement abondante et l'effet décoratif durable.

290

Par leur forme et leur couleur, les fruits ont souvent une valeur décorative. Plantez les arbres en en tenant compte, c'est-à-dire à des endroits qui les mettront en valeur.

◀ **La vigne,** avec ses branches noueuses et ses grappes alléchantes, donne des effets incomparables. Son beau feuillage fournit une ombre agréable, qui invite à la détente.

▼ **Les framboises** supportent mal le transport, d'où l'intérêt de les cultiver dans votre jardin, si vous en avez la place. Les framboisiers doivent être taillés soigneusement.

17

La plantation,
la taille et l'entretien

Données fondamentales sur le sol,
la fertilisation et l'arrosage

Nombre de plantes prospèrent même si on ne leur prodigue qu'un minimum de soins, mais il en est d'autres qui nécessitent plus d'attention. C'est pourquoi il est nécessaire de savoir à quelle plante on a affaire. Toutes les plantes à racines, par exemple, suivent un processus de développement identique et ont les mêmes besoins essentiels. Au-dessus du sol, il leur faut de la lumière, de l'eau et de l'air. Dans le sol même, elles ont besoin d'air, d'eau et d'éléments nutritifs. Il existe des matières nutritives sous forme de liquides qui peuvent être appliquées sur les feuilles, mais cette méthode ne sert qu'à renforcer provisoirement les plantes.

Par le phénomène de la photosynthèse, la lumière du soleil agit sur la chlorophylle et sur d'autres éléments que contiennent les feuilles pour produire les matières nutritives. Au cours de ce processus complexe, les feuilles absorbent du gaz carbonique et rejettent de l'eau et de l'oxygène. Quant aux éléments nutritifs, ils descendent dans les tiges jusqu'aux racines, contribuant ainsi à assurer la croissance de la plante. Les racines, pour leur part, puisent dans le sol de l'eau et des matières nutritives qui sont acheminées par le tronc ou la tige vers les feuilles où elles servent à la photosynthèse. Le liquide ainsi produit, c'est-à-dire la sève, donne aux feuilles leur substance. Lorsqu'il manque, les feuilles se flétrissent et le processus de croissance se trouve ralenti.

Alors que certaines plantes se contentent d'une faible quantité de lumière, d'autres ne

peuvent absolument pas se passer de soleil. Mais toutes ont besoin d'aération et de protection contre les maladies et les insectes. Il faut aussi que leurs feuilles soient toujours bien propres pour pouvoir respirer.

Comment traiter le sol

Par ordre de densité croissante, les sols se divisent en trois catégories : sablonneux, limoneux et argileux. Ce sont les sols limoneux-sablon-

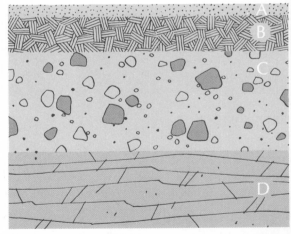

Cette coupe d'un sol à l'état naturel montre une couche d'humus (A) faite de matières animales et végétales en décomposition; le sol de surface (B); le sous-sol (C), et une couche de roc (D). Plus celle-ci est en profondeur, meilleur est le sol.

neux qui conviennent le mieux aux multiples usages courants. Comme l'illustre le dessin ci-dessous, le sable permet la pénétration de l'air et de l'eau. Les sols limoneux contiennent de l'humus (matières animales et végétales en décomposition) et de l'argile (particules minérales microscopiques). L'humus retient l'eau, ce qui permet aux racines d'absorber celle-ci. Il assure aussi la survie des bactéries nécessaires. Quant à l'argile, en donnant de la densité au sol, elle aide les racines à s'implanter solidement. Pour

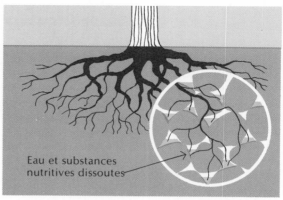

Les **poils absorbants** de la racine aspirent les éléments nutritifs. Ceux-ci étant sous forme de solutions, la texture du sol doit en permettre la pénétration.

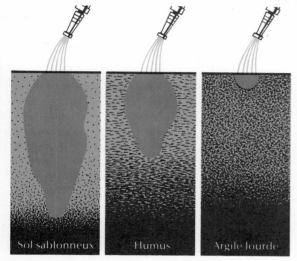

L'eau doit être versée directement au-dessus des racines, vu qu'elle pénètre verticalement et s'étend très peu. On voit ici que la profondeur de pénétration, pour des arrosages de même durée, varie selon les sols.

adapter le sol aux besoins de chaque plante, il s'agit d'en équilibrer les composantes. Par ailleurs, on peut mesurer, au moyen de tests chimiques, le degré d'acidité (ou d'alcalinité) du sol, que l'on exprime par le facteur pH. Pour plus de détails sur le sujet, voir le chapitre consacré aux pelouses, à la page 250.

Comment les plantes se nourrissent

Les plantes recueillent les éléments nutritifs du sol grâce aux poils absorbants qui se trouvent à l'extrémité de leurs racines. Et seuls les fertilisants en liquide peuvent pénétrer de la surface du sol jusqu'aux racines.

Pour croître, les plantes ont besoin de 16 éléments chimiques différents qui se trouvent dans toute bonne terre de jardin. Certains de ces éléments sont immédiatement solubles,

d'autres se dégagent sous l'action des milliards de micro-organismes que contient le sol. La plupart des sols contiennent en quantité suffisante les oligo-éléments comme le bore, le zinc et le magnésium. En revanche, ils manquent souvent plus ou moins d'azote, de phosphore et de potassium, si bien qu'il faut généralement

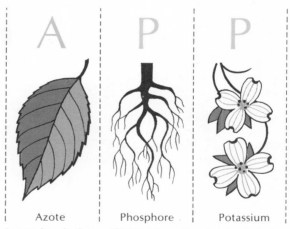

Les trois principaux éléments que l'on trouve dans les engrais complets ont des effets spécifiques, mais qui se complètent. La proportion de chaque élément est indiquée en pourcentage sur l'emballage.

leur en ajouter. Comme on le voit ci-dessus, les engrais chimiques complets comprennent ces trois éléments. Quant aux engrais organiques, comme le fumier et le terreau, ils sont dilués et sont lents à agir, mais ils ont l'avantage de contenir de l'humus qui améliore grandement la qualité du sol.

La première étape

Il y a trois façons d'amorcer la culture des plantes de jardin. Une première consiste à semer les graines ou à planter les bulbes et les tubercules, une deuxième à mettre les semis en terre et une troisième à transplanter les arbres et arbustes en laissant leurs racines libres ou entourées d'une motte de terre. Quelle que soit la méthode utilisée, les premiers jours de croissance sont décisifs. N'oubliez pas que les plantes saines et vigoureuses sont celles qui résistent le mieux aux maladies et aux insectes, qui exigent le moins de soins et qui ornent le mieux le jardin.

Graines, bulbes et tubercules

Quand les plantes commencent à croître, les racines ont besoin d'eau et d'éléments nutritifs. C'est pourquoi il est essentiel que ces dernières restent étroitement en contact avec le sol. Si les racines de la plantule rencontrent une poche d'air, la plante se flétrit et meurt. Arrosez donc le sol un jour ou deux avant de mettre

Semez les graines à la profondeur et avec l'espacement indiqués sur le paquet. Pour faire les sillons, servez-vous d'un bâton ou d'une houe. Après la plantation, tassez le sol fermement pour que les racines s'implantent.

les graines en terre, pour qu'il soit humide sans toutefois être détrempé. Selon les espèces, les graines peuvent être semées à la volée ou enfouies dans des trous ou des sillons. Dès que les plantules sortent de terre, éclaircissez-les pour donner aux plantes l'espace nécessaire.

Les bulbes et les tubercules contiennent des réserves nutritives qui leur permettent de vivre pendant une saison si elles sont plantées à la

Plantez les bulbes à l'automne, les racines vers le bas, et tassez bien le sol. Creusez assez profond pour pouvoir recouvrir les gros oignons (tulipes, jonquilles) de 4 à 6 pouces de terre, et les petits de 1 à 2 pouces.

bonne profondeur, à un endroit propice et dans un sol favorable. Pour les garder plus longtemps, il faut mettre de l'engrais au fond du trou, où se développent les racines.

La transplantation des plantules

Il y a une façon sûre et rapide de donner de la couleur à votre jardin : achetez ou faites pousser des plants en pots et transplantez-les lorsqu'ils sont en fleurs ou sur le point de fleurir. On peut cultiver les plants séparément ou les grouper en caissettes. De toute façon, com-

Creusez des trous assez larges pour pouvoir planter les pousses sans abîmer les racines. Tassez bien le sol et arrosez dès que la plantation est terminée. Les plants risquent de se faner s'ils n'ont pas assez d'eau.

mencez par creuser les trous, puis retirez les plants des récipients (en les séparant s'ils sont en caissettes) et plantez-les en prenant soin de ne pas abîmer les racines et de ne pas les exposer à l'air trop longtemps. L'air, en effet, risquerait d'assécher les poils absorbants des racines et la chaleur du soleil pourrait endommager le système respiratoire de la plante. Pour atténuer les effets du choc, il est recommandé de transplanter les plantules le plus rapidement possible, un jour où le ciel est nuageux ou à la fraîcheur du soir.

La plantation des arbustes

Si l'on perd quelques plantules au cours de la transplantation, il est facile et peu coûteux de les remplacer. Il en est autrement des arbustes : en ce domaine tout échec est onéreux et laisse un vide qui dépare le jardin. Choisissez donc dans une pépinière un arbuste sain et de belle apparence. Si vous lui donnez le soleil, l'ombre, l'aération et le sol qui lui conviennent, il devrait commencer à croître normalement dès le jour où vous l'aurez planté. Pour bien faire les cho-

Les arbres et les arbustes dont les racines sont emballées doivent être placés dans le sol au niveau où ils étaient. Tassez bien la terre autour, puis ouvrez la tontine avant de remplir le trou.

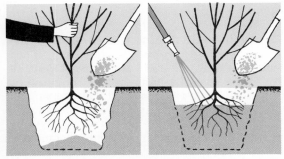

Le trou doit être assez grand pour recevoir les racines et la terre arable. Remplissez d'abord le fond pour que la plante se trouve au bon niveau, puis comblez les espaces vides. Arrosez pour fixer la terre.

ses, il vous faudra un peu plus de temps et d'effort, mais à long terme vous y gagnerez beaucoup. Les vieux jardiniers vous diront qu'il faut planter « un petit arbre dans un grand trou ».

Le trou doit toujours être assez grand pour qu'il reste de la place autour des racines, qu'elles soient à découvert ou dans un emballage. En effet, dans les pépinières, les racines des arbres et des arbustes sont souvent entourées d'une motte de terre et emballées dans de la toile de jute. Quant aux plantes à feuilles caduques, on peut les planter à racines découvertes si la transplantation se fait durant leur saison de repos. Il est bon de remplir l'espace libre, autour des racines, avec de la terre arable enri-

chie d'engrais, ce qui favorise la croissance des cellules nutritives qui se trouvent au bout des racines. Si le sol est médiocre, agrandissez le trou et remplissez-le d'une préparation de terre enrichie de mousse de tourbe. En fait, le trou constitue une sorte de récipient qu'il faut remplir du type de terre dont la plante a besoin.

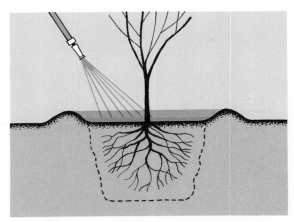

Relevez la terre en cercle autour de la région des racines afin de former un réservoir où l'eau pourra s'accumuler. Si l'eau met du temps à pénétrer, c'est que le sol est trop compact; ajoutez-y alors de l'humus.

Dans les cas où le sol est particulièrement pauvre, labourez le fond et les côtés du trou avec une pioche et remplissez avec du terreau ou de la tourbe, ce qui facilitera la pénétration des racines au-delà du trou de plantation. Autrement, les racines ne se développeront guère et la croissance normale de la plante risque d'être ainsi entravée.

La plantation des arbres

En règle générale les arbres se plantent de la même façon que les arbustes. Ils sont vendus avec les racines découvertes ou enveloppées. À cause de leur taille, cependant, il faut le plus souvent les renforcer au moyen de tuteurs ou de haubans pendant les deux ou trois premières saisons afin de donner aux racines le temps de s'ancrer fermement dans le sol. Autrement, dès qu'ils ont atteint une certaine taille et qu'ils sont couverts de feuilles, les arbres se font secouer par le vent, ce qui risque d'arracher les radicelles (racines nutritives) et d'empêcher leur alimentation.

Souvent les pépiniéristes taillent les racines de leurs arbres pour faciliter la transplantation et favoriser la multiplication des radicelles. Si vous voulez transplanter un arbre qui a déjà

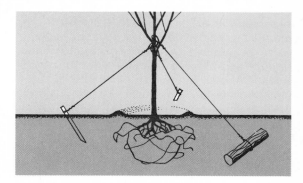

Pour les gros arbres on utilisera trois haubans. Si le sol est trop léger, on se servira d'amarres que l'on enfouira dans la terre. Pour ne pas abîmer l'arbre, on entourera d'un tuyau de caoutchouc l'extrémité du hauban.

Dans le cas des arbres dont les racines sont en pot ou emballées assurez-vous que la terre reste bien humide jusqu'à la plantation. Si les racines sont libres, trempez-les dans de la boue (pralinage) et plantez l'arbre immédiatement. Quand les plantes sont trop nombreuses, mettez-les en jauge. Le tronc des arbres doit alors faire un angle droit avec le fossé et être aussi près du sol que possible. Recouvrez bien les racines. Les arbres aux racines nues doivent être plantés avant la poussée de croissance du printemps. Les autres peuvent être transplantés n'importe quand, mais avec soin.

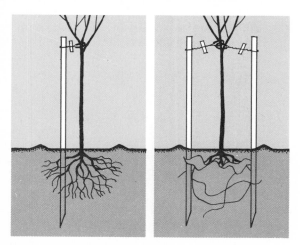

Pour maintenir un petit arbre dont les racines sont libres, il suffit d'un seul tuteur placé près du tronc. Si les racines sont entourées d'un emballage, l'arbre risque d'osciller : le stabiliser alors avec deux tuteurs.

atteint une bonne taille, creusez une tranchée étroite tout autour des racines, environ un an avant la transplantation. Remplissez la tranchée de terre légère et taillez les racines avant de transplanter l'arbre.

Si vous taillez les racines, n'oubliez pas d'en faire autant avec les branches pour assurer l'équilibre de l'arbre. Vous trouverez plus de détails sur ce sujet à la page 298.

Pour faire pénétrer l'eau et les engrais dans un sol dense, percez des trous jusqu'aux racines. Guidez-vous sur le pourtour du feuillage. Remplissez ensuite les trous avec du sable pour les empêcher de se refermer.

Comment ajuster le niveau du sol au pied d'un arbre

Lorsqu'on nivelle un terrain en pente, il est souvent nécessaire d'ajuster le niveau du sol autour des arbres. On ne peut procéder au nivellement sans prendre certaines précautions pour protéger les racines.

Les racines nutritives de la plupart des arbres se situent près de la surface du sol. Si l'on ajoute de la terre pour remblayer le terrain, elles risquent de mourir par manque d'oxygène. Par contre, si l'on creuse, elles peuvent être exposées à l'air ou abîmées par les travaux, ce qui entraîne parfois la perte de l'arbre.

Les dommages infligés aux racines font du tort à tous les arbres à l'exception de quelques espèces dont les racines peuvent être couvertes d'environ un pied de terre sans trop souffrir.

C'est ainsi, par exemple, que les pommiers et les saules, dans de telles conditions, produisent des drageons et des racines adventives. Mais il demeure cependant que la plupart des arbres souffrent d'un simple changement de quelques pouces dans le niveau du sol. Les radicelles se développent surtout le long du périmètre déterminé par les limites du feuillage, étant donné que c'est là qu'il tombe le plus d'eau de pluie. Lorsqu'on creuse le terrain, il faut donc laisser autour de l'arbre une zone surélevée, pour que les racines puissent s'y développer.

Par ailleurs, si l'on rehausse le terrain, on peut assurer aux racines une alimentation en oxygène en laissant un creux autour du tronc, comme l'illustre le dessin ci-dessous.

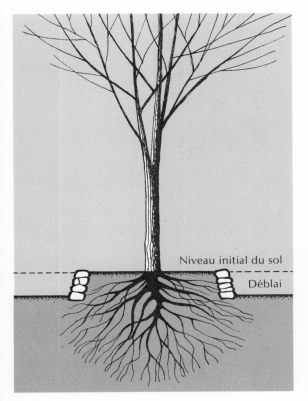

Niveau initial du sol

Déblai

Si vous abaissez le niveau du terrain, laissez le sol à son niveau initial autour du tronc, dans un rayon égal à la moitié de celui du feuillage. Pendant une saison ou deux arrosez et engraissez les nouvelles racines.

Remblai

Si vous rehaussez le terrain, laissez un creux autour du tronc, dans un rayon de 4 à 6 pieds. Pour oxygéner les racines, entassez des pierres contre le muret. Faites des trous vis-à-vis des extrémités des branches.

297

La taille des arbres

On taille et on élague les arbres pour plusieurs raisons. Tout d'abord, dans le cas des grands arbres, on le fait pour améliorer et équilibrer leur structure et, par le fait même, augmenter leur vitalité. La taille peut aussi servir à des fins esthétiques, dans l'art topiaire par exemple. Enfin, elle permet de supprimer les branches malades ou brisées et de stimuler la production des feuilles, des fleurs et des fruits.

Contrairement à la culture de la vigne ou des arbres fruitiers, l'aménagement paysager n'accorde qu'une place secondaire à la taille des arbres. Nous ne vous donnons donc ici que les principes fondamentaux, suivis, aux pages 300 et 301, d'un tableau indiquant les travaux à faire selon les saisons.

Au moment de la plantation

Au cours de la transplantation, les arbres et les arbustes perdent une partie de leurs racines. Pour maintenir l'équilibre indispensable entre le feuillage et les racines, il faut alors tailler l'extrémité des branches (voir l'illustration) dans des proportions à peu près égales à celles des racines détruites. Nous illustrons aussi d'autres améliorations que vous pouvez appor-

ter au moment de la plantation ou par la suite. En fait, vous pouvez tailler ou élaguer vos arbres quand cela s'impose, à plus forte raison quand ils viennent d'être plantés.

Le contrôle de la croissance

Les feuilles absorbent des éléments nutritifs que leur fournissent l'air et la lumière, tandis que les racines puisent dans le sol d'autres éléments qui sont ensuite acheminés dans les diverses parties de l'arbre. Pour que l'arbre soit sain, il faut qu'un équilibre s'établisse et se maintienne entre la masse des racines et celle du feuillage. Toute taille, en augmentant la pression de la sève, stimule donc la croissance.

En taillant les racines, on favorise la multiplication des radicelles et, en taillant les bran-

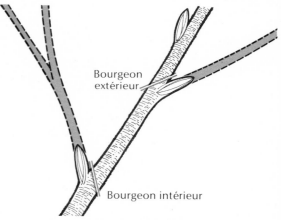

Bourgeon extérieur

Bourgeon intérieur

Orientez la croissance des branches en taillant près des bourgeons intérieurs ou extérieurs. Cette méthode ne convient que pour les branches assez fortes.

ches, on se trouve à la fois à stimuler la pousse des feuilles et à favoriser la croissance de nouvelles tiges. Toutefois, si on supprime trop de racines ou si on coupe trop de branches, on entrave le processus de production des substances nutritives, et, par conséquent, on ralentit la croissance de la plante.

Certains arbres ou arbustes, comme le forsythia et le lilas, poussent avec vigueur lorsqu'on les taille. D'autres, comme le magnolia et le camellia, ne repoussent que lentement : il ne faut donc les tailler que légèrement. Pour savoir comment un arbre réagit à la taille, ne coupez que quelques branches et observez ensuite

Maintenez l'équilibre entre les branches et les racines. Taillez les unes et les autres également. Coupez aussi les branches qui se croisent (A), celles qui collent au tronc (B), celles qui encombrent (C), celles qui sont trop près du sol (D) et celles qui sont cassées (E).

ce qui se passe. L'année suivante, vous saurez ce qu'il faut faire.

La taille décorative

On peut tailler les arbres et les arbustes simplement pour obtenir un bel effet. Il s'agit alors de tailles légères que l'on peut effectuer presque n'importe quand. Par contre, si l'on veut réduire du tiers ou plus les dimensions de la plante, il vaut mieux répartir les tailles sur une période de deux ou trois ans. Sauf dans le cas des haies, des plantes d'ornement classiques et de l'art topiaire, il est recommandé d'accentuer les formes naturelles des plantes plutôt que de les modifier.

Trois tailles typiques. La première rétablit la symétrie de la plante. La seconde donne à la haie une forme pyramidale pour que les branches inférieures aient leur part de soleil. La troisième (à droite) accentue la forme naturelle de l'arbre tout en réduisant son volume.

Quand faut-il tailler?

Vous trouverez à la page suivante un tableau qui indique les périodes les plus propices selon les diverses plantes. Il y a cependant des règles générales dictées par les saisons.

La taille se fait après les grands froids en mars et en avril pour la plupart des arbres et des arbustes à feuilles caduques, à l'exception des espèces comme les érables et les cerisiers dont la sève s'écoule à ce moment-là. Dans ce dernier cas, s'il faut des tailles importantes, attendez le début du printemps (quand les nouvelles feuilles font leur apparition) ou même l'automne.

Le printemps est la saison tout indiquée pour les tailles décoratives. C'est aussi le moment de tailler certains arbustes à fleurs.

L'été, les plantes sont en pleine croissance. On se contentera alors de tailles légères pour guider la croissance des arbres disposés en espalier.

A l'automne, on se contente généralement de supprimer les branches malades ou mortes.

Comment tailler

Quel que soit l'outil que vous utilisiez, l'important est que la lame soit bien aiguisée. Les coupes mal faites et les écorchures font pourrir le bois et l'exposent aux maladies. Taillez tout près de la base de la branche en prenant soin toutefois de ne pas abîmer les branches principales. Toutes les coupes de quelque importance doivent être enduites de goudron ou de peinture spéciale pour permettre au bois de cicatriser normalement. Choisissez toujours l'instrument qui convient à la tâche, sinon vous risquez de déchiqueter le bois.

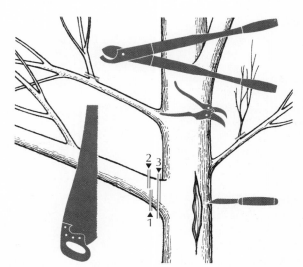

Choisissez les outils appropriés. Pour scier les grosses branches, faites trois incisions dans l'ordre indiqué. Les deux premières feront tomber la branche. La troisième a pour but de réduire le moignon.

299

La taille et les saisons

Dans la colonne de gauche, nous avons groupé les principales espèces d'arbres et d'arbustes. Les autres colonnes indiquent, dans chaque cas, les travaux à faire selon les saisons. Les dates peuvent varier d'une région à l'autre, compte tenu du climat. Les espaces ombrés

	Jan.	Fév.	Mars	Avril	Ma
Arbustes à feuilles caduques **Floraison au printemps** Entre autres : forsythia, cognassier à fleurs, spirée hâtive, viorne hâtive.	On peut couper des tiges et les placer à l'intérieur pour hâter la floraison.		Tailler des tiges pour leur donner la forme voulue ou pour les faire fleurir dans la maison.		
Arbustes à feuilles caduques **Floraison en été** Lilas de Corée, seringa, deutzie tardive, etc.				Tailler les caryopteris et les buddleias jusqu'au bourgeon terminal. Couper les branches mortes ou abîmées sur les myrtacées.	
Arbres à fleurs Notamment : cornouiller, arbre de Judée, aubépine, lilas, sorbier.					On peut placer des ti à l'intérieur pour obt une floraison hâtive.
Arbres fruitiers Pommier, poirier, cerisier, pêcher, arbres d'ornement, pommetier à fleurs.		Oter de $\frac{1}{3}$ à $\frac{1}{2}$ des vieilles branches. Réduire les jeunes pousses du tiers pour augmenter la grosseur des fruits. Tailler de façon à harmoniser la structure.			
Grands arbres à feuilles caduques Par exemple : érable, chêne, hêtre, tilleul, frêne, noyer.		Harmoniser la structure (les jours doux). Goudronner les écorchures.			
Arbustes à fleurs et à larges feuilles persistantes Les plus connus sont : le rhododendron, le pieris, la leucothoé et le camellia.				Etêter les vieux arbustes. Réduire les nouvelles pousses de 6 à 10 po; les pincer pour permettre la formation de branches inférieures.	
Conifères : Pin, épinette, pruche, if, thuya, genévrier.				Tailler dans la jeune pou Pincer les jeunes pousse les pins arbustifs.	

indiquent les périodes des premières tailles. Les espaces blancs indiquent celles où l'on ne doit pas faire de tailles, sauf pour enlever les branches en mauvais état. Utilisez toujours des instruments bien aiguisés et appropriés au genre de taille que vous pratiquez : le sécateur pour les jeunes pousses, les cisailles pour les branches secondaires, la scie de jardinier pour les branches principales, les grandes cisailles pour les haies. Evitez les déchirures et appliquez du goudron sur les incisions. Pour les gros travaux, faites appel à des spécialistes.

uin	Juil.	Août	Sept.	Oct.	Nov.	Déc.

Pincer le bout des nouvelles pousses qui sont à la base de la plante, pour favoriser la croissance de tiges basses.

er selon la forme
ue. Oter une partie
vieilles tiges.

er lors
floraison.
per à la jonc-
des tiges et
ramifications.

Oter les vieilles pousses au milieu des arbustes.

Pincer les nouvelles pousses pour favoriser le développement de ramifications secondaires.

Supprimer tous les drageons. Tailler pour donner la forme voulue. Toujours couper à la jonction de deux branches.

Tailler les jeunes arbres pour les modeler et contrôler leur croissance. Enlever les gourmands sur le tronc et sur les branches principales.

er le sommet. Supprimer
ranches inférieures encombrantes.

Tailler les autres espèces.

Achever la taille des arbres à sève abondante : érables, noyers, gros magnolias.

er les nouvelles pousses
er de 2 à 4 nœuds et tailler
edent. Oter les fleurs fanées.
as tailler après la mi-juillet.

Tailler au besoin, pour embellir l'arbre ou le renforcer.

Tailler les haies. Tailler aussi les nouvelles pousses sur les ifs et les thuyas, en respectant leurs formes naturelles.

Le jardin d'hiver

L'idée de jardin est si naturellement associée à la belle saison et à la végétation florissante que l'on oublie souvent de prévoir le spectacle qu'offrira en hiver le paysage que l'on compose. Inévitablement, le jardin perdra certains de ses charmes, mais ce sera pour en acquérir d'autres. En effet, il suffit de disposer, au moment des plantations, les feuillus, les conifères et les arbustes en pensant au relief que leur donnera la neige et aux contrastes saisissants que produiront leurs couleurs sombres se détachant sur la blancheur du sol enneigé.

Toutefois, ce n'est pas sur l'aspect esthétique que nous voulons surtout insister ici. Quand on entoure sa maison d'un jardin, on ne pense pas seulement au coup d'œil, mais aussi au bien-être qu'il procurera. En été, on compte sur lui pour apporter fraîcheur, repos ou récréation en plein air. Est-ce à dire qu'en hiver le jardin n'a plus aucune utilité? Bien au contraire, il peut répondre à d'autres besoins et jouer un rôle différent. Il suffit de l'aménager en pensant aux problèmes que pose la saison froide : vent et amoncellement de neige, diminution de l'ensoleillement, formation de glace. Voici quelques conseils à l'intention de ceux qui veulent adapter un espace extérieur aux rigueurs du climat.

La question du vent et de la neige

Partons du fait que la neige s'accumule beaucoup moins dans un endroit dégagé, exposé au vent, que dans un endroit soumis à la turbulence, c'est-à-dire abrité. Autrement dit, lorsque le vent rencontre un obstacle (bâtiment, structure verticale, écran végétal), il subit un ralentissement (c'est ce que l'on entend par turbulence), de sorte que la neige qu'il transporte s'accumule immédiatement derrière l'obstacle.

Comme on peut le voir sur l'illustration ci-contre, un écran végétal à base non dégarnie et exposé au vent provoquerait une turbulence et, par conséquent, un amoncellement de neige

qui prendrait place à proximité de cet écran, du côté opposé au vent. Si bien qu'en disposant une rangée d'arbustes le long d'une entrée de garage, du côté opposé au vent dominant, la neige s'amoncellera, non pas dans l'entrée, mais dans la zone située sous le vent des arbustes. Cette entrée de garage ne sera cependant pas protégée du vent.

Si, dans le cas d'une allée pour piétons, on veut à la fois éviter l'amoncellement de neige et protéger du vent ceux qui empruntent cette allée, on pourra avoir recours à une solution mitigée en disposant cette fois des arbustes *à*

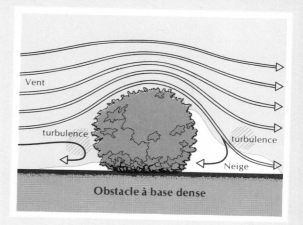

Obstacle à base dense

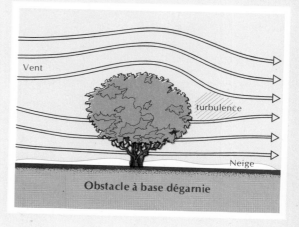

Obstacle à base dégarnie

base dégarnie du côté du vent dominant. En effet, un écran végétal à base dégarnie permet au vent de balayer la neige et de dégager le sol, tout en lui faisant obstacle à partir d'une certaine hauteur.

L'illustration au bas de la page précédente montre bien qu'un arbre à base dégarnie et exposé au vent ne provoquera pas d'amoncellement de neige dans son voisinage immédiat et qu'il jouera, jusqu'à un certain point, le rôle d'écran.

Quand il est question d'aménager son terrain, on peut donc utiliser l'une ou l'autre des solutions, ou les deux, selon l'orientation de ce terrain par rapport au vent dominant et selon les besoins. Le dessin de droite montre d'ailleurs une combinaison des deux.

Comment peut-on prévoir un aménagement qui sera efficace pendant la période hivernale? La meilleure façon consiste à faire des essais au cours du premier hiver. On pourra procéder de la façon suivante : avant les premières chutes de neige, on disposera ici et là sur le terrain des panneaux de bois qui feront office d'obstacles; au cours de l'hiver, on observera à quels endroits les accumulations de neige auront tendance à se former. A la suite de ces essais, on sera en mesure de choisir la solution qui convient à son terrain. Au printemps suivant, il suffira de remplacer les faux obstacles par des éléments végétaux ou décoratifs que l'on disposera selon un arrangement esthétique.

L'ensoleillement et les arbres

Si l'on veut profiter pleinement de la présence des arbres, il faudra penser à les placer aux bons endroits. Par exemple, si l'on veut rafraîchir un espace durant l'été et le réchauffer durant l'hiver, il convient de planter des arbres à feuilles caduques directement au sud de cet emplacement. Ce conseil convient particulièrement dans le cas d'habitations qui ont de grandes fenêtres orientées vers le sud. Comme l'on sait, les pièces qui ont cette orientation sont sur-

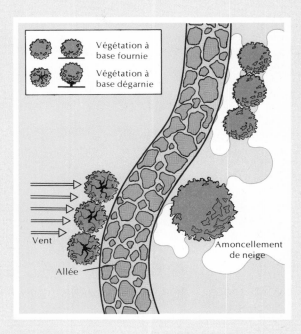

chauffées en été, mais pourraient profiter pendant la période hivernale des rayons solaires. Par contre, on aurait avantage à placer des arbres à feuillage persistant à l'ouest et au nord d'un espace qu'on veut protéger des vents violents, ce qui permettrait du même coup d'éviter des pertes de chaleur.

Les couches de glace

Si la configuration du terrain suscite, à la saison du dégel, la formation de couches de glace qui endommagent le gazon, on peut avoir recours à deux solutions. La première consiste tout simplement à surélever le terrain à cet endroit, c'est-à-dire à créer une petite butte qu'on recouvrira de gazon. De cette manière, l'eau ne stagnera pas. Une autre solution sera d'aménager à l'endroit de la dépression un arrangement décoratif simple qui, cependant, ne devra pas comporter de conifère si l'eau qui provient de la fonte de la neige contient du sel.

4

La construction

Voici des plans et des projets pour toutes
les parties du jardin. Il suffit de savoir scier une planche
et enfoncer un clou pour les réaliser.
Les explications sont claires et les plans faciles à suivre.

LES MATÉRIAUX DE BASE

Chaque matériau de construction a ses particularités. Aussi les méthodes de façonnage, de fixation, de conservation, d'entretien et de finition varieront-elles avec chacun. Avant de choisir un matériau et de vous mettre au travail, vous aurez intérêt à en connaître à fond les qualités et les caractéristiques essentielles. D'ailleurs, dans la plupart de vos projets, vous utiliserez plus d'un matériau.

La première partie de cette section sur la construction vous fournit des renseignements sur les principaux matériaux de construction. Ils sont d'ailleurs énumérés ci-dessous et accompagnés des outils qui leur sont appropriés. Ce n'est pas un texte à lire d'une traite, mais bien plutôt une source de renseignements sur des techniques de construction qui ne vous sont peut-être pas familières. On vous indique, par

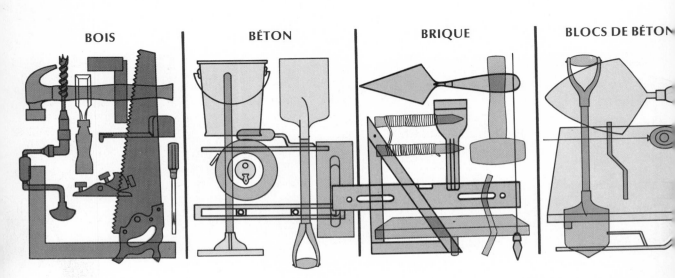

BOIS   **BÉTON**   **BRIQUE**   **BLOCS DE BÉTON**

exemple, comment insérer des œillets dans une toile, quelle doit être la profondeur des fondations d'un mur de pierre, quel mortier utiliser sur du vieux béton ou quel est l'assemblage le plus robuste pour réunir deux pièces de bois. En somme, toute cette section est une sorte de manuel de référence auquel vous pourrez avoir recours. Vous y trouverez, en outre, une centaine de plans précis et faciles à réaliser.

Ils peuvent vous être utiles non seulement pour l'aménagement de votre jardin mais aussi dans tous vos travaux de réparation ou de construction. Chaque matériau fait l'objet d'un chapitre. Et dans chacun des chapitres, le plan suivi est toujours le même : on étudie d'abord la nature du matériau, ses formes et ses dimensions, puis on en explique le façonnage, la fixation, la finition et l'entretien.

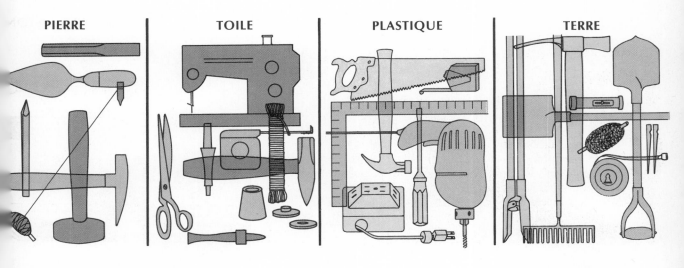

PIERRE   TOILE   PLASTIQUE   TERRE

18
Le travail du bois

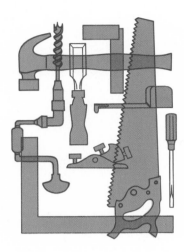

Outillage de base (dans le sens des aiguilles d'une montre) : marteau à panne, vilebrequin et mèche, ciseau à bois, équerre de menuisier, égoïne, ruban à mesurer, tournevis, rabot, équerre de charpente.

Le bois est un élément naturel du paysage au même titre que l'eau, la terre et le roc. Son coloris et son grain en font l'un des plus beaux matériaux qu'on puisse employer dans un jardin. Robuste et durable, il se travaille facilement et convient à un grand nombre d'usages. Parmi les bois décrits à la page suivante se trouvent ceux qu'on utilise surtout à l'extérieur. Mais sans doute ferez-vous votre choix en fonction de ce que vous trouverez chez votre marchand.

Espèces, dimensions et formes

Le cœur, l'aubier et le fil

Le cœur du bois, qui en est la partie la plus foncée, est plus durable que l'aubier, partie jeune de couleur claire, située à la périphérie. Le bois résiste mieux au pourrissement qu'on ne le croit généralement. Certains meubles anciens qui ont traversé les ans nous le prouvent bien. Les planches sciées à plat (c'est-à-dire parallèlement, ou presque, au fil) coûtent moins cher, mais ont plus tendance à gauchir que les planches sciées sur quartier (c'est-à-dire où le fil est perpendiculaire à la planche).

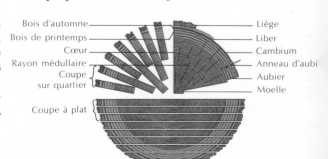

Bois d'automne
Bois de printemps
Cœur
Rayon médullaire
Coupe sur quartier
Coupe à plat

Liège
Liber
Cambium
Anneau d'aubi
Aubier
Moelle

Les essences de bois

Les essences décrites ci-dessous conviennent tout particulièrement aux usages à l'extérieur. Ce sont des bois tendres provenant de conifères ou d'arbres à feuilles persistantes. Les bois durs appartiennent à des arbres à feuilles caduques, comme le chêne, l'érable et le frêne. « Tendre » ne signifie pas nécessairement fragile, non plus que « dur », robuste. Le terme « tendre » appliqué à certains bois veut simplement dire qu'ils se travaillent plus facilement que ceux qualifiés de durs.

Le cèdre rouge. L'espèce de l'Ouest, la plus intéressante, sert à faire des bardeaux, des clôtures, des terrasses, des lambris, des revêtements de mur. C'est un bois tendre et léger. L'espèce de l'Est, plus lourde, est utilisée surtout pour faire des bardeaux et des piquets. Le cœur de ces deux bois résiste au pourrissement. Ils sont faciles à travailler, et sont très résistants. Tous deux sont d'un brun-rouge et prennent une patine gris argent.

Le cyprès. On l'appelle généralement cèdre jaune. Le cœur de ce bois résiste au pourrissement. Le cyprès a une couleur jaune-brun qui peut aller jusqu'au brun-rouge; avec le temps il prend une teinte gris argent. C'est un bois plutôt lourd et robuste, mais assez facile à travailler.

L'épinette de l'Est. Ce bois ressemble au pin blanc. Il est léger et facile à travailler, et sert aux constructions plutôt rudimentaires. De blanc, il devient gris en vieillissant. Il résiste mal au pourrissement.

Le mélèze de l'Ouest. C'est un bon bois, mais qui est peu utilisé. Sa résistance va de modérée à très forte. Très lourd, il est un peu difficile à travailler. D'abord de couleur jaune-brun, il devient ensuite gris foncé. Le cœur est sensible au pourrissement.

Le pin blanc de l'Est. On l'appelle aussi tout simplement le pin blanc. C'est un bois peu fort et léger qui convient à la petite construction. Comme son nom l'indique, il est très pâle et, en vieillissant, il passe du blanc au gris. Le cœur résiste modérément au pourrissement et le bois est facile à travailler. Le pin de l'Ouest lui ressemble.

Le pin gris de l'Est. Ce bois est de plus en plus utilisé pour les constructions à l'extérieur. Il est traité sous pression avec un produit préservatif qui le rend plus résistant aux insectes et au pourrissement. Il peut remplacer le cèdre, même s'il est un peu plus lourd que ce dernier. C'est un bois facile à travailler et peu coûteux. Son grain ressemble à celui du pin ordinaire. Il est d'un gris tirant sur le vert. Il n'a pas besoin d'être peint.

La pruche. Bois modérément robuste, l'espèce de l'Ouest l'étant plus que celle de l'Est. La pruche de l'Est est d'un brun pâle, celle de l'Ouest est presque blanche; toutes deux deviennent gris argent avec le temps. Le cœur résiste mal au pourrissement. C'est un bois de construction léger qui se travaille bien.

Le sapin de Douglas. Il a une très grande résistance à la tension et convient aux structures de soutien. Sa couleur va du rouge orangé au jaune; elle devient gris foncé avec le temps. Ce bois est d'un poids supérieur à la moyenne. Son cœur résiste modérément au pourrissement. Ce matériau est quelque peu difficile à travailler.

Les bois durs

Le chêne et le marronnier sont rarement utilisés dans les travaux de construction à l'extérieur à cause de leur prix élevé.

Les contreplaqués

Les contreplaqués qui peuvent être utilisés à l'extérieur portent l'indication « exterior glue » Le contreplaqué se fait en panneaux de 4 pieds sur 8 et d'une épaisseur allant de $\frac{1}{4}$ de pouce

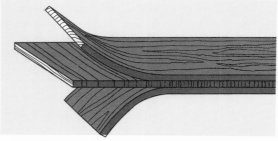

Le contreplaqué est robuste parce qu'il est fait de minces plaques collées sous pression et dont les fils se croisent à angle droit.

à 1 pouce. Les fils de deux feuilles successives étant croisés, le panneau est robuste et conserve ses dimensions. Les faces peuvent être unies ou, pour les revêtements extérieurs, grossièrement sciées, rainurées, à fil en relief ou enduites de résine.

Les panneaux de fibres

Les panneaux de fibres sont faits de fibres de bois agglomérées sous pression et à la chaleur et collées à la lignine, matière incrustante du bois. Il en résulte des panneaux denses et étonnamment robustes. Pour le jardin, on utilisera ceux qui sont traités pour résister à l'humidité et aux intempéries. Le panneau de fibres se coupe facilement à l'aide d'une scie à tronçon-ner. Grâce à sa densité, il retient bien les vis, encore que l'utilisation de clous annelés soit préférable. Une de ses faces est lisse, l'autre est rugueuse. On peut également trouver des panneaux préfinis qui servent pour les encadrements, les bordures de toit, les clôtures, les revêtements extérieurs et les meubles de jardin. Avec les recoupes, on fera des coffrages à béton. Les panneaux mesurent normalement 4 pieds sur 8 et ont un quart de pouce d'épaisseur.

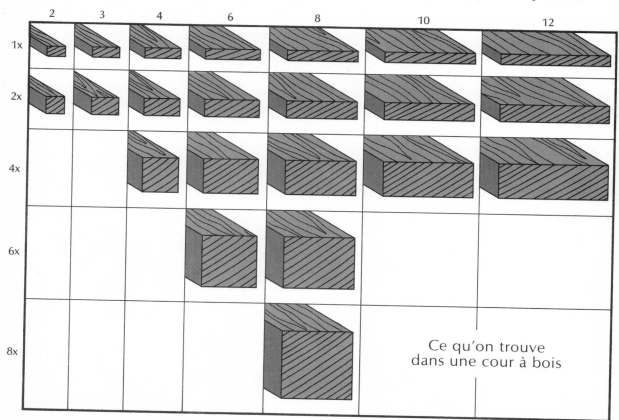

Ce qu'on trouve
dans une cour à bois

Dimensions standards

Le tableau ci-dessus vous donne les dimensions courantes des planches. Certaines cours à bois auront des grandeurs disparates ($\frac{1}{2}'' \times 2''$ ou $3'' \times 6''$). Si vous ne trouvez pas exactement ce que vous cherchez, vous pouvez toujours faire couper des planches sur mesure ou les commander de la scierie. A vrai dire, cette situation ne se présentera que rarement, car les dimensions standards sont évidemment les plus utilisées. Vous les voyez ici à l'échelle.

Sur le marché, les dimensions du bois sont *nominales*. Par exemple, la planche de 2 pouces sur 4, qu'on appelle communément du $2'' \times 4''$, mesure en réalité $1\frac{5}{8}'' \times 3\frac{5}{8}''$. Les dimensions nominales sont celles du bois grossièrement coupé. Une fois qu'il a été raboté et poncé, le bois perd environ trois quarts de pouce lorsque les dimensions (largeur ou épaisseur) sont en deçà de six pouces. Il perd un demi-pouce lorsque les dimensions sont supérieures à 6 pouces. Par exemple, la planche dite de « un pouce » mesure en réalité $\frac{25}{32}$ ou $\frac{3}{4}$ de pouce d'épaisseur.

Le choix du bois

Si le bois doit toucher à un sol bien égoutté, on choisira de préférence le cèdre rouge, le sapin de Douglas ou encore le pin gris de l'Est traité sous pression. La meilleure qualité de bois est la catégorie nº 1 ou « construction »; la deuxième est la catégorie « standard ». Souvent on demandera la catégorie « standard et meilleur » de qualité intermédiaire. Les planches de moins de deux pouces d'épaisseur sont classées selon leur apparence.

Comment calculer le pied-planche

Le bois est vendu au pied-planche qui correspond en mesure nominale à 1 pouce d'épaisseur sur 12 pouces de largeur et de longueur. Pour calculer le nombre de pieds-planche d'un morceau de bois ne mesurant pas 1 pouce sur 12, multipliez l'épaisseur en pouces par la largeur en pouces, puis par la longueur en *pieds* et divisez par 12. Une planche de 2″ sur 8″, sur 10 pieds de longueur, mesure 13.3 pieds-planche. A 40 cents du pied-planche, elle coûtera $5.32.

L'assemblage

L'assemblage est une des opérations les plus importantes en menuiserie. C'est elle qui donne corps aux projets. Ci-dessous et dans les deux pages qui suivent, vous trouverez différentes méthodes d'assemblage pour les travaux à l'extérieur, ainsi que des conseils sur la façon de couper et de fixer le bois. Si vous en êtes à vos débuts en menuiserie, exercez-vous d'abord sur des morceaux de rebut. Vous verrez qu'en découpage, la précision est de rigueur.

L'assemblage en L

Voici trois façons très simples d'assembler des pièces semblables, ou une planche ou un panneau et un poteau, pour construire clôtures, balcons ou châssis. L'assemblage à recouvrement, ci-dessous à gauche, en est un exemple.

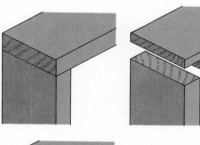

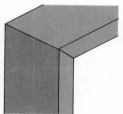

Le joint à recouvrement, ci-dessus à gauche, est le plus facile à réaliser, mais il peut gauchir. Le joint à entaille, à droite, est le plus fort; celui à onglet, à gauche, est plus faible mais plus beau.

Les coins

Ajoutez un coin ou une plaque à l'assemblage à recouvrement et vous augmenterez sa résistance à la dislocation. Les coins d'angles et les coins carrés, dans les dessins du haut, peuvent aussi être fixés de l'intérieur.

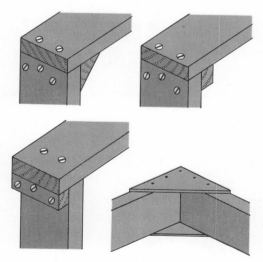

Des coins donneront plus de résistance aux assemblages. En bas, à droite, une plaque de contreplaqué soutient l'angle, des deux côtés. Employez des vis ou des clous et collez les pièces.

Les équerres métalliques

Voici trois façons de renforcer un assemblage en L ou en T à l'aide d'équerres métalliques. Les pièces de bois seront collées et clouées, mais les équerres seront vissées. Percez des avant-trous d'une profondeur égale à la moitié de la partie filetée de la vis.

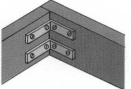

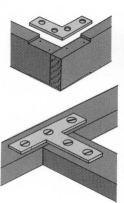

Clouez d'abord les pièces. Ensuite vissez les équerres, une dessus et une autre dessous pour plus de solidité. Encastrez-les, ce sera plus beau. Forez des avant-trous.

Goujon et entaille

Les assemblages à goujon (un goujon dans une des pièces correspondant à un trou dans l'autre pièce) et à feuillure (une encoche dans une des pièces correspondant à une feuillure à angle droit dans l'autre pièce) sont classiques. On les utilise de préférence pour les travaux à l'intérieur, mais ils s'imposent là où l'on veut allier esthétique et résistance, par exemple dans la construction des meubles de jardin. Pour donner à ces assemblages plus de solidité, on recommande, en premier lieu, de coller les pièces, puis de les fixer avec des clous.

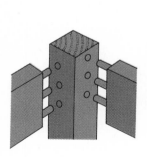

Lorsqu'un montant doit recevoir des goujons sur deux faces à angle droit, décalez les trous. Fixez à la colle hydrofuge. Les goujons, en érable ou en bouleau, mesureront de ¼ à ¾ de pouce de diamètre.

La feuillure se fait à angle droit à la scie à dos. L'entaille est pratiquée à la scie et au ciseau. L'ajustage est important et doit être net. Collez, puis clouez les pièces pour qu'elles tiennent solidement.

L'assemblage d'allongement

Lorsque l'assemblage bout à bout n'a pas à être très solide, comme pour une planchette de clôture, on peut pratiquer des entures. Pour renforcer l'assemblage, on pourra clouer des plaques de contreplaqué de chaque côté.

L'enture à mi-bois est la plus robuste. Clouez ou vissez en diagonale.

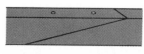

L'enture en sifflet s'assemble en décalant clous ou vis dessus et dessous.

L'enture en V est plus robuste mais demande de la précision.

L'assemblage du contreplaqué

Pour réunir les quatre côtés d'un tamis à gravier, par exemple, il suffit d'un assemblage en L. Mais s'il s'agit de construire une remise pour le jardin, il faudra faire des assemblages à goujon ou à feuillure. Vous utiliserez du contreplaqué de ½ pouce ou plus d'épaisseur. Si des outils manuels font amplement l'affaire pour des 2″×4″, par contre, pour le contreplaqué, vous aurez besoin d'outils électriques. La scie d'établi, la toupie d'établi, la corroyeuse et la toupie portative feront du bon travail.

Le contreplaqué sera renforcé aux angles par un assemblage à mi-bois en croix. Pour assembler en croix deux morceaux de contreplaqué de ¼ de pouce mesurant 1 pied sur 3, découpez d'abord une languette de ¼ de pouce sur 6 pouces de long dans chaque panneau et faites glisser chaque entaille dans l'autre.

Pour assujettir le contreplaqué, les clous font l'affaire dans les gros ouvrages, mais les vis et la colle donnent des assemblages plus nets. Choisissez une colle hydrofuge (résorcine ou epoxy). Pendant que la colle durcit, maintenez les morceaux solidement en place avec des clous à finir ou avec des serres.

L'assemblage des panneaux de fibres

Les panneaux de fibres, qui n'ont que ¼ de pouce d'épaisseur, doivent être assemblés sur des cadres ou sur des coins de bois. Employez des clous, des vis ou de la colle.

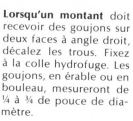

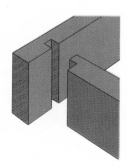

Les assemblages à recouvrement

L'assemblage en T (ci-dessous, à gauche) est le plus facile à réussir et, s'il est bien assujetti, il est durable. L'assemblage **à mi-bois** est plus esthétique et plus solide : les deux traverses sont entaillées pour obtenir un assemblage affleuré. Il y a aussi l'assemblage **à entaille** (ci-dessous, à droite) et **à mi-bois centré** dans lequel les deux pièces de bois sont entaillées à mi-épaisseur pour donner un assemblage affleuré, au centre des pièces. L'assemblage **à queue d'aronde par demi-chevauchement** est particulièrement utile lorsque les pressions menacent l'ouvrage de dislocation. Dans la queue d'aronde, l'entaille est plus large en haut qu'en bas. Ces entailles peuvent se faire à l'aide d'une scie à dos à dents fines et d'un ciseau. Pour les réussir, on aura intérêt à suivre la méthode exposée sous le titre « Pour bien ajuster les pièces ». Cependant, le travail se fera plus rapidement et avec plus de précision si l'on dispose d'une scie d'établi à laquelle on ajustera une lame conçue spécialement pour découper les entailles.

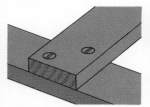

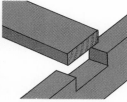

L'assemblage en T est facile à faire et demande deux ou quatre clous, décalés. Collez et clouez.

L'assemblage à entaille est plus solide. Entaillez à mi-bois et coupez avec précision.

Les clous

Pour les travaux à l'extérieur, il est préférable d'utiliser des clous en métal galvanisé, en aluminium ou en acier inoxydable. Les taches de rouille ne se formeront pas et l'ouvrage restera solide. On peut aussi utiliser des clous à tête perdue et remplir le trou de mastic. Voir à la page suivante les dimensions standards.

Pour bien ajuster les pièces

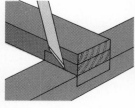

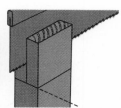

Mesurez deux fois plutôt qu'une. Marquez les pièces pour qu'elles soient bien aboutées.

Coupez d'abord en parallèle, puis à angle droit, à la scie à dos. Utilisez un étau.

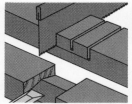

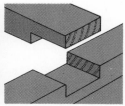

Pratiquez ensuite l'entaille avec minutie, en suivant les marques. Nettoyez au ciseau.

Poncez les surfaces au besoin. Clouez, forez des trous pour les vis, ou collez et clouez.

La longueur du clou doit doubler l'épaisseur du morceau le plus mince.

Pour ne pas fendre le bois, n'enfoncez pas les clous dans le même fil.

Pour que les clous tiennent, enfoncez-les de biais.

Pour empêcher le bois de fendre, faites dépasser le dormant et coupez.

Pour dissimuler les clous, clouez la languette de biais.

Pour planter un clou de biais, utilisez une serre et un coin.

313

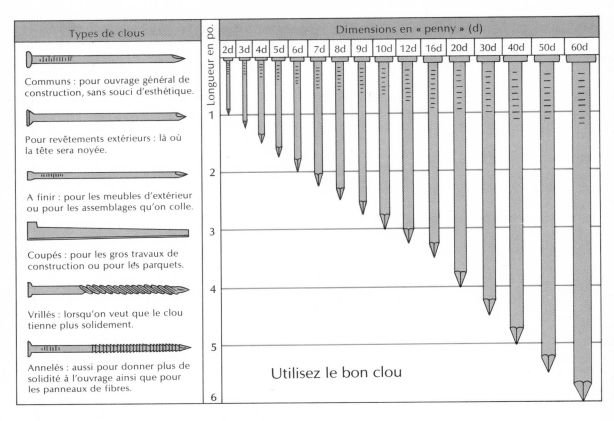

Types de clous	Longueur en po.	Dimensions en « penny » (d)														
		2d	3d	4d	5d	6d	7d	8d	9d	10d	12d	16d	20d	30d	40d	50d	60d

Communs : pour ouvrage général de construction, sans souci d'esthétique.

Pour revêtements extérieurs : là où la tête sera noyée.

A finir : pour les meubles d'extérieur ou pour les assemblages qu'on colle.

Coupés : pour les gros travaux de construction ou pour les parquets.

Vrillés : lorsqu'on veut que le clou tienne plus solidement.

Annelés : aussi pour donner plus de solidité à l'ouvrage ainsi que pour les panneaux de fibres.

Utilisez le bon clou

Les vis

Les assemblages soumis à des tensions ou à des pressions très fortes seront fixés avec des vis. Par exemple, on utilisera des vis pour les meubles d'extérieur. Les vis en métal galvanisé à chaud, en aluminium, en acier inoxydable ou en cuivre ne rouilleront pas. Les vis mesurent de $\frac{1}{4}$ de pouce à 6 pouces.

1.

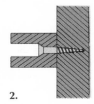

2.

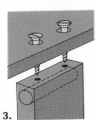

3.

1. Percez des avant-trous, un de même diamètre, l'autre plus petit, que la vis. **2.** Si la pièce est plus large que la vis n'est longue, faites un suralésage. **3.** Quand vous devez visser dans le bois debout, insérez et collez un goujon en travers du fil.

Les boulons

Les boulons sont nettement réservés aux gros ouvrages. Pour la charpente d'une toiture pare-soleil, fixez les chevrons aux montants de support avec au moins deux boulons de carrosserie. Pour donner plus de résistance à l'assemblage et protéger le bois, insérez des rondelles sous l'écrou d'un boulon de carrosserie, sous la tête d'un tire-fond et sous la tête et l'écrou d'un boulon mécanique. Les tire-fond, pointus, sont enfoncés avec une clef à molette; on les utilise dans les assemblages robustes pour lesquels on ne peut se servir d'écrous.

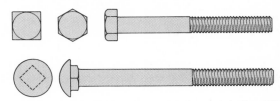

Pour les assemblages métal sur métal ou sur bois, utilisez les boulons mécaniques; pour bois sur bois, les boulons de carrosserie. Avant-trous : 1/16 de pouce de moins en diamètre que les boulons.

La finition du bois

La patine

Dans le bon vieux temps, on n'appliquait pas de vernis ni de peinture sur les murs ou les clôtures en bois; on les laissait vieillir et se patiner naturellement. Vous pouvez en faire autant : les bois dont on se sert dans les constructions à l'extérieur n'ont en fait pas besoin de finition. Après un an environ, leur couleur, quelle qu'elle soit, se changera en de jolies nuances de gris. (Voir les remarques sur le vieillissement du bois, à la page 309.) Notons que le bois ne s'affaiblit pas en vieillissant.

Les scelleurs

Les scelleurs d'extérieur sont généralement qualifiés d'imperméables sur l'étiquette. On les applique au rouleau ou au pinceau. Ils empêchent la pluie ou l'humidité de pénétrer dans le bois et préviennent donc le gauchissement ou le fendillement des ouvrages, sans pour autant les éliminer complètement. Ils réduisent en outre la décoloration du bois sous l'action du soleil. Ainsi traité, le bois gardera à peu près sa couleur d'origine pendant plusieurs années. Lorsqu'il devient foncé, il faut appliquer une nouvelle couche. La plupart des autres scelleurs transparents ne sont pas efficaces à l'extérieur. La gomme-laque, par exemple, ternit et se décolore avec le temps. Les vernis, même de type marin, ont souvent besoin d'être rafraîchis et peuvent jaunir. Les meilleurs sont les vernis aliphatiques et les vernis à base d'uréthane, mais il faut les enlever avant d'appliquer une nouvelle couche.

Le blanchiment

Pour accélérer le vieillissement du bois, employez un produit de blanchiment. Après une ou deux années, l'action de celui-ci, combinée à celle du soleil et des intempéries, aura donné au bois une belle patine argentée. Ce produit a en outre l'avantage de faire vieillir le bois uniformément, sans rayures ni plaques, comme cela peut se produire au début quand on laisse le bois vieillir naturellement. Achetez un produit de blanchiment qui contient un additif contre le mildiou et appliquez-le avec un rouleau ou une brosse.

Une couche suffit normalement, mais certains bois en exigeront deux. Suivez les instructions du fabricant.

Les peintures

Une bonne couche de peinture enlève leur rugosité aux surfaces en mélèze ou en sapin de Douglas. En outre, la peinture protège le bois contre ses deux principaux ennemis : le soleil et la pluie. Mais son principal atout, c'est sa valeur décorative. Il faut toujours acheter une peinture dite d'extérieur. Vous pouvez choisir une peinture à l'huile ou une peinture alkyde lustrée, semi-lustrée ou mate, ou les nouvelles peintures de type émulsion si faciles à appliquer et qu'on trouve maintenant, en plus du mat, dans le semi-lustré. Appliquez une couche de base et deux couches de finition et suivez les instructions.

Les teintures

Les teintures translucides modifient la couleur du bois tout en soulignant son fil. Les teintures plus épaisses masquent celui-ci presque autant qu'une peinture. Les teintures cependant pénètrent dans le bois et au soleil elles ne deviennent pas brûlantes, ce qui compte pour un meuble d'extérieur. On les trouve maintenant dans une vaste gamme de coloris. Généralement, il suffit d'en appliquer deux couches sur une surface sèche et propre.

La rénovation

La finition que l'on donne au bois demande tôt ou tard à être renouvelée. Si vous décidez d'utiliser le même produit, vous n'aurez vraisemblablement qu'à nettoyer au préalable, à moins toutefois que l'ancienne couche ne soit craquelée. Dans ce cas, frottez les surfaces endommagées avec une brosse métallique. Si vous choisissez la même peinture ou une peinture de teinte plus foncée, vous n'aurez pas besoin d'enlever l'ancienne couche. Dans le cas contraire — si, par exemple, vous voulez appliquer de la peinture blanche sur de la peinture brune — vous devrez d'abord décaper le bois avec du papier abrasif, un décapant ou une brosse métallique.

19

Les ouvrages en béton

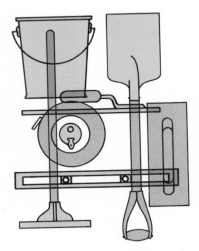

Outils, de droite à gauche : pelle, aplanissoire, niveau, planchette, ruban à mesurer, truelle, seau.

Le béton, matière souple, prend la forme du moule dans lequel il est coulé. Il permet de réaliser aisément de belles constructions : allées, entrées, murs, bancs, etc. Le béton est un matériau intéressant aussi parce qu'il peut produire des structures légères aussi bien que des ouvrages massifs. Il prend aisément la texture qu'on veut lui donner : lisse, satinée, mate ou rugueuse. Il suffit d'encastrer des cailloux à la surface pour obtenir un relief. Enfin, c'est un matériau peu coûteux, durable, robuste et à l'épreuve du feu.

Qu'est-ce que le béton?

Comme le montre l'illustration qui apparaît au haut de la page suivante, le béton se compose de ciment, d'eau et d'agrégats (du sable mélangé à du gravier ou à de la pierre concassée). Le ciment Portland — le terme Portland ne désigne pas une marque de commerce, c'est le nom de tous les ciments fabriqués — est une matière complexe, très fine, qui, mélangée à l'eau, forme une sorte de pâte. Celle-ci sert de liant aux particules des agrégats. Ce sont ces particules qui vont donner au béton sa robustesse et sa solidité. Au fur et à mesure que l'eau s'évapore, le mélange se solidifie. Alors commence l'opération qu'on appelle le « durcissement ». Elle dure au moins trois jours au cours desquels on doit conserver de l'humidité au béton pour que le séchage soit progressif. Le durcissement, dont nous reparlerons dans ce chapitre, demande beaucoup de soin. On peut, en effet, augmenter de 50% la résistance du béton si l'on accorde à cette opération toute l'attention qu'elle exige.

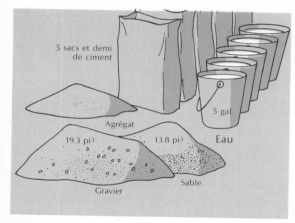

Cette recette vous donnera assez de béton pour couvrir 100 pieds carrés sur une épaisseur de trois pouces.

Le mélange qui convient

Le tableau ci-dessous vous donne la formule d'une « pâte » de six gallons, un bon mélange tout usage. Le terme « six gallons » désigne la

Dosage des ingrédients

Moins vous utiliserez d'eau, plus votre béton sera solide. Un mélange ou « pâte » de cinq gallons donne un béton très dense et très dur. Une pâte de sept gallons est utilisée pour les ouvrages comme les empattements ou les fondations. La pâte de six gallons est la plus couramment utilisée. Remarquez que la quantité d'eau varie selon le degré d'humidité du sable.

Pâte de six gallons					
Ciment	Agrégats		Eau en gallons		
	Sable	Gravier jusqu'à 1½ po	Sable humide	Sable mouillé	Sable trempé
1 sac 80 lb	2½ pi³	3½ pi³	5½	5	4½

quantité approximative d'eau employée. Cette quantité dépend de l'humidité du sable. Pour déterminer cette humidité, prenez une poignée de sable dans votre main. Le sable humide se brisera quand vous essaierez d'en faire une boule. Le sable mouillé se formera en boule et le sable trempé collera à la peau et laissera au creux de la main une espèce de boue.

Le béton aéré

Là où le béton est soumis à des alternances de gel et dégel, il est préférable d'utiliser du ciment Portland de type 1-A, c'est-à-dire du ciment dit à air entraîné. Ce ciment contient un agent chimique qui dégage dans le béton, au moment du durcissement, des milliards de bulles d'air microscopiques, sorte de coussin amortisseur contre les pressions causées par le gel et le dégel. Le béton aéré risque moins de s'écailler, surtout là où on utilise du chlorure de sodium pour faire fondre la glace. Dans les mélanges pauvres en eau — les pâtes de cinq gallons — cet agent chimique tend à durcir le béton. Dans les mélanges riches en eau — les pâtes de sept gallons — le béton contenant cet adjuvant est moins fort.

Le béton armé

Là où le sol gèle en profondeur, le béton a besoin d'une armature. Après deux hivers, une entrée en béton armé sera aussi belle qu'à ses premiers jours. Construite en béton ordinaire, elle serait au contraire craquelée et fendillée. Le béton supporte bien les charges, mais résiste mal aux pressions longitudinales. Les pressions exercées par les grands froids ou par un poids excessif (par exemple, le passage d'un camion-citerne) peuvent crevasser le béton non armé. S'il y a lieu d'incorporer une armature au béton, achetez du treillis métallique dont les carrés ont six pouces de côté et dont le fil a une grosseur de 6/6, conçu pour les entrées et les marches. Le treillis plus fin, de 8/8 ou de 10/10, convient aux terrasses ou aux allées. Noyez le treillis dans le ciment de la dalle.

L'achat du béton

On peut acheter du béton en vrac, du béton préparé ou du béton malaxé en transit.
En vrac : cela signifie que vous achetez séparément le ciment et les agrégats. Le ciment Portland se vend d'ordinaire en sacs de 80 livres. Plusieurs marchands vendent les agrégats déjà mélangés. Autrement, vous devrez acheter le gravier et le sable et faire vous-même le mélange. L'achat en vrac vous permet de préparer la quantité exacte de béton dont vous avez besoin. Mais le gâchage du béton comporte aussi ses inconvénients et vous trouverez peut-être préférable d'acheter votre béton tout préparé.

Béton préparé : le béton de centrale convient parfaitement aux petits travaux, comme la fabrication de dalles de terrasses. Le ciment et

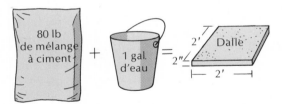

Un sac standard de béton de centrale (ciment et agrégats) suffit pour fabriquer cette dalle.

les agrégats sont mélangés par le fabricant. Vous ajoutez simplement de l'eau et vous gâchez. En outre, le béton de centrale est vendu en petits sacs de 25 livres; cela suffit, par exemple, pour fabriquer un pare-boue de gouttière. Le béton de centrale est cependant plus coûteux que le béton acheté en vrac ou tout préparé.

Béton malaxé en transit : chose curieuse, le béton livré en camion malaxeur coûte souvent moins cher que les autres. La livraison minimale, cependant, est de une verge cube, ce qui suffit à construire une terrasse carrée de neuf pieds de côté et de quatre pouces d'épais-

seur. Autre avantage, vous obtenez le béton (la « pâte ») qui convient le mieux à l'usage auquel vous le destinez. Par contre, il faut que le camion puisse entrer sur votre terrain et que tout soit prêt pour la coulée. En d'autres termes, le sol devra déjà avoir été nivelé, les coffrages avoir été solidement construits et, s'il y a lieu, on devra avoir étalé le sable ou le gravier nécessaire à l'écoulement de l'eau.

La quantité requise

Une verge de béton occupe un espace d'une verge cube. En réalité, il se perd un peu de béton par absorption par le sol ou infiltration dans les interstices. Un simple calcul arithmétique vous dira quelle quantité commander. Voici la formule : largeur (en pieds) multipliée par longueur (en pieds) puis par épaisseur (en pieds et *non* en pouces); divisez le total par 27. Par exemple, une terrasse de 10 pieds sur 14 et d'une épaisseur de quatre pouces nécessite 1.73 verge cube de béton ($10 \times 14 \times \frac{1}{3}$ divisé par 27). Dans un tel cas, vous commanderez deux verges. Il est ennuyeux et coûteux de manquer de béton à un pied de l'extrémité d'un coffrage. Le tableau ci-dessous vous donne les quantités requises quand vous commandez en vrac.

Matériaux requis	Epaisseur du béton	Nombre de verges cubes	Sacs de ciment	Agrégat	
				Fin en pi³	Gros en pi³
Les quantités qui suivent conviennent à un carré de 10 pieds de côté (100 pi²) d'épaisseurs diverses pour une pâte de six gallons : un sac de ciment, 2½ pi³ d'agrégat fin et 3½ pi³ de gros agrégat.	3″	.92	5.5	13.8	19.3
	4″	1.24	7.4	18.6	26.0
	5″	1.56	9.4	23.4	32.8
	6″	1.85	11.1	27.8	38.9
	8″	2.46	14.8	36.9	51.7
	10″	3.08	18.5	46.2	64.7

Gâchage, coulage et finissage

Employez uniquement de l'eau potable et des agrégats propres. Si vous avez besoin d'une verge de béton ou plus, vous feriez mieux de louer un malaxeur électrique comme celui qu'on voit à la page suivante. Pour les petits travaux, vous utiliserez tout bonnement une

brouette en acier. Vous pourrez ainsi apporter votre béton là où vous vous en servirez. Déposez les ingrédients sur une plate-forme de bois ou de béton. Mélangez d'abord le sable et les agrégats après avoir bien mesuré les quantités. Faites un puits, ajoutez-y de l'eau et mélangez peu à peu les ingrédients secs. Continuez jusqu'à épuisement de l'eau. Le gâchage est terminé lorsque vous pouvez former des sillons ou des petites buttes à la pelle.

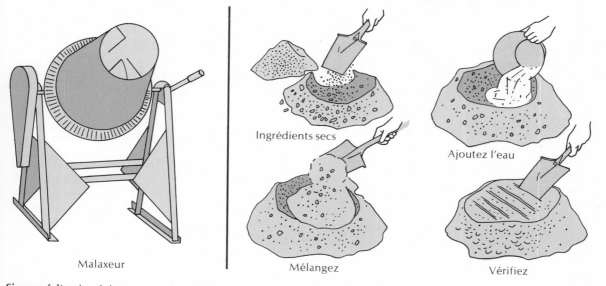

Ingrédients secs

Ajoutez l'eau

Malaxeur

Mélangez

Vérifiez

Si vous faites le gâchage au malaxeur à moteur, laissez celui-ci tourner pendant trois minutes. Pour le gâchage manuel, procédez comme ci-dessus.

Travaux préliminaires

Avant de couler le béton, débarrassez le sol des débris de toute sorte qui peuvent s'y trouver. Si le sol s'égoutte bien, vous n'aurez sans

Le sol où vous allez couler du béton doit être bien égoutté, ratissé, nettoyé et bien tassé.

doute qu'à le tasser; vous installerez les coffrages et vous coulerez. Mais si l'égouttement est mauvais, vous devrez enlever de deux à six pouces de terre que vous remplacerez par du gravier ou du sable, en tassant bien.

Les coffrages

Le béton à l'état semi-liquide est lourd et s'étale quand on le coule. Construisez donc des coffrages très solides car on ne peut plus les resserrer une fois qu'ils sont remplis de béton.

Le coffrage à angles droits

Utilisez des planches de 2″ × 4″ et fixez aux angles avec des clous à deux têtes, plus faciles à enlever par la suite. Etayez les bords du coffrage avec des piquets enfoncés à mi-hauteur et un peu plus bas que le haut du coffrage pour rendre l'aplanissage plus facile. Si vous avez l'intention de laisser les coffrages en place à

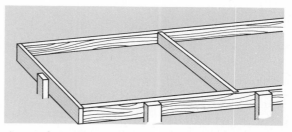

Aux angles, utilisez des clous à deux têtes. Avant le coulage, enduisez l'intérieur d'huile à moteur légère.

319

des fins décoratives, protégez le dessus des bords avec du papier-cache avant de couler le béton.

Le coffrage arrondi

Enfoncez dans le sol trois piquets (ou plus) de 1″×2″ pour dessiner la courbe désirée. Découpez deux bandes de contreplaqué ou de panneau de fibre de un quart de pouce et arquez-les

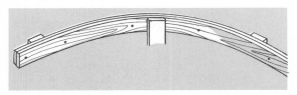

Une légère courbe donne une forme moins rigide. Trois bandes et des piquets rendent l'ouvrage plus solide.

entre les piquets. Clouez-les en divers endroits le long de la courbe, ainsi que sur les piquets, en enfonçant les clous à l'extérieur du coffrage. Ensuite, enlevez le piquet qui se trouve dans le coffrage et enfoncez-le à l'extérieur. Badigeonnez l'intérieur du coffrage avec de l'huile à moteur légère : le coffrage s'enlèvera mieux.

Le coffrage modulaire

L'assemblage à encoche permet de réaliser facilement un beau quadrillage pour terrasses et allées. Employez du cyprès ou du bois, pin gris par exemple, imprégné sous pression d'un produit préservatif.

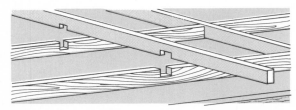

Plantez des clous à travers le cadre à l'extrémité des traverses pour bien les assujettir.

Les joints de dilatation

Lorsque les travaux en béton doivent toucher à des ouvrages de maçonnerie déjà en place : maison, trottoir, escalier, il faut insérer entre

les deux un joint de dilatation. On utilise généralement à cette fin une matière fibreuse et compressible, imprégnée de bitume, qui permet la dilatation à la chaleur et empêche le béton de craquer. Dans une allée ou une entrée en béton, on insérera un joint de dilatation à tous les 10 pieds. Dans ce cas, il s'agit d'une fente de 3/16 à $\frac{1}{4}$ de pouce pratiquée dans le béton mou au moyen d'une lame d'acier. Ainsi, il peut résister aux variations de température.

Une pente pour l'égouttement

L'eau de pluie se ramasse sur les dalles de béton posées bien à plat. En hiver, cette eau gèle et la surface des dalles se fissure. Pour remédier à cet inconvénient, sur une terrasse par exemple, donnez au dallage une inclinaison d'environ un quart de pouce à chaque pied. L'égouttement se fera de lui-même. Allées ou entrées devraient avoir la même inclinaison, mais en allant du centre vers les bords. Utilisez une planche et un niveau en faisant les coffrages.

Une cale de un pouce sous une planche de quatre pieds donne une inclinaison de un quart de pouce au pied.

Coulage et nivellement

Vous aurez besoin d'aide pour accomplir ces opérations. Ne coulez que trois verges à la fois. Prévoyez donc vos commandes en conséquence. Avant de couler le béton, humectez le sol qui aura été d'avance bien tassé. Cela facilite le

Pour niveler le béton, avancez la raclette de un pouce à la fois. Enlevez le surplus; comblez les cavités.

durcissement. Faites le coulage quand il n'y a aucun risque de pluie et, si possible, lorsque la température se maintient autour de 21°C. Versez le béton dans le coffrage. Etendez-le uniformément avec une pelle, de façon à bien remplir les angles et jusqu'aux bords. Puis, en utilisant comme guide le haut des bords du coffrage, égalisez la surface du béton en y promenant une planche de 2″×4″ ou de 2″×6″. Imprimez un mouvement de scie. C'est ce qu'on appelle le nivellement.

Finissage

Le plus gros est fait. A partir de maintenant, le travail devient plus facile et plus agréable. A vrai dire, pour les gros ouvrages, on peut même s'arrêter là. Autrement, il faut passer à l'aplanissement.

Aplanissement

Lorsque l'eau a disparu de la surface du béton, on utilise une truelle en bois, ou aplanissoire, pour faire remonter l'agrégat fin sur le dessus. On décrit des demi-cercles en effleurant la sur-

La truelle employée donne la surface voulue : en métal, la finition sera plus lisse; en bois, elle sera plus rude.

face. Pour obtenir une finition très lisse, répétez l'opération avec une truelle en acier lorsque toute l'eau de surface a disparu et que le béton commence à durcir. Pour le béton aéré se servir d'une truelle en acier.

Balayage

Une fois l'aplanissement terminé, vous pouvez promener à la surface du béton un balai-brosse à poils doux, ce qui lui donnera une texture légèrement rugueuse, le rendra antidérapant

et atténuera les reflets du soleil. Avec un balai à poils plus raides, vous obtiendrez une surface un peu plus rude.

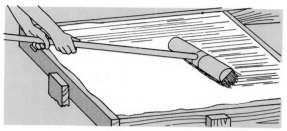

Si des boules se forment pendant que vous balayez la surface du béton, laissez-le durcir davantage.

Surface en relief

Une surface où l'agrégat fait saillie donne un beau coup d'œil et est facile à réaliser. Dans votre mélange initial, utilisez un gravier assez

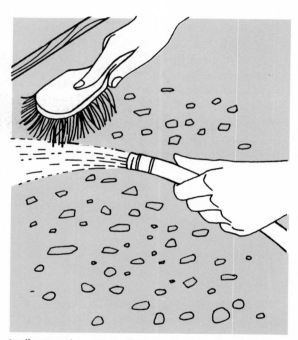

Le fin mot de cette opération, c'est d'arriver à enlever la couche de surface sans déranger le gravier.

lisse et uniforme. Faites le coulage et l'aplanissement comme on vient de le dire. Lorsque le béton commence à durcir, arrosez la surface avec le tuyau d'arrosage et balayez-la de façon à dégager le gravier. Faites d'abord un essai dans un coin.

Mosaïque et cailloux

Voici une façon décorative de modifier la surface du béton. Gâchez et nivelez le béton selon la méthode habituelle. Sur le dessus, insérez

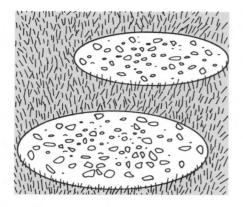

La mosaïque de cailloux peut obéir à un plan déterminé ou être disposée au hasard, sans motif précis.

des cailloux que vous aurez choisis d'après leurs coloris ou leur taille. Pressez avec le côté plat d'une raclette pour qu'ils pénètrent en partie dans le béton. Quand la surface du béton est ferme, mais non prise, brossez-la et arrosez-la avec soin pour faire ressortir la mosaïque de cailloux.

Motifs décoratifs

La gravure sur béton présente un défi auquel peu de personnes semblent capables de résister. Essayez autant que possible de ne pas céder

Les motifs de feuille sont jolis. Appliquez à la truelle une feuille en surface, jusqu'à durcissement.

à la tentation, à moins que vous ne soyez spécialement doué ou bien résigné à vivre avec votre « œuvre d'art ». Néanmoins, si vous voulez relever le défi, voici quelques conseils pratiques. Limitez-vous à des motifs simples et abstraits. Des moules à gâteaux carrés appliqués sur la surface du béton encore mou donneront un carrelage amusant; des boîtes de conserve de différentes dimensions utilisées de la même façon feront des entrelacs de cercles. Evitez les dessins linéaires. A moins d'être un réel artiste, il est difficile de créer un motif d'une beauté durable. On peut toujours décrocher un tableau d'un mur, mais songez qu'il faudra le marteau pneumatique pour corriger le motif incrusté dans le béton.

Le béton coloré

Ajoutez la couleur durant le gâchage. N'employez que des pigments à l'oxyde minéral préparés spécialement pour le béton. D'habitude, vous ajoutez 7 livres de pigment à chaque sac de 80 livres de ciment. Utilisez du ciment blanc pour les teintes pâles, du ciment gris pour les couleurs foncées.

Les blocs de béton

En vous servant de la pâte standard de six gallons, vous pouvez fabriquer à loisir (dans votre garage ou, en hiver, dans votre sous-sol) de petites pièces, telles que des pas japonais, que vous mettrez en place plus tard. Construisez-les assez solides pour qu'elles ne se brisent pas au démoulage. Insérez tout de suite des vis, des pattes ou des clous protubérants dans le coffrage; vous ne l'en déferez que plus facilement. Et puisque vous n'êtes pas pressé, laissez le béton durcir lentement; il n'en sera que plus durable.

Les coffrages à modules

Si vous utilisez des coffrages à modules, vous pouvez couler, en une seule opération, plusieurs blocs et épargner ainsi du temps et des efforts. Ces coffrages, généralement en bois, s'enlèvent facilement lorsque le béton est dur, et se remontent aussi facilement. Pour faciliter encore l'opération, enduisez l'intérieur d'huile à moteur, juste avant de couler le béton. Plus les surfaces seront douces, mieux le coffrage s'enlèvera.

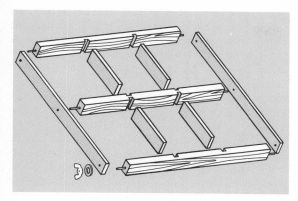

Ce coffrage à modules se défait comme un charme grâce à six écrous à ailettes. On le remonte tout aussi facilement et il peut servir plusieurs fois.

Les coffrages spéciaux

Lorsque vous décidez d'adopter des formes inusitées, vous devez acheter des coffrages spéciaux ou vous les fabriquer vous-même. Il en est ainsi des coffrages ronds ou incurvés. On peut toutefois trouver des coffrages en aluminium qui permettent de couler à peu près n'importe quelle forme.

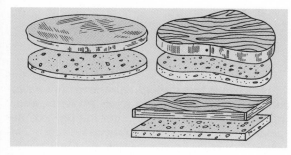

Les coffrages permettent de fabriquer dalles, carreaux ou blocs d'assise. Démoulez quand le béton est dur.

Le durcissement du béton

La qualité du béton tient d'abord au mélange employé, mais elle tient presque autant au traitement de durcissement. Il s'agit, en effet, d'une opération qui, bien accomplie, peut augmenter la résistance du béton de près de 50%. La clef du succès, c'est de garder le béton humide, car l'eau aide celui-ci à bien durcir. Voici comment faire. Une fois la surface aplanie et nivelée, humectez-la et recouvrez-la d'une feuille de polyéthylène que vous maintiendrez en place avec des poids ou des piquets. Allouez au durcisse-

ment un strict minimum de trois à six jours. Vous pouvez allouer jusqu'à 28 jours : le résultat sera excellent.

Construire un mur de béton

Pour faire un mur, construisez d'abord un coffrage vertical assez robuste pour résister à la pression du béton humide. Le contreplaqué de $\frac{1}{4}$ à $\frac{3}{4}$ de pouce convient bien à ce travail, parce que c'est un matériau solide et qu'il don-

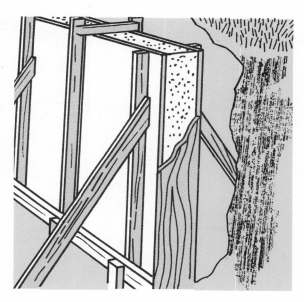

Etayez le coffrage de façon qu'il résiste à un coulage vertical. Laissez-le en place durant le durcissement.

nera au mur une surface très lisse. Pour empêcher les côtés de bomber, étayez le coffrage avec des 2″×4″ placés en diagonale et qui se rejoignent au sommet. Huilez l'intérieur du coffrage avant de couler. Ne versez pas tout le béton d'un coup; allez-y par couches de 12 à 18 pouces d'épaisseur et tassez chaque couche avant de verser la suivante. Avec la truelle, aplanissez le dessus du mur.

Le coulage du béton par temps froid

Confiez un tel travail à des hommes de profession qui ont l'expérience voulue et la compétence nécessaire. Eux savent comment s'y prendre et quels adjuvants ajouter. Ne coulez le béton vous-même que lorsque la température se maintient autour de 21°C.

20

La maçonnerie de briques

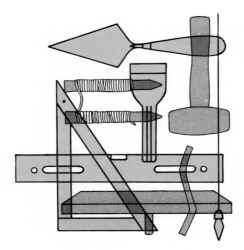

Outils, de gauche à droite, à partir du haut : truelle, marteau, cordeau, ciseau, niveau, équerre, taloche, fer à joints, fil à plomb.

La brique, qui est utilisée depuis près d'un millénaire, a amplement fait ses preuves. Elle résiste bien aux intempéries : le soleil, le vent, la pluie et la glace ne l'affectent guère. Ses couleurs riches et naturelles lui donnent un attrait particulier. De plus, comme elle est facile à fabriquer, elle constitue un des matériaux de construction les plus économiques.

Types et formats de base

Il suffit d'accoler deux briques l'une contre l'autre pour constater qu'il y a toujours entre elles de légères différences. Ces écarts sont normaux et se produisent au cours de la cuisson. Aujourd'hui, cependant, les fours électroniques permettent de réduire considérablement la marge de variation. Alors qu'en 1946 on pouvait encore observer des écarts allant jusqu'à $\frac{3}{4}$ de pouce, les différences, de nos jours, dépassent rarement $\frac{1}{32}$ de pouce; on peut donc facilement les compenser avec un peu de mortier.

Nous ne vous indiquons ici que les types de briques les plus souvent utilisés pour les travaux extérieurs. Notre choix ne représente en fait qu'environ la moitié des types et des formats qui existent, mais les autres ne s'emploient guère à l'extérieur.

La brique commune

Il s'agit d'une brique qui mesure $2\frac{1}{4}$ pouces de haut sur $3\frac{3}{4}$ pouces de large et 8 pouces de long. Ses couleurs sont le rouge rosé

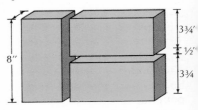

La largeur de deux briques n'atteint pas la longueur d'une brique.

324

ou le jaune clair. Pour les constructions extérieures, on ne doit se servir que de la brique de type 1 qui est conçue pour résister à des froids rigoureux. Quant à la brique de type 2, elle ne convient qu'aux travaux à l'intérieur des maisons.

La brique de parement

De même format que la brique commune, cette brique conçue pour les travaux extérieurs est plus résistante, plus uniforme et plus coûteuse. Sa surface est lisse et glacée et on la trouve dans un vaste choix de couleurs. Elle est idéale pour les allées de jardin, les murs extérieurs, les piscines et les barbecues.

La « vieille brique »

Le plus souvent il s'agit de briques neuves dont on a modifié l'apparence. Fort populaire, la « vieille brique » a ordinairement les mêmes dimensions que la brique commune. En fait, les véritables briques de récupération, surtout les roses et les saumon, sont généralement trop fragiles pour les travaux extérieurs.

La brique réfractaire

Faites d'argiles denses, les briques réfractaires sont conçues pour résister à la flamme et aux chaleurs intenses comme celles des fournaises. On s'en sert notamment pour les foyers et les barbecues. Leur surface est relativement lisse. Elles sont rouges ou jaune clair et mesurent $2\frac{1}{2}$ pouces de haut sur $4\frac{1}{2}$ de large et 9 de long.

La brique romaine

Pour souligner les lignes horizontales, les architectes ont parfois recours à la brique romaine. Plus mince ($1\frac{1}{2}$ pouce), plus longue (12 pouces) mais de même largeur que la brique commune, elle a par ailleurs les mêmes qualités que la brique de parement sans offrir, toutefois, un choix de couleurs aussi varié. On peut aussi parfois se procurer la brique normande, qui a également 12 pouces de long mais qui est plus épaisse ($2\frac{3}{4}$ pouces) que la brique romaine.

La brique refendue

La brique refendue, qui est une sorte de pavé, sert surtout à l'aménagement des terrasses, allées et planchers. Son épaisseur est généralement de $1\frac{1}{2}$ pouce, c'est-à-dire bien inférieure à celle des briques communes ou de parement, qui est de l'ordre de $2\frac{1}{4}$ pouces. Contrairement à la plupart des briques, qui sont percées de trois gros trous ou de dix plus petits, la brique refendue n'est pas perforée.

Le pavé

Les pavés sont faits de briques solides sur lesquelles on peut marcher. Ils servent à faire des trottoirs, des allées de garage et des planchers. On en trouve dans toute une variété de formes et de dimensions : en rectangles de $4''\times8''$, $4''\times9''$ et $4''\times12''$, en carrés de 6 ou 8 pouces et en hexagones de $7\frac{1}{4}$ pouces de diagonale. Leur épaisseur varie de $1\frac{5}{8}$ pouce à environ 2 pouces. Leurs couleurs vont du rose au brun-rouge.

Comment poser la brique

Sur le sol

Dans les endroits où le sol est bien drainé et où l'hiver est doux, on peut poser les briques à même le sol. Enlevez le gazon, nivelez le terrain et tassez le sol. Si le nivelage présente des difficultés, remplissez les creux avec environ un pouce de sable, puis posez les briques en les serrant le plus possible.

Sur le sable

Enlevez d'abord le gazon, les pierres et les racines, puis nivelez le terrain. Si le drainage est bon, recouvrez le sol d'une couche de 1 à $1\frac{1}{2}$ pouce de sable. S'il est lent, mettez de 1 à 2 pouces de gravier, puis 2 pouces de sable. S'il est mauvais, ajoutez du gravier. Egalisez bien le sable, placez les briques en les serrant le plus possible, puis remplissez de sable les espaces vides entre elles.

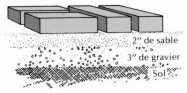

2'' de sable
3'' de gravier
Sol

Quantités de sable et de gravier à utiliser pour constituer la base.

Avec un mortier sec

Posez les briques sur une couche de 2 pouces de sable en laissant entre elles un espace de $\frac{3}{8}$ à $\frac{1}{2}$ pouce que vous remplirez avec le mélange suivant : une partie de ciment Portland, un quart de partie de chaux et trois de sable sec. Réglez le tuyau d'arrosage de façon à n'obtenir qu'un filet d'eau. Arrosez la brique en repoussant le mortier qui resterait sur les briques. Répétez l'opération de temps à autre pendant trois jours. Pour que la base soit plus ferme, remplacez le sable par un mélange de ciment sec, de chaux et de sable dans les proportions de 1, $\frac{1}{2}$ et $4\frac{1}{2}$ respectivement.

Sur du mortier

Coulez une assise de béton (voir à la page 319) sur un sol propre, tassé et bien drainé. Faites votre mortier en mélangeant le ciment, la chaux et le sable dans les proportions de 1,

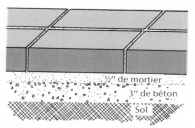

Epaisseurs relatives et minimales des couches de mortier et de gravier pour l'assise d'une terrasse.

$\frac{1}{4}$ et 3 respectivement et ajoutez de l'eau pour rendre la pâte malléable. Commencez par un coin. Versez sur l'assise une couche de $\frac{1}{2}$ pouce de mortier sur une surface suffisante pour poser quatre ou cinq briques. Mouillez les briques en enduisant les côtés qui se touchent d'une couche de $\frac{3}{8}$ de pouce de mortier. Dénivelez la surface d'environ $\frac{1}{6}$ de pouce par pied (voir à la page 320). Nettoyez comme dans le cas du mortier sec.

Briques sur asphalte ou vieux béton

S'il n'y a pas d'inconvénient à rehausser de $2\frac{1}{2}$ à 4 pouces le niveau du sol, on peut à la rigueur poser de la brique sur de l'asphalte ou sur du vieux béton. **Sur l'asphalte ou le macadam :** à cause des produits oléagineux que contiennent ces matériaux, la brique risque de ne pas tenir longtemps. Le mieux est de faire une assise de sable et d'y poser les briques en remplissant les joints de sable ou de mortier sec. **Sur le vieux béton :** ôtez avec une brosse dure tout le béton qui s'effrite. Mouillez toute la surface. Mélangez le mortier. Arrosez de nouveau le sol et posez la brique sur le mortier ou sur un fond de sable.

Construction des bordures

Sous l'effet du piétinement et des intempéries, les pavages de briques ont tendance à s'étaler.

Une bordure maintiendra les briques tout en permettant de calculer l'inclinaison nécessaire au drainage. Nous indiquons ici trois méthodes de construction des bordures.

Bordure de briques

Bien enfoncées dans le sol, dans le sens de la longueur, les briques du bord maintiennent solidement les autres. Si la base est en sable, creusez une tranchée dans laquelle vous alignerez les briques de façon qu'elles se touchent. Remplissez ensuite les interstices avec du sable ou du mortier sec. Les assises de mortier ou de béton sont évidemment plus solides et particulièrement recommandées dans les régions où les hivers sont rigoureux.

Briques de bordure disposées de façon à maintenir les autres.

Bordure de bois

L'alliance de la brique et du bois donne un pavage qui est à la fois esthétique et solide. Si la base est en sable, choisissez des planches de $2'' \times 4''$ et enfoncez-les dans une tranchée au-

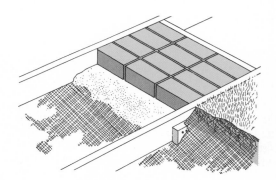

La bordure de planches de $2'' \times 4''$ peut être renforcée par des piquets, comme ici.

tour des briques. Si l'assise est en béton, les planches doivent reposer sur une couche de mortier. Pour la bordure, il vous faut utiliser un bois dur et résistant comme le cyprès ou simplement du bois de construction traité sous pression avec du préservatif, comme le pin gris.

Bordure de tôle

Les bordures de tôle peuvent très bien servir à consolider des pavages de briques. On utilise alors des bandes de tôle plates, de $\frac{1}{4}$ de pouce sur 5 pouces, ou de $\frac{3}{16}$ de pouce sur 4 pouces. Elles sont généralement peintes en vert et ont diverses longueurs.

Vous pouvez également employer la tôle galvanisée et ondulée. Dans ce cas, remplissez les creux, au bord des briques, avec le matériau qui a servi à faire l'assise : sable ou mortier. Les bordures de tôle ondulée sont faciles à poser, mais la brique et le bois donnent des résultats plus durables et plus esthétiques.

Disposition des briques

Il y a, bien sûr, de multiples façons de disposer les briques lorsqu'on aménage une allée ou une terrasse. Les agencements les plus simples permettent d'utiliser les briques telles qu'elles sont, sans qu'il soit nécessaire de les tailler. Les briques de pavage sont idéales pour ce genre de construction. Elles permettent en fait une grande variété de dessins puisque, dans leur cas, la largeur de deux briques est égale à la longueur d'une autre, lorsqu'elles sont posées à plat. Généralement, il suffit de les coucher sur du sable et de combler les interstices avec le même matériau. Quand on emploie des briques de construction ordinaires, de $3\frac{3}{4}$ pouces sur 8 pouces, il vaut mieux, pour que l'ensemble soit plus résistant, les étendre sur un fond de

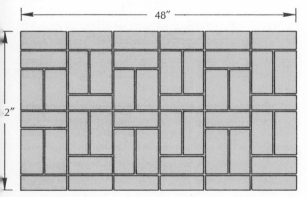

Cette disposition évite d'avoir à tailler les briques. On peut enfoncer les briques de bordure dans le sol.

mortier à cause de l'irrégularité des interstices. On peut cependant obtenir des joints réguliers et des agencements solides en plaçant toutes les briques en longueur au lieu de faire alterner les longueurs et les largeurs.

Pour aménager une terrasse, il est recommandé de quadriller l'espace disponible avec des planches de 2″×4″. Placez d'abord des planches sur toute la longueur de la terrasse en les espaçant de quatre pieds. Puis, tous les quatre pieds, disposez perpendiculairement aux premières d'autres planches de 2″×4″ et clouez-les. Vous aurez ainsi des carrés de quatre pieds dans lesquels vous pourrez agencer des briques de 4″×8″, sans avoir à les tailler. De plus, le quadrillage maintiendra les briques en place, même sur un fond de sable.

Comment couper une brique

Avec l'arête d'un marteau de briqueteur, tracez une ligne à l'endroit où vous voulez effectuer la coupure, puis donnez un coup sec au milieu de la ligne. La brique devrait alors se fendre

Pour couper une brique, frappez d'un coup sec sur le ciseau en l'inclinant du côté du rebut.

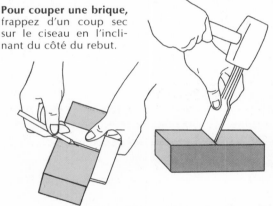

en deux. Grattez les irrégularités de la coupe avec la tête du marteau. Vous pouvez aussi vous servir d'un maillet et d'un ciseau, comme sur l'illustration ci-dessus. Il est prudent de faire quelques essais sur des briques de rebut.

Comment construire un mur de briques

Bien qu'elle ne pose pas de grandes difficultés, la construction d'un mur de briques n'est pas aussi simple qu'elle peut le sembler. Même les amateurs expérimentés devraient s'adresser à des professionnels lorsqu'il s'agit de gros murs de soutènement ou de murs de six pieds de haut. Tous, cependant, peuvent entreprendre la construction d'un muret, d'une base de banc ou d'un foyer de plein air. Mais tout d'abord, il importe de connaître certains termes.

Boutisses, panneresses et briquetons

On appelle boutisses les briques qui sont disposées dans le sens de la largeur. Autrement dit, ce sont celles dont le côté le plus long forme un angle droit avec la face du mur. Les panneresses, par contre, sont placées dans le sens de la longueur; c'est leur côté le plus long qui apparaît sur la face du mur. Quant aux briquetons (ou briquaillons), ce sont des morceaux de brique que l'on a taillés pour remplir des interstices.

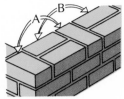

Les boutisses (A) sont en largeur et les panneresses (B) en longueur.

Pour commencer, des fondations solides

Tout mur de jardin doit être érigé sur des fondations solides de béton ou de brique. Autrement, même un simple mur de quelques rangées de briques accusera rapidement des irrégularités et se lézardera sous l'effet du gel ou du dégel. La largeur de la fondation doit être de une fois et demie celle du mur et elle doit descendre sous la ligne de gel.

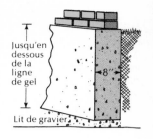

Jusqu'en dessous de la ligne de gel

Lit de gravier

Quelles quantités commander

Nous vous donnons ici les quantités à commander pour une surface de 100 pieds carrés, tout en prévoyant une perte possible de 5%. Si vous vous servez de briques de construction ordinaires, avec un joint de mortier de $\frac{1}{2}$ pouce, achetez 473 briques. S'il s'agit de briques de construction posées bout à bout sur le sable, il vous en faut 525. Si vous utilisez des pavés de $4'' \times 8''$ sur du sable, commandez-en 500, ou 450 si vous les posez sur du mortier.

Types d'appareils

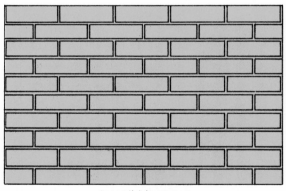

Appareil à la grecque

Appareil anglais

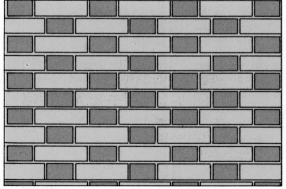

Appareil flamand

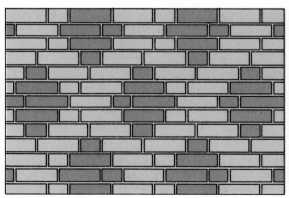

Mur de jardin

Construction d'un mur de brique

Après avoir choisi la façon dont vous voulez les disposer, montez quelques rangées de briques à sec pour mieux comprendre leur agencement. Avant de commencer vos travaux, mouillez bien les briques, puis laissez-les sécher en surface. Les briques sèches absorbent trop d'eau du mortier, ôtant de la solidité à l'assemblage. Pour faire le mortier, mélangez une partie de ciment Portland, $\frac{1}{2}$ d'hydrate de chaux et $4\frac{1}{2}$ de sable tamisé et bien propre.

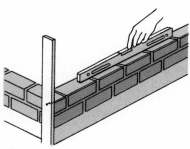

Assurez-vous d'abord que les fondations sont de niveau. Plantez des piquets aux extrémités. Tendez un fil pour vous guider.

Détachez un morceau de mortier avec votre truelle et étalez-le sur une taloche pour lui donner la forme d'un gros cigare.

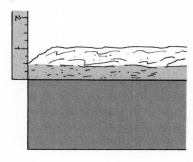

Couvrez la brique d'un lit de mortier de ¾ de pouce à 1 pouce d'épaisseur. Tracez un léger sillon dans le mortier avec la truelle.

Appliquez du mortier sur une longueur de quatre briques. Egalisez-le pour lui donner partout une épaisseur d'environ ½ pouce.

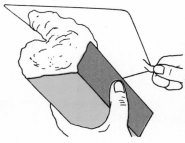

Etalez du mortier sur un bout de la première brique et pressez-la contre la suivante de façon à faire un joint de ½ pouce.

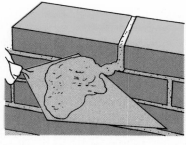

Retirez avec la truelle l'excès de mortier qui proviendra des joints de ½ pouce. Vérifiez fréquemment l'aplomb et le niveau.

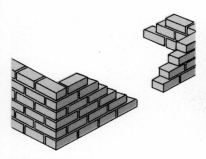

Faites d'abord les coins. Ceci vous aidera à bien poser les briques du milieu. Servez-vous d'une ficelle pour vous guider.

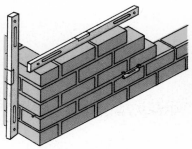

Continuez de vérifier l'aplomb et le niveau du mur. Elevez le fil à chaque nouvelle rangée, en le fixant par des clous dans le mortier.

Avant que le mortier soit sec, raclez les joints avec un fer à joints et donnez-leur la forme d'un V ou d'un arc pour obtenir un effet soigné.

329

21

Les blocs de béton

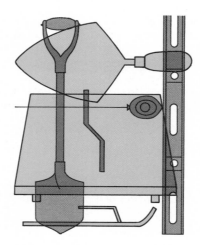

Outils, de gauche à droite : truelle de maçon, niveau, cordeau, pelle, fer à joints, planche à mortier, fer à joints horizontal.

Le béton préfabriqué a toujours été apprécié pour sa solidité et ses qualités pratiques. Cependant on le considérait comme un matériau terne et peu esthétique. Depuis quelques années, les fabricants lui ont donné toute une gamme de couleurs, de formats et de styles qui lui confèrent désormais une grande valeur décorative. Si l'on songe par ailleurs à son coût peu élevé, on comprend qu'il soit maintenant très utilisé dans les travaux extérieurs.

Modèles et formats courants

Nous illustrons ici les formats et les modèles les plus employés. Il en existe d'autres car nombre de fabricants ont mis au point des produits qui leur sont propres. Les dimensions indiquées en pouces sont généralement arrondies. Ainsi un bloc dit de $8'' \times 8'' \times 16''$ mesure en réalité $7\frac{5}{8}'' \times 7\frac{5}{8}'' \times 15\frac{5}{8}''$.

Le bloc standard

Le bloc de béton lourd ordinaire est fait de sable et de gravier plus ou moins fin. Le bloc léger est constitué d'agrégats comme le schiste ou le ciment de laitier. Lorsque son apparence s'accorde avec le décor, le bloc léger est indiqué pour

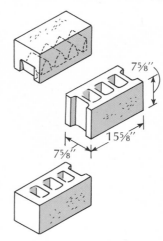

les travaux extérieurs. Les modèles de base (à gauche) sont les suivants : plein, en haut; régulier, au centre; et coin, en bas. On trouve aussi le double coin, le coin arrondi et le montant dont un coin est entaillé pour accueillir une porte ou une fenêtre.

Le bloc en saillie

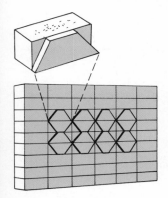

Les éléments de ce modèle comportent des bas-reliefs qui font saillie à la surface du bloc, comme le triangle tronqué sur l'illustration de gauche. On trouve ainsi des centaines de motifs que l'on peut utiliser seuls ou en les agençant avec des blocs ordinaires. Le format est de 8″ × 8″ × 16″.

Ces triangles tronqués peuvent former 24 motifs.

Le bloc ajouré

Les blocs ajourés peuvent être agencés de façon à former une foule de dessins géométriques, soit entre eux soit alliés à des éléments ordinaires. La plupart, cependant, ne peuvent supporter des charges lourdes. Le format le plus courant est de 4″ × 12″ × 12″.

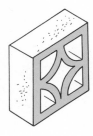

Ce modèle permet de construire des murs qui ne gênent pas la circulation de l'air.

Le bloc refendu

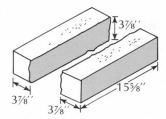

Il s'agit de blocs de 4″ × 8″ × 16″ fendus en deux dans le sens de la longueur pour obtenir deux éléments de 4″ × 4″ × 16″ dont la surface rugueuse ressemble à la pierre. Ils font de jolis murs.

Les murs en blocs refendus ont l'air d'être en pierres.

Le bloc gauchi

Retirés prématurément de leurs formes, les blocs gauchis sont légèrement arqués et irréguliers, ce qui leur donne l'aspect de l'adobe. Ils ont généralement 4 pouces de haut sur 8 pouces de large et 16 à 24 pouces de long.

La dalle préfabriquée

On peut se procurer des dalles préfabriquées de différents formats: 2″ × 8″ × 16″ pour les dalles dites pleines, 4″ × 8″ × 16″ pour les modèles évidés. Il y a aussi des modèles en forme de cercle ou de losange.

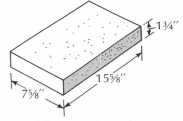

Les dalles sont de couleurs neutres ou de teintes pastel.

Comment poser les dalles de béton

Étant elles aussi de forme rectangulaire, les dalles peuvent être posées de la même façon que les briques. (Voir pages 327 et 328.)

Sur le sable

Faites une bordure de dalles posées à la verticale, ou de bois imputrescible. Enlevez la couche superficielle du sol et étendez deux pouces de

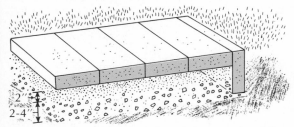

Pour empêcher les graines de germer entre les dalles, placez une feuille de polyéthylène sur le sable.

sable. Si le sol est mal drainé, creusez plus profondément et faites un lit de deux à quatre pouces de gravier puis de deux pouces de sable. Posez les dalles, remplissez les interstices de sable et lavez la surface. (Voir, à la page 325, « Comment poser la brique sur le sable ».)

Sur le mortier

Faites d'abord une assise de béton de trois pouces avec un mélange 1-2½-3½ (voir à la page 319). Quand le béton est pris, faites un mortier d'une partie de ciment de maçonnerie et de trois parties de sable. Ajoutez de l'eau de façon à obtenir une pâte. Étalez une couche d'un pouce de mortier sur l'assise. Posez quatre ou cinq dalles à la fois, en enduisant les côtés de mortier. Laissez des joints de ⅜ de pouce et prévoyez une inclinaison de ⅛ de pouce par pied pour l'écoulement des eaux de surface.

Construction d'un mur de blocs

Si vous n'en êtes qu'à vos débuts en maçonnerie, vous feriez bien de commencer par un essai aussi modeste qu'un mur de jardin de deux ou trois rangées de haut.

Calcul des quantités

Pour calculer la quantité de blocs (de $8'' \times 8'' \times 16''$), utilisez cette formule : hauteur du mur $\times 1\frac{1}{2}$ = nombre de rangs de blocs, soit A. Longueur du mur $\times \frac{3}{4}$ = nombre de blocs par rang, soit B. A $\times$ B = nombre total de blocs nécessaires. Pour 100 blocs, il faut $2\frac{1}{2}$ sacs de ciment de maçonnerie et 667 livres de sable.

Comment couper les blocs

Il peut arriver pour certains travaux que l'on soit obligé de couper des blocs. Si vous ne demandez pas au marchand qui vous les a vendus de faire le travail, servez-vous d'une scie circulaire munie d'une lame abrasive ou tout simplement d'un ciseau et d'un marteau et coupez les blocs comme si c'était des briques.

Les étapes de la construction d'un mur

Voici les six principales étapes de la construction d'un mur en blocs de béton.

1. Les fondations. Pour les murs de plus de $2\frac{1}{2}$ pieds de hauteur, faites d'abord, en dessous de la ligne de gel, une assise de 6 pouces de gros gravier; sur celle-ci, étendez une couche de béton de 16 pouces de largeur sur 8 pouces d'épaisseur. Pour les petits murs, il suffira que la couche de béton soit à 18 pouces de profondeur. Renforcez avec des barres d'armature.

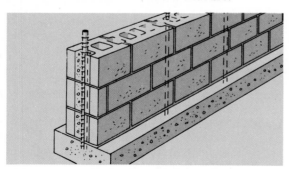

2. La première rangée. Posez d'abord les blocs de coin. Le bloc de coin de la deuxième rangée chevauche celui de la première de façon à permettre le décalage des joints. Lorsque le mur se termine par un bloc de coin, utilisez des demi-blocs toutes les deux rangées, pour la même raison. La précision est ici primordiale.

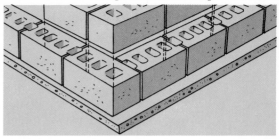

3. Le lit de mortier. Quand vous avez délimité l'emplacement du bloc de coin, faites une bonne base de mortier en creusant de légers sillons à partir du centre de façon à orienter le ciment vers les côtés des blocs. Limitez-vous à la longueur de quatre ou cinq blocs à la fois.

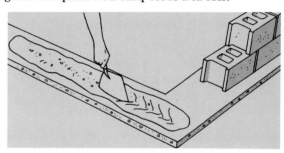

4. La pose des blocs. Ne mouillez pas les blocs. Contrairement aux briques, les blocs de béton doivent être posés à sec sur le mortier. Placez d'abord le bloc de coin. Etalez du mortier sur le côté du deuxième bloc et accolez-le au bloc de coin, en laissant un joint de $\frac{3}{8}$ de pouce. Otez à la truelle le mortier qui dépasse.

5. Vérifiez la pose. Après avoir posé les quatre ou cinq premiers blocs, vérifiez à l'aide d'un niveau de maçon leur aplomb et leur niveau. S'il y a lieu, redressez-les en frappant de légers coups avec le manche de la truelle, mais ne cherchez pas à les déplacer, vous risqueriez de défaire les joints.

6. Les autres rangées. Une fois la première rangée bien posée, les autres se posent plus facilement. Il suffit d'enduire de mortier seulement

les bords externes des cavités. Continuez cependant de vérifier régulièrement l'aplomb et le niveau. Pour la dernière rangée, utilisez des blocs pleins. Travaillez les joints avant que le mortier durcisse. Creusez-les pour leur donner la forme d'un V ou d'un arc.

Comment armer les blocs

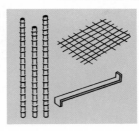

Les murs de plus de quatre pieds de haut doivent être renforcés par des tiges métalliques horizontales ou verticales, ou les deux. Par exemple, les assises et le mur peuvent être renforcés avec des tiges de $\frac{1}{2}$ pouce cou-

lées dans les blocs à une hauteur de quatre pieds au milieu du mur. Utilisez du fil métallique pour les intersections ordinaires et des crochets pour les murs de soutien.

Comment peindre les blocs

Avec un rouleau ou un pinceau solide, appliquez les peintures à l'eau à base de vinyle ou d'acrylique, conçues pour la maçonnerie.

Types d'appareils

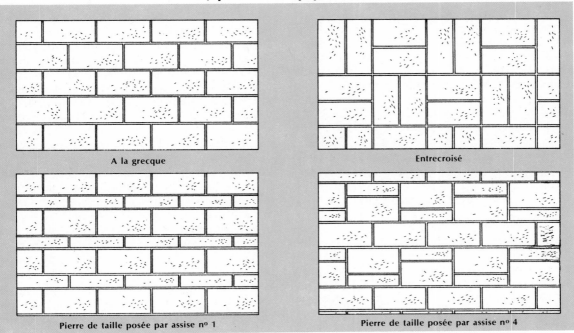

A la grecque

Entrecroisé

Pierre de taille posée par assise n° 1

Pierre de taille posée par assise n° 4

22

La maçonnerie de pierres

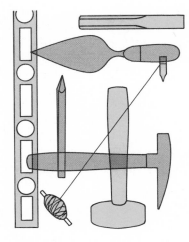

Outils, de gauche à droite, à partir du haut : niveau de maçon, ciseau à froid, truelle, poinçon, maillet, marteau de maçon, cordeau.

L'homme préhistorique taillait déjà la pierre dont il se servait pour façonner des outils et des armes. Plus tard, les Babyloniens construisirent des temples et les Egyptiens des pyramides avec des pierres remarquablement bien taillées et sans l'aide de mortier. Par la suite, les Romains inventèrent le mortier et firent de la maçonnerie un art véritable. La pierre, qui se distingue des autres matériaux de construction par sa solidité et sa durabilité, est cependant plus coûteuse et plus difficile à travailler.

Les types de pierres

Nous indiquons ici des catégories générales dans lesquelles on peut ranger divers types de pierres. Ainsi on appelle *pierres des champs* toutes les pierres non taillées et de formes irrégulières que l'on trouve dans le sol ou à sa surface. Les *moellons* sont des résidus de pierres taillées. Les *dalles* proviennent de pierres stratifiées que l'on a fendues. La *pierre de taille* est polie et façonnée à la scie ou au ciseau.

Le granit. C'est une pierre particulièrement solide et durable. On la trouve sous les quatre formes que nous venons de décrire. Le granit méplat provient directement de la carrière. Les autres granits ont des formes et des dimensions variables. A l'état pur, le granit est gris. Le plus souvent, il est taché de brun, de noir, de blanc ou de rose et il contient parfois du quartz ou du fer.

Le quartzite. Presque aussi dur que le granit, il est généralement mêlé à d'autres minéraux, de sorte que sa couleur naturelle gris pâle et brillante est souvent atténuée par des teintes brunes ou noires. Le quartzite reflète la lumière du soleil, ce qui le rend particulièrement attrayant si on l'utilise avec discrétion, par exemple pour les bassins et les pièces d'eau.

La pierre calcaire. Bien moins solide que le granit, la pierre calcaire est quand même assez forte pour les aménagements paysagers. (La plus faible peut supporter un poids de 60 tonnes au pied carré.) Comme le grès, elle est poreuse, donc particulièrement indiquée pour les rocailles. On la scie généralement à la machine pour lui donner les formes désirées. Sa couleur varie du gris foncé au gris très pâle.

Le grès. D'une solidité sensiblement égale à celle de la pierre calcaire, le grès se compose généralement de sable de quartz lié par un ciment naturel comme la silice ou l'oxyde de fer. On en trouve de diverses couleurs : chamois, brun, jaune, gris et blanc.

L'ardoise. Excellente pour les pavages, les terrasses et les escaliers, elle peut aussi servir à la construction des murs de jardin. On la pose toujours à plat. L'ardoise vient généralement de l'est du Canada ou de la Colombie-Britannique. Ses couleurs les plus fréquentes sont le gris et le noir, mais elle peut être aussi rouge foncé, bleue ou verte; parfois même, elle prend diverses teintes et reflets.

Comment tailler la pierre

Si vous n'avez aucune expérience dans ce domaine, il est plus prudent de ne pas chercher à tailler les pierres mais de vous contenter de les emboîter. Vous pouvez ainsi construire une terrasse ou un mur dont l'agencement irrégulier ne manquera pas de charme. S'il faut absolument tailler certaines pierres, demandez au fournisseur d'effectuer ce travail. Par ailleurs, rien ne vous empêche de faire vos expériences sur des pierres de rebut, ce qui est encore la meilleure façon d'apprendre. Vous pouvez alors

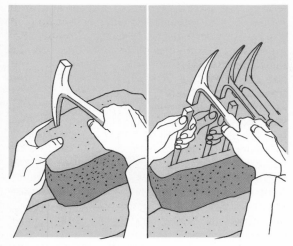

Taillez les bords d'une pierre avec la lame d'un marteau de maçon, mais coupez-la avec un poinçon.

vous servir d'un marteau et d'un ciseau à froid (voir l'illustration ci-dessous, à gauche) ou d'un poinçon (voir l'illustration de la page de gauche) que vous enfoncez dans une crevasse.

Les pierres taillées. La plupart des pierres sont taillées d'avance à la dimension et au format voulus : l'ardoise en dalles carrées, rondes et rectangulaires; le grès et la pierre calcaire en blocs comme des briques. Même le granit et le quartzite peuvent être sciés en fonction de l'usage auquel on les destine.

Trois façons de faire une terrasse de pierres

Commencez par niveler le terrain. Creusez à la profondeur indiquée ci-dessous, puis arrosez et tassez la terre.

Dans le sable. Faites une bordure de dalles ou de planches d'un pouce d'épaisseur maintenues par des piquets, tout autour de l'excavation. Si le drainage est lent, étendez deux ou trois pouces de gravier. Versez de quatre à six pouces de sable, placez les pierres et remplissez les interstices de sable ou de gravier décoratif.

Dans le sable et le mortier. Posez les pierres sur un lit de sable (voir ci-dessous) en laissant

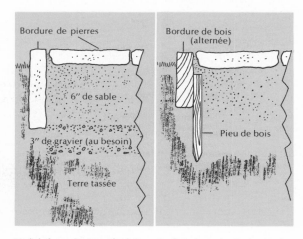

Voici deux façons de faire une bordure. Le bois, moins coûteux, dure moins longtemps.

des joints de $\frac{1}{2}$ pouce que vous remplirez avec un mortier fait de une partie de ciment Portland et de trois parties de sable. Remplissez les joints puis, en réduisant le jet au minimum, arrosez-les. Répétez l'arrosage deux autres fois dans les 48 heures.

Dans le mortier et le béton. Creusez jusqu'à

335

au moins neuf pouces. Faites tout autour de la terrasse une tranchée d'une profondeur allant jusqu'à la ligne de gel et disposez-y un coffrage de planches dont le haut sera de niveau avec la terrasse. Etendez une couche de gravier de quatre pouces au fond de l'excavation et couvrez-la d'une armature de fil métallique (en carrés de 6″). Versez le béton (une partie de ciment, deux de sable et quatre de gravier) en formant une pente de $\frac{1}{4}$ de pouce par pied pour l'écoulement des eaux. (Voir le chapitre 19, « Les ouvrages en béton ».)

En vous servant d'un râteau, remontez le fil métallique pour qu'il soit au milieu de la couche de béton. Laissez les irrégularités de la surface pour donner plus de prise au mortier. Laissez sécher pendant 24 heures. Composez alors le mortier en mélangeant une partie de ciment à trois parties de sable et en ajoutant assez d'eau pour pouvoir façonner une boule

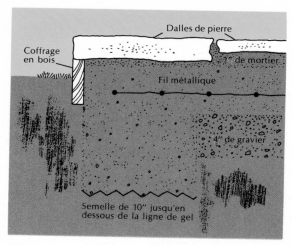

S'il faut une semelle de fondation autour de la terrasse, voici comment la situer par rapport aux dalles.

avec vos mains. Etendez une couche de un pouce de mortier en ne couvrant que l'espace nécessaire pour deux ou trois pierres. Placez les pierres en les tassant, mais laissez les joints ouverts. Après en avoir posé une douzaine, retirez-les une à une en versant chaque fois une colle de béton (mélange de ciment et d'eau de la consistance d'une soupe épaisse) sur l'emplacement de chacune, puis remettez-les à leur place.

Assurez-vous que les pierres sont bien de niveau. Une fois la terrasse finie, remplissez les joints avec un mélange d'une partie de ciment

et de deux parties de sable en ajoutant assez d'eau pour le rendre un peu plus coulant que celui dont on se sert pour les bases de béton.

Construction des murs de pierres

Les *murs enduits* se construisent avec du mortier et les *murs secs* sans mortier. Les *murs autoportants* n'ont pas besoin de support et les *murs de soutènement* servent à retenir le sol.

Comment construire un mur enduit. Vous pouvez utiliser des pierres des champs ou des dalles. Ces dernières, bien entendu, sont plus faciles à empiler en raison de leur forme. Faites d'abord un socle de pierres ou de béton coulé au-dessous de la ligne de gel (voir l'illustration). Si le socle est en béton, servez-vous d'un mélange 1-2-4 comme dans le cas d'une terrasse de pierres. Le mortier, composé d'une partie de ciment et de deux parties de sable, doit être

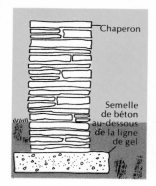

juste assez humide pour qu'on puisse le travailler. Lorsque le mur est achevé, surmontez-le d'un chaperon que vous ancrerez solidement dans le mortier, pour empêcher l'eau de s'écouler entre les pierres.

Comment construire un mur revêtu de pierres. Les blocs de béton étant bon marché, le mur que nous illustrons ci-dessous coûterait moins cher qu'un mur fait entièrement de pierres. Le mortier, le béton, le socle et le couronnement sont les mêmes dans les deux cas. La pierre fendue (taillée sur cinq côtés, avec une face irrégulière) se prête bien aux revêtements, de même que les petites dalles et même le granit taillé à cette fin. Pour renforcer le mur et le rendre plus durable, vous pouvez insérer des tiges de métal dans les joints des

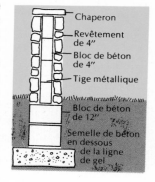

blocs et du revêtement. Vérifiez régulièrement le niveau à mesure que vous construisez le mur.

Comment construire un mur sec

La stabilité d'un mur sec dépend de deux facteurs : la gravité et la friction des pierres empilées les unes sur les autres.

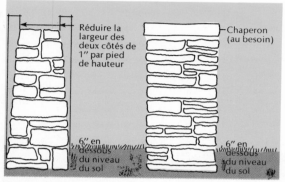

Réduire la largeur des deux côtés de 1" par pied de hauteur

Chaperon (au besoin)

6" en dessous du niveau du sol

6" en dessous du niveau du sol

Rétrécissez le sommet du mur. Placez les grosses pierres à la base.

Les murs perpendiculaires sont faits de pierres plates et carrées.

Les pierres les plus grosses servent à faire le socle. Le mur commence à environ six pouces au-dessous du niveau du sol, mais pas nécessairement au-dessous de la ligne de gel. Le mur de pierres des champs a une forme légèrement pyramidale, c'est-à-dire qu'il présente un rétrécissement vers le haut de deux pouces tous les deux pieds. Inclinez légèrement les pierres vers l'intérieur du mur, ce qui leur permet de mieux se soutenir les unes les autres. Il n'est pas nécessaire de surmonter le mur d'un chaperon étant donné que l'eau pourra s'écouler par les interstices entre les pierres.

Comment faire un mur de soutènement

Entreprenez la construction comme s'il s'agissait d'un mur libre ordinaire. Faites ensuite les changements suivants. Tout d'abord, installez un socle en dessous de la ligne de gel, puis commencez à poser les premières pierres en les inclinant légèrement du côté du terre-plein. Au fur et à mesure que vous élevez le mur, rétrécissez le côté opposé à la terre de deux à trois pouces par pied de hauteur. Procédez de façon que la partie supérieure du mur mesure au moins 18 pouces de large. Elle devra aussi être surmontée d'un chaperon. Placez un drain derrière le mur, comme sur l'illustration. Faites aussi des percées dans le mur, espacées de 10 à 12 pouces, pour que l'eau ne s'accumule pas du côté de la terre. Utilisez là des tuyaux en terre cuite ou en cuivre.

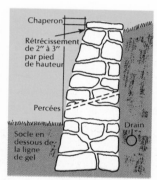

Chaperon

Rétrécissement de 2" à 3" par pied de hauteur

Percées

Socle en dessous de la ligne de gel

Drain

Percez le mur pour réduire la pression si l'eau risque de s'accumuler.

Trois types de murs de pierres

Le mur sec, construit sans mortier, fait ressortir la forme et l'originalité des diverses pierres.

Les joints de mortier bien enfoncés permettent d'allier le charme des murs secs à la solidité du mortier.

Le mur de pierres et de mortier exige moins de pierres que les autres et se distingue par sa solidité.

23

L'utilisation de la toile

Instruments, de haut en bas : machine à coudre, perforateur, ruban à mesurer, corde, marteau, ciseaux, matrice, bague, rondelle, outil de finition.

La grosse toile, dont les Egyptiens se servaient déjà 2 000 ans avant Jésus-Christ, se trouve maintenant dans toutes sortes de coloris et d'imprimés. Elle peut servir à une foule d'usages dans le jardin. Les nouvelles toiles enduites de matière plastique sont robustes, souples, durables et ne déteignent pas. Elles constituent donc un matériau idéal pour nos climats puisqu'elles sont armées pour résister aux intempéries. Bien entretenues, elles peuvent facilement durer 10 ans et même davantage; on peut en outre les remplacer à peu de frais.

Les différentes toiles

La plupart des toiles à meubles ou à auvents sont encore faites avec du coton; on en trouve cependant de plus modernes en fibres acryliques. La toile de coton se présente sous deux formes : le *gros coutil,* textile robuste, parfait pour usage à l'extérieur; le *coutil ordinaire,* tissu plus léger, idéal pour recouvrir les boîtes de sable ou pour les mobiliers d'enfants.

La toile se commande généralement au poids à la verge, la pièce mesurant ordinairement 36 pouces de largeur. Le coutil léger pèse habituellement 7 ou 8 onces à la verge et le gros coutil 10 onces et parfois même 18 onces. La toile de coton est maintenant traitée pour résister au mildiou et à l'eau. Voici différentes sortes de toiles.

La toile teinte en vrac : Cette toile est plongée à la pièce dans un bain de teinture monochrome. On teint ainsi le coutil léger; il est un peu moins bon teint, mais il coûte moins cher que les autres.

La toile peinte : Cette toile, après avoir été

teinte, est enduite d'une peinture acrylique qui est hydrofuge et qui résiste aux intempéries. Seul l'endroit du tissu reçoit ce traitement, mais l'envers est souvent doté d'un dessin en pointillé ou de motifs floraux. Relativement robuste, la toile peinte est cependant plus chère que la toile teinte en vrac.

La toile en fil teint : Ce qui particularise ce genre de toile, c'est que le fil est teint avant que la toile soit tissée. On peut donc associer des fils de couleurs différentes pour créer un nombre incalculable de motifs, aussi beaux et pimpants à l'envers qu'à l'endroit.

La toile enduite de vinyle : Cette toile est revêtue, à l'endroit, d'une épaisse couche de vinyle; l'enduit est permanent et la surface, robuste et inaltérable. La toile se nettoie plus facilement et résiste mieux à la saleté. Elle est très brillante et le vinyle permet de reproduire avec précision toutes les teintes, des plus douces aux plus foncées, aussi bien que le blanc. Cette toile est la plus chère de toutes les toiles de coton.

La toile en fibres acryliques : Bien qu'elle soit faite de fibres acryliques teintes, les marchands la considèrent quand même comme une toile. De fait, elle ressemble beaucoup à la toile enduite de vinyle, mais elle est un peu plus durable, ce qui représente un avantage dans les endroits où l'air est très pollué. Cependant c'est la plus chère des toiles que nous venons de décrire, mais elle garde sa fraîcheur et sa beauté très longtemps. En outre, elle se nettoie assez facilement.

Préparation de la toile

Le plus simple, évidemment, c'est de faire confectionner marquises et autres accessoires par des gens de métier. Il vous en coûtera moins cher cependant de le faire vous-même, ce qui ne devrait pas présenter de difficultés si vous avez quelques notions de couture.

La coupe : Vous pouvez couper vous-même tous les tissus dont nous venons de parler. Utilisez des ciseaux de bonne qualité et marquez vos mesures à la craie : celle-ci s'efface facilement.

L'ourlet : Comme tous les tissus, la toile exige d'être finie. Faites un ourlet ou utilisez du ruban à ourler. N'oubliez pas que, ce faisant, vous perdez un pouce dans tous les sens.

L'ourlet avec ruban est plus facile à réaliser, en particulier dans les coins où le tissu se super-

pose. En outre, le ruban peut prendre une valeur décorative.

Avec une machine à coudre ordinaire, vous pouvez piquer à peu près toutes les toiles, y

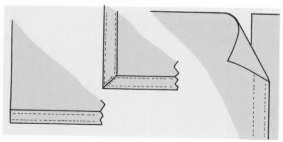

Aux angles, faites un pli de 45° dans l'ourlet et piquez deux fois, comme on l'indique ici.

compris celle qui pèse 10 onces à la verge; dans ce dernier cas, cependant, vous aurez quelques difficultés aux angles, où le tissu est double et même quadruple. Pour les toiles plus lourdes, vous aurez intérêt à vous adresser à des professionnels qui disposent de machines à coudre plus puissantes. Si vous faites le travail vous-même, utilisez votre plus grosse aiguille et prenez le fil Dacron le plus robuste que votre machine accepte.

Les pans : La grosse toile est généralement vendue en 36 pouces de largeur. S'il vous faut des pans plus larges, superposez les panneaux de ¾ de pouce et piquez deux fois. Dans ce cas-là, ne faites pas d'ourlet sur les bords superposés.

Les œillets : Posez des œillets de laiton aux endroits où la toile doit être attachée à des tubulures métalliques ou à des pièces de bois. Vous pouvez acheter ou louer les outils néces-

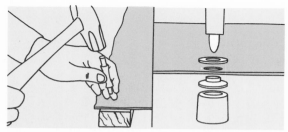

Pour poser les œillets, trouez le tissu, placez-le entre la bague et la rondelle, et fixez.

saires dans les quincailleries ou les magasins de toile. Repérez d'abord les endroits où iront les œillets, entre les deux piqûres. Espacez les œillets selon la résistance du tissu. Par exemple, pour les brise-vent dont la résistance doit être très grande, mettez les œillets près les uns des autres. Espacez-les davantage pour un pare-soleil. Posez toujours un œillet dans chaque coin.

Pour percer les trous, placez un bloc de bois sous le tissu et donnez un coup ferme avec le perforateur. Ensuite, insérez la bague dans le trou, tige vers le haut. Ajustez alors le tissu et la bague dans la partie creuse de la matrice. Placez la rondelle sur la bague et faites pénétrer la partie pointue de l'outil de finition dans la matrice qui est en dessous, en donnant un coup de marteau. L'œillet est alors fixé de façon permanente au tissu.

Différentes sortes d'œillets, à partir de la gauche : rondelle et œillet simple; œillet à griffes, pour les tissus pesant plus de 10 onces à la verge; œillet à pression, pour les matériaux qu'on veut pouvoir détacher; œillet à pivot dont la tige pénètre dans un trou pour fixer la toile à une base qui demeure fixe.

Autres méthodes de pose : Le pistolet à agrafes est fort utile pour fixer la toile au bois. Vous pouvez également utiliser des broquettes à grosse tête. Ces méthodes sont plus rapides que

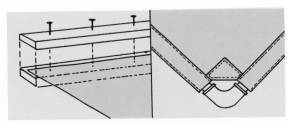

Les baguettes maintiennent la toile sans tension excessive. Repliez les coins (à droite) pour insérer les joints.

les précédentes, mais elles donnent des résultats moins durables. Les agrafes et les broquettes ont tendance à étirer le tissu lorsque celui-ci est soumis aux tensions provoquées par les intempéries. Le mieux serait peut-être de coincer le tissu entre deux baguettes, comme sur l'illustration, ou encore de coudre des ourlets dans lesquels on fera passer des tubulures métalliques. C'est une excellente façon de fixer la toile à des armatures métalliques.

Pour fixer la toile aux tubulures : Ce type d'installation s'impose dans les ouvrages temporaires. Utilisez une corde robuste en coton ou une corde enrobée de plastique. Les deux

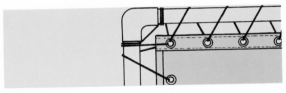

résistent bien aux intempéries. Remarquez le laçage dans les coins. Les assemblages en T ne requièrent pas de techniques spéciales. Vous pouvez à votre goût laisser ou non un espace entre la tubulure et le tissu.

La marquise classique

Pour construire une marquise pratique et agréable à voir, il vous faut les éléments suivants : un cadre sur les quatre côtés de la marquise, supporté par des poteaux centraux et renforcé par des barres reliant l'extérieur du

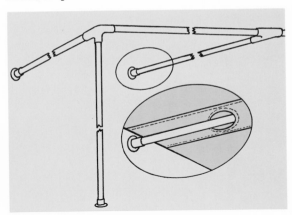

Utilisez des fixations standards. Préparez la toile de la façon indiquée ci-dessus.

cadre aux solives de la maison. Une structure en métal ou en bois exige les mêmes éléments. Fixez la toile aux tubulures comme on l'indique. Pour faciliter l'écoulement des eaux de pluie, donnez à la marquise une inclinaison de quatre pouces par pied. Si la pente est moindre, posez des œillets pour laisser passer l'eau.

Entretien : Lavez les toiles régulièrement au tuyau d'arrosage et faites-les sécher au soleil. Pour l'hiver, faites-les bien sécher et pliez; gardez-les dans un endroit frais et sec. Réparez-les au besoin et ayez l'œil à la rouille.

24

La matière plastique

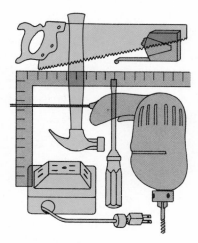

Outillage, de haut en bas : scie, marteau, ruban à mesurer, équerre, tournevis, perceuse électrique, rallonge et prise multiple.

Le polyester renforcé de fibre de verre demeure le matériau de plastique pour usage à l'extérieur le plus populaire et le mieux connu. Fabriquée en feuilles rigides ou flexibles, la fibre de verre (comme on dit communément) s'emploie pour les clôtures, les toitures de terrasse, les auvents, les serres, les brise-vent, les abris de voiture et à bien d'autres fins. La fibre de verre se vend maintenant dans une vaste gamme de couleurs durables; elle résiste bien au pourrissement et à la corrosion, ne se brise pas en éclats et se lave à l'eau.

Trois formes de base

Les feuilles rigides et ondulées : Ce sont de loin les plus populaires. Leurs ondulations leur donnent beaucoup de résistance, aussi sont-elles tout indiquées pour les travaux à l'extérieur. Les feuilles se vendent en longueurs

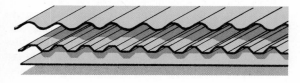

de 8, 10 ou 12 pieds et en largeurs de 26 à 34 pouces (parfois même jusqu'à 54 pouces). A gauche, on peut voir des ondulations typiques. Les feuilles pèsent de 4 à 6 onces le pied carré et parfois même jusqu'à 8 onces.

Les feuilles plates : Elles sont recommandées pour les ouvrages verticaux : clôtures, brise-vent, portes. Les feuilles plates sont vendues en longueurs de 8, 10 et 12 pieds et en largeurs de 24 à 36 pouces; elles pèsent de 4 à 6 onces le pied carré. On peut aussi obtenir dans les longueurs standards et dans des largeurs allant jusqu'à 48 pouces des feuilles pesant 8 onces.

Les feuilles en rouleaux : Le polyester renforcé, ondulé ou plat, se vend aussi en rouleaux pour les clôtures incurvées ou les toits cintrés des tonnelles. Les rouleaux de feuille ondulée mesurent 50 pieds de longueur et 26, 34 ou 40 pouces de largeur; ils pèsent 5 onces par pied carré. Les rouleaux de feuille plate se vendent dans les mêmes dimensions, mais la largeur la plus courante est de 36 pouces.

Coloris et finitions

Les panneaux de fibre de verre se font maintenant dans une vaste gamme de coloris pimpants; on les trouve aussi à rayures dans des tons de bleu, jaune, orangé et vert. Attention! n'oubliez pas qu'au soleil l'intensité des couleurs diminue; une fois posés à l'extérieur, les panneaux paraîtront donc en réalité plus pâles que dans la boutique du marchand. La fibre de verre est translucide, mais on peut, sur commande, en obtenir qui soit opaque.

La chimie des plastiques ayant fait de grands progrès récemment, on ne trouve plus guère de feuilles entièrement en fibre de verre ou en polyester. Elles sont presque toutes traitées à l'acrylique, un agent chimique qui leur donne une durée de 15 ans ou plus et empêche leurs coloris de se faner trop vite. Pour les toits, choisissez des couleurs qui transmettent moins de 35% de la chaleur du soleil. Le marchand vous renseignera là-dessus.

Modes d'utilisation

La coupe : Il est plus simple, évidemment, d'utiliser des feuilles entières. Si cela n'est pas possible et que vous deviez les couper, employez une scie à dents fines ou, mieux encore, utilisez les nouveaux disques abrasifs et une scie électrique.

Le perçage : Percez les trous avant de clouer, visser ou boulonner les feuilles au cadre; vous éviterez ainsi de faire éclater le plastique. Utilisez une perceuse électrique et faites le trou légèrement plus petit que le diamètre du clou, de la vis ou du boulon.

L'assujettissement : Employez des clous à fil d'aluminium et des rondelles en néoprène (caoutchouc synthétique) pour assujettir les feuilles au bois. Les clous en aluminium ne rouillent pas et ne décolorent pas le plastique.

Les rondelles empêchent les fuites. Si les panneaux doivent être soumis à certaines tensions, comme l'action du vent, employez des clous

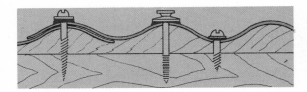

et des rondelles plus gros ou encore, pour que les joints soient plus forts, choisissez des vis et des rondelles en aluminium, en acier inoxydable ou en laiton. Superposez les panneaux sur la longueur de façon qu'ils soient orientés

vers le bas, comme sur l'illustration, pour faciliter l'écoulement des eaux. Si vous devez joindre des panneaux bout à bout, superposez-les sur une largeur de 4 à 6 pouces. Appliquez un scelleur imperméable sur toute la longueur du joint (voir ci-dessous) avant de les assujettir. N'utilisez que le scelleur recommandé par le fabricant

de panneaux. Examinez maintenant l'illustration en haut de cette colonne. Vous remarquerez qu'on a intercalé une pièce de bois entre la feuille de plastique et le cadre de bois. Cette pièce, qui épouse parfaitement la forme des feuilles, est souvent vendue chez le détaillant de matériaux de construction. Dans les ouvrages horizontaux ou inclinés, assujettissez la feuille au sommet des ondulations; dans les ouvrages verticaux, fixez la feuille entre deux ondulations (à droite, sur l'illustration du haut). Si vous n'utilisez pas de pièce de bois, clouez ou vissez la feuille entre les ondulations.

Espacement : Espacez les solives d'un toit selon la largeur des feuilles, compte tenu de leur chevauchement (voir l'illustration de la colonne de gauche). Pour les feuilles rigides, espacez les entretoises de 2'6" pour les feuilles de 4 onces, de 3' pour celles de 5 onces, de 3'6" pour celles de 6 onces et de 4' pour celles de 8 onces. Pour les ouvrages verticaux, prendre les mêmes mesures que celles qui ont été indiquées ci-dessus.

Solin : Si le toit fait suite à la maison, vous pouvez installer un solin en aluminium ou en plastique qui épouse la forme de la feuille. L'as-

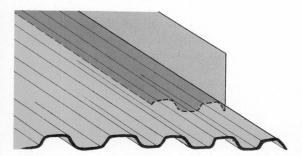

semblage sera ainsi imperméable. Ce travail est plus facile à exécuter lors de la construction de la maison, mais, avec un peu de soin, vous pouvez insérer le solin sous le revêtement de la maison.

Ventilation : Pour qu'il règne une température agréable sous le toit en plastique, vous devez y ménager des orifices de ventilation qui ne laissent pas passer la pluie. Le bout des feuil-

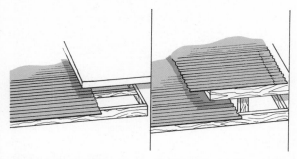

Ménagez des orifices pour la ventilation sous un toit en surplomb (à gauche) ou contre un mur (à droite).

les doit être à huit pouces du mur de la maison, et le toit en surplomb doit recouvrir cet espace (voir à gauche ci-dessus). S'il n'y a pas de toit en surplomb, on devra aménager un panneau protecteur (à droite).

Comment construire un toit en plastique

Prévoyez une inclinaison de un pouce par pied pour l'écoulement des eaux de pluie ou de trois pouces par pied si la neige est abondante. Placez des poteaux de 4"×4", espacés de 6 à 9 pieds. Fixez-les aux structures existantes par des fers d'angles ou à des supports en U insérés dans des bases en béton (ci-dessous). Sur les poteaux, placez une poutre de 4"×4" à au moins 7½ pieds du plancher. Fixez une poutre de 2"×6" à la maison. Vissez des tire-fond de

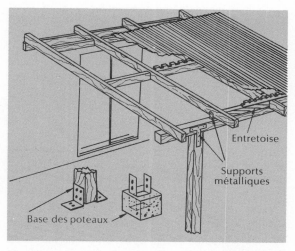

Entretoise

Supports métalliques

Base des poteaux

Une structure en bois composée de ces quelques pièces suffira à supporter une toiture en plastique. Adoptez les mesures données dans le texte.

½ pouce sur 5 dans les montants des murs ou des boulons d'ancrage de 5 pouces si les murs sont en maçonnerie.

Construisez les chevrons en 2"×4" si la portée mesure 8 pieds ou moins, en 2"×6" si elle a de 8 à 14 pieds et en 2"×8" si elle a de 14 à 20 pieds. Pour les entretoises, prenez du bois de même taille que pour les chevrons. Clouez une pièce de bois ondulée sur les entretoises et des moulures en demi-rond le long des chevrons. Enfin, posez les panneaux en suivant les instructions du manufacturier sur la façon de les clouer sur la pièce de bois ondulée. Sur les chevrons, clouez à intervalles de 15 pouces. Ménagez des espaces pour assurer une ventilation satisfaisante et posez un solin pour rendre le joint étanche si le toit en plastique touche à un mur.

Le gravier, élément de décor

Longtemps réservé aux allées et aux entrées de voiture, le gravier est maintenant de plus en plus utilisé comme matériau décoratif dans les jardins. L'art paysager japonais n'est pas étranger à cet engouement justifié. Les Japonais l'emploient en effet depuis des siècles avec les plus heureux résultats. Le gravier donne un aspect d'ensemble net et propre; il convient particulièrement aux jardins dont la simplicité est dominante et il rehausse certaines plantes des régions sèches comme les plantes grasses.

Le gravier a d'autres atouts. Il est bon marché, retarde la croissance des mauvaises herbes, garde le sol humide, sèche rapidement après la pluie et ne s'effrite pas; il ne salit pas les chaussures, mais il peut abîmer les souliers à talons hauts. Certes, le gravier ne supplantera jamais en beauté une pelouse bien fournie et il pourrait même déparer certains jardins. Toutefois, si l'on sait jouer subtilement avec ses teintes et sa texture, il peut ajouter à l'attrait de bien des jardins.

Le gravier permet plus de fantaisie qu'on ne le croirait au premier abord. Dans ce jardin très simplement conçu, deux teintes se marient avec bonheur. Le gravier brun rappelle la couleur de la maison, tandis que le gris clair s'harmonise avec le coloris du muret de béton. Le gravier, qui ne s'éparpille pas et fait obstacle aux mauvaises herbes, convient bien aux plates-bandes surélevées.

Une terrasse toute simple, faite d'un lit de gravier que bordent de vieilles traverses de chemin de fer. Des pots de fleurs, qu'on peut déplacer à volonté, y apportent une note de gaieté.

Cette cour avant n'est pas recouverte de gazon, mais bien de gravier. Pour en briser la monotonie et égayer le paysage, on a planté ici et là des genévriers et d'autres plantes basses. Un arbre donne l'ombre voulue.

Ces grosses pierres qui sortent de terre rendraient difficile l'entretien d'une pelouse. Le gravier résout ce problème avec bonheur et fait ressortir les formes et les coloris subtils des pierres.

Des galets arrondis donnent ici un tapis de sol facile à entretenir. Ils se marient bien avec les pierres et les quelques plantes qui ornent ce jardin parfaitement adapté au décor de la maison.

Des madriers et des plantes basses rompent la monotonie du gravier dont on a recouvert ce terrain en pente. On choisira des traverses de chemin de fer ou des 8"×8", ainsi que des arbustes à feuilles persistantes.

Le gravier est tout indiqué aux endroits où l'herbe pousserait mal, comme dans les lieux fortement ombragés, quand le sol est mal drainé ou encore lorsque les racines affleurantes d'un arbre soulèvent le sol. On pourra également aménager un carré de gravier pour réduire les dimensions d'une pelouse et rendre son entretien plus facile. Le lit rectangulaire de gravier, à droite, peut être égayé par quelques plantes vertes, comme le pin nain que l'on voit ici, ou par du lierre. Le gravier constitue aussi une excellente surface pour placer une sculpture, une plate-bande surélevée, un bain d'oiseaux ou d'autres objets décoratifs.

▼ **Le gravier** dans cet élégant jardin au charme oriental fait un agréable contraste avec le pavage et le terrain en pente, rempli d'herbes folles et parsemé de pierres. Si on avait choisi de semer du gazon au lieu d'étendre du gravier, l'harmonie des éléments, les uns naturels, les autres faits de main d'homme, aurait été beaucoup moins subtile. La partie herbeuse est délimitée, et son effet accentué par des sections de troncs d'arbres enfoncés dans le sol à différentes hauteurs. N'importe quel bois peut faire l'affaire, dans la mesure où on l'aura enduit d'un produit contre la putréfaction.

Un damier original, fait de carrés de gravier et de carrés de plantes diverses, donne un caractère particulier à ce jardin. Le coloris neutre et la texture uniforme du gravier font ressortir la beauté du feuillage et des fleurs. Le gravier permet aussi d'avoir facilement accès aux plantes, qu'il s'agisse de veiller à leur entretien ou de les cueillir. Même si la végétation devient de plus en plus exubérante à mesure qu'avance la saison, le jardin garde toujours un petit air propret grâce aux carrés de gravier. C'est de l'étage, dans la maison, qu'on pourra le mieux l'admirer. Mais il fera bon s'y asseoir si l'on a pris soin d'y aménager quelques carrés de fines herbes qui embaumeront l'air.

▶ **Une note différente** au beau milieu d'un pavage! Ce lit de gravier provoque une rupture de rythme et de couleur. On peut y planter à peu près n'importe quoi; l'épinette naine et la fétuque bleue *(Festuca glauca)* qu'on voit à droite demandent peu d'entretien. On a poussé le souci du détail jusqu'à mettre une poignée de gravier dans le petit bassin en céramique qui constitue le troisième élément de cette décoration en triangle. Notez les différentes grosseurs de gravier. On les a mariées avec virtuosité. L'effet de ce lit de gravier s'amplifie le soir, lorsqu'on allume la lampe.

25

Les travaux de terrassement

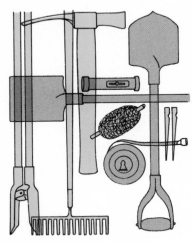

Outils, de gauche à droite : bêche, bêche tarière, râteau à dents droites, pioche, niveau, cordeau (avec piquets), ruban à mesurer, pelle.

Pour refaire un terrain en vue de son aménagement paysager, il faut soit combler des dénivellations soit couper des pentes, et parfois même effectuer les deux opérations. Cette dernière solution présente l'avantage d'éviter tout transport et toute perte de terre.

Si vous voulez corriger une dénivellation qui dépare le paysage, commencez par enlever le sol de surface que vous remettrez en place quand les autres travaux seront terminés. Comblez ensuite la dépression avec des couches successives de six pouces, en arrosant et en tas-

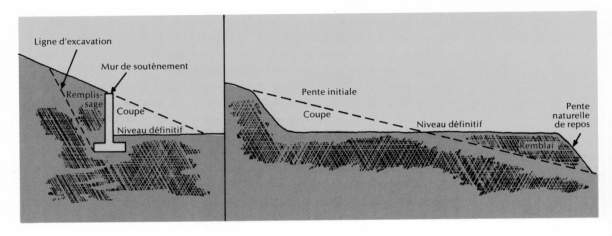

Transportez la terre avec une brouette et une pelle. Dégagez les pierres et creusez des sillons avec une pioche. Tracez les bords des plates-bandes et des tranchées avec une bêche. Pour creuser les trous destinés à des poteaux, utilisez une bêche tarière ou une queue-de-cochon. Un pied-de-biche soulèvera les grosses pierres. Le râteau permet de ramasser les rebuts et le pilon de tasser la terre.

sant chaque couche. Si vous songez à recouvrir le terrain d'une pelouse ou d'un tapis de sol, utilisez du sol de surface pour faire la dernière couche. Il faut 24 pouces de bonne terre aux potagers et aux plates-bandes.

Il y a deux façons de maintenir le niveau d'un terrain dont on a corrigé la dénivellation. La plus simple est de laisser le sol trouver sa pente naturelle de repos. La pente est plus raide dans le cas des terrains argileux que dans celui des sols sablonneux. Il faut généralement plusieurs essais pour découvrir la pente naturelle.

Parfois, un mur de soutènement s'impose pour maintenir le niveau du sol. Si le mur est construit à flanc de pente, on creuse d'abord derrière l'endroit où il sera érigé et on remplit l'excavation une fois le travail fini. Il est bon d'arroser et de tasser la terre tous les 12 pouces environ pour éviter tout affaissement derrière le mur. Si le mur est au bas de la pente, on peut le construire immédiatement et faire le remblai ensuite.

Après avoir replacé le sol de surface, ensemencez toutes les dénivellations pour stabiliser le terrain. Couvrez le sol de grosse toile ou de paille jusqu'à ce que le gazon ait bien pris racine. Faites-en autant lorsque vous aménagez des monticules ou des creux comme sur l'illustration de gauche. N'oubliez jamais de prévoir l'écoulement des eaux (pour plus de détails, voir aux pages 168 et 169).

Pour la plupart des terrains, les instruments indiqués suffisent à l'exécution des travaux. Pour les aménagements de plus grande envergure, vous pouvez louer un motoculteur muni d'une racleuse, un bulldozer, une pelle rétrocaveuse ou un chargeur à benne frontale.

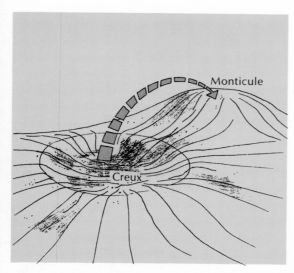

Si vous déplacez de la terre pour modifier la configuration du terrain, gardez le sol de surface, donnez aux monticules ou aux creux leur angle de repos naturel, et prévoyez l'écoulement des eaux.

Cent projets à réaliser

Nous vous proposons maintenant une série de projets très variés que vous pourrez réaliser pour embellir les différentes parties de votre jardin. Certains travaux présentent si peu de difficultés que n'importe qui peut les exécuter en une journée. D'autres, plus élaborés, exigent une bonne connaissance des matériaux ainsi qu'une bonne expérience de la construction et des outils à moteur. Si certains projets vous semblent trop compliqués pour les réaliser vous-même, songez à la possibilité de les confier à un professionnel. Il se peut aussi que vous n'ayez pas tous les instruments voulus, surtout s'il s'agit d'outils de précision. En ce cas, vous pouvez vous entendre avec un atelier du voisinage pour faire découper les pièces qu'il ne vous restera plus qu'à assembler. N'oubliez pas qu'il vaut mieux mesurer deux fois plutôt qu'une.

Dans les pages qui suivent vous trouverez une foule de projets pour votre jardin, dont l'ampleur, la complexité et le coût varient. Ils touchent aux domaines suivants :

LA VIE EN PLEIN AIR

LES ALLÉES ET LES RECOI

La description de chaque projet s'appuie sur des dessins (coupes, détails et agrandissements) qui vous aideront à évaluer l'ampleur du travail, à comprendre son exécution et à vous faire une idée des résultats escomptés. Dans la plupart des cas nous indiquons des dimensions, mais vous pouvez les modifier pour les adapter à vos besoins, ce qui est facile à faire quand vous savez exactement comment assembler les pièces. N'oubliez pas qu'il est toujours avantageux de prévoir toutes les étapes d'un travail avant d'en entreprendre l'exécution.

Nous avons déjà expliqué dans la première partie les principes qui régissent l'utilisation des divers matériaux. Si le sens précis de certains termes vous échappe, vérifiez-le en consultant les pages précédentes avant de vous mettre au travail.

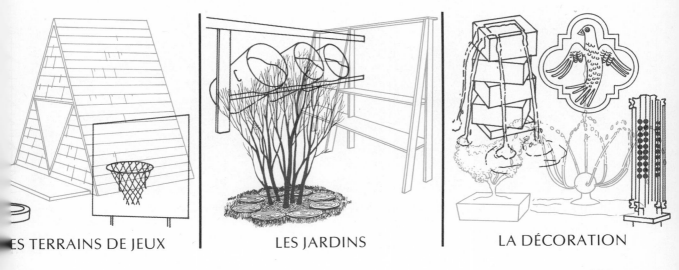

LES TERRAINS DE JEUX   LES JARDINS   LA DÉCORATION

26

Allées, sentiers et escaliers

Un chemin de brique sans mortier

Une des façons les plus simples de faire une allée de jardin consiste à utiliser de la brique pour former le pavage et à garnir les joints avec du sable au lieu de mortier. La brique posée sur le sable, en plus d'avoir un charme original, peut servir dans tous les cas où l'on ne tient pas à avoir une surface parfaitement lisse et où il n'y a pas de risques de dénivellation. Dans les régions où la terre est travaillée par le gel et le dégel, il peut être nécessaire de replacer les briques au printemps, mais dans les zones où le climat est tempéré elles resteront en place durant de longues années.

L'allée que nous vous montrons ici est bordée de pierres plates qui, en plus de maintenir les briques en place, arrêtent le gazon et accentuent l'effet visuel du chemin.

Creusez le sol jusqu'à huit à dix pouces et nivelez-le. Etendez un ou deux pouces de gravier et recouvrez-le de la même épaisseur de sable. La bordure s'enfonce de quatre à six pouces dans le sol.

Versez du sable sur les briques pour remplir les interstices. L'allée a environ trois pieds de large. Elle est légèrement bombée du centre vers les bords pour faciliter l'écoulement des eaux.

Poussez le sable dans les interstices avec un râteau. Arrosez-le pour le tasser, puis ajoutez-en quand la surface est sèche. Plus le sable sera tassé, plus les joints seront solides.

Appareils

1. Entrelacé sur tranche. Les briques étant posées sur la tranche, l'allée est plus stable. Elle coûtera aussi plus cher du fait qu'il faut trois briques au lieu de deux pour faire la longueur d'une seule.

2. Chevrons. Ce modèle délicat exige la taille de nombreuses briques pour faire les bords. On commence par poser les deux briques du coin inférieur de droite.

3. Sept sur sept. Il s'agit d'une variante de l'entrelacé qui se compose de doubles rangées de sept briques, placées perpendiculairement. Ici on a modifié le dessin du côté gauche pour l'adapter au carré de quatre pieds.

4. Appareil flamand. Un dessin simple et discret. Les briques sont placées en longueur, à plat ou sur la tranche, et séparées par des morceaux de la taille d'une demi-brique ou moins.

5. Entrelacé divisé. Dans ce motif original, les entrelacés, où les briques sont posées à plat, sont divisés par des bandes de briques placées sur la tranche.

1

2

3

4

5

Une allée de pierres dans le sable

A l'origine, l'allée que nous illustrons ici était faite de pierres irrégulières posées à même le sol et reliées par du mortier. Sous l'effet du gel et de l'humidité, la terre s'est peu à peu soule- vée, déplaçant les pierres et effritant le mortier. Pour refaire l'allée, qui était devenue instable, on a utilisé des pierres plus grandes qu'on a posées sur une assise de sable.

L'ancienne allée était craquelée et envahie par les mauvaises herbes, comme il arrive lorsqu'on pose des pierres à même le sol sous un climat froid. Pour ôter les pierres, prenez un levier.

Les pierres enlevées, servez-vous d'un niveau pour tracer la bordure et vérifier la pente d'écoulement des eaux (¼ de pouce par pied, du centre vers les côtés, ou le long de l'allée).

Creusez assez profondément pour pouvoir faire un lit de 2 à 4 pouces de sable. Après avoir creusé, nivelez bien le sol avec un râteau. Faites des bords droits et nettement découpés.

Remplissez la tranchée de sable, tassez et nivelez. La couche de sable sera assez épaisse pour que les pierres s'y logent parfaitement. Leur sommet arrivera à la hauteur de la ficelle.

Posez les pierres de façon que la surface lisse soit exposée. Pour qu'elles s'ajustent bien, il est plus prudent de les faire tailler avec précision par des gens de métier, avant de les mettre en place.

Vérifiez soigneusement le niveau et la pente. Pour faire une allée bien droite et stable, imprimez aux pierres un mouvement de va-et-vient jusqu'à ce qu'elles soient bien nichées dans le sol.

Balayez le sable vers les interstices, puis arrosez-le pour le faire mieux pénétrer. Ensuite, ajoutez de nouveau du sable pour empêcher les pierres de se déplacer et les mauvaises herbes de pousser.

L'allée terminée est lisse et solide. Dans les espaces restreints où l'entretien serait difficile, notamment entre l'allée et la maison, on peut avantageusement remplacer le gazon par du gravier.

355

Les sentiers en blocs de béton

Voici maintenant trois façons d'utiliser des blocs ou des dalles de béton pour le pavage des sentiers. Vous pouvez acheter des blocs préfabriqués ou en faire vous-même. (En ce cas, voir au chapitre 19, « Les ouvrages en béton ».) Si vous voulez poser les blocs à même le sol, comme dans les exemples illustrés ici, choisissez-en qui soient assez grands pour être stables, mais pas au point d'être difficiles à manier.

Pas japonais sur une pelouse

Si vous constatez que votre pelouse est abîmée aux endroits où l'on passe fréquemment, vous avez intérêt à y aménager un sentier en matériau dur. En ce cas, les dalles espacées, rondes ou rectangulaires, ou « pas japonais », offrent une solution particulièrement esthétique.

Délimitez l'emplacement de chaque dalle avec une pièce de bois de mêmes dimensions. Creusez ensuite avec une bêche un trou assez profond pour accueillir une couche de sable en plus de la dalle. Servez-vous de ficelles pour indiquer les bordures.

Dans l'allée achevée, les espaces entre les dalles sont assez larges pour que le gazon qui y pousse puisse être tondu. Pour que l'allée ait l'air bien entretenue, les bordures doivent être nettement définies.

Pas japonais sur le gravier

On peut voir sur la photo ci-dessous qu'on a raclé la surface des dalles de béton pour laisser apparaître l'agrégat de pierres lisses. Ce procédé permet d'obtenir une allée particulièrement décorative à condition toutefois que les blocs soient parfaitement alignés. Dans les régions où le climat est froid, il est particulièrement recommandé de poser les dalles sur un lit de sable et de gravier.

Les dalles doivent être de niveau et parfaitement alignées avant qu'on les entoure de gravier. Pour empêcher les mauvaises herbes de pousser, il est bon de faire un lit de sable sous le gravier.

Allées en dalles de pierre

Large et invitante, l'allée que l'on voit ci-dessous est faite de dalles de pierre que l'on peut combiner de diverses façons. L'entrecroisement des dalles donne une allée plus stable et plus solide que la simple juxtaposition. Pour la con-solider encore plus, on peut poser les dalles sur un lit de sable et de gravier. Le gazon qui pousse entre les pierres enjolive l'allée mais exige un certain entretien, inconvénient qu'on peut éviter en le remplaçant par de la mousse. On peut aussi tout bonnement placer les dalles bout à bout.

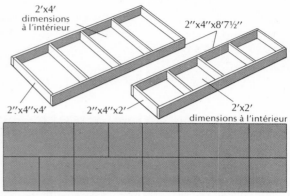

Un plan de travail vous aidera à réaliser un agencement parfait des pierres de l'allée. Choisissez un rectangle standard comme élément de base. Pour les autres éléments, faites des formes qui se rapportent au rectangle de référence : moitiés, quarts ou tiers, selon la largeur et la longueur de l'allée.

Dalles de béton et mortier

L'allée la plus stable est faite tout simplement de dalles de béton fixées dans le mortier. On obtient ainsi une surface lisse et ferme. De plus, l'allée durera longtemps et on peut choisir parmi toute une gamme de motifs. L'entretien est réduit au minimum du fait qu'aucune herbe ne peut pousser entre les dalles. Il suffit de poser les dalles préfabriquées, de les ajuster et de les niveler avant que le béton ait durci. La tâche n'est pas facile et, si vous n'êtes pas habitué à utiliser le béton, il vaut mieux confier le travail à des professionnels.

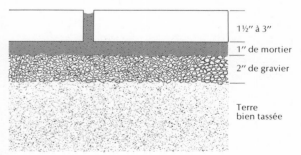

La terre, le sable et le béton constituent l'assise d'une allée comme celle-ci. Bien construite, elle gardera sa beauté et sa solidité pendant des dizaines d'années, ce qui compensera son coût un peu élevé.

27

Clôtures, murs, barrières et écrans

Les clôtures et les barrières

L'installation des poteaux

Les poteaux de clôture, généralement de 4″×4″, doivent être enfoncés assez profondément dans le sol, presque sous la ligne de gel si possible, et espacés de cinq à huit pieds selon le modèle de la clôture. Alignez-les au moyen d'une corde tendue et assurez-vous qu'ils sont plantés bien droit. Puis maintenez-les en place avec des supports jusqu'à ce qu'ils soient fixés (dessin de droite). Quel que soit le bois utilisé, il faudra l'enduire d'un produit contre la putréfaction.

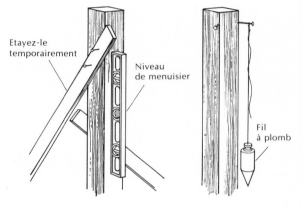

Etayez-le temporairement

Niveau de menuisier

Fil à plomb

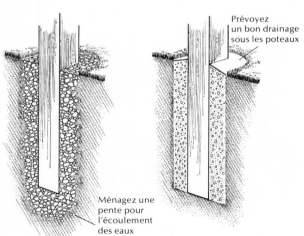

Prévoyez un bon drainage sous les poteaux

Ménagez une pente pour l'écoulement des eaux

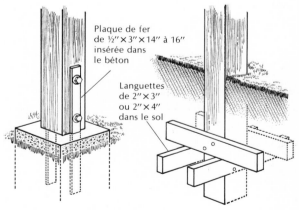

Plaque de fer de ½″×3″×14″ à 16″ insérée dans le béton

Languettes de 2″×3″ ou 2″×4″ dans le sol

S'il est planté dans le gravier, le poteau doit d'abord être bien d'aplomb. Puis, on le maintient en place pendant qu'on répartit le gravier à la pelle tout autour.
S'il est encastré dans le béton, laisser la base libre, car, le béton retenant l'eau, le bois pourrirait.

Des ferrures en feuillard insérées dans des piliers en béton préfabriqué ou dans du béton fraîchement coulé maintiendront les poteaux.
Des languettes de bois donneront plus de stabilité, mais il faudra creuser un trou plus grand.

Les barrières

Si jolies soient-elles, les barrières de guingois et qui ferment mal font toujours très négligé. Pour empêcher les poteaux de support de céder, il faut prendre soin de les enfoncer dans une base de gravier ou de béton à au moins quatre pieds dans le sol. Deux charnières suffisent d'habitude, mais si la barrière est très lourde, mettez-en une troisième. N'utilisez que des ferrures et des vis en métal galvanisé et trempé qui résistent à la rouille.

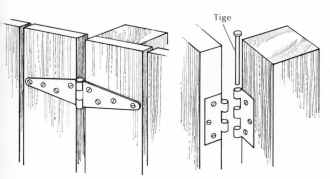

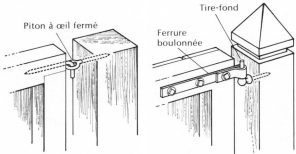

Les pentures à battants (à gauche) ne sont pas très jolies, mais ce sont les plus robustes.
La charnière à tige n'est pas aussi solide, mais elle n'est pas visible lorsque la barrière est fermée. Si vous ne voulez pas qu'elle fasse saillie, encastrez-la dans le bois du montant et de la barrière.

La charnière à crochet et à œillet se pose facilement. Pour que la barrière ferme bien et reste en place, crochet et œillet doivent être bien ajustés.
La même charnière, à droite, en plus robuste. Remarquez qu'elle est posée au dos de la barrière pour que celle-ci soit de niveau avec le poteau.

Les loquets

Il existe plusieurs sortes de très jolis loquets pour les barrières de jardin. Nous vous présentons ici quatre modèles standards. Trois d'entre eux se vendent dans les quincailleries. Quant au quatrième, à gauche, c'est le modèle traditionnel de verrou en bois, fait à la main. Il existe également des loquets à auto-enclenchement, fort utiles là où il y a des jeunes enfants ou des animaux qu'on ne veut pas laisser sortir. Voir à la page 56 l'ingénieux loquet de Williamsburg grâce auquel la barrière se ferme simplement par gravité.

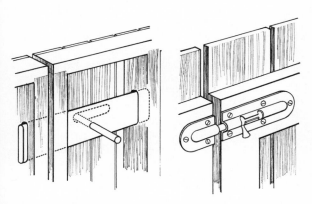

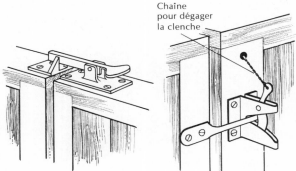

Les loquets coulissants, en bois, peuvent être poussés des deux côtés de la barrière car la tige, traversant celle-ci, fait saillie des deux côtés.
Le loquet classique, le plus usité, fonctionne de la même façon, mais d'un côté seulement.

Le loquet à levier, pratique, se déclenche sur simple pression. Il présente l'avantage d'être placé hors de la portée des jeunes enfants.
Le loquet à enclenchement joue sous le simple poids de la barrière. On le dégage avec une chaîne.

La clôture ajourée

Lorsqu'on a besoin d'établir une séparation plus psychologique que physique entre des propriétés, c'est la clôture ajourée qui convient. Sur une longue étendue, la clôture pleine peut paraître massive et risque d'indisposer les voisins. Elle peut aussi faire obstacle à la brise ou dissimuler un beau paysage. Au contraire, la clôture que l'on voit à droite ne présente aucun de ces problèmes. Conçue comme un treillage, elle accueille aisément toutes sortes de plantes grimpantes, clématites, rosiers ou glycines. Lorsque le feuillage devient épais au point de combler les ajours, il suffit de tailler les plantes.

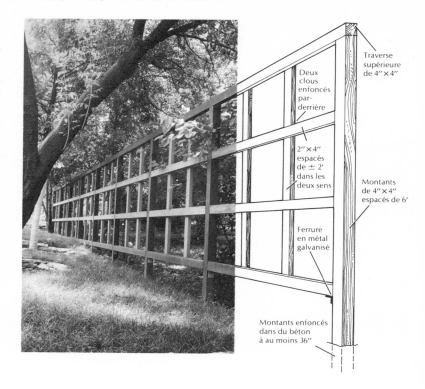

Traverse supérieure de 4″×4″

Deux clous enfoncés par-derrière

2″×4″ espacés de ± 2′ dans les deux sens

Montants de 4″×4″ espacés de 6′

Ferrure en métal galvanisé

Montants enfoncés dans du béton à au moins 36″

Le lattis

Classique et sobre, cette clôture possède à la fois les qualités des clôtures ajourées et celle des clôtures pleines. Les lattes verticales, espacées de un quart de pouce, laissent passer l'air et la lumière tout en ne masquant pas complètement la vue. Autrement dit, elles isolent sans enfermer. C'est un avantage si l'on souhaite enclore sa propriété sans pour autant froisser son voisin, comme pourrait peut-être le faire une clôture pleine.

La sévérité des lattes verticales est ici rompue par des pièces de bois horizontales de 1″×2″ qui courent sur toute la longueur. L'effet sera encore meilleur si vous ménagez une plate-bande au bas de la clôture ou si vous faites grimper sur une partie de celle-ci des plantes florifères, comme des clématites ou des volubilis. Vous fixerez ces plantes sans que cela se voit, avec du raphia ou du fil de fer gainé de plastique.

Traverses de 4″×4″ avec encoches, en haut et en bas

Poteau dont le sommet est biseauté

2″×4″ attachés aux montants par des ferrures en métal galvanisé

Montants de 4″×4″ espacés de 6′

Lattes de 1″×4″ espacées de ¼″

Traverse décorative de 1″×2″

Montants enfoncés dans du béton à au moins 36″

360

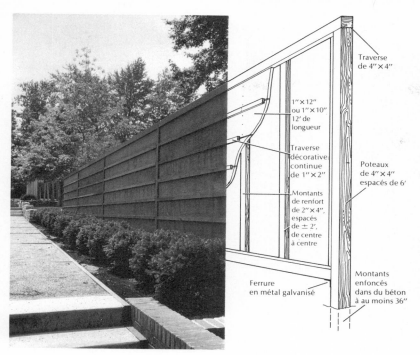

Traverse
de 4″ × 4″

1″ × 12″
ou 1″ × 10″
12′ de
longueur

Traverse
décorative
continue
de 1″ × 2″

Poteaux
de 4″ × 4″
espacés de 6′

Montants
de renfort
de 2″ × 4″,
espacés
de ± 2′,
de centre
à centre

Ferrure
en métal galvanisé

Montants
enfoncés
dans du béton
à au moins 36″

Un décor horizontal

La clôture pleine est la solution à adopter lorsqu'on veut s'isoler complètement ou s'épargner une vue désagréable. Celle que l'on voit ci-contre ne manque pas d'élégance avec ses robustes pièces horizontales. Il n'est pas indispensable d'utiliser un bois de qualité supérieure pour la construire. Un bois ordinaire peut suffire à la condition qu'il ne présente ni nœuds ni autres imperfections. Les clôtures pleines protègent bien contre le vent et ménagent des coins bien chauds, du côté du soleil. Pour la finition, choisissez des teintures, de préférence dans les tons de brun ou de vert.

Belle des deux côtés

Voici l'exemple parfait d'une clôture qui plaît aux voisins, car elle est aussi belle d'un côté que de l'autre. Les lattes verticales lui donnent de la hauteur. Elles sont espacées de trois pouces et demi et, comme elles sont décalées d'une rangée à l'autre, elles se trouvent à chevaucher légèrement. Cette disposition ingénieuse masque presque complètement la vue sans pour autant empêcher l'air de circuler. La lumière se joue agréablement avec l'ombre à mesure que le soleil se déplace durant la journée. Cette clôture n'a qu'un défaut : elle est un peu coûteuse. Cependant, si vous êtes en bons termes avec vos voisins, vous pourrez peut-être en partager le coût avec eux.

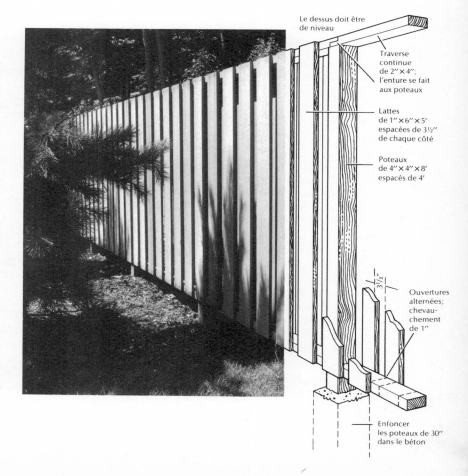

Le dessus doit être
de niveau

Traverse
continue
de 2″ × 4″;
l'enture se fait
aux poteaux

Lattes
de 1″ × 6″ × 5′
espacées de 3½″
de chaque côté

Poteaux
de 4″ × 4″ × 8′
espacés de 4′

Ouvertures
alternées;
chevauchement
de 1″

Enfoncer
les poteaux de 30″
dans le béton

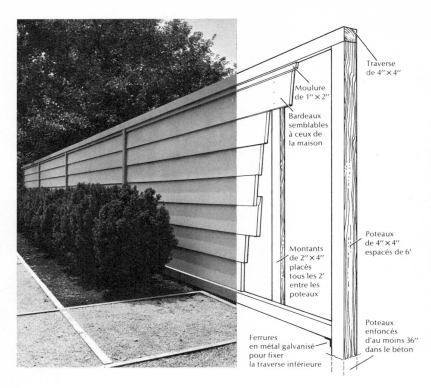

Traverse de 4″×4″

Moulure de 1″×2″

Bardeaux semblables à ceux de la maison

Poteaux de 4″×4″ espacés de 6′

Montants de 2″×4″ placés tous les 2′ entre les poteaux

Poteaux enfoncés d'au moins 36″ dans le béton

Ferrures en métal galvanisé pour fixer la traverse inférieure

La clôture assortie à la maison

Lorsqu'une clôture doit être adjacente à la maison ou doit être construite à proximité, il est recommandé de se servir des matériaux qu'on a utilisés pour la maison. On obtient ainsi une meilleure unité visuelle. Même lorsque la clôture est située à l'extrémité du terrain, l'effet est plus heureux si on ne varie pas les matériaux. Peignez-la aussi de la même couleur que la maison. Devant certaines sections de la clôture, vous pouvez planter des arbustes comme on a fait ici. Remarquez aussi les montants disposés tous les deux pieds; ils ajoutent une heureuse dimension verticale.

Panneaux verticaux

Si vous avez besoin d'une longue clôture, vous apprécierez le classicisme et la sobre beauté de celle-ci. Pour corriger une certaine monotonie qu'elle aurait pu avoir, on a intercalé, tous les six pieds, entre les lattes, des poteaux de 4″×4″. Pour souligner les panneaux encore davantage, on pourrait teindre en sombre les poteaux et les traverses du haut et du bas, les lattes demeurant de teinte naturelle. Pour obtenir plus de hauteur, si celle-ci est réglementée, on peut construire cette clôture sur un petit muret. On ajoutera une bordure de plantes vertes pour que la clôture paraisse moins haute.

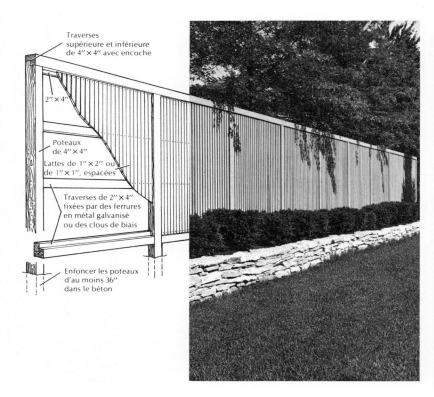

Traverses supérieure et inférieure de 4″×4″ avec encoche

2″×4″

Poteaux de 4″×4″

Lattes de 1″×2″ ou de 1″×1″, espacées

Traverses de 2″×4″ fixées par des ferrures en métal galvanisé ou des clous de biais

Enfoncer les poteaux d'au moins 36″ dans le béton

362

L'intimité des écrans

Si votre maison est construite en plein milieu d'une forêt ou au centre d'un vaste domaine, le problème de l'intimité ne se pose évidemment pas. Mais dans la majorité des cas, les voisins sont à proximité de sorte qu'il faut prévoir quelque forme de séparation, soit une haie, soit une rangée de panneaux en plastique translucide. Vous pouvez entourer de la sorte toute votre propriété ou simplement le jardin, la terrasse ou un coin où vous aimez vous retirer de temps à autre à l'abri des regards indiscrets, si ce n'est tout simplement du soleil ou du vent. Les écrans peuvent aussi servir à camoufler un point de vue disgracieux. Voici quelques modèles d'écrans, simples ou élaborés, grâce auxquels vous vous sentirez tout à fait chez vous.

Le mur pliant

Les vérandas ou les terrasses comme celle que l'on voit à droite requièrent une certaine forme d'intimité puisqu'on peut s'y dorer au soleil ou déjeuner au frais. Ce mur pliant, agréable à voir, peu coûteux et fort pratique, est fait de panneaux standards qu'on trouve chez tous les marchands de bois; il suffit de leur mettre des charnières pour qu'ils puissent se plier. Le mur repose sur des roulettes qui le supportent lorsqu'il est déplié et le rendent facile à manœuvrer.

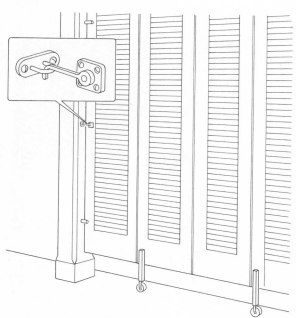

Des roulettes donnent plus de solidité à ce mur pliant qui n'est fixé qu'à une seule extrémité. Lorsque le loquet en cuivre est tiré, l'écran s'ajuste parfaitement au chambranle et se trouve coincé par les chevilles de bois. Si les panneaux sont suffisamment épais, les roulettes peuvent être posées directement dessous.

L'écran autoportant à claire-voie

Ce haut écran, tout à fait stable sans l'aide de support, est conçu pour accueillir des plantes grimpantes. Ici, il sert également à délimiter une charmante terrasse. Placé à quelque distance de la maison, par exemple dans un coin, à l'extrémité de la propriété, il crée un berceau de verdure, une halte bienfaisante où l'on trouve paix, silence et intimité.

Près de la maison, on s'en servira pour isoler un coin de terrasse et procurer une zone d'ombre qui, à certains moments, peut être très appréciée. Faites-y généreusement grimper des plantes et vous aurez, en plus, une sorte de brise-vent. Le banc de bois et le muret en brique constituent une base solide qui suffit à maintenir l'écran. Ils servent aussi tous deux à lui donner du poids et à l'ancrer fermement au sol.

Sur notre illustration, l'écran sert d'appui à des rosiers grimpants, qui ont toujours une grande popularité, mais on pourrait tout aussi bien y faire grimper d'autres espèces. (Voir à ce propos la page 277 où l'on donne une liste explicative des meilleures plantes grimpantes.) Les grimpants sont mis en terre derrière l'écran et, si besoin est, attachés aux lattes. Les montants devront être teints.

L'écran translucide

Il peut se produire de forts courants d'air et même des tourbillons le long d'une entrée en L; les jours de grand vent, il peut même devenir pénible d'y passer. L'écran qu'on voit ci-dessus remplit une double fonction : il coupe le vent en façade et sert d'élément décoratif. Remarquez en passant le numéro de la porte sur le mur détaché. L'écran est formé de panneaux unis en plastique translucide, fixés à un cadre de bois. Contrairement à la vitre, le plastique est facile à utiliser; on le coupe avec une scie électrique ou manuelle; il ne se brise pas en éclats et on peut, sans le moindre problème, y forer des trous pour le clouer ou le visser au cadre.

Sur le plan de la décoration, l'écran de plastique translucide crée des effets visuels très intéressants. Sa transparence donne aux plantes qui se trouvent derrière des airs d'ombres chinoises. On le choisira de préférence d'un blanc laiteux pour qu'il laisse encore mieux passer la lumière et transparaître formes et couleurs. Pour lui donner du relief, on peut teindre le cadre de bois en foncé et planter devant les panneaux quelques arbustes de forme spéciale et des fleurs aux couleurs vives.

Les murs en blocs de béton et en brique

Charnières

Haut mur et porte à jalousies

L'uniformité et la teinte grisâtre d'un mur en blocs de béton réclament des taches de couleur et des éléments décoratifs. Pour en rompre la monotonie, on a ajouté au mur que l'on aperçoit ci-dessus cette belle porte à jalousies, ce rebord de briques romaines rouges et ces plantes, les unes grimpantes et les autres à ras du sol. Pour la construction de ce mur en blocs de béton, vous trouverez des renseignements aux pages 332 et 333. Le dessin en médaillon vous permet de voir de quelle manière la porte à jalousies est fixée au cadre de bois. Ce cadre sera lui-même assujetti aux blocs de béton avec des tire-fond introduits dans des manchons de plomb ou dans des trous remplis de ciment expansif. Ce mur haut et solide assure une grande discrétion. Grâce à une porte qui ferme à clef, il protège véritablement ce qu'il enclôt.

366

Panneaux décoratifs en brique

Ce panneau au joli dessin est encastré dans un muret en béton. Les briques s'y étagent dans le sens de la longueur et en travers. Une couche épaisse de mortier les relie entre elles. Ainsi ajouré, et malgré la lourdeur de ses matériaux, ce mur donne une impression de légèreté très décorative. Il assure en même temps une ventilation au niveau du sol, très bénéfique aux plantes qui poussent tout près.

Muret en blocs de cheminée

Normalement, ces blocs sont faits pour s'empiler et former un conduit par où sort la fumée de cheminée. Dans l'exemple ci-contre, ils ont été placés sur le côté et couronnés de blocs de béton pleins, ce qui donne un muret bien solide et facile à construire. Ponctué d'ouvertures carrées, le muret mesure deux pieds de hauteur et est fixé avec du mortier sur le bord d'une terrasse déjà existante. Ici, il est légèrement incurvé grâce à des joints au mortier plus étroits à l'intérieur qu'à l'extérieur. C'est la courbe maximale qu'on peut obtenir pour un tel muret. L'effet est néanmoins plaisant.

28

A l'abri du soleil et de la pluie

Faciles à construire, les pare-soleil sont faits le plus souvent de lattes ou de treillages couverts de plantes grimpantes. Ils fournissent de l'ombre tout en laissant percer la lumière. On peut aussi utiliser les feuilles de plastique ondulées ou unies. Les premières sont plus solides, mais les secondes sont plus attrayantes. Les pare-soleil en plastique ont l'avantage de pallier les éclats du soleil tout en laissant filtrer une lumière discrète. Par contre, ils retiennent la chaleur si l'aération n'est pas suffisante de tous côtés. A cette fin, il est bon de placer le toit en retrait d'environ un pied par rapport au mur ou de le prolonger au-delà des cloisons.

On peut aussi se servir de feuilles de plastique pour construire des abris contre la pluie, quoique les toits préfabriqués en carton goudronné soient plus résistants. On leur donnera des pentes plus ou moins prononcées selon les goûts, mais l'angle doit toujours être suffisant pour permettre l'écoulement des eaux. On peut aussi se contenter de prolonger un toit en pente déjà en place. La conception et la construction de la plupart des toits exigent l'aide de professionnels, mais tout amateur peut installer un pare-soleil en matériau léger.

Un toit tout en longueur

Le long toit que l'on voit ici, qui projette une ombre agréable sur un coin de la terrasse, s'intègre parfaitement au décor. En plus de relier la maison au muret du jardin, il délimite un coin-salon dans cette immense terrasse ouverte qui, sans un tel abri ou îlot, risquerait de ne pas être accueillante.

La structure, remarquablement bien conçue, est déjà attrayante en elle-même. Les montants encadrent l'entrée de la maison et, à l'autre extrémité, rejoignent le mur et s'y appuient. En dépit de sa longueur, le toit, du fait qu'il n'est pas soutenu par une poutre centrale, n'est ni lourd ni encombrant et ressemble en quelque sorte à un pont suspendu. On pourrait d'ailleurs, selon les exigences du décor, l'élargir ou le raccourcir. Les dimensions que nous indiquons sur la page de droite peuvent donc être modifiées au besoin.

Les matériaux utilisés pour la maison, la terrasse et le toit — adobe des murs et bois du treillage — s'harmonisent admirablement. On pourrait également se servir de planches de cèdre, de lattes ou de 2″×2″. Remarquez enfin qu'on a su choisir un mobilier qui complète très bien l'ensemble.

Ce type de toit peut être utilisé dans divers cas où il est possible de le rattacher à une structure déjà en place. Léger et peu coûteux, il est de plus facile à construire. Sa solidité tient aux poutres de renfort clouées sur les deux côtés des poutres rapportées (de 2″×10″), comme on peut le voir sur l'illustration. Les poutres de 2″×10″ traversent les poteaux de 3″×4″ auxquels elles sont fixées par des vis. Des blocs de 2″×4″ relient la base des poteaux. Pour consolider l'ensemble, une entretoise est fixée aux poutres de renfort au milieu du toit. La même armature peut servir à soutenir des toits de plastique, de bambou ou de roseau.

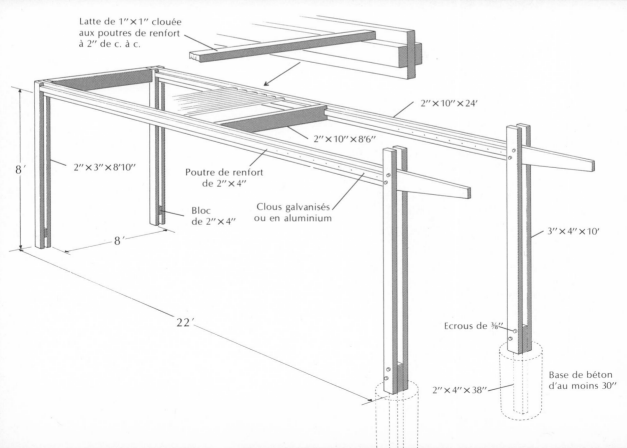

Latte de 1″×1″ clouée
aux poutres de renfort
à 2″ de c. à c.

2″×10″×24′

2″×10″×8′6″

8′

2″×3″×8′10″

Poutre de renfort
de 2″×4″

Bloc
de 2″×4″

Clous galvanisés
ou en aluminium

8′

3″×4″×10′

22′

Ecrous de ⅜″

Base de béton
d'au moins 30″

2″×4″×38″

Treillis et écran

Le treillis que nous illustrons ici relie la maison au jardin et délimite un véritable salon en plein air. A l'origine, les portes coulissantes donnaient sur une simple terrasse de béton, comme on peut le voir sur le plan ci-dessous. La terrasse n'étant pas suffisamment grande, on l'a prolongée par un pavage de brique jusqu'au fond du terrain et on a recouvert le tout d'une structure, sorte d'abri qui peut recevoir un toit amovible. Il suffit en effet de fixer à l'armature une couverture de roseaux pour obtenir de l'ombre aux endroits voulus. Les lignes vertica-

les du treillis, ainsi que les trois monticules couverts de plantes (on en voit un au fond à droite, sur la photo), brisent la monotonie du terrain qui autrement paraîtrait trop plat. Les corbeilles de fleurs suspendues jouent le même rôle et ajoutent une note de couleur.

La photo du bas montre l'écran sur toute son étendue. On voit qu'il protège l'intimité des lieux. Parfaitement intégré au treillage, il ressemble plus à un mur qu'à une clôture. Avantage supplémentaire : il est aussi décoratif d'un côté que de l'autre.

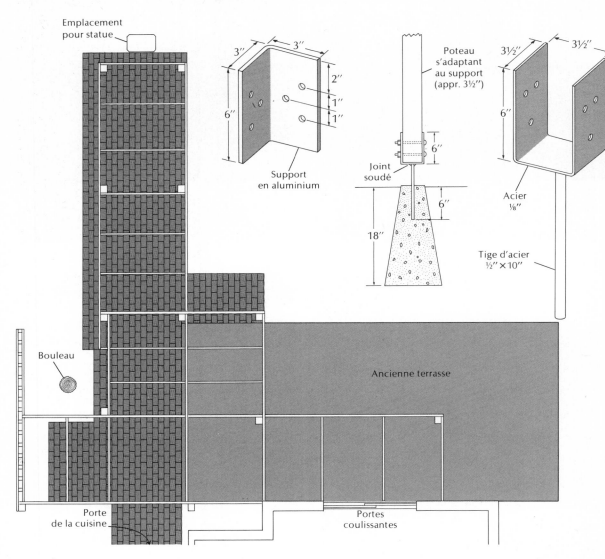

370

La méthode de construction du treillis et de l'écran est peu coûteuse. Les montants du treillis reposent sur l'ancienne terrasse de béton à laquelle ils sont fixés par des supports métalliques. Dans la partie en brique, les supports des poteaux sont fixés dans du béton coulé dans le sol. Les poutres longitudinales sont reliées aux poteaux par des encoches et des boulons. Les entretoises sont fixées aux poutres par des supports d'aluminium à angle droit maintenus par des boulons. (On voit un des supports au centre de la photo.) L'écran se termine de chaque côté par un poteau de 4″×4″. Les planches horizontales de 2″×2″, espacées de deux pouces, sont clouées aux poteaux. Les montants de 2″×4″, espacés d'environ huit pouces, sont cloués aux planches horizontales. On utilise partout des clous et des boulons galvanisés.

371

29

Joindre l'utile
à l'agréable

Halte sous un arbre

Qu'y a-t-il de plus invitant qu'un grand arbre qui offre son ombre au milieu d'une pelouse ou dans un coin de jardin? Voilà l'endroit tout désigné pour la conversation, la lecture ou les pique-niques. Mais il est bon d'y disposer quelques sièges, chaises longues ou, mieux, un des aménagements que nous proposons ici. Le banc illustré ci-dessous, au centre duquel on peut planter un arbre ou des fleurs, allie l'élégance au confort. Celui de la page de droite, qui forme une sorte de terrasse, est idéal pour la sieste et la détente. Les deux sont faciles à construire. Mais avant d'entreprendre quoi que ce soit, assurez-vous que le sol est bien drainé et que l'arbre ne sert pas de refuge à des insectes ou d'autres bêtes. Les deux modèles que nous proposons peuvent être installés sur des surfaces dures comme la brique ou le béton. Dans ce cas, on les garnira uniquement de plantes à racines superficielles.

Banc hexagonal

Ce banc de forme hexagonale, qui est conçu pour entourer le pied d'un arbre, peut aussi servir de boîte à fleurs puisque, au centre, il y a un espace réservé à cette fin. Bien entendu, si le banc est placé sur une surface dure, le choix de la végétation se limite aux plantes et arbustes dont les racines sont peu profondes.

On peut à volonté modifier les dimensions que nous indiquons ici. De toute façon, commencez par faire deux cadres hexagonaux : l'un intérieur et l'autre extérieur. Les bouts des planches doivent être taillés selon un angle de 60°. Reliez ensuite les deux cadres par les six planches en diagonale. Posez les planches de 2″×4″ du dessus, et découpez-les pour qu'elles correspondent exactement aux cadres. Les bordures de 2″×2″, clouées sur les côtés, donnent à l'ensemble un air plus soigné.

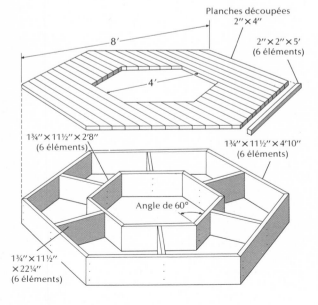

Planches découpées
2″×4″

8′

2″×2″×5′
(6 éléments)

4′

1¾″×11½″×2′8″
(6 éléments)

1¾″×11½″×4′10″
(6 éléments)

Angle de 60°

1¾″×11½″
×22¼″
(6 éléments)

Banc-terrasse

Ce banc, qui forme terrasse, offre un refuge idéal pour les chauds après-midi d'été. Pour faciliter le drainage, les quatre pieds sont fixés dans des trous dont le fond est couvert de gravier bien tassé. On achève ensuite de remplir les trous avec du gravier ou du béton pour empêcher le bois de pourrir.

Pour protéger les vêtements et les coussins des taches, on peut fabriquer une housse de toile dont les angles s'ajustent à ceux du banc. Ce coin sera encore plus confortable et décoratif si on ajoute de gros coussins et des pièces de caoutchouc-mousse recouverts d'étoffe de couleurs vives et, si possible, imperméable.

Assurez-vous que l'eau ne s'accumulera pas sous le banc. Choisissez un bois traité contre la putréfaction. Enfin, n'oubliez pas de couvrir de gravier le sol sous le banc.

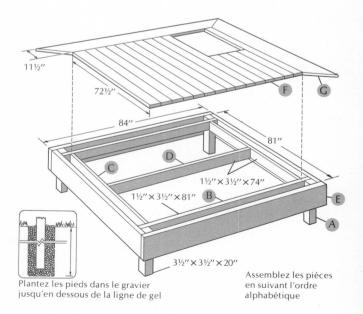

Plantez les pieds dans le gravier jusqu'en dessous de la ligne de gel

Assemblez les pièces en suivant l'ordre alphabétique

Contour du pied des arbres

Le gazon qui croît au pied des arbres pose toujours un problème lorsqu'on veut le tondre. Bien qu'il soit pratiquement impossible à la tondeuse de l'atteindre, certains jardiniers amateurs s'obstinent quand même. Le plus souvent, ils ne réussissent qu'à abîmer l'arbre en déchirant l'écorce et en mettant à nu le cambium sous-jacent. De telles blessures sont rarement fatales, à condition toutefois qu'on les panse promptement avec du goudron. Par contre, si le cambium, qui est fragile, est atteint sur tout le pourtour de l'arbre, celui-ci risque d'en mourir.

La première solution qui vient à l'esprit est évidemment de couper le gazon au sécateur autour du tronc. Travail plutôt fastidieux, surtout si les arbres sont nombreux.

Il est donc nettement préférable de remplacer par autre chose le gazon au pied des arbres. La pierre, le gravier, les briques ou les copeaux peuvent très bien s'y substituer. L'effet, de plus, sera décoratif pour peu que le matériau de remplacement soit retenu par une jolie bordure bien définie. Cette même bordure, si on prend soin de l'installer exactement au ras du sol, facilitera également la tonte du gazon.

Les sept solutions que nous vous proposons ici ont été spécialement conçues pour protéger les arbres des blessures que pourrait leur infliger la tondeuse. En plus de produire d'heureux effets décoratifs, elles évitent d'avoir à tailler le gazon à la cisaille et facilitent la croissance des arbres en gardant l'humidité autour des racines et en éliminant les mauvaises herbes.

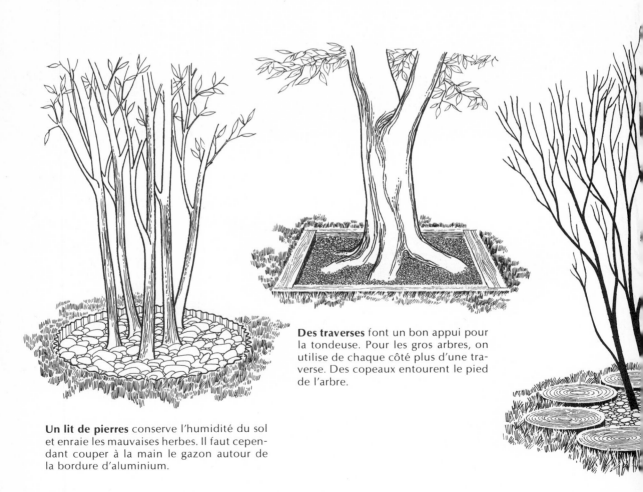

Des traverses font un bon appui pour la tondeuse. Pour les gros arbres, on utilise de chaque côté plus d'une traverse. Des copeaux entourent le pied de l'arbre.

Un lit de pierres conserve l'humidité du sol et enraie les mauvaises herbes. Il faut cependant couper à la main le gazon autour de la bordure d'aluminium.

374

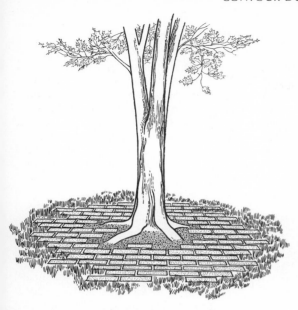

Des briques posées sur le sable en rangs serrés créent un bel effet surtout si l'on retrouve le même matériau dans d'autres parties du jardin.

Une formule classique : des dalles de béton qui n'ont pas besoin d'être taillées. Les bordures sont faites de poutres de 2″×4″ soigneusement alignées, qui maintiennent les blocs.

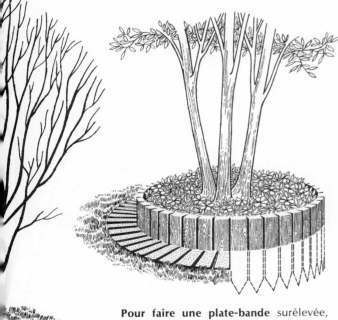

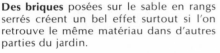

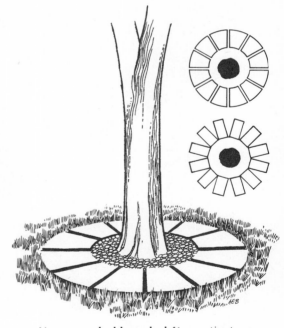

Pour faire une plate-bande surélevée, plantez dans le sol des pieux de 2″×4″ et ajoutez une bordure de briques pour retenir la tondeuse.

◀ **Plus fantaisiste** est cet arrangement fait de rondelles de tronc d'arbre de 6 à 8 pouces de diamètre qu'il est facile de remplacer quand elles pourrissent.

Une roue de blocs de béton retient un lit de gravier. Dans le modèle du haut, on se sert de blocs taillés spécialement; dans celui du bas, de blocs ordinaires.

375

Les plates-bandes surélevées

Ce qui attire tout d'abord l'attention, dans les plates-bandes surélevées, c'est la bordure nettement définie qui entoure et souligne les plantes, un peu comme un cadre autour d'un tableau. Cette bordure met les plantes en valeur lorsque celles-ci sont peu nombreuses. Elle permet aussi d'adapter plus facilement le sol aux besoins des plantes et conserve l'eau qui s'accumule près des racines. Enfin, les plates-bandes surélevées facilitent les travaux d'horticulture : arrachage des mauvaises herbes, vaporisation, cueillette des fleurs. Dans les terrains en pente, une excellente solution de rechange consisterait à élever des murets derrière lesquels on ferait pousser des plantes et auxquelles ils serviraient d'appui.

Un mur de blocs de béton

Pour lui donner l'air propre et soigné, on a crépi ce mur de blocs avec du mortier blanc. Un tel travail exige une certaine expérience de la préparation et de l'application du mortier. En ajoutant à celui-ci des oxydes minéraux, on peut obtenir tout un choix de couleurs. Le ton uniforme et la texture du mur atténuent de beaucoup l'aspect un peu fruste des blocs de béton. Le dessin en médaillon illustre la façon de faire la base et les coins. Dans les régions où le gel et le dégel peuvent occasionner des difficultés, la fondation de béton doit plonger jusqu'au-dessous de la ligne de gel, c'est-à-dire dans certains cas jusqu'à cinq pieds de profondeur. Dans les régions plus tempérées, on peut se contenter d'installer, au niveau du sol, une base solide, suffisante pour supporter le poids du mur.

376

Les panneaux de ciment

Parmi les nombreux matériaux de construction qui peuvent servir dans le jardin, il faut signaler les panneaux faits d'un mélange d'amiante et de ciment. Unis ou ondulés, ils sont pratiquement indestructibles, donc tout indiqués pour certains travaux extérieurs. On peut les poser à même le sol sans qu'ils risquent de pourrir. Il n'y a pas nécessité de les peindre et, étant donné leur poids et leur rigidité, ils gardent leur forme en dépit de la pression du sol. La plate-forme illustrée ci-dessous est simple à construire : les coins se chevauchent de sorte que de simples boulons suffisent à les fixer. Si l'on emploie des panneaux unis, il faudra utiliser des joints de métal ou de bois qui finiront malheureusement par rouiller ou pourrir. Les plate-formes surélevées sont idéales pour mettre en valeur des statues ou d'autres objets d'art de petites dimensions que l'on verrait mal s'ils étaient au niveau du sol.

Des appuis pour la tondeuse

Pour faciliter l'entretien du terrain, il est indispensable de délimiter nettement les bordures des pelouses et de les tailler soigneusement. Lorsque la pelouse longe un mur ou une plate-bande, il faut sans cesse tailler le bord du gazon avec des cisailles ou le trancher avec un coupe-gazon. Des bordures plates et rigides le long de la pelouse, aux endroits où il n'y a pas déjà un trottoir ou une allée, éviteront ces travaux.

On peut utiliser à cette fin des briques, des blocs de béton ou même des poutres, à condition qu'on les pose exactement au niveau du sol, de sorte que la roue de la tondeuse y trouve un appui. Les bordures doivent aussi être assez larges et fermes pour que la tondeuse ne les déloge pas au passage. Les dessins en médaillon ci-dessous et sur la page de droite illustrent clairement comment les installer.

Briques et pavés de béton

Pour assurer l'unité de l'aménagement, on a utilisé ici le même matériau pour la bordure et pour le mur de la plate-bande. Les pavés de la bordure sont posés sur le sable, mais si l'on veut qu'ils soient plus stables et parfaitement de niveau, on peut les fixer dans du mortier. Dans les régions froides, il est prudent de faire une base de béton qui descend au-dessous de la ligne de gel. Cependant, si une telle installation semble trop ardue ou trop coûteuse, on peut toujours poser les pavés sur une bonne couche de gravier et de sable : il faudra simplement les replacer et les remettre de niveau après le dégel du printemps. Vous pouvez acheter les briques et les pavés tout faits ou les fabriquer vous-même.

Poutres et briques d'argile

Dans le cas que nous illustrons ci-dessous, on a choisi des bordures de briques parce que ce matériau se retrouve sur une terrasse située tout près. De même les traverses de chemin de fer qui délimitent la plate-bande sont semblables à celles d'un mur de soutènement situé dans un autre coin du terrain. On s'est efforcé de maintenir ainsi l'unité du jardin. Les vieilles poutres et les traverses de chemin de fer s'intègrent remarquablement bien à un grand nombre de décors. Leur texture et leur couleur rustiques s'allient heureusement aux plates-bandes. Elles durent longtemps et leur poids leur donne une stabilité qui les rend idéales pour faire des bordures et des murets.

Ici, on a voulu adoucir leur aspect rude et dépouillé en laissant le feuillage empiéter légèrement sur la bordure.

Malheureusement, il n'est pas toujours facile de trouver des vieilles traverses. Renseignez-vous auprès d'un pépiniériste et au besoin remplacez-les par de simples poutres.

Les bordures

Les bordures construites avec des matériaux durs : bois, pierre, brique ou béton (comme celle que l'on aperçoit ci-dessous) donnent au jardin un aspect plus propre et plus soigné. Au point de vue pratique, elles présentent maints avantages. Tout d'abord, elles empêchent les plantes et le gazon de s'entremêler et simplifient les différents travaux de jardinage. De plus, si votre terrain est en pente, elles le protégeront de l'érosion. Voici quelques exemples dont les styles diffèrent, mais qui sont tout aussi intéressants.

Une bordure surélevée

Sous les climats chauds et secs, les plates-bandes de plantes variées comme celle que l'on voit ici apportent déjà au paysage une heureuse note de couleur. La bordure de brique vient ajouter un autre attrait en soulignant mieux les plantes. En outre, elle facilite la cueillette des fleurs et rend le désherbage moins ardu.

Il est à noter que, surtout dans les zones de sécheresse, les plantes poussent mieux dans des plates-bandes ainsi fermées parce que l'eau s'y accumule autour des racines. La bande de béton rugueux qui entoure la bordure, au niveau du sol, sert d'appui à la tondeuse, aidant ainsi à l'entretien de la pelouse. La bordure, qui joue le même rôle que le cadre d'un tableau, est elle-même décorative.

Un muret qui sert de banc

Ce muret, dont la hauteur (environ 18 pouces) a été calculée pour qu'il puisse servir de banc, est facile à construire. La base se compose de traverses de chemin de fer posées horizontalement. Les côtés sont recouverts de planches à la verticale. Le dessus est fait de planches de 2″×8″. Le bois est teint. La teinture est plus résistante que la peinture, et il est plus facile d'y apporter des retouches.

Pour obtenir l'espace nécessaire à la terrasse, il a fallu entamer une pente adjacente. Par conséquent, le mur se trouve à retenir le sol qui aurait pu s'effondrer. En même temps, il sépare la terrasse de brique du boisé environnant. Voilà donc une solution fonctionnelle et décorative.

Remarquez que l'on s'est servi de fraisiers pour couvrir le sol qui s'étend entre le muret et la plantation d'arbres et d'arbustes. Ce choix est excellent à tous égards : les fraisiers rampants sont d'une grande robustesse, leur joli feuillage fait un ravissant tapis de sol et ils donnent des fruits savoureux.

Un cadre naturel

Dans le bosquet que l'on voit à droite, on a voulu faire une bordure assez nette pour faciliter l'entretien du terrain et assez rustique pour composer avec le décor. Le muret de pierres plates qui entoure le pied de l'arbre, ainsi que le gravier qui couvre le sol, délimitent à eux seuls assez nettement le sentier et le séparent du foisonnement de plantations, fougères, ancolies et diverses fleurs de rocaille, que l'on peut deviner à l'arrière-plan.

Les dalles de pierre servent aussi à retenir le sol qui couvre les racines de l'arbre. Dans la courbe du sentier on a utilisé un autre type de bordure. A cet endroit, le gravier et diverses plantes et pierres judicieusement placées font la transition entre le chemin et la partie sauvage et boisée du terrain. Ils écartent aussi les difficultés que présenterait la tonte de la pelouse à de tels endroits. L'ardoise est un matériau qui conviendrait très bien pour ce genre de bordures toutes simples.

Les boîtes à fleurs

Une des meilleures façons d'enjoliver une maison est d'en décorer les fenêtres avec des boîtes à fleurs. Elles sont aussi faciles à construire qu'à entretenir. Elles demandent surtout à être solidement bâties et fixées.

Les plantes qui fleurissent longtemps peuvent être placées directement dans la boîte.

Quant aux autres, il vaut mieux les planter d'abord dans des pots de façon à pouvoir les changer facilement à mesure que les fleurs se fanent. On entoure ensuite les pots de tourbe pour conserver l'humidité. Cette méthode permet aux plantes de croître aussi bien que si elles se trouvaient en pleine terre.

Un modèle facile à construire

La boîte à fleurs traditionnelle est faite tout simplement de cinq planches clouées les unes aux autres. Pour toutes les parties, on emploie généralement des planches de 1″×8″ ou de 1″×10″. Afin que la boîte soit assez solide pour soutenir le poids de la terre et des pots, il faut fixer tous les joints avec de la colle époxy imper-méable. De plus, l'intérieur de la boîte doit être traité avec un préservatif.

Pour imperméabiliser une boîte, on peut aussi enduire l'intérieur d'asphalte du type qui sert aux toitures, ou placer un plateau de métal au fond de la boîte. Par ailleurs, pour protéger la boîte et en même temps la rendre plus attrayante, on teint ou on peint l'extérieur d'une couleur qui se marie à celle de la maison.

Une boîte assortie à la maison

On peut intégrer les boîtes à fleurs à la maison tout simplement en les revêtant de matériaux assortis. Les bardeaux et les panneaux verticaux ou horizontaux sont particulièrement utilisés à cette fin. Les boîtes intégrées ont l'avantage de garder leur valeur décorative une fois que la saison des fleurs est passée, surtout si on les remplit avec de la tourbe.

Les boîtes que l'on voit ici sont recouvertes d'une écorce qui s'allie tout naturellement au bois de la maison. Les fleurs qui les garnissent forment, avec celles de la plate-bande, une attrayante masse de couleurs. A noter que les unes et les autres ont besoin de beaucoup de soleil. Les boîtes peuvent servir de décorations même l'hiver : il suffit d'y placer des branches de conifères et de houx auxquelles on peut ajouter des souches ou du bois de grève.

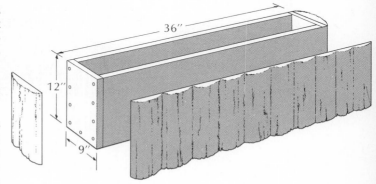

Une boîte à usages multiples

Cette boîte longue et basse peut avoir plusieurs utilisations. Elle remplacera une haie, décorera le bord d'une terrasse ou d'une galerie, ou encore enjolivera une rangée de fenêtres. Ses lignes horizontales lui permettraient de servir de parapet ou de clôture basse. Celle que l'on aperçoit sur la photo ci-dessous évoque la forme de la coque d'un navire. Tout bois traité sous pression peut servir à sa confection. Pour imperméabiliser l'intérieur de la boîte, il suffit d'une bonne couche de goudron d'asphalte (dont on se sert pour les toits) qui, une fois bien sec, ne présente aucun danger pour les plantes. Nous indiquons ici les proportions qui nous semblent les plus harmonieuses mais on peut, bien entendu, les modifier au besoin.

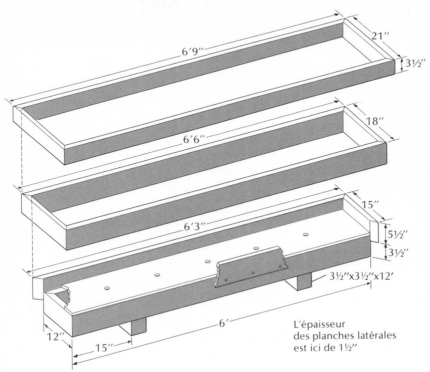

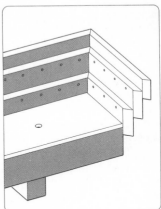

Faites d'abord la boîte proprement dite, puis clouez-y, de l'extérieur, les planches latérales du dessous. A l'aide d'un point d'appui, clouez de l'intérieur les autres planches latérales. Découpez tous les onglets en vous servant d'une boîte à onglets. Percez des trous dans le fond.

384

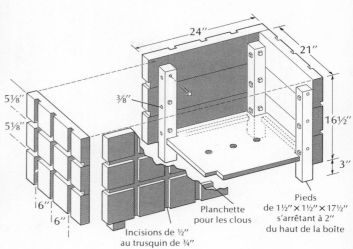

24″

21″

5⅛″

5⅛″

3/8″

16½″

6″

6″

3″

Incisions de ½″
au trusquin de ¾″

Planchette
pour les clous

Pieds
de 1½″ × 1½″ × 17½″
s'arrêtant à 2″
du haut de la boîte

Une boîte en forme de cube

Cette boîte se détache particulièrement bien
sur un fond à formes géométriques comme un
mur de briques ou de blocs de béton. Les carrés
en saillie sur les côtés sont tracés au trusquin.
Les quatre pieds sont en retrait afin qu'on ne
les voie pas. Les panneaux ont un pouce et demi
d'épaisseur. Le fond est troué pour permettre
l'évacuation de l'eau.

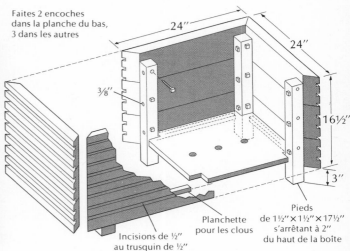

Faites 2 encoches
dans la planche du bas,
3 dans les autres

24″

24″

3/8″

16½″

3″

Incisions de ½″
au trusquin de ½″

Planchette
pour les clous

Pieds
de 1½″ × 1½″ × 17½″
s'arrêtant à 2″
du haut de la boîte

Un motif linéaire

Les lignes horizontales de cette boîte sont aussi
tracées au trusquin, travail qui doit être exé-
cuté avec précision. Fixez les pieds (en retrait)
de l'intérieur avec des écrous de deux pouces
et quart, dans des trous de trois huitièmes de
pouce percés d'avance. Utilisez des panneaux
de bois de un pouce et demi d'épaisseur et n'oubliez pas les trous de drainage.

385

Une boîte à arbre

N'importe quel arbre, ou presque, peut pousser dans une boîte (qu'on pense à la culture du bonsaï). En fait, ce sont les dimensions de l'espace où se trouvent les racines qui déterminent la grandeur de l'arbre arrivé à sa maturité. La boîte que vous voyez à gauche, qui peut servir pour toutes sortes de plantes et d'arbustes, est beaucoup plus grande que la moyenne. Même si sur la photo elle loge une plante plutôt petite, elle est assez grande pour contenir un arbre de bonne dimension.

Les panneaux latéraux et le fond de la boîte sont faits de contre-plaqué, mais on pourrait aussi utiliser des panneaux faits d'un mélange d'amiante et de ciment, qui ont l'avantage de résister aux intempéries. On construit d'abord la boîte, puis on ajoute la bordure de 2″ × 2″ que l'on fixe aux panneaux, de l'intérieur, au moyen d'écrous. Les trous doivent être percés au préalable et fraisés. D'autres écrous, placés de la même façon, fixent le fond aux pieds. L'assemblage est renforcé partout avec de la colle époxy. On peut ajouter une base de bois.

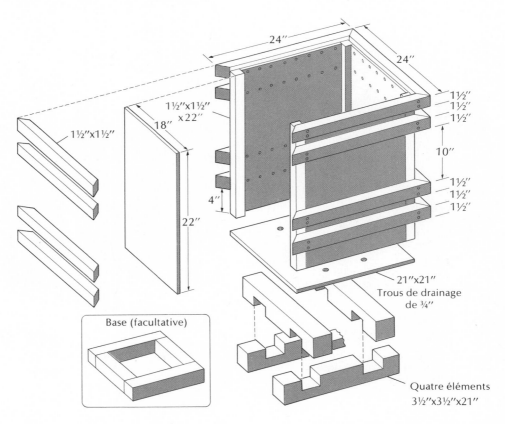

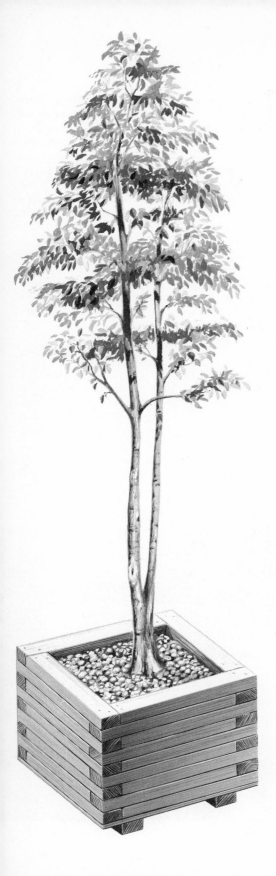

Une boîte facile à construire

En dépit de sa simplicité, cette boîte présente de nombreux avantages. Elle est faite de neuf rangées de planches, toutes de mêmes dimensions, dont les bouts se chevauchent en alternant, et que l'on cloue les unes aux autres. On peut commencer par clouer la première rangée au fond de la boîte et on ajoute les autres par la suite. On peut tout aussi bien fixer les diverses rangées de planches et les clouer ensuite au fond. Aux coins, chaque fois qu'on ajoute une rangée de planches, on enfonce les clous en diagonale de façon qu'ils croisent ceux de la rangée inférieure.

Malgré ses dimensions restreintes, la boîte est assez stable pour loger de grands arbres sans que le vent risque de la renverser. Il est préférable de traiter avec un préservatif toutes les pièces de bois avant de les assembler. La base peut être en contre-plaqué ou en bois de construction coupé sur mesure. On peut teindre la boîte en gris ou en vert pâle. Il est recommandé d'appliquer aux extrémités des planches au moins deux couches de teinture pour empêcher le bois de se déchiqueter.

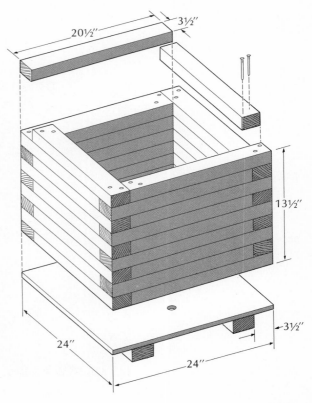

30

Bâtir un décor
en plein air

L'agrandissement d'une terrasse

Regardez la photo ci-dessous. Elle montre une situation, hélas! trop fréquente. L'idée qu'a eue l'architecte de doter cette maison d'une terrasse était certes excellente, mais elle a été concrétisée de façon décevante. Ce petit pavage de brique fait étriqué et n'incite guère à goûter les plaisirs de la vie au-dehors.

Il semble qu'on ait oublié de prévoir l'espace pour le mobilier. Les quatre chaises à dossier droit ont une ligne gracieuse, mais, vu l'exiguïté de la terrasse, elles sont trop rapprochées les unes des autres. Inutile de penser à installer en plus soit une table, soit une chaise longue, car il ne resterait plus assez d'espace pour circuler. En outre, la terrasse n'a pas le charme qui normalement s'attache à un décor de ce genre. Fort heureusement, le problème est loin d'être insoluble. Il est possible, en effet, d'agrandir une telle terrasse et de lui ajouter l'un des toits suivants : treillis auquel s'accrocheront des grimpants, auvent en toile de couleur vive, ou panneaux en plastique translucide.

Si votre terrasse manque de charme et d'utilité parce qu'elle est trop petite, vous pouvez adopter la solution illustrée à la page suivante. Les dimensions indiquées pourront varier, mais la structure demeurera la même. Cependant, si vous utilisez des poutres de la même grosseur que celles du plan, n'espacez pas les poteaux de plus de 16 pieds. Au-delà de 16 pieds, boulonnez un autre 2″×8″ à l'arrière des poteaux.

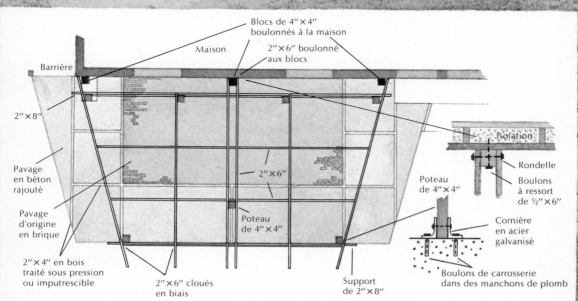

Blocs de 4″×4″
boulonnés à la maison

Maison

2″×6″ boulonné
aux blocs

Barrière

2″×8″

Isolation

Rondelle

Boulons
à ressort
de ½″×6″

Poteau
de 4″×4″

Pavage
en béton
rajouté

2″×6″

Pavage
d'origine
en brique

Poteau
de 4″×4″

Cornière
en acier
galvanisé

2″×4″ en bois
traité sous pression
ou imputrescible

2″×6″ cloués
en biais

Support
de 2″×8″

Boulons de carrosserie
dans des manchons de plomb

Du toit de l'une des ailes de la maison, on a une vue plongeante sur la terrasse et la rue. A gauche se trouvent l'abri d'auto et l'entrée qui y conduit; une allée a été aménagée parallèlement à cette entrée. La clôture procure de l'intimité et sert d'appui à l'arbre à fleurs. Quant au banc, il fait aussi office de garde-fou.

Avant qu'on y aménage une terrasse, cet espace était pour ainsi dire perdu. Le gazon prenait mal sur le sol trop sablonneux et la marche d'accès était tellement haute qu'elle rendait les allées et venues difficiles.

L'addition d'une plate-forme

Si vous aimez vous récréer en plein air mais ne pouvez le faire parce que votre terrain ne permet pas l'aménagement d'une terrasse (soit parce qu'il est trop exigu, soit parce que sa configuration est trop particulière), construisez-y une plate-forme. C'est une solution de rechange qui vous donnera l'occasion de profiter du soleil et du grand air. D'ailleurs, c'est la seule solution possible là où le sol est trop fortement incliné pour qu'il soit possible de le niveler. De même, près d'une maison construite sur une plage, la plate-forme offre une surface solide qui peut jouer le rôle de terrasse.

Ici, dans ce jardin de la côte ouest, deux solutions s'offraient : la plate-forme en bois surélevée ou la terrasse de dalles au niveau du sol. C'est la première qui a été choisie parce qu'elle réduisait les travaux d'entretien fastidieux comme la taille des plantes basses et le sarclage des mauvaises herbes. Economique et facile

La plate-forme est devenue une véritable annexe du salon, une salle de séjour paisible et ensoleillée. Pour dissimuler les irrégularités du terrain, on a planté un grand nombre de genévriers.

à construire, elle permettait aussi de relever le niveau du sol pour le mettre de plain-pied avec le plancher de la maison.

Des portes doubles, orientées au sud, permettent les allées et venues entre le salon et la plate-forme. Celle-ci apparaît un peu comme le prolongement naturel du salon.

La construction en damier, par modules de quatre pieds, dont on peut voir les étapes ci-dessous, nécessite des solives de 2″×6″ et des planches de 2″×4″. Pour que la plate-forme soit de plain-pied avec le plancher de la maison,

l'ensemble doit reposer sur des socles en béton préfabriqué. On pourrait la surélever encore en ajoutant des poteaux sur les socles. Toutefois, si elle doit être surélevée de plus de trois pieds, il vaut mieux consulter un charpentier.

Dans les régions froides, les socles doivent être placés à au moins quatre pieds de profondeur dans le sol pour éviter les méfaits du gel et du dégel. Tout bon bois de construction peut être utilisé pour la charpente. Il faudra néanmoins l'enduire au préalable d'un préservatif, du pentachlorophénol par exemple.

Les étapes de la construction

1. Forez des trous dans le mur de fondation et insérez-y des chevilles à expansion en plomb. Boulonnez les 2″×6″ dans le béton à la hauteur voulue.

2. Sur les 2″×6″, clouez tous les quatre pieds des supports en métal galvanisé; servez-vous d'une équerre de menuisier pour que les solives soient à angle droit.

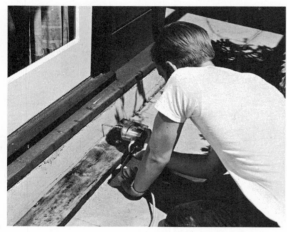

3. Faites reposer l'extrémité de la solive sur un socle de béton en mettant des cales pour que l'ouvrage soit de niveau. Ajoutez des socles tous les quatre pieds.

4. Creusez des trous pour les socles. Remplissez-les de béton préparé pour que les socles soient à la hauteur voulue. Installez-y les solives de niveau.

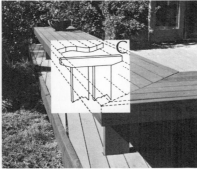

Le banc garde-fou

Les plates-formes surélevées de plus d'une marche doivent avoir un garde-fou. Celui-ci sert aussi de banc. Avant de construire le parquet, boulonnez les supports du banc aux solives, comme en A. Dans les coins, posez des supports, comme en B. Clouez les pièces aux supports et ajoutez le dessus comme en C.

5. Clouez des supports de chaque côté des solives longitudinales. Insérez les solives transversales de façon à former des modules de 4' × 4'.

6. Construisez les autres modules de la même façon. Faites les ajustements nécessaires en insérant, au besoin, des cales entre les socles et les solives.

7. Clouez une planche de bordure de 2" × 8" au bout des solives. Pour enjoliver la terrasse, on recommande de l'entourer de genévriers.

8. Posez un parquet fait de planches de 2" × 4" espacées de 3/16 de pouce. Ici, le parquet s'aligne au plancher du salon et non aux solives.

Le kiosque en A

Cette structure en A, légère et aérée, allie le pittoresque d'une tente à la grâce d'un pavillon. C'est là une forme qui cadre merveilleusement bien avec un jardin. L'ombre et la lumière y décrivent sans cesse des arabesques, variables selon la disposition des lattes. On peut faire de cet agréable endroit un salon de thé, une salle de lecture, ou un petit boudoir. On pourrait aussi y disposer certaines plantes d'ombre, comme des fougères ou des fuchsias. Les jours de fête, cette petite tente accueillante pourrait abriter la table du buffet.

LE KIOSQUE EN A

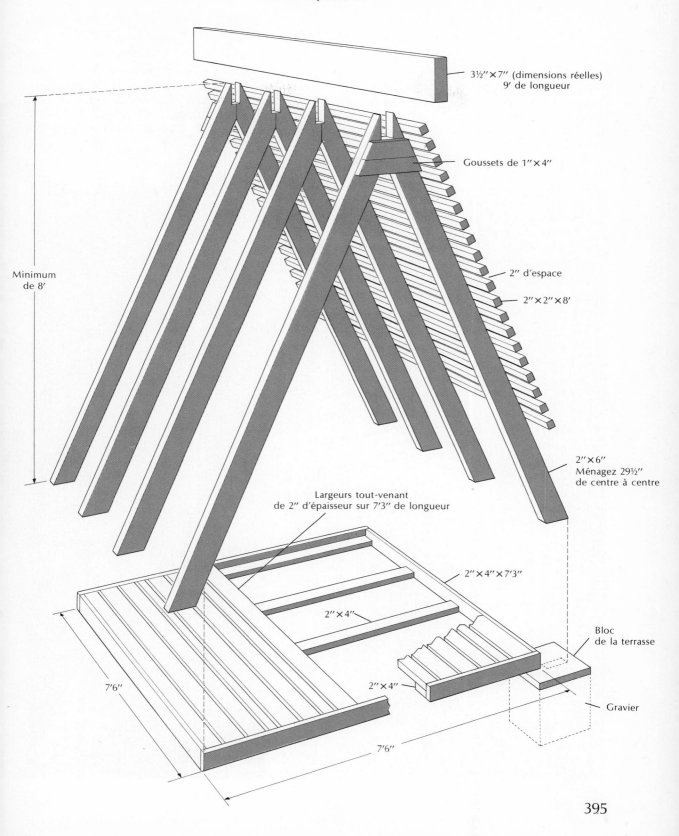

3½″×7″ (dimensions réelles)
9′ de longueur

Goussets de 1″×4″

2″ d'espace

2″×2″×8′

Minimum
de 8′

2″×6″
Ménagez 29½″
de centre à centre

Largeurs tout-venant
de 2″ d'épaisseur sur 7′3″ de longueur

2″×4″×7′3″

2″×4″

Bloc
de la terrasse

2″×4″

Gravier

7′6″

7′6″

Comment réaliser une salle de séjour extérieure

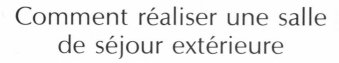

Bien que la clôture, le toit en treillis et le pavage formé d'agrégats à découvert constituent ici les parties d'un ensemble, il est possible de fabriquer et d'utiliser chaque élément séparément selon les besoins et les circonstances.

Pour la clôture et le treillis, on pourrait employer soit du cèdre, soit du sapin ou encore du pin. Tout autre bois d'utilisation courante conviendrait aussi. Il est recommandé d'enduire le bois d'une teinture, de préférence avant que les éléments soient en place. Pour éviter la rouille, utilisez des clous, des vis et des boulons en métal galvanisé. Sur la façon de fabriquer le parquet, reportez-vous au chapitre 19 intitulé « Les ouvrages en béton ».

Support de 2″ × 12″

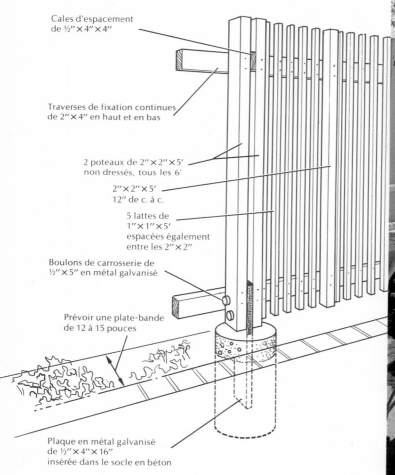

Cales d'espacement de ½″ × 4″ × 4″

Traverses de fixation continues de 2″ × 4″ en haut et en bas

2 poteaux de 2″ × 2″ × 5′ non dressés, tous les 6′

2″ × 2″ × 5′ 12″ de c. à c.

5 lattes de 1″ × 1″ × 5′ espacées également entre les 2″ × 2″

Boulons de carrosserie de ½″ × 5″ en métal galvanisé

Prévoir une plate-bande de 12 à 15 pouces

Plaque en métal galvanisé de ½″ × 4″ × 16″ insérée dans le socle en béton

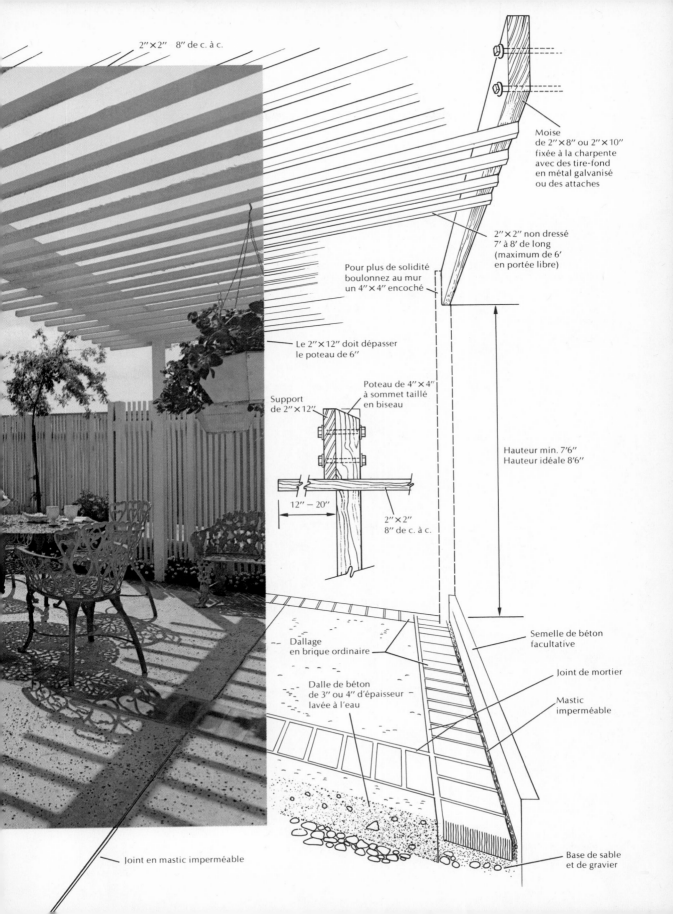

2″ × 2″ 8″ de c. à c.

Moise
de 2″ × 8″ ou 2″ × 10″
fixée à la charpente
avec des tire-fond
en métal galvanisé
ou des attaches

2″ × 2″ non dressé
7′ à 8′ de long
(maximum de 6′
en portée libre)

Pour plus de solidité
boulonnez au mur
un 4″ × 4″ encoché

Le 2″ × 12″ doit dépasser
le poteau de 6″

Poteau de 4″ × 4″
à sommet taillé
en biseau

Support
de 2″ × 12″

Hauteur min. 7′6″
Hauteur idéale 8′6″

12″ — 20″

2″ × 2″
8″ de c. à c.

Semelle de béton
facultative

Joint de mortier

Mastic
imperméable

Dallage
en brique ordinaire

Dalle de béton
de 3″ ou 4″ d'épaisseur
lavée à l'eau

Base de sable
et de gravier

Joint en mastic imperméable

Table et banc à toute épreuve

La table et le banc ci-dessous sont solides, résistent aux intempéries et sont quasi indestructibles. Le dessus de la table se compose de lattes de séquoia, espacées pour permettre un séchage rapide et donner au bois une plus grande résistance à la dilatation ou à la contraction. Le siège du banc est fait d'une dalle de béton. Table et banc reposent sur des blocs de béton décoratifs. Chaque support est constitué de deux demi-blocs liés avec du mortier.

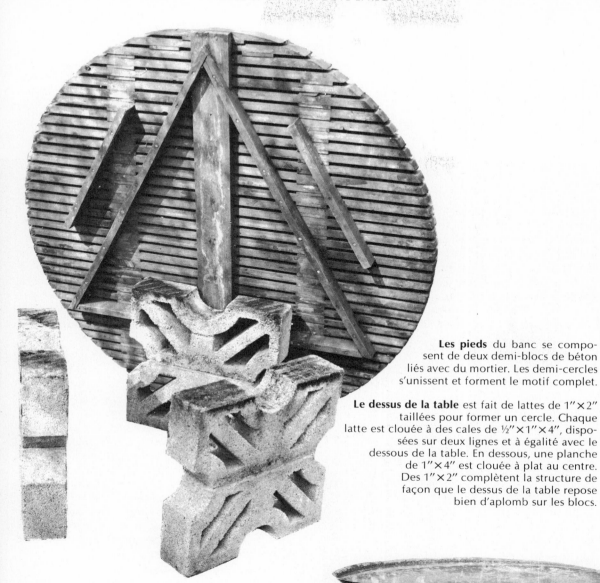

Les pieds du banc se composent de deux demi-blocs de béton liés avec du mortier. Les demi-cercles s'unissent et forment le motif complet.

Le dessus de la table est fait de lattes de 1"×2" taillées pour former un cercle. Chaque latte est clouée à des cales de ½"×1"×4", disposées sur deux lignes et à égalité avec le dessous de la table. En dessous, une planche de 1"×4" est clouée à plat au centre. Des 1"×2" complètent la structure de façon que le dessus de la table repose bien d'aplomb sur les blocs.

Une ingénieuse baignoire d'oiseaux

Ailleurs dans le jardin, quatre autres demi-blocs disposés de la même façon supportent un wok, ustensile de cuisine chinoise servant ici de baignoire pour les oiseaux. Les blocs sont liés par du mortier à une pierre qui est au centre. Le wok est posé sur du mortier frais étalé sur le dessus des blocs. On exerce une légère pression pour que le mortier épouse la forme du wok et le maintienne solidement en place.

31

Aménager un terrain de jeux

Une cour de jeux est un véritable atout. Les enfants s'y amusent en toute sécurité, tandis que les adultes peuvent profiter de la tranquillité qui règne dans le reste du jardin. Le gazon, moins piétiné, pousse mieux.

Si les enfants sont en bas âge, cet espace devra se trouver tout près de la maison. S'ils sont plus vieux, donc plus indépendants, on pourra aménager cette zone assez loin de la maison, ce qui accommodera sans doute les parents. Cet endroit sera plus attrayant si, en saison,

on fait grimper de la vigne sur une clôture de fil métallique installée tout autour. Les installations amovibles, balançoires, glissoires et autres, seront remplacées au fur et à mesure que les enfants grandiront. Quand elles ne serviront plus, on pourra semer du gazon qui poussera facilement en une saison ou deux. Dans les pages qui suivent, vous trouverez quelques suggestions qui ont fait leurs preuves auprès des enfants. Aux pages 180 à 183 vous sont données les dimensions pour certains jeux.

Une base solide et amovible

En principe, les pneus n'ont pas leur place dans un jardin, mais ils peuvent être bien utiles dans une cour de jeux. Remplis de béton, ils deviennent une excellente base pour un poteau de tetherball. Deux jeux de pneus et piquets supporteront le filet de volleyball. Le caoutchouc protège les surfaces, adhère bien au sol, ne s'écaille pas et on peut faire rouler le pneu pour le déplacer. Comme on peut le voir sur l'illustration, une corde ajustable permet aux petits et aux grands de jouer.

Voici comment procéder. Placez d'abord le pneu sur le sol et tracez-en les contours intérieur et extérieur. Creusez ensuite la terre entre les deux cercles que vous avez tracés. Installez alors le pneu dans ce creux et remplissez-le de béton comme suit. Remplissez d'abord toute la carcasse du pneu. Quand cette portion de béton sera prise, vous remplirez le centre du pneu jusqu'au rebord interne. Pour encastrer le poteau, insérez d'abord à l'intérieur de celui-ci une tige de métal et enfoncez-le tout au centre, dans le béton encore mou.

Au chapitre 19, vous trouverez plus de renseignements sur la façon d'utiliser le béton.

Les structures en A

Une maisonnette triangulaire installée dans un jardin possède autant de charme qu'une tente en plein bois. De plus, elle offre aux enfants un abri sûr et durable. Montée sur des solives, elle est étanche et confortable, et permet un drainage des eaux de pluie suffisant pour parer à la moisissure et au pourrissement. Construite au milieu des arbres, elle demeure fraîche même pendant les grandes chaleurs.

Contrairement à la maisonnette qui veut imiter les vraies maisons, celle-ci, en raison de sa forme et de son matériau, s'harmonise au décor. Comme on peut le voir, les revêtements sont en contre-plaqué. Les feuilles de 4′×6′ sont plus pratiques et plus économiques que celles de 4′×8′. Les pièces triangulaires pour la façade et l'arrière peuvent être découpées dans une feuille de 4′×6′ ou de 4′×8′.

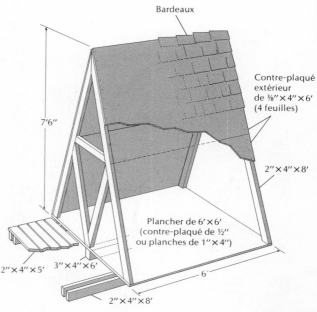

Bardeaux

Contre-plaqué extérieur de ⅜″×4″×6′ (4 feuilles)

7′6″

2″×4″×8′

Plancher de 6′×6′ (contre-plaqué de ½″ ou planches de 1″×4″)

2″×4″×5′

3″×4″×6′

6′

2″×4″×8′

Le labyrinthe aérien

Pour les enfants, que d'escalades en perspective avec une construction comme le labyrinthe de la page de droite. Ses éléments peuvent être agencés de diverses façons pour varier les jeux.

Mode de construction

Pratiquez des encoches de $1\frac{3}{8}''$ de largeur sur $1\frac{3}{16}''$ de profondeur, à $1\frac{1}{2}''$ des extrémités de chaque longeron. Sur les deux longerons supérieurs, faites-en deux autres à $\frac{11}{16}''$ de part et d'autre du centre.

Faites de même dans le coin supérieur des blocs (2). Alésez les trous dans les blocs (fig. A).

Collez et vissez les blocs encochés aux montants (3), ceux du bas à ras du sol et ceux du haut à $4\frac{3}{8}''$ de l'extrémité des montants. Employez des vis de 3".

Fixez les longerons aux montants avec des boulons de carrosserie de 3" et des raccords. Les longerons supérieurs seront à 2" du haut, les longerons inférieurs au même niveau que la base des montants. Le bord intérieur de l'encoche du longeron doit affleurer le bord extérieur du montant. Fixez les montants du milieu aux longerons entre les encoches des longerons supérieurs, avec des tire-fond de 3".

Placez les traverses du bout dans les encoches des longerons et vissez-les aux montants avec des vis à tête encastrée de 3", les extrémités dépassant les poteaux de $2\frac{3}{8}''$. Faites de même pour les traverses centrales du dessus avec des boulons de carrosserie de 5". Fixez les traverses centrales du bas à la même hauteur que les traverses intermédiaires du bout. Boulonnez l'entretoise (5) entre les traverses centrales, au milieu.

Vissez les lattes du caillebotis (6) aux supports (7) avec des vis de 2" encastrées, en les faisant dépasser de 2" de chaque côté. Espacez-les de $\frac{5}{8}''$. L'extrémité des lattes dépasse de $1\frac{1}{4}''$.

Vissez les tasseaux (8) aux plates-formes (9) en faisant dépasser celles-ci de $1\frac{3}{4}''$.

Découpez deux feuillures de $\frac{1}{2}'' \times \frac{1}{2}'' \times 2''$ sur les petits côtés des panneaux (10 et 11) à 4" des coins.

Vissez des taquets à vis unique sur les panneaux, au centre de la feuillure, à $\frac{3}{8}''$ au-dessus du bord supérieur de celle-ci (fig. B).

Forez des trous de $\frac{1}{2}''$ de diamètre pour les goujons (12), à $\frac{3}{4}''$ de profond dans les montants et à $\frac{3}{4}''$ des faces extérieures et des bords. Espacez les trous pour qu'ils coïncident avec les feuillures des panneaux, lorsque le bord inférieur du panneau sera de niveau avec le dessus de la traverse qui est en dessous. Ajustez les goujons dans les trous, mais ne les collez pas.

Forez des trous de $1\frac{1}{4}''$ de diamètre et de $\frac{3}{4}''$ de profond au centre des montants de l'échelle (13), à $5\frac{1}{2}''$ du bas des montants; espacez-les ensuite de $5\frac{1}{2}''$. Collez les goujons (14).

Forez des trous pour recevoir des vis à tête encastrée n° 10 à $\frac{1}{2}''$ et 2" de l'extrémité des rubans d'acier doux. Pliez les rubans en forme de crochets à échelle (fig. C).

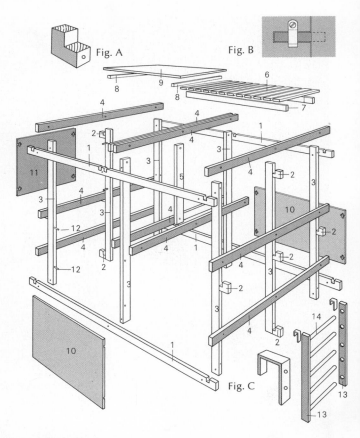

Fig. A   Fig. B

Fig. C

MATÉRIAUX NÉCESSAIRES

N°	Pièces	Nombre	Longueur	Largeur	Epaisseur	Matériau
1	Longerons	4	96"	$2\frac{3}{8}''$	$1\frac{3}{8}''$	Bois tendre
2	Blocs encochés	10	$2\frac{3}{8}''$	$2\frac{7}{8}''$	$1\frac{3}{8}''$	Bois tendre
3	Montants	8	60"	$2\frac{7}{8}''$	$1\frac{3}{8}''$	Bois tendre
4	Traverses	10	60"	$2\frac{3}{8}''$	$1\frac{3}{8}''$	Bois tendre
5	Entretoise	1	28-9/16"	$2\frac{7}{8}''$	$1\frac{3}{8}''$	Bois tendre
6	Lattes	13	25"	$2\frac{7}{8}''$	$\frac{7}{8}''$	Bois tendre
7	Supports de lattes	2	$42\frac{1}{2}''$	$1\frac{7}{8}''$	$\frac{7}{8}''$	Bois tendre
8	Tasseaux	6	25"	$\frac{7}{8}''$	$\frac{7}{8}''$	Bois tendre
9	Plates-formes	3	46"	25"	$\frac{3}{4}''$	Contre-plaqué extérieur
10	Grands panneaux	3	$41\frac{1}{2}''$	25"	$\frac{3}{4}''$	Contre-plaqué extérieur
11	Petits panneaux	2	25"	25"	$\frac{3}{4}''$	Contre-plaqué extérieur
12	Goujons	20	$2\frac{3}{4}''$	$\frac{1}{2}''$ diam.		Goujons
13	Montants d'échelle	4	30"	$2\frac{7}{8}''$	$1\frac{3}{8}''$	Bois tendre
14	Barreaux d'échelle	10	16"	$1\frac{1}{4}''$ diam.		Goujons

Quincaillerie : huit boulons de carrosserie de 3"; six de 5"; 22 tire-fond de 3"; 10 vis à tête encastrée de 3"; vis à tête encastrée de 2"; vis à tête encastrée de $1\frac{1}{2}''$; huit raccords à bois; quatre rubans d'acier doux de $7'' \times 1'' \times \frac{1}{8}''$; 20 taquets de $1\frac{1}{2}''$ à vis unique.

Note : Les dimensions données sont celles de l'ouvrage terminé. En commandant son bois, prévoir qu'il y aura des pertes.

402

Un des attraits de ce labyrinthe aérien tient au fait qu'on peut en retirer les panneaux. Les enfants pourront donc l'aménager à leur guise. Pour amortir les chutes, l'installer sur un sol mou.

Comment installer un panneau de basketball

S'il y a des garçons dans la maison, ils vous demanderont tôt ou tard d'installer un panier de basketball. Vous trouverez les accessoires dans les grands magasins ou les magasins d'articles de sport, mais vous devrez les assembler vous-même. N'oubliez pas que, selon les règles du jeu, le haut du panier doit se trouver à dix pieds du sol. Certaines méthodes d'installation sont plus simples que d'autres. Dans tous les cas, cependant, le poteau doit avoir une base solide en béton et son installation peut poser des problèmes. Vous jugerez laquelle des solutions proposées ici vous convient.

La meilleure installation est celle-ci. Le panier se trouve à quatre pieds des poteaux, qui ont 2¼" et 3½" de diamètre et sont séparés par des plaques de fer soudées qui les renforcent. Cette double structure verticale permet de supporter le poids du panneau et du panier, fixés en porte à faux.

L'installation la plus simple, avec poteau autoportant. Ce poteau mesure 3½" de diamètre et 16' de hauteur. Il est fait de deux tiges de métal réunies par un manchon. Grâce à cela, il n'est pas nécessaire de l'étayer pendant que la base en béton se solidifie. Cette base doit avoir au moins 3' de profondeur et demande deux sacs de 94 livres de béton préparé. Pour une plus grande solidité, des traverses métalliques sont fixées au béton dans le sol. Si le sol est sablonneux, le socle doit être plus profond. Le panneau est fixé de la façon habituelle.

404

L'endroit le plus propice pour installer un panier de basketball, c'est le pignon au-dessus du garage. Celui-ci arrête les rebonds du ballon de la même manière qu'un panneau. Le panneau sera solidement fixé aux 2″ × 4″ du mur avec des boulons ou des tire-fond.

Sur ce toit en pente, on utilise des cornières pour contourner la gouttière. Si la bordure du toit était plate, on pourrait utiliser des équerres en bois. Les supports du haut sont fixés aux chevrons avec des tire-fond. Le toit sert de panneau pour les ballons qui dévient.

Le bas du panneau est assujetti à la bordure du toit au moyen d'équerres de renforcement de 90°. Le haut est supporté par les longues branches des cornières fixées au toit comme sur l'illustration de gauche. Ici, le panier n'est pas à la hauteur réglementaire parce qu'il est destiné à des enfants. Il serait peut-être préférable de choisir, en prévision de l'avenir, un panier qui soit ajustable.

405

32

Construction
des remises de jardin

Les meilleurs endroits pour ranger les outils de jardinage sont ceux qui se dérobent à la vue. Si vous n'en avez pas, la solution consiste à faire une remise apparente aussi jolie que possible. La remise ouverte ci-dessous en est un bon exemple. De même la remise fermée, illustrée à la page suivante, qui a été construite à même une clôture déjà en place. Vous trouverez aux pages 407 et 408 d'autres modèles de remises conçues pour recevoir des engins motorisés : autotracteur de jardin, souffleuse à neige, tondeuse, de même que d'autres instruments.

L'établi-remise

Il est facile de construire, pour les divers travaux de rempotage, un établi pourvu d'un toit. Même en y mettant des plantes, il reste amplement d'espace pour travailler. C'est le mur du fond qui sert à accrocher les outils.

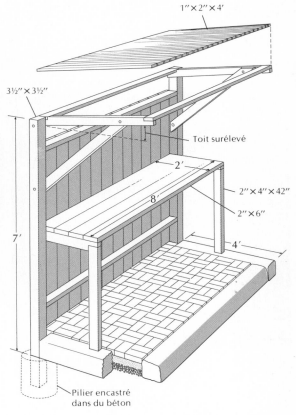

1″ × 2″ × 4′

3½″ × 3½″

Toit surélevé

2′

8′

7′

2″ × 4″ × 42″

2″ × 6″

4′

Pilier encastré dans du béton

La clôture-remise

On peut appuyer une remise à n'importe quelle sorte de clôture, à la condition que celle-ci soit assez solide. Pour que les deux constructions s'harmonisent, on utilisera le même matériau pour l'une et l'autre. Un moyen d'enjoliver la façade de la remise serait d'y accrocher des pots de fleurs ou des peintures murales. La remise peut sans difficulté être agrandie au besoin. Une rampe montée sur charnières et placée près de la porte permet de déplacer facilement les appareils roulants tels que les tondeuses, les brouettes, etc.

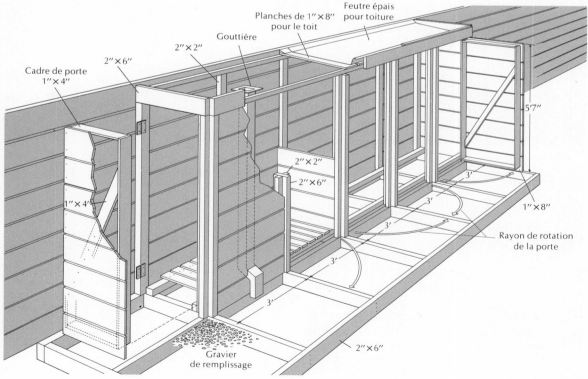

Le bâtiment de rangement : un plan; deux variantes

Voici une remise spacieuse pour ceux dont le sous-sol ou la cave sont encombrés d'outils de jardinage et d'équipement de sport. Elle offre l'avantage d'être assez grande pour accueillir les divers appareils à moteur (tondeuse, petit tracteur de jardin, accessoires de souffleuse à neige et d'aspirateur à feuilles) dont on se sert de plus en plus pour effectuer les travaux d'entretien autour de la maison.

Cette remise comporte une section fermée et une section ouverte. Sur le plan, on peut voir que la section ouverte sert à ranger le bois et le compartiment à sa droite, à entreposer les rebuts. Elle peut très bien ne constituer qu'une seule unité. On peut aussi y aménager un coin de jardinage avec établi, eau courante et espace de rangement. Les trois portes peuvent être modifiées et le toit peut être incliné et non plat comme ici. Si la remise s'avérait trop grande, on pourrait n'en construire qu'une partie (voir en bas à gauche sur le plan). Une clôture ou un mur peut lui servir de fond. Les dimensions données sur le plan sont celles de la remise qui apparaît sur la photo; on peut les modifier à volonté. Le plancher est une grande dalle de béton avec des fondations plus profondes en bordure, comme on peut le voir à droite sur le plan. Les plaques de 2" × 4" sont fixées aux boulons insérés dans le béton.

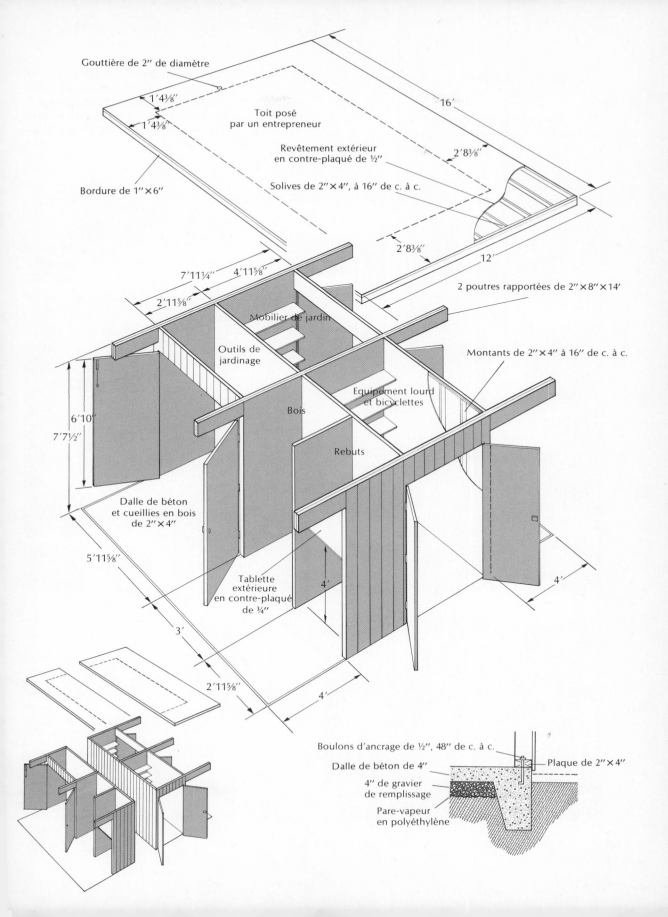

Gouttière de 2″ de diamètre

1′4⅜″

1′4⅜″

Toit posé
par un entrepreneur

16′

Revêtement extérieur
en contre-plaqué de ½″

2′8⅜″

Bordure de 1″×6″

Solives de 2″×4″, à 16″ de c. à c.

2′8⅜″

12′

7′11¼″   4′11⅝″

2′11⅝″

2 poutres rapportées de 2″×8″×14′

Mobilier de jardin

Outils de
jardinage

Montants de 2″×4″ à 16″ de c. à c.

Équipement lourd
et bicyclettes

6′10″

7′7½″

Bois

Rebuts

Dalle de béton
et cueillies en bois
de 2″×4″

5′11⅝″

Tablette
extérieure
en contre-plaqué
de ¾″

4′

4′

3′

2′11⅝″

4′

Boulons d'ancrage de ½″, 48″ de c. à c.

Dalle de béton de 4″

4″ de gravier
de remplissage

Pare-vapeur
en polyéthylène

Plaque de 2″×4″

Les petits coins-remises

Jardiniers et bricoleurs s'évertuent à trouver, dans un garage, une cave ou un placard déjà pleins à capacité, des coins où remiser leurs outils. Voici quelques suggestions qui les aideront. Première démarche, la plus logique : jeter ce dont on ne se sert plus. Deuxième : trouver de l'espace de rangement entre les montants, dans les coins ou sur les chevrons. Quand on range ainsi des articles dans des recoins ou des espaces perdus, il est fort utile d'inscrire sur le mur des points de repère, le dessin du contour de l'article, par exemple, de manière à retrouver celui-ci plus rapidement.

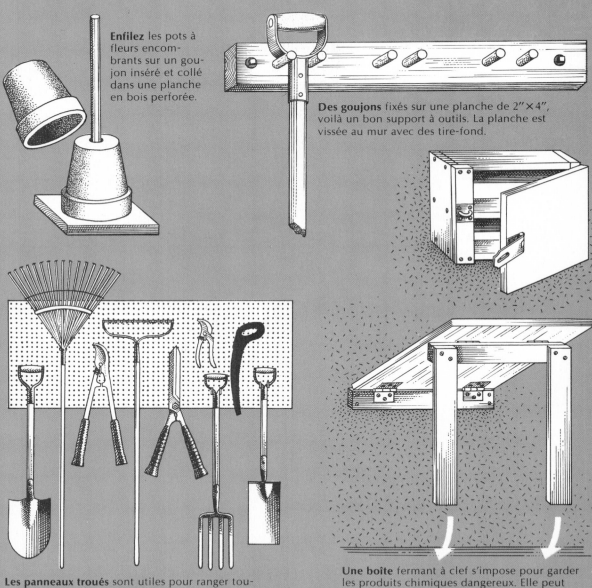

Enfilez les pots à fleurs encombrants sur un goujon inséré et collé dans une planche en bois perforée.

Des goujons fixés sur une planche de 2″ × 4″, voilà un bon support à outils. La planche est vissée au mur avec des tire-fond.

Les panneaux troués sont utiles pour ranger toutes sortes d'articles qu'on peut déplacer à volonté. On les y dispose suivant leurs formes.

Une boîte fermant à clef s'impose pour garder les produits chimiques dangereux. Elle peut être fixée entre des montants. Cette table dont les pieds se replient prend peu de place.

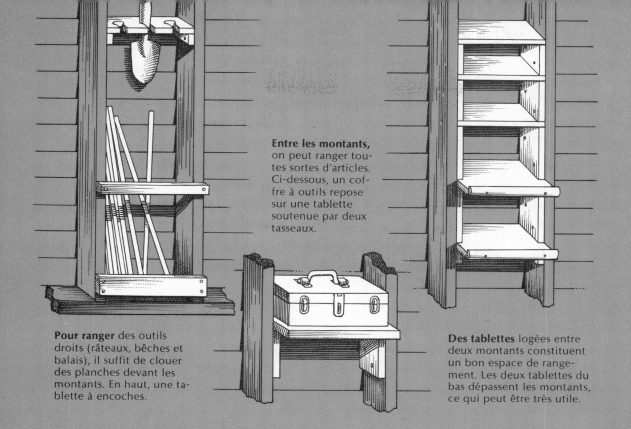

Entre les montants, on peut ranger toutes sortes d'articles. Ci-dessous, un coffre à outils repose sur une tablette soutenue par deux tasseaux.

Pour ranger des outils droits (râteaux, bêches et balais), il suffit de clouer des planches devant les montants. En haut, une tablette à encoches.

Des tablettes logées entre deux montants constituent un bon espace de rangement. Les deux tablettes du bas dépassent les montants, ce qui peut être très utile.

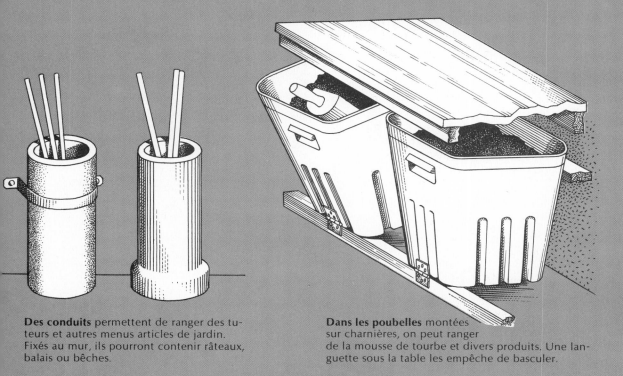

Des conduits permettent de ranger des tuteurs et autres menus articles de jardin. Fixés au mur, ils pourront contenir râteaux, balais ou bêches.

Dans les poubelles montées sur charnières, on peut ranger de la mousse de tourbe et divers produits. Une languette sous la table les empêche de basculer.

411

Le gros entreposage

Pour ceux qui font beaucoup de jardinage, il est fort pratique d'avoir à portée de la main et en grande quantité les engrais et fertilisants de toutes sortes nécessaires à la préparation du sol. Mais il faut trouver une place pour les ranger. Les poubelles en métal galvanisé que l'on voit ici constituent pour les travaux d'importance une solution idéale. Elles sont d'accès facile et on peut y puiser avec une pelle. Remarquez la façon dont on les a installées.

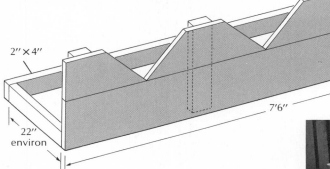

Le petit entreposage

Lorsqu'on fait surtout la culture des plantes en pots, ou qu'on fait des semis, on aime avoir sous la main, près de l'établi, les divers éléments dont on a couramment besoin : vermiculite, engrais, terreau, etc. On les a rangés ici dans des petites poubelles en plastique installées à des panneaux coulissants.

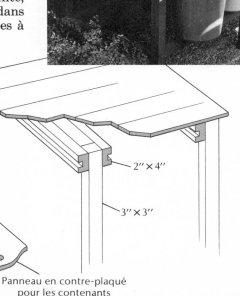

Panneau en contre-plaqué pour les contenants en plastique

412

Etagère d'extérieur pour le jardinage

Cette étagère est non seulement utile et pratique, elle est aussi jolie et facile à construire. Vous pouvez l'adosser à une clôture ou à un mur. Si elle est placée dans un endroit ensoleillé et bien aéré, elle pourra servir d'infirmerie pour les plantes d'intérieur qui se portent mal et d'espace de rangement pour les jeunes plantes en pots ou en boîtes. Lorsqu'on y dispose de jolies plantes vertes ou florifères, cette étagère devient un élément décoratif.

Elle sera encore plus pratique si on la dote d'un compartiment fermé où l'on peut ranger de petits outils. Ce compartiment est ici muni d'une porte qui se rabat et sert de surface de travail. Le médaillon à gauche montre que cette porte est retenue par des chaînes. Vissez les languettes par le dedans et noyez les têtes.

Les tablettes sont en planches de un pouce d'épaisseur montées sur des tasseaux de 2″×4″ cloués ou vissés aux montants. Ces dimensions peuvent varier selon les besoins de chacun et l'espace dont on dispose.

Les médaillons à droite donnent les angles de coupe requis pour que la base soit parallèle au sol. Posez les montants sur des briques pour les empêcher de pourrir et enduisez la base d'un produit contre la putréfaction.

33

Jeux d'eau et de lumière
dans le jardin

L'attrait et l'utilité de l'eau

Point n'est besoin de souligner le plaisir que l'on éprouve à vivre au bord d'une rivière ou d'un lac. Mais l'on semble moins conscient des joies que peut procurer une pièce d'eau rafraîchissante au cœur d'un jardin. Pourtant une installation rudimentaire suffit pour obtenir une cascade, une fontaine ou un ruisselet.

Même les systèmes d'arrosage peuvent être beaux quand ils répandent l'eau en un gracieux mouvement. Jusqu'à la pluie dégoulinant d'un toit qui peut donner lieu à un bel arrangement. Voici à ce propos quelques exemples dont la réalisation ne pose pas de problème et n'occasionne pas de grands frais.

Des blocs de cheminée en béton, entaillés, puis empilés à la hauteur voulue, se transformeront en une jolie cascade. L'eau y circulera grâce à une pompe submersible. Cet ouvrage sera plus solide si les blocs sont joints avec du mortier.

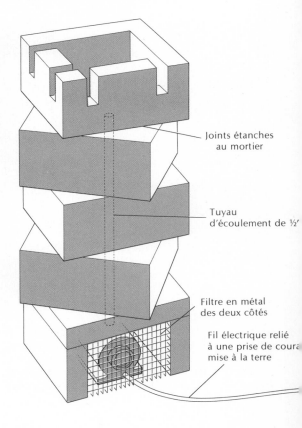

Joints étanches au mortier

Tuyau d'écoulement de ½'

Filtre en métal des deux côtés

Fil électrique relié à une prise de courant mise à la terre

Cet élégant bassin en béton recueille l'eau d'une gouttière. Quand il pleut, un mince ruban argenté coule du toit dans le bassin où il soulève un nuage de gouttelettes. Le trop-plein s'écoule dans un lit de gravier disposé au fond. Dans les pays froids, il faut armer le béton de fil métallique.

Le bassin pour eau de pluie

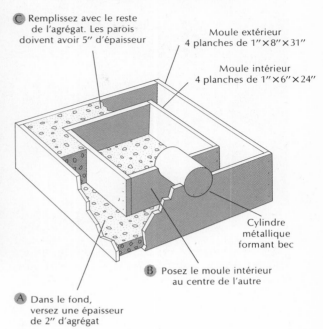

Ⓒ Remplissez avec le reste de l'agrégat. Les parois doivent avoir 5″ d'épaisseur

Moule extérieur
4 planches de 1″×8″×31″

Moule intérieur
4 planches de 1″×6″×24″

Cylindre métallique formant bec

Ⓑ Posez le moule intérieur au centre de l'autre

Ⓐ Dans le fond, versez une épaisseur de 2″ d'agrégat

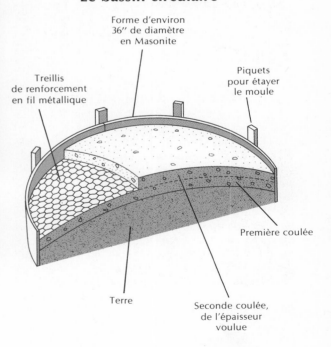

Un bassin peu profond, en forme de soucoupe et rempli d'eau, peut accueillir de petites plantes grasses. Toutefois, on aura soin de percer le fond de la soucoupe. Inutile de viser à la perfection lorsqu'on fabrique ce bassin, une finition rugueuse lui convient tout à fait.

Le bassin circulaire

Forme d'environ 36″ de diamètre en Masonite

Treillis de renforcement en fil métallique

Piquets pour étayer le moule

Première coulée

Terre

Seconde coulée, de l'épaisseur voulue

415

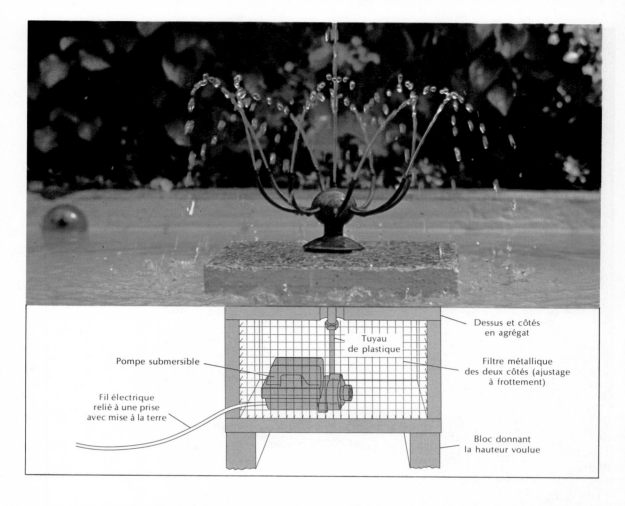

Dessus et côtés
en agrégat

Tuyau
de plastique

Pompe submersible

Filtre métallique
des deux côtés (ajustage
à frottement)

Fil électrique
relié à une prise
avec mise à la terre

Bloc donnant
la hauteur voulue

La magie d'une pompe submersible

On peut aménager une fontaine ou une cascade à l'aide d'une pompe submersible mue à l'électricité. Cette pompe fait tout simplement circuler l'eau que contient le bassin. Dans le cas d'une fontaine, la pompe projette l'eau dans un tuyau qui débouche à l'extérieur. Le jet d'eau illustré ici n'est qu'un des nombreux modèles que l'on peut se procurer. Pour construire une cascade, on dissimule dans des plantes ou on enfouit dans le sol un tuyau de plastique par lequel l'eau, sous l'action de la pompe, s'achemine du bassin au sommet de la cascade. Le simple jeu de la gravité fait le reste.

La pompe submersible ordinaire fonctionne sur 110 volts et est munie d'une fiche à trois broches qu'on branche dans une prise de cou-rant reliée à la terre. Pour éviter les chocs, confiez l'installation de cette prise à un électricien. Une fois en place, la pompe demande peu d'entretien. Imperméable, elle se lubrifie d'elle-même et comporte un filtre qui empêche les saletés de s'introduire.

C'est la hauteur du jet ou de la cascade qui détermine la puissance que devra avoir la pompe. La plupart des fontaines à jet d'eau requièrent une pompe ayant un débit de 145 gallons à l'heure. Une pompe de cette puissance peut projeter l'eau jusqu'à sept pieds de haut selon la pression qu'on lui donne. Pour une cascade de 15 pieds de haut, comme celle que l'on voit sur la page de droite, il faut utiliser une pompe d'une puissance de un tiers de cheval-vapeur. Un tel appareil est capable d'acheminer vers le sommet de la cascade jusqu'à 2 400 gallons à l'heure.

Tuyau
de plastique
de ½"

Fil pour prise
reliée à la terre

Pompe
submersible

2" de ciment

Filtre

Terre

Terre

Dispositif souterrain d'arrosage du gazon

Le dispositif souterrain d'arrosage a été long-temps considéré comme un luxe. Mais l'invention des tuyaux de plastique en a considérablement réduit le coût, si bien que maintenant il est à la portée de presque toutes les bourses. Le système se vend d'un bloc et, pour l'installer, on n'a pas besoin de posséder des connaissances techniques particulières, ni d'utiliser des outils spéciaux. Tuyaux, gicleurs et valves sont mis en place sur le sol, puis enfouis dans une tranchée en V de six à huit pouces de profond, de sorte que la tête des gicleurs affleure le sol. Si le travail est bien fait, la présence des gicleurs n'empêchera pas de tondre la pelouse. Les gicleurs émergents rentrent dans le sol quand le système ne fonctionne pas.

Evidemment, il est plus facile d'installer le dispositif avant la mise en place de la pelouse. Mais si on le fait après, on creusera les tranchées avec soin pour préserver le gazon.

Pour protéger les tuyaux du gel, on se servira de valves spéciales qui permettent de vider toute l'eau qu'ils contiennent. Par ailleurs, il faut choisir des tuyaux de plastique à l'épreuve des rongeurs. Voici maintenant les étapes de l'installation du système.

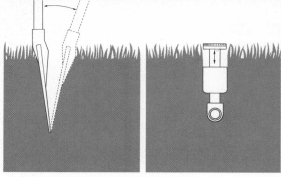

Avant d'enterrer le dispositif, il faut d'abord l'étaler sur le sol, puis l'abouter et vérifier le rayon d'arrosage. Ensuite seulement on l'enfouira dans le sol. Le système s'ajuste à volonté.

Pour abouter deux tuyaux, glissez un écrou coulissant à l'envers sur chacun. Il vous servira de guide pour couper le tuyau bien droit.

Retirez l'écrou et replacez-le dans le bon sens. Faites alors glisser un anneau sur le tuyau, pour qu'il soit à un pouce de l'extrémité de ce dernier.

Insérez une bague fendue en laiton dans le bout du tuyau. En élargissant le tuyau, la bague l'empêchera de bouger et de sortir du raccord.

Introduisez la bague pour qu'elle affleure l'extrémité du tuyau. A cette fin, utilisez un couteau, un maillet ou un marteau coussiné.

Pour un raccord en T, préparez les trois tuyaux comme on vient de le dire. Vissez le raccord dans le tuyau et serrez-le avec les deux mains pour qu'il tienne bien.

Bien installé, le raccord en T est tout à fait à l'épreuve des fuites et, comme il pivote, il peut tenir lieu de raccord « union ».

Insérez le tuyau de montée dans le raccord en L du bout. Si ce tuyau n'est pas assez long, employez un tuyau en métal galvanisé.

Vissez le gicleur sur le tuyau de montée. Introduisez l'ajutage dans le gicleur. Cet ajutage se soulève quand on ouvre le robinet et se rabat quand on coupe l'eau.

Utilisez une clef appropriée pour bien serrer l'ajutage. Il existe des gicleurs qui projettent l'eau en cercle, en carré ou en rectangle.

L'éclairage du jardin

Dans un jardin, il est nécessaire d'éclairer les sentiers, les escaliers et les entrées. Mais on a malheureusement l'habitude de ne voir que le côté pratique de l'éclairage, et d'oublier qu'un système bien pensé peut apporter une contribution esthétique au jardin. Les dessins à la page 423, sous le titre « Quand la lumière joue sur la verdure », vous donneront une idée de tout ce qu'on peut faire avec un peu d'imagination. Un autre obstacle aux systèmes d'éclairage élaborés, c'est qu'ils coûtent cher. Or, il n'y a pas moyen d'en réduire le coût du fait que l'instal-

lation doit obligatoirement être faite par un électricien. Vous trouverez à la page 424 la description d'un système d'éclairage à basse tension, muni d'un transformateur.

Les deux photos de droite démontrent bien tous les avantages qu'on peut retirer, le jour comme le soir, d'un système d'éclairage esthétique. En effet, le soir, ces lampes diffusent la lumière à travers des ouvertures voilées de plastique transparent. Le jour, elles jouent un rôle décoratif : leur haute structure rectangulaire confère au jardin beaucoup de grandeur.

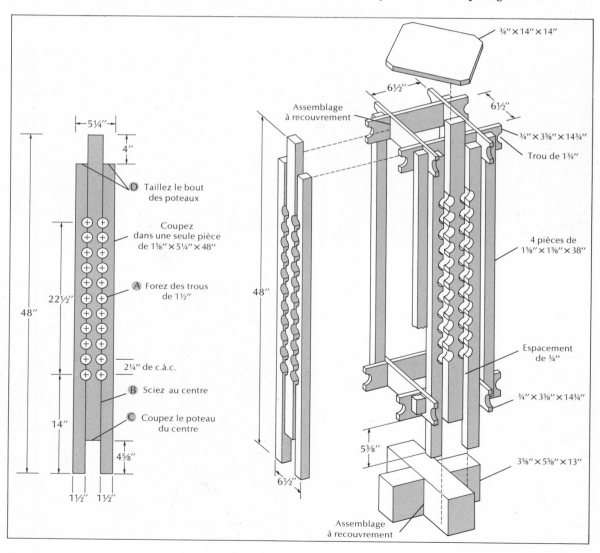

Des sculptures lumineuses

Ces hautes lampes s'harmonisent au décor moderne de la maison. Des socles en béton coulé soutiennent les appareils d'éclairage au-dessus d'un tapis de genévrier et leur donnent la stature d'un monument. Les genévriers servent en outre à dissimuler le filage électrique qui court sur le sol. Placées dans une entrée, ces lampes seraient trop volumineuses et ne donneraient pas un éclairage assez puissant. Cependant, il est possible d'en varier les dimensions. Pour les fabriquer, on choisira n'importe lequel des bois recommandés pour usage à l'extérieur. Les ouvertures auront la forme de triangles, de carrés, aussi bien que de cercles. Ce modèle est intéressant en ce qu'il se prête à de multiples variantes.

Quand la lumière joue sur la verdure

A l'extérieur, l'éclairage répond surtout à des exigences de sécurité : on éclaire un escalier ou une entrée, par exemple. Mais la lumière offre en elle-même bien d'autres possibilités. Il est dommage que sa valeur décorative, en particulier, demeure si méconnue.

Les dessins que vous voyez ci-contre montrent les six éclairages de base auxquels vous pouvez avoir recours dans un jardin.

A partir des principes qu'ils illustrent, toutes les variantes sont permises.

Les deux premiers dessins indiquent deux façons de diriger l'éclairage sur les arbres.

Lorsque la lumière vient du sol (1), le réseau des branches et des feuilles se détache sur le fond obscur de la nuit.

Lorsque la lumière tombe d'en haut (2), par exemple d'une branche élevée, un halo de clarté nimbe le tronc et le pied de l'arbre.

Les plantes forment des ombres chinoises lorsque des réflecteurs placés à la base d'une clôture ou à ras du sol projettent la lumière vers le haut (3).

On obtient à peu près le même jeu de lumière lorsque l'éclairage est dirigé vers le bas, sauf que les rayons ici illuminent la clôture (4).

Lorsque les lumières sont placées à ras du sol le long d'une allée (5) ou sur une pelouse ou un pavage, et qu'elles sont espacées, elles créent des effets de « pas japonais » lumineux.

Enfin, la source lumineuse devient elle-même un élément décoratif lorsqu'elle épouse une forme originale et se pare de matière translucide (6). En ce cas, il vaut la peine de la mettre en évidence.

3. Une clôture ou un mur éclairé d'en bas de

5. L'éclairage rasant le long d'une allée souli

422

L'émondage accentuera l'effet.

2. Des lampes dissimulées dans un arbre créent des effets féeriques.

écran magique.

4. Un éclairage dirigé comme celui-ci jette un faisceau lumineux sur la verdure.

lates-bandes et n'aveugle pas.

6. Des lampes de forme originale peuvent devenir elles-mêmes un élément décoratif.

Le système d'éclairage à basse tension

L'élément essentiel d'un système d'éclairage à basse tension est un transformateur qui modifie le courant électrique normal. Il peut réduire celui-ci à 12 volts. Certains transformateurs se branchent au secteur, alors que d'autres sont reliés à la canalisation de la maison et doivent être vérifiés par un électricien. On installe le transformateur aussi près que possible de la source d'électricité de 120 volts. Si les lampes sont placées loin de la maison, il vaudra mieux faire installer une prise de 120 volts près d'elles.

On n'emploiera jamais de cordon de rallonge. Il ne faudra pas non plus utiliser trop de cordon (la longueur normale est de 100 pieds) ni brancher au transformateur plus de lampes (la limite permise est de six) qu'on ne le recommande pour le type d'appareil choisi.

Lorsque le cordon est trop long, les lampes qui se trouvent à l'extrémité éclairent moins. La même chose se produit lorsqu'on branche trop de lampes à un même transformateur qu'on risque en outre de détériorer. Certains transformateurs sont munis d'un interrupteur, qui, pour des raisons de sécurité, est placé sur le boîtier; sur ceux qui n'en ont pas, on en posera un du côté du 120 volts de façon à pouvoir couper le courant. On peut également utiliser une minuterie automatique.

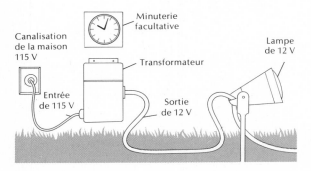

Minuterie facultative

Canalisation de la maison 115 V

Transformateur

Entrée de 115 V

Sortie de 12 V

Lampe de 12 V

Deux façons d'éclairer les allées

Les appareils d'éclairage à basse tension sont généralement plus petits que ceux de 120 volts. De ce fait, ils se camouflent plus aisément derrière une haie. Ils permettent donc de se conformer sans difficulté au grand principe qui règle l'esthétique de l'éclairage : mettre la lumière en vedette et non le dispositif d'éclairage. La gamme des lampes offertes dans les magasins comprend des lampes qui projettent la lumière en courts rayons (ci-dessous à gauche) et d'autres qui la diffusent sur une plus grande surface (ci-dessous à droite).

Il n'est pas nécessaire d'enfouir le fil électrique sous terre; il suffit de le dissimuler derrière les plantes.

Deux façons
d'éclairer les marches

Les appareils à basse tension, comme celui qu'on voit en haut à droite, sont généralement munis de serre-fils qu'on peut relier manuellement au fil. D'autres connexions doivent être faites individuellement, mais sans difficulté, grâce à des connecteurs spéciaux. Quand vous installez ce type de lampes, laissez au cordon électrique un jeu de 12 pouces, au cas où vous voudriez les déplacer par la suite. La plante sous laquelle se trouve la lampe aura besoin de plus d'espace pour grandir normalement. Le fil gainé de plastique, qui est relié aux lampes encastrées qu'on voit à droite, peut être inséré directement dans le béton ou passé à travers un joint de mortier.

Les magasins d'appareils et accessoires électriques offrent généralement tous les fils et fixations voulus, ainsi qu'une grande variété de lampes. On prendra du fil métallique gainé de plastique n° 12 minimum et n° 8 maximum. Quant aux ampoules, elles peuvent avoir de 7 à 75 watts.

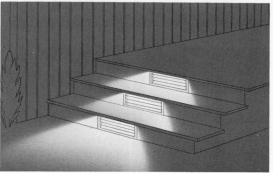

Un éclairage
aussi utile que gracieux

On peut obtenir de bons résultats et de jolis effets en suspendant des lampes aux branches d'un arbre. Sous l'action du vent, elles se balancent avec grâce et jettent des lueurs sur les objets et les plantes. Même si ces lampes sont avant tout décoratives, elles peuvent très bien, comme elles le font ici, éclairer des meubles de jardin ou encore des marches ou une allée. Pour que le fil ne soit pas trop apparent, choisissez-le de la couleur de l'écorce et faites-le courir du côté du tronc où il se verra le moins. Attachez-le au tronc à l'aide de quelques crampons isolants. Laissez un peu de jeu entre les crampons pour que le fil puisse suivre le balancement des branches. Bien entendu, ces lampes ne donneront pas d'aussi bons résultats si vous les installez dans des conifères, dont le dense feuillage étouffera la lumière. Par ailleurs, pour vraiment illuminer un bel arbre à partir de la base, il vaut mieux recourir au système standard de 120 volts, plus coûteux cependant.

34

Les petits détails de la décoration

L'art d'agrémenter le jardin

Le grand avantage des petites touches décoratives, c'est qu'elles se façonnent dans le temps de le dire et que leur charme et leur simplicité enchantent toujours tout le monde. Dans un jardin tout neuf, elles apporteront de la couleur et souligneront des lignes encore imprécises.

Dans un jardin plantureux, ces ornements seront les petits détails qui parachèveront l'ouvrage. Les exemples que nous vous proposons dans les pages suivantes offrent tous ce caractère de simplicité. Vous n'aurez que du plaisir à les réaliser.

Mouvement et couleur

Voici un mobile d'un genre nouveau. Il se façonne rapidement avec des pots à fleurs et de la corde. Il suffit d'enfiler les pots sur une corde par le trou destiné à l'égouttement de l'eau. On attache ensuite la corde autour d'un petit bout de bois à l'intérieur du pot et le tour est joué. L'idéal est de combiner cinq ou sept pots. De la sorte, la riche nuance d'ocre rosée de la terre cuite prend toute sa valeur, de même que la forme harmonieuse des pots. Vous suspendrez ce mobile inusité à un endroit en vue.

L'arbre sculpté

Un arbre mort, mais dont le bois est encore sain, peut servir à des fins décoratives. Plutôt que de le couper au ras du sol, conservez une partie du tronc et entaillez-la. Vous obtiendrez une niche pour une sculpture, un siège original, ou encore un support pour des plantes en pots. Sculpter un tronc d'arbre n'est certes pas tâche facile, mais avec une scie manuelle ou électrique, on peut y arriver. On prendra soin de traiter le bois avec un préservatif.

Pièces moulées
en sable et en béton

Avec un peu d'imagination, il est facile d'ajouter une touche artistique à un jardin. A cet égard, les sculptures sont sans contredit les meilleurs ornements, mais leur coût est relativement élevé. On peut très bien les remplacer par des moulages façonnés avec du sable et du béton de centrale. Ils sont fort attrayants et leur coût est modique. Accrochés aux murs extérieurs, ils produisent un bel effet. Ils sont faciles à faire et leur texture rugueuse leur donne un cachet tout particulier. Vous pouvez laisser libre cours à votre imagination et, comme les matériaux nécessaires sont bon marché, vous pouvez vous offrir le luxe de tenter des expériences. Le principe de fabrication demeure toujours le même : vous gravez le dessin dans du sable humide; vous remplissez ensuite avec du béton et vous laissez durcir.

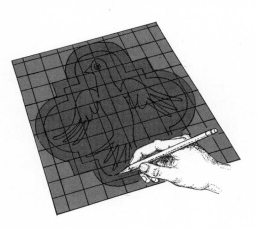

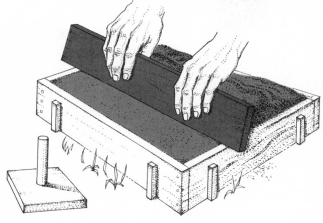

1. Votre modèle doit mesurer au moins 12 à 14 pouces de haut pour que le dessin soit facile à reproduire. S'il vous faut agrandir un modèle, superposez un papier quadrillé à l'original et reportez le dessin sur un quadrillage plus grand.

2. Pressez fermement le sable humide (de préférence très fin) dont vous aurez rempli une boîte ou un cadre de quatre pouces de profond. Egalisez la surface avec une planche. Posez votre modèle sur le sable en le plaçant à l'envers.

3. Dessinez le contour du modèle dans le sable. Retirez environ un pouce de sable et nivelez la surface. Votre fond est fait. Tracez une moulure tout autour. Rappelez-vous qu'une fois démoulé, tout sera inversé : ce qui est le plus près de vous maintenant sera alors le plus éloigné.

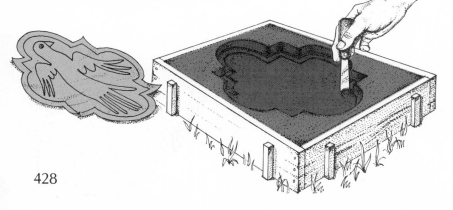

428

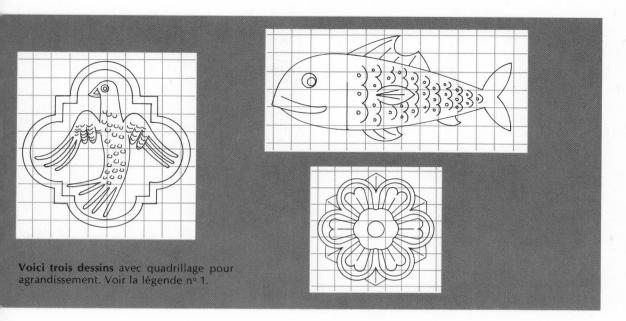

Voici trois dessins avec quadrillage pour agrandissement. Voir la légende n° 1.

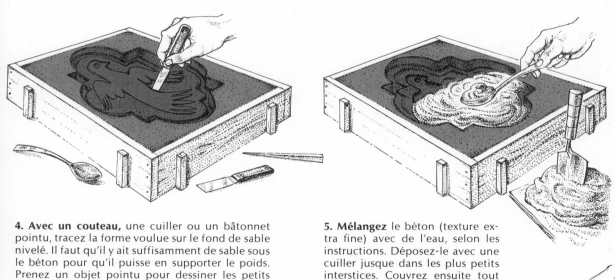

4. Avec un couteau, une cuiller ou un bâtonnet pointu, tracez la forme voulue sur le fond de sable nivelé. Il faut qu'il y ait suffisamment de sable sous le béton pour qu'il puisse en supporter le poids. Prenez un objet pointu pour dessiner les petits détails. Nettoyez votre moule.

5. Mélangez le béton (texture extra fine) avec de l'eau, selon les instructions. Déposez-le avec une cuiller jusque dans les plus petits interstices. Couvrez ensuite tout le motif. Nivelez avec précaution.

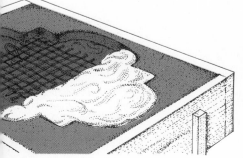

6. Ajoutez un treillis. Insérez un crochet dans le haut du moulage. Recouvrez avec le reste du béton puis nettoyez les bords. Laissez prendre 48 heures. Démoulez.

7. Enveloppez le moulage dans du canevas humide et laissez-le durcir. Découvrez, lavez et retouchez. Appliquez le bouche-pores.

Des traverses qui forment un décor

Les vieilles traverses de chemin de fer sont un matériau idéal pour la décoration des jardins. Leurs dimensions modulaires (généralement de 7″ × 9″ × 86″) rendent leur utilisation très facile. Elles sont particulièrement utiles quand on veut relier diverses parties du jardin. Etudiez nos photographies et voyez les différents usages qu'on peut faire d'un tel matériau : marches, murs de soutènement, bordures, plates-bandes surélevées. En outre, les vieilles traverses coûtent moins cher que le bois neuf. Elles sont très résistantes (chacune pèse environ 175 livres) puisqu'elles ont déjà été injectées de créosote. Leur utilisation antérieure les a revêtues d'une patine qui leur donne un charme tout à fait particulier. On peut se les procurer assez facilement, principalement chez les architectes paysagistes, les entrepreneurs et les pépiniéristes. Elles sont parfois offertes aussi dans les cours de triage.

Attention : pour faire ressortir leurs qualités, on doit soigner la disposition des traverses. Il faut que les coins soient nets, les lignes droites et les masses de niveau.

Pour dégager l'espace occupé par la piscine, on a fait des travaux de terrassement. La dénivellation qui existait a presque complètement disparu grâce à un mur de soutènement que camouflent des arbustes.

Voici de l'excellent camouflage pour un terrain en pente. Les traverses forment un mur de soutènement en gradins; dans la plate-bande ainsi créée, on a planté des genévriers. La bordure de fleurs complète le décor.

Des demi-traverses à la verticale composent ici deux murs de soutènement qui font contraste avec les lignes horizontales des marches. Le mur de droite se prolonge en plate-bande qu'on peut garnir de plantes diverses.

Des coins nets grâce à des assemblages à onglet. A l'intérieur de chaque angle, un bloc de renfort joint les traverses ensemble. C'est un travail pour lequel il faut de l'habileté de même que de bons outils.

Un escalier en traverses escalade cette pente raide. Le matériau est rude, mais le décor élégant. Chaque volée de marches est légèrement en retrait sur la précédente. Des plantes couvrent l'espace qui les sépare.

Une série de marches mènent de l'entrée des voitures à la maison. Les traverses de chemin de fer jouent ici le rôle de contremarches. Elles servent de plus à soutenir les bords de l'allée.

431

Les traverses de chemin de fer débordent ici l'escalier pour délimiter des plates-bandes en terrasses. Cet arrangement a été conçu pour le jardin d'une maison de ville pouvant être admiré des fenêtres de l'étage. Un pavage de pierres plates sert de palier. L'illustration ci-dessus montre comment les plates-bandes empiètent asymétriquement chaque côté des marches. C'est un peu comme si la nature avait d'elle-même décidé d'envahir le champ d'action de l'homme.

De nombreuses années d'usure donnent aux traverses de chemin de fer une très belle patine. La face inférieure est toute bosselée, après tant de temps passé sur un fond rocailleux. Ici, c'est justement cette face qui est exposée. L'aspect rugueux des marches ressort d'autant mieux qu'elles sont encadrées de verdure. L'escalier se monte bien, avec une traverse comme contremarche et quatre traverses comme giron. Ici et là des irrégularités laissent pousser la verdure. Si l'on veut avoir un escalier ou un arrangement plus classique, comme ci-dessus ou ci-contre, il convient de choisir des traverses qui ont moins d'âge.

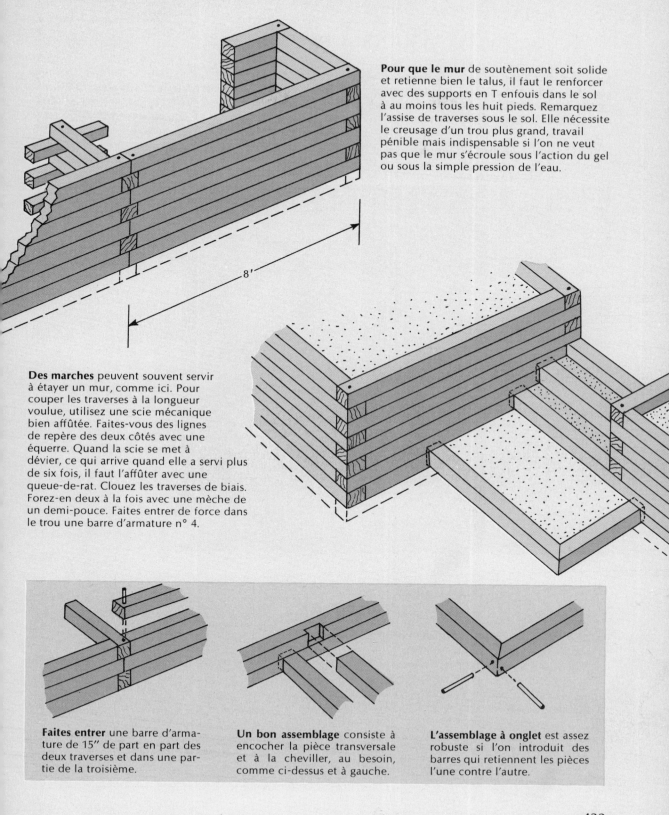

Pour que le mur de soutènement soit solide et retienne bien le talus, il faut le renforcer avec des supports en T enfouis dans le sol à au moins tous les huit pieds. Remarquez l'assise de traverses sous le sol. Elle nécessite le creusage d'un trou plus grand, travail pénible mais indispensable si l'on ne veut pas que le mur s'écroule sous l'action du gel ou sous la simple pression de l'eau.

8'

Des marches peuvent souvent servir à étayer un mur, comme ici. Pour couper les traverses à la longueur voulue, utilisez une scie mécanique bien affûtée. Faites-vous des lignes de repère des deux côtés avec une équerre. Quand la scie se met à dévier, ce qui arrive quand elle a servi plus de six fois, il faut l'affûter avec une queue-de-rat. Clouez les traverses de biais. Forez-en deux à la fois avec une mèche de un demi-pouce. Faites entrer de force dans le trou une barre d'armature n° 4.

Faites entrer une barre d'armature de 15" de part en part des deux traverses et dans une partie de la troisième.

Un bon assemblage consiste à encocher la pièce transversale et à la cheviller, au besoin, comme ci-dessus et à gauche.

L'assemblage à onglet est assez robuste si l'on introduit des barres qui retiennent les pièces l'une contre l'autre.

433

Motifs à la verticale

La façon classique de faire pousser des plantes contre un mur consiste à utiliser un treillage de fil métallique ou de bois sur lequel on attache la plante pour lui faire prendre diverses formes. Certaines plantes, comme les arbres fruitiers nains, garderont après un certain temps la forme qu'on leur a donnée, et cela même si on les prive de leur support. D'autres, moins rigides, devront rester attachées à l'espalier si on veut qu'elles conservent la silhouette obtenue. L'espalier est donc une forme de culture à la fois pratique et décorative.

La vigne en espalier

Pour obtenir l'effet qu'on peut admirer sur l'illustration ci-dessus, il faut d'abord installer un treillage de fil métallique sur le mur. On plante la vigne grimpante au bas du mur. A mesure que la plante croît, on l'attache au treillage métallique en l'émondant pour lui donner la forme voulue. Pour réussir l'espalier, il faut que les plantes croissent avec exubérance. Or, pour obtenir une telle luxuriance à partir de racines tenues à l'étroit, il faut arroser et nourrir généreusement les plants. Des fougères suspendues compléteront le décor.

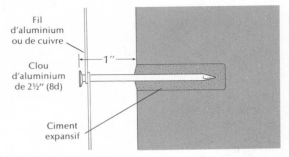

Avec un foret en étoile, percez un trou dans le mur et remplissez-le avec du ciment expansif qui maintiendra le clou en place. Ou obturez le trou avec une cheville de plomb dans laquelle vous visserez un tire-fond.

Cet espalier peu commun et plein de grâce évoque l'art japonais. On a réussi à merveille à créer une forme d'arbre pleureur. Pour arriver à ce résultat étonnant, on a agrafé les branches de l'arbre au mur et on les a judicieusement émondées. Le lit de gravier au pied du mur renforce la note orientale de l'arrangement.

L'espalier libre

L'espalier libre est de forme asymétrique, c'est-à-dire que si l'on traçait mentalement une ligne verticale au centre du dessin qu'il forme, on constaterait que le côté gauche n'est pas la réplique exacte du côté droit, comme il est de rigueur dans l'espalier classique. Autrement dit, ce type d'espalier laisse entière liberté au jardinier. On peut y recourir partout où le modèle classique paraîtrait trop austère ou déplacé par rapport au décor qui l'entoure. En outre, le véritable espalier exige un émondage précis. Celui-ci se contente de moins de soins sans que sa beauté en souffre. Il faut néanmoins recourir tant soit peu à l'émondage si l'on veut garder à la plante qu'on fait ainsi pousser l'aspect bidimensionnel qui caractérise la culture en espalier. D'ailleurs, certaines plantes se prêtent mieux que d'autres à l'espalier libre.

Ce sorbier commun et son treillage sont légèrement détachés du mur pour permettre une meilleure circulation de l'air et préserver l'arbre. Une fois que les branches sont bien assouplies, on retire le treillage.

435

La beauté des couleurs et des formes, voilà ce qui caractérise cet arbrisseau à croissance rapide qui, laissé à lui-même, aurait tôt fait de couvrir le mur entier de son feuillage épineux. Grâce à un émondage judicieux, on a réussi à lui donner cette allure magnifique. Cet espalier peut maintenant se passer de support.

436

Un rosier arbustif inusité, mais superbe. On en a agrafé les tiges à une haute clôture de bois. L'émondage vise ici surtout à dégager le motif plutôt qu'à favoriser la floraison. Mais les fleurs ajoutent encore à la beauté de l'espalier. Un des plaisirs de la culture en espalier, c'est qu'on peut affiner les formes et réparer les erreurs quand l'arbuste reprend vie au printemps.

L'espalier classique

L'espalier classique est essentiellement symétrique de lignes. Pour le réussir, il faut constamment forcer la plante à suivre le treillage qui sert de guide. Lorsque les branches sont encore jeunes et souples, on les attache solidement à ce treillage pour qu'avec le temps elles prennent la forme désirée. Les nouvelles pousses sont elles aussi attachées au treillage. Une fois le dessin achevé et les branches devenues plus rigides, on peut enlever le cadre. Les pommiers et les poiriers nains se prêtent particulièrement bien à cette culture.

De petits arbres fruitiers grimpent sur un treillage à losanges faits de 1″×2″. La base est attachée à la fourche de l'arbre et le sommet à un tuyau de fer.

Adulte et bien établi, ce poirier nain peut maintenant se passer de son espalier. En grandissant, il conservera sa forme de palmettes.

437

La taille ornementale des arbustes

La taille ornementale des arbustes est un art relativement ancien qui a vu le jour dans les jardins royaux de France et d'Italie. On le pratique également en Angleterre depuis longtemps.

Cet art a toujours sa place dans les jardins modernes, encore que les formes recherchées ne soient plus de nos jours autant appréciées. Mais la taille ornementale des arbres ne s'inscrit plus dans le cadre d'une architecture intégrée du paysage. Elle sert plutôt à mettre ici et là des accents décoratifs : quelques arbustes auxquels on a donné des formes géométriques,

par exemple. Pour que l'effet obtenu soit intéressant, il faut absolument que l'émondage soit des plus précis.

La taille ornementale des arbres et arbustes demande du savoir-faire et de la patience. Il faut parfois compter jusqu'à 10 ans pour établir la forme de base. Mais c'est justement cette difficulté qui motive les amateurs. Le gros travail se fait avec des cisailles à bordures et des élagueurs. Une fois que la forme générale est tracée, le travail d'entretien peut se faire avec un simple sécateur.

Le troène est souvent utilisé pour la taille ornementale. Celui-ci prend la forme d'une spirale.

Ce buis taillé s'équilibre grâce à deux petits éléments placés en pyramide sur une base plus volumineuse.

Les formes géométriques

Les formes géométriques sont impressionnantes lorsqu'elles sont réalisées sur de grands arbustes d'environ six pieds de hauteur. Cependant la forme finale devra toujours être subordonnée au décor environnant.

La taille initiale avec des cisailles à bordures vise à dégager la forme géométrique et à lui donner les proportions voulues. Elle peut se

pratiquer à vue d'œil, mais, si l'on veut, on peut aussi utiliser des piquets et une corde pour se guider. On obtient une plus grande symétrie si l'on taille en faisant le tour de l'arbuste. Pour créer des formes animales, il faut se servir de fil métallique avec lequel on maintient les branches. Ne vous en faites pas si la coupe ne laisse que des tiges. Le troène, le buis et l'if, même après une taille importante, se revêtent d'un nouveau feuillage.

Ce canard de verdure a été taillé dans une plante à bois tendre, l'*Eugenia myrtifolia*.

Voici un troène métamorphosé en chien. Un if pourrait être ainsi taillé.

Les formes animales

Les formes animales sont évidemment stylisées mais elles demeurent néanmoins réalistes. Malgré leur charme, on ne doit pas en abuser. Elles conviennent surtout sur une terrasse ou dans un jardin d'allure classique.

Pour choisir une forme animale, on s'inspirera de la ligne générale de l'arbuste, comme pour le canard ci-dessus. Pour réaliser la forme

du chien, on a utilisé une autre technique. Quelques branches ont été pliées, retenues avec du fil métallique et solidement attachées avec de la corde. Il existe une autre méthode pour créer des formes animales avec de la verdure sans pratiquer de taille. Avec du fil métallique, on façonne une forme animale qu'on remplit de mousse et qu'on place dans une boîte pleine de terre. On plante alors du lierre pour recouvrir le « mannequin ».

Les formes libres

La forme d'un arbuste suggère souvent la façon de le tailler. Parfois même il suffit d'un émondage très délicat pour donner le relief nécessaire à une plante. Les arbres à feuillage persistant et de forme conique, comme le sapin, le genévrier ou l'if, se prêtent particulièrement bien à cette taille discrète.

L'if japonais qu'on voit ici n'atteindra jamais, et de loin, sa taille normale. Toutes les branches, à l'exception des grosses branches verticales et de deux branches horizontales, ont été coupées. Le feuillage, au bout des branches qui restent, est régulièrement émondé car le plus petit renflement détruirait l'effet. Les plantes qui grandissent lentement, comme l'if, demandent évidemment moins d'entretien. Par contre, il leur faut beaucoup de temps pour prendre une forme nette.

La technique du bonsaï

Les Japonais ont mis des siècles à perfectionner l'art du bonsaï, c'est-à-dire la culture de plantes naines. Pour que la plante demeure petite, on la fait pousser dans très peu de terre et les racines, les branches et le feuillage sont minutieusement taillés. On ne saurait analyser cet art en profondeur, mais les deux photos de droite en illustrent du moins les grandes caractéristi-

1. Choisissez un bel arbre, feuillu ou conifère.

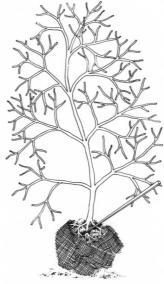

2. Vérifiez si les racines sont fortes et bien déployées.

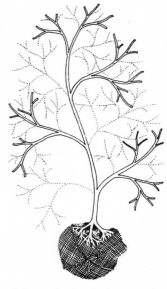

3. Emondez la plante pour obtenir la forme désirée.

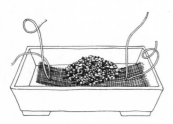

1. Couvrez d'un treillis le fond d'un récipient plat.

2. Fixez les racines avec du fil de fer à travers les trous.

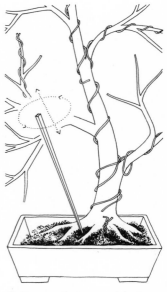

3. Pressez fermement la terre tamisée pour chasser l'air.

ques : lignes sobres, formes dépouillées, tronc exposé et racines en surface.

Les dessins de la rangée supérieure montrent comment sortir de sa tontine une plante qui arrive de la pépinière et comment la mettre dans une boîte comme celle de la photo n° 6. On notera que ce n'est pas la technique exacte du bonsaï puisque la plante pousse dans une bonne quantité de terre. Néanmoins, elle a l'aspect des plantes japonaises.

Les dessins de la rangée du bas indiquent la vraie technique du bonsaï qui donne un arbre nain comme celui de la photo. Il s'agit d'un arbre à feuilles persistantes.

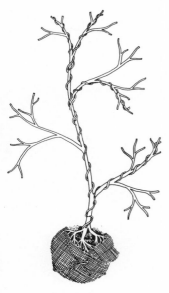

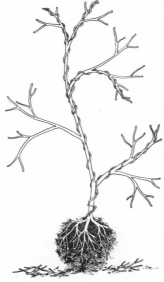

4. Avec du fil de cuivre, recourbez les branches.

5. Taillez les racines pour stimuler les radicelles.

6. Mettez la plante dans un joli pot, selon la tradition japonaise.

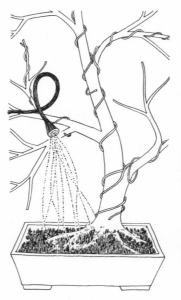

4. Faites pousser de la mousse en surface.

5. Arrosez le sol avec une seringue jusqu'à imbibition.

6. Le vrai jardin japonais, bien entretenu et arrosé tous les jours, vit longtemps.

441

Motifs au sol

Lorsqu'on fait des plans pour son jardin, on pense toujours à quelque forme de tapis de sol. On choisit généralement du gazon, des plantes tapissantes ou une terrasse. On pourrait aussi réaliser des sortes de mosaïques au sol composées de plates-bandes, de dalles et de lits de gravier de texture et de taille différentes. Il y aurait aussi les entrelacs de verdure comme ceux que l'on aperçoit sur la page de droite. Les motifs au sol conviennent tout particulièrement aux terrains de petites dimensions où l'on ne peut recourir à des éléments de décoration verticaux, aux jardins qu'on peut admirer de haut, ou encore aux terrains en pente. Ils doivent absolument être proportionnés par rapport au décor environnant.

Maçonnerie et imagination

Les dalles de béton empilées sur des chantiers de construction offrent le spectacle le plus terne qui soit. Elles se transforment dès qu'on les agence sur le sol en un agréable motif. En faisant alterner des dalles couchées et d'autres debout, on compose de véritables mosaïques. Sur l'illustration ci-contre, les dalles de béton forment une allée, une terrasse et une étroite bande divisée en compartiments garnis les uns de crampons de chemin de fer, les autres de gravier ou de mousse. On pourrait aussi y mettre des plantes grasses comme de l'orpin.

Le détail au bas de l'illustration montre comment disposer les dalles sur un lit de gravier et de sable. Avant de les installer pour de bon, placez-les sur le sol pour vérifier le dessin. Si vous avez besoin d'en couper quelques-unes, utilisez une scie à béton à dents de diamant ou faites-les couper par le marchand chez qui vous les achetez. Il possède généralement l'équipement nécessaire.

Le lacis de verdure

La plupart des dessins tracés sur papier peuvent être reproduits sur le sol avec des plantes. Vous choisirez pour les réaliser des plantes basses à croissance lente comme celles qu'on voit à droite. Elles gardent leur forme si on prend soin de les tailler et de les sarcler régulièrement. De tels motifs étant destinés à être admirés de haut, les jeux de couleurs et de textures qu'ils forment doivent être bien agencés et doivent avoir beaucoup de relief.

Une fois que vous avez choisi votre motif (la chaîne qu'on voit ici est un motif classique), vous le dessinez sur le sol en creusant des sil-lons. Aidez-vous d'une corde et de piquets pour que les angles soient vraiment droits. Pour tracer les lignes courbes, disposez d'abord sur le sol un tuyau d'arrosage et avec un bâton tracez une ligne de chaque côté; vous creuserez le sillon entre les deux. Il faut tracer les sillons et semer les graines ou mettre les plants en terre avec beaucoup de soin et de précision si on veut obtenir les résultats prévus. Ici on a semé du thym, de la ciboulette, du romarin et de la lavande, ainsi que des primevères et de l'*Ajuga reptans*. Sous leur allure classique, ces lacis cachent un frais jardin de fines herbes.

Le lit de sable

Le lit de sable offre de multiples possibilités de décoration et peut être de toutes les dimensions possibles. Celui-ci affecte la forme d'un grand rectangle bordé de blocs de béton dont la couleur grise s'harmonise avec la teinte dorée du sable. Une plante en pot apporte une dimension verticale. Dans la bordure sont encastrés quatre tuyaux en terre cuite entourés de mousse (voir le dessin ci-contre).

Les motifs ont été dessinés dans le sable à l'aide d'un râteau de 30 pouces, à dents de scie, qu'on a taillé dans un panneau de Masonite. Pour rehausser l'aspect de ce décor, on peut avoir recours à une belle pierre, à un massif d'arbustes ou à une sculpture. L'entretien est facile. Il suffit de sarcler de temps à autre et de donner un coup de râteau après la pluie.

Le tapis panaché

Le motif dessiné en pachysandre et gravier qu'on voit ci-dessus recouvre une grande surface, mais ces deux matières s'allieraient tout aussi bien dans de petits endroits. Pendant les deux ou trois ans que prend la pachysandre à bien recouvrir le sol, il faut enlever les mauvaises herbes. Ensuite, il suffit de tailler les bords. C'est un travail relativement facile lorsqu'on a eu la précaution d'empêcher les plants de se répandre en les ceinturant d'une bordure d'acier qui délimite bien la plate-bande. La pachysandre pousse mieux dans les climats tempérés. Ailleurs, on peut utiliser d'autres sortes de plantes tapissantes.

Mosaïque de pierres

Il y a deux types de collectionneurs de pierres, ceux qui s'intéressent à la minéralogie et ceux qui recherchent les pierres pour leur forme et leur beauté. Ces derniers se retrouvent généralement en peu de temps avec une collection de belles pièces dont ils ne savent que faire. L'un d'eux, qui habite la côte ouest, a employé une partie de sa collection à tracer une allée et a disposé les autres au pied d'un arbre.

L'allée a d'abord été aménagée dans un lit de boue et la surface nivelée. Ensuite, on a souvelé les pierres une à une pour enduire le dessous de mortier, après quoi on les a remises en place. Quand la rangée de pierres a été stabilisée, on a versé du béton de chaque côté sur une armature de fil métallique et on l'a recouvert d'agrégat exposé.

Creusez une tranchée assez profonde pour contenir la plus grosse pierre et son mortier

A Placez les pierres en les enfonçant plus ou moins dans la boue

B Soulevez la pierre et étendez du mortier sur la face interne

C Replacez la pierre dans le mortier à la hauteur voulue

Quand vous enfoncerez les pierres dans la boue pour établir le motif et niveler l'allée, celle-ci sera trop basse. C'est lorsque vous mettrez le mortier sous les pierres que vous lui donnerez la hauteur désirée.

445

Index

A

Abélie à grandes fleurs (*Abelia gran-
diflora*), 242
Abri(s), 62-63
  de lattes — *voir* Pergola
  contre la pluie, 368-69
Abricotier, 224
  du Japon (*Prunus mume*), 224
Achillée millefeuille (*Achillea mille-
folium*), 261, 263, 264-65
Acorus roseau (*Acorus calamus
variegata*), 280
Actinidia
  arguta, 277
  kolomikta, 277
Aération de la pelouse, 259
Ageratum du Mexique (*Ageratum
mexicanum*), 265, 271
Agrostides, 254
Airelles — *voir* Bleuet
Aliboufier du Japon (*Styrax*

japonica), 224, 249
Alisier (*Viburnum lentago*), 220
Allée(s)
  d'asphalte, 49
  de briques, 45, 48, 352-53
  circulaire pour automobile, 43, 49,
177
  de dalles, 153
    de béton, 357
    de pierre, 357
  dimensions normales des, 175
  éclairage des, 422-23, 424
  de pierres, 354-55, 445
  en traverses de chemin de fer, 82
Alysse corbeille d'or (*Alyssum saxatile*), 263, 264
Amandier
  décoratif (*Prunus triloba*), 190
  nain de Russie (*P. tenella*), 241
Amélanchier, 227
  du Canada (*Amelanchier canadensis*), 190, 221, 222, 227
  à feuilles d'aulne (*A. alnifolia*),
246

Aménagement paysager, 142
  d'un espace restreint, 150-51
  des espaces perdus, 144-47
  étapes de l', 160-61
  frais et contrats, 204-05
  japonais, principes de l', 126-33
  principes de l', 164-74
  d'une terrasse, 142-43
Amorphe arbustif (*Amorpha fruticosa*), 246
Anaphale marguerite (*Anaphalis
margaritacea*), 280
Ancolie du Canada (*Aquilegia canadensis*), 281
Andromède du Japon (*Pieris japonica*), 246, 283
Anémone du Japon (*Anemone japonica*), 263, 264-65
Angélique du Japon (*Aralia elata*),
223
Aplanissoire, 316
Appareils
  pour allée de briques, 353
  pour mur en blocs de béton, 333

S

Sources

ASLA est le sigle de l'American Society of Landscape Architects; FASLA est celui des « Fellows » de l'ASLA.

Les lettres qui suivent le folio indiquent l'emplacement des illustrations sur la page, selon l'ordre suivant : de gauche à droite et de haut en bas.

Architectes paysagistes

Fred Akers : p. 356*b*.
Armstrong/Sharfman, ASLA : pp. 116, 285*b*.
Douglas Baylis, FASLA : pp. 360*ab*, 361*ab*, 362*ab*, 374, 375.
Beardsley et Brauner, ASLA : pp. 98, 416.
Arthur et Marie Berger : pp. 42*a*, 106*ab*, 107*c*, 123*c*.
Brad Bowman : p. 117*c*.
Theodore Brickman : p. 29.
John Broughton : p. 119*b*.
Everett Brown : p. 89*a*.
Jack Chandler : pp. 431*b*, 134.
William Childester : p. 93*a*.
Robert W. Chittock : p. 421*ab*.
Catherine Cole Church, ASLA : p. 70.
Thomas D. Church : pp. 24, 26, 61*a*, 67*b*, 73*b*, 104*b*, 107*b*, 113*bd*, 118*ab*, 123*a*, 150, 152, 153, 154, 155, 366, 385*b*, 432*abc*.
Agnes S. Clark, FASLA : p. 101.
Darling et Webel, ASLA : p. 90*a*.
Russell Day : pp. 442, 444*a*.
Edouard Dreier : p. 77*d*.
Alice L. Dustan : p. 260*b*.
Constance Fiorentino, ASLA : pp. 82*ab*, 83*ab*, 84*ab*, 85*abcd*.
Herbert Frost : p. 43*c*.
Goldberg et Rodler : pp. 38*b*, 39*b*, 42*b*, 59*b*, 117*ab*, 120*a*, 137*a*, 138*b*, 379, 381*a*, 430*b*, 431*c*.
Lawrence Halprin, FASLA : pp. 67*cd*, 279*e*, 431*d*.
Joan Hamilton : p. 396.
George Hinkicke : p. 285*a*.
James Hostetter : p. 380.
Glen Hunt : p. 81*a*.
Huntington et Roth, ASLA : p. 73*a*.
Alice Ireys, ASLA : pp. 120*b*, 430*a*.
Casey A. Kawamoto, ASLA : pp. 156, 157.
Klonsky Landscape Associates : pp. 108, 115*a*, 119*c*, 139*b*, 140*b*, 141, 146, 431*a*.
Gertrude Kuh, ASLA : p. 59*a*.
Linesch et Reynolds, ASLA : p. 73*c*.
Robert Malkin, ASLA : pp. 16*ab*, 17, 18*ab*, 19, 20*ab* et 21*abc*,

43*a*, 159*ab*, 203*c*, 370, 371*ab*.
Charles Middeleer, ASLA : p. 367*b*.
Al Miller : p. 87*b*.
Theodore Osmundson and Associates, FASLA : pp. 390, 391*ab*, 392*abcd*, 393*abcde*.
Ray Rahn : pp. 144*ab*, 145*ab*.
Paul et Katy Steinmetz : p. 125*b*.
William Teufel : pp. 40*c*, 61*c*.
Lawrence D. Underhill : p. 63*a*.
Stanley Underhill, ASLA : p. 149*a*.
Zion, Breen and Associates, ASLA : p. 444*b*.

Architectes

Welton Becket and Associates : p. 114.
Alvin Dreyer : p. 421*ab*.
Stanley Gettle : p. 88.
Kenneth et Robert Gordon : p. 74*d*.
Kruger/Bensen/Ziemer : p. 345*c*.
Burr Richards : pp. 40*c*, 61*c*.
Donald T. Ross : p. 60*c*.
Tucker, Sadler et Bennett : p. 65.
Evans Woollen and Associates : p. 107*a*.

Designers

Benjamin Baldwin : pp. 62*c*, 99*c*.
John Brookes : p. 373.
Joan Neville : p. 38*a*.
Allen Vance Salisbury : pp. 40*c*, 61*c*.
Superior Swimming Pool Company : p. 119*a*.

Photographes

Molly Adams : pp. 41, 104*a*, 120*b*, 281*a* Duke Gardens, 291*acd*, 347*a*, 352*abc*, 430*a*.
Duane C. Alan de chez Woodward Radcliffe : pp. 96*b*, 120*c*.

461

American Plywood Association : p. 408*ab*.
Morley Baer : pp. 61*a*; 67*cd* pour la revue *House and Garden*; 117*c*, 118*ab*, 153, 154, 155; 150, 152, 156 et 157 pour la revue *House Beautiful*; 279*b*, 347*b*, 431*d*.
Ralph Bailey : pp. 71*b*, 77*c*, 89*b*, 270, 272.
Ernest Braun : pp. 24, 25, 27, 369, 432*abc*, 437*a*.
James Brett : pp. 87*a*, 108, 112*ab*, 115*a*, 119*ac*, 139*b*, 140*b*, 141.
Guy Burgess : pp. 36, 75, 97, 103*a*, 228*c*, 273*ab*, 363, 426, 428.
Lorraine Burgess : pp. 95*c*, 346*b*.
Barney Burstein : pp. 148, 149*abc*, 158*ab*, 283*b*, 427*a*.
California Redwood Association : p. 81*b*.
Carroll C. Calkins : pp. 28*ab*, 30*ab*, 31*ab*, 32*abc*, 33, 34*abc*, 35*abc*, 37*c*, 42*b*, 43*a*, 52*b*, 53, 54*abc*, 56*abce*, 57*bcef*, 66*b*, 82*ab*, 83*ab*, 84*ab*, 85*abcd*, 92*ab*, 94*bc*, 96*ac*, 115*c*, 137*b*, 203*abc*, 261*bed*, 281*d*, 289*a*, 337*abc*, 346*a*; 353*abcde* pour la revue *Home Garden*; 367*c*, 379, 381*a*, 386, 406, 412*b*, 438*b*, 439*ac*.
Clyde Childress : pp. 367*a*, 435*a*, 445.
Thomas D. Church : p. 113*d*.
Colonial Williamsburg, Inc. : pp. 50, 51*ab*, 52*a*, 57*a*.
Harold Davis : pp. 38*a*, 111*d*, 119*b*.
Max Eckert : pp. 40*b*, 93*a*, 134, 282*c*, 431*b*; 63*c* et 396 de chez Woodward Radcliffe.
Stella Fenell de Shostal Associates : p. 273*c*.
Clifford A. Fenner : pp. 111*ab*, 228*b*, 230, 235*b*, 261*a*.
Mary Ferguson : p. 280*a*.
Menno Fieguth : p. 280*b*.
Richard Fish de chez Woodward Radcliffe : p. 99*b*.
Herman Gantner : pp. 345*e*, 354*abcd*, 355*abcd*.
Frank L. Gaynor de chez Louise Price Bell : p. 380.
Paul Genereux : pp. 40*a*, 229*b*, 284*b*, 288*a*.
Alexandre Georges : p. 444*b*.
Doug Gilroy : p. 279*c*.
Gottscho-Schleisner, Inc. : pp. 37*b*, 43*b*, 58, 60*b*, 71*a*, 72*a*, 76*b*, 80*ab*, 90*a*, 91*ab*, 99*a*, 101, 102*a*, 103*b*, 104*c*, 105*a*, 211*abc*, 217*acde*, 225*ace*, 260*b*, 276, 285*a*, 288*b*, 290*a*, 291*b*, 381*b*, 434, 438*a*, 439*b*.
Graphic Services/Dept. of the Environment : p. 217*c*.
Harold V. Greene : p. 225*e*.
Nelson Groffman : pp. 78, 121, 231.
Mal Gurian Associates : pp. 38*b*, 39*ab*, 117*b*, 120*a*, 137*b*, 138*b*.
Tom W. Hall : p. 281*b*.
Gottlieb Hampfler : p. 281*c*.
Hedrich-Blessing : pp. 39*a*, 43*c*; 44 et 46 avec la permission de National Homes; 48, 59*a*; 60*a* avec la permission de Scholtz Homes, Inc.; 62*ac*, 70, 72*b*, 86, 87*b*, 88, 89*b*, 99*c*, 102*b*, 107*a*, 110, 142*ab*, 143*ab*, 144*ab*, 145*ab*, 214*ab*, 215*ab*, 267, 344; 364 et 388 avec la permission de la United States Gypsum Company.
Home Garden magazine : p. 300.
Hort-Pix : pp. 66*a*, 74*c*, 365, 376.
Jardin botanique de Montréal (Photothèque) : pp. 213*d*, 225*b*, 279*a*.
Leland Y. Lee : p. 116.
Ward Linton : p. 260*a*.
Bob Lopez de chez Woodward Radcliffe : pp. 282*abd*, 394.
Lord et Burnham : p. 90*b*.
George Lyons : p. 65.
Malak d'Ottawa : pp. 74*ab*, 100, 229*a*, 251, 275, 383, 417.
Robert Malkin : p. 159*a*.
Garnet McPherson/Insight Communications : p. 281*a*.
Murray J. Miller : pp. 56*d*, 57*d*, 435*b*, 437*bc*.
Multi-Media par Charles Pearson : pp. 63*a*, 67*a*, 81*a*, 94*a*, 125*a*, 284*a*, 398, 399*ab*, 401.

Kent Oppenheimer : pp. 63*b*, 79*c*, 283*a*, 418*ab*, 419*abcdefghi*.
Theodore Osmundson : pp. 126, 127, 128*abcd*, 129*abcd*, 130*ab*, 131*abc*, 132*abcd*, 133, 390, 391*ab*, 392*abcd*, 393*abcde*.
Gilles Ouellette : p. 278*a*.
Maynard Parker : pp. 42*a*, 67*bc*, 77*a*, 104*a*, 106*ab*, 107*bc*, 113*bc*, 114, 123*c*, 356*a*, 357*ab*, 377, 384, 414.
Charles R. Pearson : pp. 40*c* et 61*c* pour la revue *House Beautiful*; 98 et 416 pour la revue *American Home*; 123*b*, 234, 400, 421*ab*, 443, 444*a*.
Woodward Radcliffe : pp. 37*a*, 38*c*, 115*b*, 282*ab*.
John Robinson : pp. 62*d*, 73*b*, 76*a*, 79*ab*, 93*b*, 95*bc*, 113*a*, 123*a*, 124*abd*, 125*b*, 366, 378, 385*ab*, 412*ab*.
Leonard Lee Rue III : p. 217*b*.
Ben Schnall : pp. 66*c*, 77*b*, 120*d*, 146, 147, 345*a*.
Scott Seed Company, avec la permission de la revue *Home Garden* : pp. 360*ab*, 361*ab*, 362*ab*.
Shostal Associates : p. 229*c*.
Ernie Silva : p. 159*b*.
Douglas M. Simmonds : pp. 73*c*, 74*d*, 77*d*, 285*b*, 345*c*, 356*b*.
Ezra Stoller Associates Inc. : page couverture, pp. 17, 19, 371*ab*.
George Taloumis : pp. 91*c*, 95*a*, 105*b*, 124*c*, 228*a*, 345*b*, 382, 436.
James Viles : p. 289*bc*.
Jessie Walker : pp. 31*c*, 404*ab*, 405*abc*.
M. E. Warren : pp. 111*c*, 135*abc*, 287.
Western Wood Products Association : pp. 60*c*, 61*b*, 73*a*, 122*ab*, 136*abc*, 407*ab*, 415*b*.
Page 255, par James A. Skardon, *Reader's Digest*, juin 1962, article condensé tiré du *Saturday Evening Post*, 17 mars 1962, © 1962 The Curtis Pub. Co., Philadelphie.

Illustrateurs

John Ballantine : pp. 170, 171, 175, 176, 177, 178, 179, 180, 181, 182, 183, 184, 185, 186, 187, 192, 193, 292, 293, 294, 295, 296, 297, 356, 413, 418.
Maggie Bayliss : pp. 360, 361, 362.
Adolph Brotman : pp. 256, 257, 298, 299, 358, 359, 374, 375.
William Bryant : pp. 45, 46, 47, 48, 49.
Diane Desrosiers Enr. : pp. 302, 303.
Robert Geissmann : pp. 208, 209*b*, 210, 212, 216, 218, 220, 221, 226, 227, 239, 240, 241, 242, 243, 244, 245, 246, 247, 248, 249.
Bill Goldsmith : p. 441.
Lowell Hess : pp. 236, 237, 268, 410, 411.
George Kelvin : pp. 64, 143, 357, 363, 364, 365, 366, 367, 370, 372, 373, 376, 377, 378, 379, 383, 384, 385, 386, 387, 395, 396, 397, 401, 406, 407, 409, 412, 414, 415, 416, 417, 420, 424, 425, 442, 444, 445.
Donald Mackay : pp. 15, 22, 28, 108, 146, 148, 153, 155, 157, 389.
Edward Malsberg : pp. 428, 429.
Wesley McKeown : pp. 306, 307, 308, 309, 310, 311, 312, 313, 314, 316, 317, 318, 319, 320, 321, 322, 323, 324, 325, 326, 327, 328, 329, 330, 331, 332, 333, 334, 335, 336, 337; 338, 339 et 340 d'après documentation fournie par l'American Canvas Institute; 341, 342 et 343 d'après documentation fournie par Filon; 348, 349, 350, 351, 433, 434.
Darrell Sweet : pp. 172, 190, 232, 422.
Maurice Wrangell : pp. 164, 165, 166, 169, 174, 188, 194, 195, 196, 197, 198, 199, 202.

Le système métrique

Les mesures indiquées dans le présent livre correspondent aux unités anglaises : pouces, pieds, livres, gallons. Or, l'on sait que le Canada est maintenant en bonne voie d'adopter le système métrique comme l'a fait déjà la majorité des pays du monde. C'est pourquoi nous ajoutons une table de conversion qui pourra vous être utile lorsque vous devrez vous procurer des maté-riaux de construction. Les échelles ci-dessous server[…] à la conversion des pieds et des pouces en centimètre[…] ou en millimètres. Pour convertir les pieds en mètre[…] guidez-vous sur l'échelle qui se trouve à l'extrêm[…] droite. Ainsi, 1 pied égale 30,5 centimètres; et comm[…] le système métrique est basé sur le système décima[…] 10 pieds égalent 3,05 mètres, 100 pieds égalent 30,[…]

pouces	mm
seizièmes	1 cm
	2 cm
1 po	3 cm
	4 cm
2 po	5 cm
	6 cm
	7 cm
3 po	8 cm
	9 cm
4 po	10 cm
	11 cm
	12 cm
5 po	13 cm
	14 cm
6 po	15 cm
	16 cm
	17 cm
7 po	18 cm
	19 cm
	20 cm

pouces	mm
8 po	21 cm
	22 cm
9 po	23 cm
	24 cm
	25 cm
10 po	26 cm
	27 cm
11 po	28 cm
	29 cm
	30 cm
12 po	31 cm
	32 cm
1 pi 1 po	33 cm
	34 cm
	35 cm
1 pi 2 po	36 cm
	37 cm
1 pi 3 po	38 cm
	39 cm
	40 cm

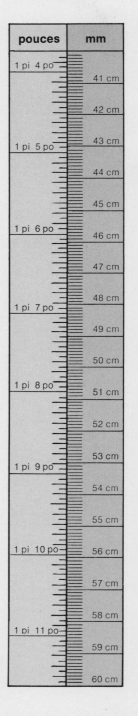

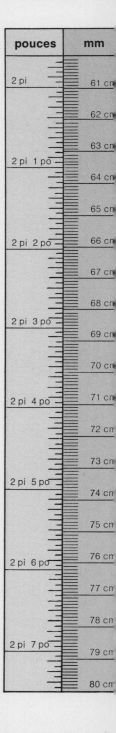